씨뮬이 제안하는 가장 효율적인 학습법!

온·오프 블렌디드 러닝 (on/off Blended Learning)

1 STEP ONE OFF-LINE

기출은 수능 대비의 기본!
기본에 가장 충실한 씨뮬로 실전연습하자

- 다양한 구성의 기출문제집으로 목표에 맞는 학습 가능
- 씨뮬 교재를 풀면 온라인에서 자동채점 & 성적분석 가능

2 STEP TWO ON-LINE

스터디센스 ⑤ STUDY SENSE

QR 찍고 회원가입 → 씨뮬 문제 풀기 → 자동채점 → 성적분석

- 내 등급컷과 취약 유형까지 완벽 분석
- AI 문제 추천으로 취약 유형을 한 번 더 학습
- 오답노트로 복습 또 복습해서 틀린 문제 정복하기

3 STEP THREE OFF-LINE

모의고사 맞춤제작 OneUP

'원하는 문제만 골라서 맞춤 교재'를 만들고 싶다면? OneUP

- 원하는 제본 형태로 제작 가능
- 학평, 모평, 수능, 종로 사설 모의고사 맞춤 제작

CONTENTS

고 2 ▶ 국어 — 문학

구 성 + 특 징

01

내신 대비 서브 노트

여러 문학 갈래의 개념과 특징을 체계적으로 정리한 학습 자료입니다. 문학 문제를 풀기 위한 배경지식을 쌓는 데 도움이 되며, 중간·기말고사를 대비할 수 있습니다. 서브 노트를 활용하여 시험 직전에 빠르게 개념을 익혀 봅시다.

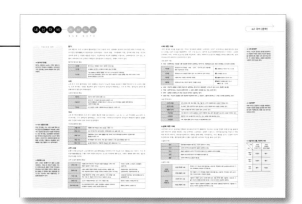

02

24일의 기적! 유형도 실전처럼

최신순으로 엄선한 약 6년간의 기출 문제를 24일 동안 공부할 수 있습니다. 하루 2~3지문 분량으로 압축적이고 효율적인 학습이 가능합니다. 각 지문마다 표시된 난이도와 소요 시간을 참고하여 문제를 풀고, 체크 박스로 간단한 채점까지 완벽하게 마무리할 수 있습니다.

03

출제 트렌드와 1등급 꿀팁

현대 소설, 현대시, 고전 산문, 고전 시가, 갈래 복합 분야의 최신 출제 경향과 문제를 푸는 팁을 제공합니다. 또한 각 갈래별 대표 기출 문제를 통해 출제의 핵심을 파악하고 빈출 문제 유형을 익힐 수 있습니다.

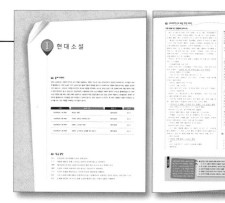

04

미니 Test

마지막 24일은 간단하게 미니 테스트를 할 수 있습니다. 23일간 문학 지문을 마스터한 후 화법과 작문, 문법, 독서(비문학)까지 빈틈없이 학습하여 모의고사에 대한 감을 잃지 않도록 합시다.

05

알차고 상세한 해설

출제 의도와 문항에 대한 자세한 분석을 통해 문제 해결의 핵심 내용을 정확하게 제시했습니다. 쉬운 문항은 명료하게 풀이하고, 어려운 문항은 '왜 많이 틀렸을까?' 코너를 통해 오답을 고르는 이유와 이를 대비하는 방법에 대해 상세하게 설명했습니다.

06

Big Event 1+3

교재를 구입하신 분들께 고1, 2, 3 한국사 · 사회탐구 · 과학탐구 과목 중에서 학년에 상관없이 원하는 세 과목의 최신 모의고사(과목별 4~12회 구성) PDF 파일을 메일로 보내 드립니다. 교재 표지 안쪽에 있는 'Big Event' 페이지의 설문지를 작성하여 골드교육 홈페이지에 올려 주세요.

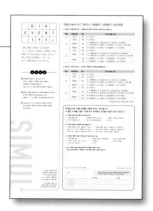

향가

신라 때부터 고려 초기까지 향유되었던 우리 고유의 시가. 신라에서 한자의 음과 뜻을 빌려 우리말을 적는 표기법인 향찰(鄕札)이 창안되면서 창작되었다. 주술적 내용, 극락왕생의 기원, 공덕에 대한 찬양, 임금과 신하의 관계 등 다양한 내용을 다룬다. 국문학사상 최초의 정형화된 서정시로, 소박하면서도 깊이 있는 표현이 나타나며 우리 문학의 주체성과 민족정신이 드러난다는 점에서 가치가 있다.

향가의 형식과 특징

4구체	향가의 초기 형태로, 민요가 정착된 것으로 봄.
8구체	4구체에서 발전된. 4구체와 10구체의 과도기적 형태
10구체	가장 정제되고 세련된 형태로 '4구–4구–2구'의 3장으로 이루어짐. 9구(낙구)의 첫머리에는 감탄사 '아으' 등이 사용되며 시상을 압축함. 이는 후대 시조와 가사의 형식에 영향을 준 것으로 봄.

시조

고려 후기 신진 세력이었던 신흥 사대부를 중심으로 유교적 이념을 표출하기 위해 만들어진 우리 고유의 정형시. 조선 전기에는 사대부 계층에서 점차 기녀들까지 작자층이 확대되었고, 조선 후기에는 평민층의 참여가 활발해지면서 향유층이 확대되었다.

시조의 형식과 특징

평시조	3장 6구 45자 내외의 정형 시조
사설시조	3장 중 두 구 이상이 평시조보다 길어진 시조 당시의 생활상과 서민들의 정서가 나타나고 남녀 간의 애정, 사회에 대한 풍자 등 다양한 주제를 다룸.
연시조	2수 이상의 시조를 나열하여 하나의 작품으로 구성한 시조

가사

고려 후기에 발생하여 조선 전기 사대부 계층에 의해 널리 향유된 3 · 4조 또는 4 · 4조 연속체의 교술 문학. 조선 전기에는 주로 양반층이 창작하였고, 조선 후기에는 서민과 부녀자들까지 작자층이 확대되며 형태가 장형화되어 수필에 가까운 장편 가사가 등장하였다.

가사의 종류와 특징

기행 가사	여행에 대한 여정과 견문, 감상을 기록한 가사
은일 가사	조선 전기에 주로 창작되었던. 자연에 묻혀 사는 삶을 다룬 가사
유배 가사	유배지에서 짓거나 유배 생활을 다룬 것으로, 자신의 무죄를 호소하거나 임금에 대한 충절을 드러낸 가사
내방 가사	부녀자들이 지은 것으로, 주로 봉건 사회에서 느끼는 삶의 애환을 다룬 가사
풍속 가사	농사를 권장하거나 전통적인 풍습에 대한 내용을 담은 가사

고전 소설

15세기 중엽 김시습의 '금오신화'부터 갑오개혁(1894) 이전까지 쓰인 인물과 사건, 배경을 갖춘 이야기. 주로 권선징악(勸善懲惡)을 주제로 하며 전통적 관습이나 유교적 가치관에 대한 옹호, 사회나 세태에 대한 비판, 영웅적 인물의 삶을 다룬다.

고전 소설의 종류와 특징

군담 소설	전쟁에 관한 이야기나 주인공의 영웅적 활동을 다루며 주로 영웅의 일대기 구성이 나타남.	박씨전, 임진록, 소대성전, 유충렬전, 조웅전 등
풍자 소설	사회나 세태, 인물의 문제와 모순을 비판하는 내용을 담음. 주로 위정자와 양반의 위선을 비판하고 해학과 골계가 두드러짐.	호질(박지원), 양반전(박지원), 심생전(이옥), 유광억전(이옥) 등
가정 소설	가정을 배경으로 가족들 사이의 갈등이나 가족 관계를 다룸. 주로 처첩 간, 계모와 전처의 자식 간 갈등이 나타남.	사씨남정기(김만중), 창선감의록(조성기), 장화홍련전 등
염정 소설	고난과 시련을 뛰어넘는 남녀 간의 사랑을 다룸.	운영전, 숙향전, 숙영낭자전 등
판소리계 소설	판소리를 통해 창작된 소설로, 양반층이 사용하던 한자어와 서민층이 사용하던 비속한 표현이 함께 쓰임.	춘향전, 흥부전, 심청전 등

시에 대한 이해

'시'란 정서와 사상을 운율이 있는 언어로 압축하여 표현하는 문학이다. 시인은 시적 화자를 통해 생각이나 정서를 드러내고 삶의 모습을 형상화한다. 시의 구성 요소로는 음악적 요소(일정하게 반복적으로 나타나는 소리의 규칙적인 가락), 의미적 요소(시를 통해 전달하려는 생각), 회화적 요소(감각적 체험을 언어를 통해 표현), 정서적 요소(시의 분위기나 심리적 반응)가 있다.

시의 표현 기법

● 비유 : 표현하려는 대상을 다른 대상에 빗대어 표현하는 방식으로, 원관념과 보조 관념 사이에는 유사성이 존재함.

직유법	원관념과 보조 관념을 '−처럼', '−같이', '−듯이'와 같은 연결어를 통해 직접적으로 나타냄.	예 구름에 달 가듯이 가는 나그네
은유법	원관념과 보조 관념을 연결어 없이 'A는 B이다'와 같이 나타냄.	예 내 마음은 호수요
의인법	사람이 아닌 대상을 사람처럼 표현함.	예 샘물이 혼자서 웃으며 간다
제유법	표현하고자 하는 대상의 일부로 전체를 나타냄.	예 빼앗긴 들에도 봄은 오는가 (빼앗긴 들 = 조국)

● 상징 : 추상적 내용을 구체적 대상으로 표현하는 방식으로, 원관념은 드러나지 않고 보조 관념만 제시됨.
● 역설 : 표면적으로는 모순된 표현이지만 그 속에 나름의 진리를 담고 있는 표현 방식
● 반어 : 실제로 표현하고자 하는 의도와 반대로 진술하는 방식
● 감정 이입 : 자신의 감정을 다른 대상에 이입하여 마치 그 대상이 그렇게 생각하고 느끼는 것처럼 표현하는 방식

시상 전개 방식

시간의 흐름	'과거−현재−미래', '봄−여름−가을−겨울' 등 시간의 흐름에 따라 시상을 전개하는 방식
공간의 이동	'위−아래', '왼쪽−오른쪽'과 같이 공간이나 시선의 이동에 따라 시상을 전개하는 방식
점층적 전개	시상이 전개될수록 의지나 감정이 점차 고조되는 방식
기승전결	'시상 제시(기)−시상의 심화(승)−시상의 전환(전)−중심 생각 제시(결)'의 순서로 시상을 전개하는 방식
선경후정	객관적인 외부 묘사를 먼저 보여 주고 정서 표현을 뒤에 제시하는 방식
수미상관	시의 처음과 끝에 같거나 비슷한 시구를 배치하는 방식

소설에 대한 이해

'소설'이란 작가가 상상력을 발휘하여 창조해 낸 허구의 세계이며, 인물이나 사건을 일정한 전개 방식을 통해 현실의 이야기인 것처럼 전달하는 산문 문학이다. 소설이라는 갈래의 특징으로는 허구성(상상력을 바탕으로 만들어진 허구의 이야기), 산문성(서술과 묘사, 대화를 통해 전개), 서사성(인물, 사건, 배경을 갖추고 일정한 시간의 흐름에 따라 전개), 개연성(현실에서 실제로 있음직한 사건이나 인물을 제시) 등이 있다.

소설의 단계

발단	등장인물과 배경이 제시되고 사건의 실마리가 나타남.
전개	사건이 본격적으로 펼쳐지며 갈등이 표면에 드러남.
위기	갈등이 심화되며 사건의 극적 반전이 일어나거나 새로운 사건이 발생함.
절정	갈등이 최고조에 이르며 사건 해결의 분기점이 됨.
결말	사건이 마무리되고 갈등이 해소됨.

소설의 시점

1인칭 (작품 안)	1인칭 주인공 시점	주인공 '나'가 자신의 이야기를 하는 시점으로, 주인공의 내면 심리를 효과적으로 그리며 독자에게 신뢰감과 친근감을 줌.
	1인칭 관찰자 시점	주변 인물인 '나'가 주인공을 관찰한 이야기를 하는 시점으로, 주인공의 내면 심리가 직접 드러나지 않아 긴장감이 형성됨.
3인칭 (작품 밖)	전지적 작가 시점	서술자가 인물의 심리나 사건에 대한 모든 것을 파악한 채로 서술하는 시점으로, 서술자 자신의 견해와 평가를 제시할 수 있으며 독자의 상상력이 제한됨.
	3인칭 관찰자 시점	서술자가 작품 밖 관찰자의 입장에서 눈에 보이는 상황만을 객관적으로 서술하는 시점으로, 독자의 상상력과 판단력이 요구됨.

★ 시적 화자란?

작가는 자신의 정서와 생각을 효과적으로 표현하기 위해 시에서 자신의 대리인을 내세우는데, 이를 '시적 화자'라고 한다. 즉 시에서 말하는 사람에 해당하며 '서정적 자아'라고도 한다.

★ 시상이란?

시에 드러난 감정이나 사상을 의미한다. 시인은 시상을 일정한 질서에 따라 짜임새 있게 구성하는데, 이를 시상 전개 방식이라고 한다.

★ 서술자와 인물, 독자의 거리

시점 거리	1인칭 주인공/ 전지적 작가	1인칭 관찰자/ 3인칭 관찰자
서술자 −인물	가깝다	멀다
서술자 −독자	가깝다	멀다
인물 −독자	멀다	가깝다

빠 른 ▶▶ 정 답

DAY 01 ⟫⟫

1 ③ 2 ③ 3 ④ 4 ④ 5 ②
6 ④ 7 ① 8 ③ 9 ① 10 ④
11 ③

DAY 02 ⟫⟫

1 ① 2 ① 3 ③ 4 ① 5 ②
6 ⑤ 7 ① 8 ⑤ 9 ① 10 ④
11 ① 12 ④

DAY 03 ⟫⟫

1 ① 2 ③ 3 ① 4 ③ 5 ②
6 ④ 7 ⑤ 8 ④ 9 ① 10 ④

DAY 04 ⟫⟫

1 ② 2 ② 3 ③ 4 ② 5 ②
6 ⑤ 7 ① 8 ⑤ 9 ④ 10 ③

DAY 05 ⟫⟫

1 ① 2 ① 3 ⑤ 4 ③ 5 ③
6 ② 7 ② 8 ④ 9 ③ 10 ④
11 ① 12 ⑤

DAY 06 ⟫⟫

1 ④ 2 ④ 3 ⑤ 4 ① 5 ④
6 ⑤ 7 ② 8 ③ 9 ③

DAY 07 ⟫⟫

1 ① 2 ⑤ 3 ③ 4 ⑤ 5 ④
6 ② 7 ① 8 ③ 9 ④ 10 ③

DAY 08 ⟫⟫

1 ③ 2 ⑤ 3 ⑤ 4 ② 5 ④
6 ⑤ 7 ⑤ 8 ③ 9 ④ 10 ②

DAY 09 ⟫⟫

1 ① 2 ④ 3 ⑤ 4 ① 5 ④
6 ③ 7 ② 8 ④ 9 ⑤

DAY 10 ⟫⟫

1 ① 2 ② 3 ③ 4 ② 5 ④
6 ④ 7 ⑤ 8 ② 9 ④ 10 ④

DAY 11 ⟫⟫

1 ③ 2 ② 3 ② 4 ④ 5 ②
6 ④ 7 ⑤ 8 ① 9 ① 10 ①
11 ③ 12 ①

DAY 12 ⟫⟫

1 ② 2 ④ 3 ① 4 ④ 5 ③
6 ④ 7 ② 8 ② 9 ② 10 ⑤
11 ④

DAY 13 ⟫⟫

1 ② 2 ⑤ 3 ② 4 ① 5 ⑤
6 ④ 7 ④ 8 ④ 9 ① 10 ②
11 ① 12 ①

DAY 14 ⟫⟫

1 ② 2 ⑤ 3 ③ 4 ④ 5 ①
6 ② 7 ② 8 ④ 9 ④ 10 ③
11 ②

DAY 15 ⟫⟫

1 ① 2 ⑤ 3 ③ 4 ⑤ 5 ①
6 ② 7 ③ 8 ③ 9 ② 10 ④
11 ①

DAY 16 ⟫⟫

1 ② 2 ⑤ 3 ③ 4 ⑤ 5 ①
6 ① 7 ⑤ 8 ⑤ 9 ② 10 ④
11 ⑤

DAY 17 ⟫⟫

1 ③ 2 ④ 3 ① 4 ⑤ 5 ④
6 ④ 7 ① 8 ⑤ 9 ① 10 ④
11 ⑤ 12 ③

DAY 18 ⟫⟫

1 ⑤ 2 ② 3 ① 4 ② 5 ④
6 ③ 7 ④ 8 ② 9 ⑤ 10 ④
11 ② 12 ③ 13 ②

DAY 19 ⟫⟫

1 ⑤ 2 ⑤ 3 ④ 4 ⑤ 5 ⑤
6 ③ 7 ② 8 ① 9 ④ 10 ⑤
11 ① 12 ②

DAY 20 ⟫⟫

1 ② 2 ② 3 ① 4 ③ 5 ④
6 ③ 7 ③ 8 ① 9 ④

DAY 21 ⟫⟫

1 ② 2 ③ 3 ③ 4 ① 5 ④
6 ① 7 ⑤ 8 ③ 9 ②

DAY 22 ⟫⟫

1 ① 2 ① 3 ⑤ 4 ② 5 ①
6 ② 7 ④ 8 ③ 9 ④ 10 ④

DAY 23 ⟫⟫

1 ③ 2 ⑤ 3 ② 4 ② 5 ①
6 ③ 7 ④ 8 ② 9 ⑤

DAY 24 ⟫⟫

1 ③ 2 ② 3 ③ 4 ③ 5 ⑤
6 ② 7 ① 8 ① 9 ④ 10 ①
11 ④ 12 ②

현대소설

• 고2 국어 문학 •

I 현대 소설

🖋 출제 트렌드

현대 소설에서는 유명한 작가의 낯선 작품이 출제되는 경향이 있는데, 특히 문학사적으로 중요한 위치에 있는 작가들은 여러 번 출제됩니다. 현대 소설은 고전 소설과 달리 출제 작품의 범위를 정하기가 어려우므로 작품에 대해 암기하는 방법은 효과적이지 않습니다. 그러므로 지문을 읽으면서 동시에 내용을 파악해야 하는데, 현대 소설은 다른 갈래에 비해 작품 해석이 어렵지 않은 편이라고 할 수 있습니다. 2022학년도 시험에서도 현대 소설 작품들은 대체로 평이한 난이도로 출제되었습니다. 현대 소설 지문을 읽을 때는 내용 이해는 물론이고 서술상의 특징, 등장인물의 심리, 중심 소재의 역할이나 의미를 묻는 문제가 빈번하게 출제되므로 이것들을 모두 파악할 수 있어야 합니다. 또한 서술자가 누구인지, 즉 어떤 시점에서 내용이 전개되고 있는지를 아는 것도 작품을 이해하는 데 도움이 됩니다.

시행	출제 지문	문제 수	난이도
2022학년도 11월 학평	염상섭, '효풍'	4문제 출제	★★☆
2022학년도 9월 학평	조세희, '잘못은 신에게도 있다'	4문제 출제	★★☆
2022학년도 6월 학평	김애란, '노찬성과 에반'	3문제 출제	★★☆
2022학년도 3월 학평	김주영, '고기잡이는 갈대를 꺾지 않는다'	4문제 출제	★★☆

🖋 1등급 꿀팁

하나 _ 등장인물들의 관계에 초점을 맞춰 읽자.

두울 _ 대화와 행동을 통해 드러나는 인물의 심리와 태도를 파악하자.

세엣 _ [앞부분의 줄거리], [중략 줄거리]를 대충 읽어 넘기지 말고 꼼꼼히 보자.

네엣 _ 소설의 시점과 서술자의 서술 방식은 기본적으로 파악하자.

다섯 _ 사건이 출제의 핵심이므로 사건의 흐름을 세심하게 이해하자.

여섯 _ 고전 소설에 비해 내용이 단편적이지 않고 입체적이며 복합적인 성격을 띤다는 점을 알아 두자.

일곱 _ 문제에 제시된 〈보기〉를 통해 소설의 배경이 되는 시대적 상황을 이해하자.

다음 글을 읽고 물음에 답하시오.

하루 또 하루가 갔다. 인간 시계로 이 년, 개들 시력(時歷)으로 십 년이 흘렀다. 찬성과 에반은 어느새 서로 가장 의지하는 존재가 됐다. 비록 움직임이 굼뜨고 귀가 어두웠지만 에반은 여느 개처럼 공놀이와 산책을 좋아했다. 찬성이 보푸라기 인 테니스공을 멀리 던지면 에반은 찬성의 눈앞에서 사라졌다 반드시 공과 함께 다시 나타났다. 무언가 제자리에 도로 갖고 오는 건 에반이 잘하는 일 중 하나였다. 찬성은 때로 에반이 자기에게 물어다 주는 게 공이 아닌 다른 것처럼 느껴졌다. 그리고 공인 동시에 공이 아닌 그 무언가가 자신을 변화시켰다는 걸 알았다. 그런데 에반이 요즘 좀 이상했다.

할머니는 밤 열 시 넘어 집에 들어왔다. 한 손에 검은 비닐봉지를 들고서였다.

—전자레인지에 돌려 먹어.

찬성이 봉지 안을 들여다봤다. 은박지 사이로 설탕 입힌 통감자가 보였다. ㉠찬성이 퇴근한 할머니 뒤를 졸졸 쫓았다.

—할머니, 에반이 좀 이상해.

—지금 안 먹을 거면 냉장고에 넣어 두든가.

할머니가 평소 휴대품을 넣고 다니는 손가방을 안방 바닥에 던지듯 내려놓았다.

—할머니, 에반이 밥을 안 먹어.

—늙어서 그래, 늙어서.

—있지, 내가 공을 던져도 움직이지 않아. 걷다 자주 주저앉고.

—늙어서 그렇다니까.

할머니는 모든 게 성가신 듯 팔을 휘저었다. 그러곤 끙 소리를 내며 바닥에 이부자리를 폈다.

—저거 봐, 저렇게 자기 다리를 자꾸 핥아. 하루 종일 저래. 아까는 내가 다리를 만졌더니 갑자기 나를 물려고 했어.

㉡할머니가 요 위에 누우려다 말고 상체를 들어 찬성을 봤다.

—아니, 진짜로 문 건 아니고 무는 시늉만 했어.

할머니가 눈을 감은 채 이마에 팔을 얹었다.

—할머니, 에반 데리고 병원 가 봐야 되는 거 아닐까?

—쓸데없는 소리 말고 가서 자. 사방에 불 켜 두지 말고.

할머니의 반팔 소매에 엷은 김칫국물이 묻어 있었다. 찬성이 할머니 옆에 앉지도 서지도 못한 채 주춤거렸다.

—할머니, 에반 병원 데려가야 할 것 같다고.

할머니가 버럭 소리를 질렀다.

—무슨 개를 병원에 데리고 가. 사람도 못 가는 걸. 그러니까 내가 개새끼 도로 갖다 놓으라 했어 안 했어? 할머니 화병 나기 전에 얼른 가서 자. 개장수한테 백구 팔아 버리기 전에. 얼른!

—백구 아니야!

㉢찬성이 전에 없이 큰소리를 냈다.

—뭐?

그러곤 이내 말끝을 흐리며 소심하게 답했다.

—에반이야.

[중간 부분의 줄거리] 에반을 데리고 동물 병원에 간 찬성은 고통받는 에반을 위해 할 수 있는 것이 안락사뿐이라는 생각을 한다. 찬성은 안락사 비용 십만 원을 모으기 위해 힘들게 전단지 아르바이트를 한다. 그러나 찬성은 이전에 할머니가 얻어온 휴대 전화의 유심칩을 사는 데 모은 돈의 일부를 쓰게 되고, 휴대 전화에 집중하느라 점차 에반과 보내는 시간이 줄어든다.

오랜 궁리 끝에 찬성이 지갑에서 동물 병원 명함을 꺼내 들었다. 상중(喪中)이라 주말까지 쉰다는 말이 생각났지만 찬성은 괜히 한번 병원 전화번호를 눌러 보았다.

'어쩌면 문을 열었을지도 몰라. 누가 받으면 뭐라고 하지?'

휴대 전화 너머로 익숙한 연결음이 들렸다. 찬성은 잘못한 것도 없는데 가슴이 뛰었다. ㉣몇 차례 긴 연결음이 이어졌지만 전화를 받는 사람은 없었다. 찬성은 동물 병원 쪽에서 전화를 받지 않았다는 사실에 다시 한번 이상한 안도를 느꼈다. 찬성이 지갑 안에 명함을 넣으며 남은 돈을 세어 보았다. 십만 삼천 원. 에반을 병원에 데려가기에 부족하지 않은 액수였다. 오늘만 지나면, 그러면 꼭…… 다짐하며 일어서는데 찬성 무릎 위의 휴대 전화가 아스팔트 보도 위로 툭 떨어졌다. 찬성이 창백해진 얼굴로 황급히 휴대 전화를 주워 들었다. 그러곤 실금 간 왼쪽 모서리부터 확인했다. 찬성이 거미줄 모양 실금에 손가락을 대고 천천히 문질렀다. 아주 고운 유리 가루 입자가 손끝에 묻어났다. 찬성의 눈동자가 심하게 흔들렸다.

㉤집으로 가는 길, 찬성은 한 손을 길게 뻗어 휴대 전화를 좌우로 틀며 햇빛에 비춰 봤다. 검은 액정 표면에 닿은 빛이 물에 뜬 기름처럼 매끈하게 일렁였다. 더불어 찬성의 가슴에도 작은 만족감이 일었다. 액정에 보호 필름을 붙이니 왠지 기계도 새것처럼 보이고, 모서리 쪽 상처도 눈에 덜 띄는 것 같았다. 스스로에게 조금 실망스러운 기분이 들었지만 '어쩔 수 없는' 상황이었다고 변명했다. 찬성은 '구경이나 해 볼 마음'으로 휴게소 전자용품 매장에 들렀다 액세서리 용품 진열대 앞에 한참 머물렀다. 그러곤 티끌 하나 없이 투명한 보호 필름을 만지며 자기도 모르게 "사흘……"하고 중얼댔다. 그러니까 사흘 정도는…… 에반이 기다려 주지 않을까 하고. 지금껏 잘 견뎌 준 것처럼. 더도 말고 딜도 말고 딱 사흘만 참아 주면 안 될까. 당장 가진 돈과 앞으로 모을 돈을 셈하는 사이 찬성은 어느새 계산대 앞에 서 있었다. 정신을 차리고 보니 지갑 안의 돈이 어느새 구만 오천 원으로 줄어 있었다.

— 김애란, 「노찬성과 에반」 —

35. 윗글의 서술상의 특징으로 가장 적절한 것은?

① 인물 간의 대화를 통해 갈등의 양상이 드러나고 있다.
② 두 사건을 병치하여 이야기의 흐름을 지연시키고 있다.
③ 공간적 배경을 묘사하여 시대적 상황을 구체화하고 있다.
④ 서술자를 교체하여 사건을 새로운 국면으로 전환하고 있다.
⑤ 과거와 현재를 교차하여 사건 전개에 입체감을 부여하고 있다.

현대 소설

7분 | 2022학년도 11월 학평 35~38번 | ★★☆ | 정답 002쪽

【1~4】 다음 글을 읽고 물음에 답하시오.

"그럼 어쩝니까? 모리*를 압니까? 글을 팔아 호구가 되겠습니까?"

사십이나 되어 보이는 주인은 기름때가 묻은 비행사 옷 같기도 하고 작업복 같은 것을 입고 고무신짝을 끌었다. 이때껏 부엌에서 빈대떡을 지지다가 내다보던 길에 알은체를 한 모양이다.

"빈대떡은 병문 친구 계급에서 해방이 되어 당신 같은 문화인 덕에 출세를 했으나 근대 조선의 신문화를 돼지비계에 지져 내서야 될 말요."

영감은 미소를 띠어 보이며 술잔을 들어 마신다. 영감은 이 사람의 호(號)가 남원(南園)이란 것은 머리에 떠오르는데 그 이름이 생각나지 않아서 자기의 건망증에 짜증이 날 지경이나 어쨌든 십여 년 전에 자력으로 잡지도 경영하고 **신진 작가로 이름을 날리**던 사람이다. 영감은 너무나 의외인 데에 어이가 없고 가엾은 생각이 났다. 잔을 비어 술을 권하니까 주인은 손을 내두르고 주전자를 들어 따라 주며,

"선생님이 이런 세상에 양식집 찻집을 내놓고 ㉠빈대떡집에 를 들어오실 줄은 몰랐습니다."

고 웃는다. 주인의 눈에는 미국 갔다 온 이 하이칼라 노신사가 빈대떡 접시를 앞에 놓고 앉았는 것이 가엾어 보였다.

"응! 내가 이렇게 영락하기나, 남원이 **붓대를 던지**고 녹두를 갈고 **지짐을 부치**기나 가엾긴 일반요마는 비프스틱이나 코코아 맛을 본 지도 벌써 퍽 오랬소."

영감은 아까는 다리를 쉬어 가려고 찻집을 찾아도 보았고, 또 해방 전후 한때는 식당이나 찻집 아니면 발을 들여놓지 않았지마는 근자는 발을 뚝 끊었다.

"그 왜 그러십니까?"

"왜 그러다니? 사시미가 싫듯이 비프스틱도 싫어졌고 사쿠라, 모찌가 싫듯이 초콜릿도 싫어졌구려!"

하고 김관식 영감은 커다랗게 껄껄 웃는다.

[중략 부분 줄거리] 해방 전에는 친일을 하다 해방 직후에는 우익 청년단을 이끄는 재산가 박종렬은 한 청년과 함께 김관식을 찾아온다.

"책두 인젠 그만 보고 차차 속계로 나와 보는 게 어떠신지? 이런 세상에 그래 책 볼 경황이 있더란 말요?"

박종렬 영감은 서고에나 들어온 것 같은 생각으로 주객 세 사람이 무릎을 맞대고 앉을 만한 틈만 남기고, 책으로 꽉 찬 방 안을 돌려다 본다. 이 영감은 김관식이를 융통성 없는 학구쟁이라고 대수롭게 여기지는 않으면서도 가끔 와서 이 ㉡서재에 들어와 앉으면 어쩐지 기가 눌리는 것을 깨닫는 것이다.

"이 세상이 어떤 세상인지는 모르겠으나 이런 세상이니 책이나 보고 들어앉았는 것 아닌가?"

주인은 냉소를 한다.

"@그래두 선생님 같으신 선배께서 제일선에 나오셔서 지도를 해 주셔야지요."

앞에 앉은 청년도 이런 소리를 하며 이름도 모를 양서며 한서가 그득 찬 사벽을 둘러본다. 두 주먹을 무릎에 짚고 어깨를 떡 뻐기고 완만스럽게 앉았기는 하나, 길길이 쌓인 책을 보고는 약간 경의를 표하는 말눈치다. 그러나 영감은 처음부터 안하무인인 그 태도가 아니꼬웁게 보여서 말대꾸도 아니 해 준다.

"실상은 영감을 서재에서 거리로 끌어내리려고 오늘 이렇게 온 건데 나서 보지 않으려나?"

청년이 덤덤히 앉았는 것을 보고 박종렬 영감이 한 마디 거든다.

"거리에야 늘 나가네. 오늘도 나가 보았지만 눈에 보이느니, 눈에 들어가느니 먼지뿐인데! **쓰레기통** 속을 헤매느니보다는 이 **한 칸 방**이 내게는 더없는 **선경**이거든!"

"그야 진세(塵世) 아닌가! ……자 그는 그러라 하고 오래간만에 나가 보지 않으려나? 쓰레기통 속 아닌 선경, 지상낙원을 구경시켜 줌세."

하고 박 영감은 술을 먹으러 가자고 권한다.

"그만두겠네. 지금 오다가 다리가 하두 아프기에 빈대떡집에 들어가서 술 석 잔을 마시고 보니 내 세상인 게 있는 듯싶데."

"하하하 영감두 인제는 늙었군! 빈대떡집에 들어가다니."

박종렬 영감의 눈에는 늙은 친구가 가엾어 보였다.

"아닌 게 아니라 나 역시 처음에는 좀 군색스런 생각도 들데마는 꽃 같은 색시를 데린 청년이 요기를 하고 앉았고 양복 신사가 열좌한 것을 보니 조선 사람 정도에 꼭 알맞은 그릴이요 사교장이라고 하겠데."

"ⓑ그두 그렇죠."

마주 앉았던 청년은 노인네들 객담만 언제까지 듣고 있을 수 없어서 한 마디 장단을 맞추고 얼른 자기의 용건을 꺼낸다.

"오늘 이렇게 뵈러 온 것은 다름 아니라, 제가 무슨 사업을 하나 시작하려는데 좀 도와주십사고 하는 것인데요……."

"무슨 사업을 하시는지? 나 같은 사람의 힘까지 빌어야 한다는 걸 보니 신통치 않은 사업이겠구려."

"ⓒ아니올시다. 신통한 일이기에 선생님께서 출마하여 주십사는 것 아닙니까?"

청년은 이 영감의 말이 겸사 비슷하면서도 자기를 홀뿌리고 면박한 것이 불쾌하건마는 지긋이 참았다.

"출마라니 아직 UN단도 오기 전에 입후보를 하란 말요?"

"영감 입후보할 야심은 있는 게로구려? 그러면 됐소!"

옆에서 빙긋이 웃고만 있던 박종렬 영감이, 무에 되었다는지 말을 가로막으며 나선다.

"별 게 아니라, 이번에 ××당 성북지구분회가 조직되는데, 이 사람이 회장의 물망에 올랐으나 될 수 있으면 영감이 나와 주었으면 좋겠다는 물론인데 나가보구려."

알고 보니 가당치도 않은 의논이다.

"온 **당치 않은 소리**! 어느 당이고 간에 **나 같은 사람**이 **정당**에 무슨 아랑곳이 있단 말요?"

주인 영감은 못 들을 소리나 들은 듯이 펄쩍 뛰었다.

"ⓓ분회장이 싫으시면 고문도 좋습니다."

이 청년은 지금 ××청년단장으로 활동하기 때문에 대단히 바빠서 분회장을 겸무할 수 없기에 김관식 영감에게 사양을 하자는 것이나 정 못하겠거든 고문으로라도 이름을 걸어 달라는 것이다. 그것도 물론 성북 지구에서 살고 있으니 이러한 청을 하는 것이라 한다.

"내게는 과분한 천망이나 나는 원체 정치를 모르고 그런 데 취미가 없는 사람이니까 다시는 말씀도 마슈."

김관식 영감은 이러한 이야기는 두 번도 듣기 싫었다. 그는 고사하고 이 청년이 초면에 왜 그리 주짜를 빼고 자기를 위협이나 하러 온 듯싶이 버티나 하였더니 청년단장이란 말에 인제야 알겠다고 속으로 코웃음을 쳤다.

"갑갑한 방 속에 들어앉았으니 소일 삼아 나가보게그려. 사람은

정치적 동물이라지 않나. **정치 운동하는 사람이 따루 있던가?"**

박종렬 영감이 **또 권해** 본다.

"이 방이 영감 눈에는 갑갑해 보이겠지만 내게는 선경이라니까! 죽은 뒤의 명정감도 소용없고 술 석 잔과 이 방 한 간이면 부족할 게 없어! 허허허."

"그렇게 말씀하면 너무나 퇴영적 퇴패적이 아닙니까? ⓔ 삼천만이 모두 선생 같은 생각이면야 큰일 아닙니까?"

청년이 쇠하여 보인다.

"응, 퇴패, 퇴영은 안 되겠지만 석 잔 술과 한 간 방에 숨으려는 것을 퇴패, 퇴영이라면, 서른 잔 술과 열 간 방에 향락과 권세를 차지해 보겠다는 것은 구국애민의 정치도(政治道)란 거랍디까?"

– 염상섭, 「효풍」 –

* 모리: 도덕과 의리는 생각하지 않고 오직 부정한 이익만을 꾀함.

1. 윗글에 대한 설명으로 가장 적절한 것은?

① 장면에 따라 달라지는 서술자가 사건을 여러 각도에서 조명하고 있다.

② 외부 이야기의 서술자가 자신이 겪은 내부 이야기의 의미를 밝히고 있다.

③ 이야기 밖의 서술자가 등장인물이 특정한 말과 행동을 하는 이유를 설명하고 있다.

④ 서술자가 서술의 초점이 되는 특정 인물의 시선으로 사건을 관찰하여 전달하고 있다.

⑤ 등장인물로 설정된 서술자가 자신의 관점에서 다른 인물들에 대한 견해를 제시하고 있다.

2. '김관식'을 중심으로 ㉠과 ㉡을 이해한 내용으로 가장 적절한 것은?

① ㉠은 자신의 의지를 관철하는 공간이고, ㉡은 타인의 입장에 공감하는 공간이다.

② ㉠은 경제적인 피해를 회복하는 공간이고, ㉡은 정신적인 상처를 치유하는 공간이다.

③ ㉠은 유사한 처지의 타인에게 동정을 받는 공간이고, ㉡은 상반된 처지의 타인에게 제안을 받는 공간이다.

④ ㉠과 ㉡ 모두 개인적인 문제에 대한 조언을 구하는 공간이다.

⑤ ㉠과 ㉡ 모두 자신의 상황을 설명하며 타인의 환심을 사려는 공간이다.

3. ⓐ ~ ⓔ에 대한 설명으로 적절하지 <u>않은</u> 것은?

① ⓐ: 상대를 평가하는 말을 담아 상대를 설득하고자 하는 의도가 담겨 있다.

② ⓑ: 상대를 찾아온 목적을 달성하기 위해 자신이 원하는 화제로 전환하려는 의도가 담겨 있다.

③ ⓒ: 상대의 부정적인 반응에 대한 감정을 누르고 상대의 생각을 반박하려는 심리가 담겨 있다.

④ ⓓ: 상대의 반응을 보고 상대에게 더 많은 것을 기대할 수 있다는 심리가 담겨 있다.

⑤ ⓔ: 상대와 동일한 생각을 가진 사람들이 많을 경우를 가정하여 상대의 가치관을 비판하고자 하는 의도가 담겨 있다.

4. <보기>를 바탕으로 윗글을 감상한 내용으로 적절하지 <u>않은</u> 것은? [3점]

〈 보 기 〉

이 작품은 해방 직후의 혼란한 사회를 사는 인물들의 다양한 현실 대응 방식을 보여 준다. 부도덕한 인물들이 득세하는 현실 속에서 양심을 지키기 위해 노력하는 인물들은 기존의 삶의 방식을 바꾸거나 의도적으로 은둔자적인 삶을 살지만, 자신의 처지에 자괴감을 느끼기도 한다. 반면, 혼탁한 현실을 기회로 여겨 사회 변화에 기민하게 대응하는 인물들은 자신의 이익을 위해 세력을 규합하려 노력한다.

① '신진 작가로 이름을 날리'며 활약하다 '붓대를 던지'고 '지짐을 부치'는 모습에서 기존의 삶의 방식을 바꾼 인물의 상황을 확인할 수 있군.

② '선경'과 '쓰레기통'에 빗대어 '한 칸 방'의 안과 밖에 대한 생각을 말하는 모습에서 인물이 의도적으로 은둔자적 삶을 사는 이유를 확인할 수 있군.

③ 'UN단도 오기 전'에 '××당 성북지구분회'를 조직하려는 모습에서 사회 변화에 기민하게 대응하는 인물들의 면모를 확인할 수 있군.

④ '나 같은 사람'은 '정당'에 참여하는 것이 '당치 않'다고 말하는 모습에서 초라한 자신의 처지에 자괴감을 느끼는 인물의 심리를 확인할 수 있군.

⑤ '정치 운동하는 사람'이 따로 있냐며 함께 할 것을 '또 권해'보는 모습에서 자신의 이익을 위해 세력을 규합하려는 의도를 확인할 수 있군.

【5~8】 다음 글을 읽고 물음에 답하시오.

나는 아주 단순한 세상을 그렸다. 아버지가 꿈꾼 세상보다도 단순했다. **달에 가서 천문대 일을 보겠다는** 것이 아버지의 꿈이었다. 그 꿈을 이루었다면 아버지는 오십 억 광년 저쪽에 있다는 머리카락좌의 성운을 볼 수 있을 것이다. 그러나 불쌍한 아버지는 아무것도 이루지 못하고 돌아갔다. 몸은 화장터에서 반 줌의 재로 분해되고, 영호와 나는 물가에 서서 어머니가 뿌려 넣는 재를 보며 울었다. 난장이 아버지가 무기물로 없어져 버리는 순간이었다. ⓐ아버지는 생명을 갖는 순간부터 고생을 했다. 아버지의 몸이 작았다고 생명의 양까지 작았을 리는 없다. 아버지는 몸보다 컸던 고통을 죽어서 벗었다. 아버지는 자식들을 잘 먹일 수 없었다. 학교에도 제대로 보낼 수 없었다. ⓑ우리 집에 새것이라고는 아무것도 없었다. 충분한 영양을 섭취해 본 적도 없었다. 영양 부족으로 일어나는 이상 증세를 우리는 경험했다. 아버지는 열심히 일했다. 열심히 일하고도 인간다운 생활을 할 권리를 잃었다. 그래서 말년의 아버지는 자기 시대에 대해 앙심을 품고 있었다. 아버지 시대의 여러 특성 중의 하나가 권리는 인정하지 않고 의무만 강요하는 것이었다. 아버지는 경제·사회적 생존권을 찾아 상처를 아물리지 못하고 벽돌 공장 굴뚝에서 떨어졌다.

그러나, 아버지는 따뜻한 사람이었다. 아버지는 사랑에 기대를 걸었다. **아버지가 꿈꾼 세상**은 모두에게 할 일을 주고, 일한 대가로 먹고 입고, 누구나 다 자식을 공부시키며 이웃을 사랑하는 세계였다. 그 세계의 지배 계층은 호화로운 생활을 하지 않을 것이라고 아버지는 말했었다. 인간이 갖는 고통에 대해 그들도 알 권리가 있기 때문이라는 것이었다. 그곳에서는 아무도 호화로운 생활을 하려고 하지 않을 것이다. 지나친 부의 축적을 사랑의 상실로 공인하고, 사랑을 갖지 않은 사람네 집에 내리는 햇빛을 가려 버리고, 바람도 막아 버리고, 전깃줄도 잘라 버리고, 수도선도 끊어 버린다. ⓒ그런 집 뜰에서는 꽃나무가 자라지 못한다. 날아들 갈 벌도 없다. 나비도 없다. 아버지가 꿈꾼 세상에서 강요되는 것은 사랑이다. 사랑으로 일하고 사랑으로 자식을 키운다. 사랑으로 비를 내리게 하고, 사랑으로 평형을 이루고, 사랑으로 바람을 불러 작은 미나리아재비 꽃줄기에까지 머물게 한다. 그러나 아버지가 그린 세상도 이상 사회는 아니었다. 사랑을 갖지 않은 사람을 벌하기 위해 법을 제정해야 한다는 것이 문제였다. 법을 가져야 한다면 이 세계와 다를 것이 없다. 내가 그린 세상에서는 누구나 자유로운 이성에 의해 살아갈 수 있다. ㉠나는 아버지가 꿈꾼 세상에서 법률 제정이라는 공식을 빼 버렸다. 교육의 수단을 이용해 **누구나 고귀한 사랑을 갖도록 한다**는 것이 나의 생각이었다.

(중략)

근로자 1 : "아녜요. 궁금해서 모여 서 있는 거예요. 설혹 무슨 일이 일어난다고 해도 저희들은 하나를 잘못하게 되는 겁니다. 그러나 사용자는 달라요. ⓓ저희가 어쩌다 하나인데 비해 사용자는 날마다 열 조항의 법을 어기고 있습니다."

사용자 1 : "문을 닫으세요."

사용자 2 : "양쪽 문을 다 닫으십시오. 얘들을 내보내면 안 돼요."

아버지 : "영수를 당분간 내보내지 말아요."

어머니 : "네."

영 회 : "큰오빠가 뭘 잘못했어? 잘못한 건 그 집 아이야."

아버지 : "그 아이가 뭘 잘못했니?"

영 회 : "아버지를 난장이라고 놀려댔어."

아버지 : "그 아이는 돌멩이를 던져 우리 집 창문을 깨뜨리지 않았다. 그 아이에겐 잘못이 없어. 아버지는 난장이다."

그래서, 나는 사흘 동안이나 밖에 나가 놀 수 없었다. 나는 어머니의 실패에서 바느질 바늘을 빼어 낚싯바늘을 만들었다. 불에 달구어 끝을 정확히 꼬부려 만들었다. 실을 두 겹으로 꼬아 초를 먹이고 그 끝에 바늘을 달았다. 어머니가 나가 놀아도 좋다고 한 날 나는 뒷산으로 달려 올라갔다. 긴 싸리나무를 꺾어다 낚싯대를 만들었다. 그해에도 가뭄이 들었다. 아버지는 날마다 펌프일을 나갔다. 방죽물도 바짝 줄었다. 나는 방죽 중간쯤에 들어가 낚시질을 했다. 내가 낚아 올린 붕어는 벽돌 공장 굴뚝 그림자 속에서 팔딱팔딱 뛰었다. 아버지가 당신의 입으로 난장이라고 한 말을 나는 그래서 꼭 한 번 들었다. 어머니는 **펌프가에 앉아 보리쌀을 씻다 말고 부엌으로 들어갔다.** 나에게 무슨 일이 있었다면 어머니까지 돌아갔을 것이다. 나는 그날 밤 늦게 집으로 돌아갔다. ⓔ은강 전체가 저기압권에 들어 숨을 쉬기가 아주 어려운 밤이었다. 어머니는 꼼짝도 않고 앉아 있었다. 먼저 영이에 대해 묻고 영희를 물었다. 어머니는 영희에게 했던 것처럼 영이에게 여자가 가져야 할 가족과 가정에 대한 전통적 의무가 어떤 것인지 이야기하고 싶어 했다. 영이가 얼마 동안 고생을 하게 될지 나는 알 수 없었다. 영이의 흰 원피스는 그날로 더러워졌다. 영희는 하룻밤 두 낮의 단식과 구호, 그리고 근로자의 노래만 부르면 되었다. 나는 혼자 돌아왔다. 나는 그날 밤 아버지가 그린 세상을 다시 생각했다. **아버지가 그린 세상**에서는 지나친 부의 축적을 사랑의 상실로 공인하고, 사랑을 갖지 않은 사람 집에 내리는 햇빛을 가려 버리고, 전깃줄도 잘라 버리고, 수도선도 끊어 버린다. 그 세상 사람들은 사랑으로 일하고, 사랑으로 자식을 키운다. 비도 사랑으로 내리게 하고, 사랑으로 평형을 이루고, 사랑으로 바람을 불러 작은 미나리아재비 꽃줄기에까지 머물게 한다. 아버지는 사랑을 갖지 않은 사람을 벌하기 위해 법을 제정해야 한다고 믿었다. 나는 그것이 못마땅했었다. 그러나 그날 밤 ㉡나는 나의 생각을 수정하기로 했다. 아버지가 옳았다.

모두 잘못을 저지르고 있었다. 예외란 있을 수 없었다. 은강에서는 신도 예외가 아니었다.

- 조세희, 「잘못은 신에게도 있다」 -

5. 윗글에 대한 이해로 적절하지 <u>않은</u> 것은?

① 아버지는 의무만을 강요하는 시대에 불만을 품은 채 말년을 보냈다.

② 아버지는 자신이 난장이임을 나에게 자주 말하며 현실이 준 상처를 드러내곤 했다.

③ 어머니는 영이에게 가족에 대한 전통적 의무에 대해 말하고 싶어 했다.

④ 나는 아버지를 놀린 아이와 관련된 일로 사흘 동안 밖에 나가 놀지 못했다.

⑤ 영희는 나에게는 잘못이 없고 아버지를 놀린 아이에게 잘못이 있다고 생각했다.

6. ⓐ~ⓔ에 대한 이해로 적절하지 <u>않은</u> 것은?

① ⓐ는 아버지가 난장이로 태어나 고통을 겪었음을 드러내고 있다.

② ⓑ는 아버지가 성실히 살았음에도 인간다운 생활을 할 수 없었던 난장이 가족의 삶을 보여 주고 있다.

③ ⓒ는 아버지가 꿈꾸는 세상에서 지나치게 부를 축적해 벌을 받게 될 사람들이 사는 집의 모습을 보여 주고 있다.

④ ⓓ는 근로자와 사용자의 잘못을 비교하여 잘못의 원인이 근로자에게 있음을 드러내고 있다.

⑤ ⓔ는 은강의 기상 상태를 통해 인물이 느끼는 심리적 압박감을 드러내고 있다.

7. ㉠과 ㉡에 대한 이해로 가장 적절한 것은?

① ㉠과 ㉡은 모두 사랑을 기반으로 한 세상을 바라고 있다.

② ㉠과 ㉡은 모두 교육을 통해 자신이 꿈꾼 세상을 이루려 한다.

③ ㉠과 ㉡은 모두 법률을 제정하여 사람들이 사랑을 지키도록 하려 한다.

④ ㉠은 ㉡과 달리 자신의 생각을 바꾸고 아버지의 생각을 따르려 한다.

⑤ ㉡은 ㉠과 달리 사람들의 자유로운 이성에 대한 믿음을 지니고 있다.

8. <보기>를 바탕으로 윗글을 감상한 내용으로 적절하지 <u>않은</u> 것은? [3점]

――――――< 보 기 >――――――
이 작품에서는 시간적으로 거리가 먼 사건들이 하나의 단락 안에서 명확히 구분되지 않고 시제가 구별되지 않은 채 서술된다. 또한 서로 다른 공간에서 벌어지는 사건들이 유사한 장면으로 연결되기도 한다. 이러한 서술 방식들은 작품에 대한 독자의 이해를 지연시켜 독자로 하여금 사건의 이면에 숨겨진 의미를 파악하도록 노력하게 한다. 한편 이 작품은 주제 의식을 효과적으로 전달하기 위해 단어나 구절 등을 반복하거나 다른 갈래의 형식을 삽입하기도 하고, 비현실적 세계와 현실적 세계를 연결하기도 한다.

① '아버지가 꿈꾼 세상'의 모습이 '아버지가 그린 세상'의 모습에서 반복되어 서술되는데, 이는 인물이 바라는 이상적인 사회의 모습을 강조하는 것으로 볼 수 있겠군.

② 근로자와 사용자의 대화 장면과 우리 가족의 대화 장면은 극의 형식으로 서술되고 있는데, 이는 다른 갈래의 형식을 삽입하여 작품의 주제 의식을 전달하는 것으로 볼 수 있겠군.

③ '달에 가서 천문대 일을 보겠다'는 비현실적인 꿈을 '누구나 고귀한 사랑을 갖도록 한다'는 실현 가능한 꿈과 관련지은 것은, 현실에서 실현된 이상 세계를 보여 주어 주제 의식을 드러낸 것으로 볼 수 있겠군.

④ '애들을 내보내면 안 돼요.'라는 사용자의 말과 '영수를 당분간 내보내지 말아요.'라는 아버지의 말을 연결한 것은, 서로 다른 공간에서 벌어지는 두 사건이 유사한 장면으로 연결되는 것으로 볼 수 있겠군.

⑤ 어머니가 '펌프가에 앉아 보리쌀을 씻다 말고 부엌으로 들어'가는 장면은 시간적으로 거리가 먼 두 사건 사이에 명확한 시간 구분 없이 삽입되어 해당 부분에 대한 독자의 이해를 지연시킬 수 있다고 볼 수 있겠군.

【9~11】 다음 글을 읽고 물음에 답하시오.

하루 또 하루가 갔다. 인간 시계로 이 년, 개들 시력(時歷)으로 십 년이 흘렀다. 찬성과 에반은 어느새 서로 가장 의지하는 존재가 됐다. 비록 움직임이 굼뜨고 귀가 어두웠지만 에반은 여느 개처럼 공놀이와 산책을 좋아했다. 찬성이 보푸라기 인 테니스공을 멀리 던지면 에반은 찬성의 눈앞에서 사라졌다 반드시 공과 함께 다시 나타났다. 무언가 제자리에 도로 갖고 오는 건 에반이 잘하는 일 중 하나였다. 찬성은 때로 에반이 자기에게 물어다 주는 게 공이 아닌 다른 것처럼 느껴졌다. 그리고 공인 동시에 공이 아닌 그 무언가가 자신을 변화시켰다는 걸 알았다. 그런데 에반이 요즘 좀 이상했다.

할머니는 밤 열 시 넘어 집에 들어왔다. 한 손에 검은 비닐봉지를 들고서였다.

―전자레인지에 돌려 먹어.

찬성이 봉지 안을 들여다봤다. 은박지 사이로 설탕 입힌 통감자가 보였다. ㉠찬성이 퇴근한 할머니 뒤를 졸졸 쫓았다.

―할머니, 에반이 좀 이상해.

―지금 안 먹을 거면 냉장고에 넣어 두든가.

할머니가 평소 휴대품을 넣고 다니는 손가방을 안방 바닥에 던지듯 내려놓았다.

―할머니, 에반이 밥을 안 먹어.

―늙어서 그래, 늙어서.

―있지, 내가 공을 던져도 움직이지 않아. 걷다 자주 주저앉고.

―늙어서 그렇다니까.

할머니는 모든 게 성가신 듯 팔을 휘저었다. 그러곤 끙 소리를 내며 바닥에 이부자리를 폈다.

―저거 봐, 저렇게 자기 다리를 자꾸 핥아. 하루 종일 저래. 아까는 내가 다리를 만졌더니 갑자기 나를 물려고 했어.

㉡할머니가 요 위에 누우려다 말고 상체를 들어 찬성을 봤다.

―아니, 진짜로 문 건 아니고 무는 시늉만 했어.

할머니가 눈을 감은 채 이마에 팔을 얹었다.

―할머니, 에반 데리고 병원 가 봐야 되는 거 아닐까?

―쓸데없는 소리 말고 가서 자. 사방에 불 켜 두지 말고.

할머니의 반팔 소매에 엷은 김칫국물이 묻어 있었다. 찬성이 할머니 옆에 앉지도 서지도 못한 채 주춤거렸다.

―할머니, 에반 병원 데려가야 할 것 같다고.

할머니가 버럭 소리를 질렀다.

―무슨 개를 병원에 데리고 가. 사람도 못 가는 걸. 그러니까 내가 개새끼 도로 갖다 놓으라 했어 안 했어? 할머니 화병 나기 전에 얼른 가서 자. 개장수한테 백구 팔아 버리기 전에. 얼른!

―백구 아니야!

㉢찬성이 전에 없이 큰소리를 냈다.

―뭐?

그러곤 이내 말끝을 흐리며 소심하게 답했다.

―에반이야.

[중간 부분의 줄거리] 에반을 데리고 동물 병원에 간 찬성은 고통받는 에반을 위해 할 수 있는 것이 안락사뿐이라는 생각을 한다. 찬성은 안락사 비용 십만 원을 모으기 위해 힘들게 전단지 아르바이트를 한다. 그러나 찬성은 이전에 할머니가 얻어온 휴대 전화의 유심칩을 사는 데 모은 돈의 일부를 쓰게 되고, 휴대 전화에 집중하느라 점차 에반과 보내는 시간이 줄어든다.

오랜 궁리 끝에 찬성이 지갑에서 동물 병원 명함을 꺼내 들었다. 상중(喪中)이라 주말까지 쉰다는 말이 생각났지만 찬성은 괜히 한번 병원 전화번호를 눌러 보았다.

'어쩌면 문을 열었을지도 몰라. 누가 받으면 뭐라고 하지?'

휴대 전화 너머로 익숙한 연결음이 들렸다. 찬성은 잘못한 것도 없는데 가슴이 뛰었다. ㉣몇 차례 긴 연결음이 이어졌지만 전화를 받는 사람은 없었다. 찬성은 동물 병원 쪽에서 전화를 받지 않았다는 사실에 다시 한번 이상한 안도를 느꼈다. 찬성이 지갑 안에 명함을 넣으며 남은 돈을 세어 보았다. 십만 삼천 원. 에반을 병원에 데려가기에 부족하지 않은 액수였다. 오늘만 지나면, 그러면 꼭…… 다짐하며 일어서는데 찬성 무릎 위의 휴대 전화가 아스팔트 보도 위로 툭 떨어졌다. 찬성이 창백해진 얼굴로 황급히 휴대 전화를 주워 들었다. 그러곤 실금 간 왼쪽 모서리부터 확인했다. 찬성이 거미줄 모양 실금에 손가락을 대고 천천히 문질렀다. 아주 고운 유리 가루 입자가 손끝에 묻어났다. 찬성의 눈동자가 심하게 흔들렸다.

㉤집으로 가는 길, 찬성은 한 손을 길게 뻗어 휴대 전화를 좌우로 틀며 햇빛에 비춰 봤다. 검은 액정 표면에 닿은 빛이 물에 뜬 기름처럼 매끈하게 일렁였다. 더불어 찬성의 가슴에도 작은 만족감이 일었다. 액정에 보호 필름을 붙이니 왠지 기계도 새것처럼 보이고, 모서리 쪽 상처도 눈에 덜 띄는 것 같았다. 스스로에게 조금 실망스러운 기분이 들었지만 '어쩔 수 없는' 상황이었다고 변명했다. 찬성은 '구경이나 해 볼 마음'으로 휴게소 전자 용품 매장에 들렀다 액세서리 용품 진열대 앞에 한참 머물렀다. 그러곤 티끌 하나 없이 투명한 보호 필름을 만지며 자기도 모르게 "사흘……."하고 중얼댔다. 그러니까 사흘 정도는…… 에반이 기다려 주지 않을까 하고. 지금껏 잘 견뎌 준 것처럼. 더도 말고 덜도 말고 딱 사흘만 참아 주면 안 될까. 당장 가진 돈과 앞으로 모을 돈을 셈하는 사이 찬성은 어느새 계산대 앞에 서 있었다. 정신을 차리고 보니 지갑 안의 돈이 어느새 구만 오천 원으로 줄어 있었다.

– 김애란, 「노찬성과 에반」 –

9. 윗글의 서술상의 특징으로 가장 적절한 것은?

① 인물 간의 대화를 통해 갈등의 양상이 드러나고 있다.
② 두 사건을 병치하여 이야기의 흐름을 지연시키고 있다.
③ 공간적 배경을 묘사하여 시대적 상황을 구체화하고 있다.
④ 서술자를 교체하여 사건을 새로운 국면으로 전환하고 있다.
⑤ 과거와 현재를 교차하여 사건 전개에 입체감을 부여하고 있다.

10. ㉠~㉤에 대한 이해로 적절하지 않은 것은?

① ㉠: 할머니를 자꾸 따라다니는 모습으로, 할머니에게 할 이야기가 있음을 드러내고 있다.
② ㉡: 찬성이 물리지는 않았는지 확인하려는 모습으로, 찬성을 염려하고 있음을 드러내고 있다.
③ ㉢: 평소와 다른 찬성의 모습으로, 에반이 찬성에게 특별한 의미를 가진 존재임을 드러내고 있다.
④ ㉣: 동물 병원에 전화를 건 모습으로, 동물 병원이 쉰다는 사실을 모르고 있음을 드러내고 있다.
⑤ ㉤: 휴대 전화를 살피는 모습으로, 상처 난 부분이 잘 가려졌는지 확인하려는 의도를 드러내고 있다.

11. <보기>를 바탕으로 윗글을 감상한 내용으로 적절하지 않은 것은? [3점]

> ─────< 보 기 >─────
> 이 작품은 초등학생 찬성이 유기견을 키우며 겪는 일들을 보여 준다. 에반에게 친밀감과 책임감을 느끼던 찬성은 갖고 싶었던 물건이 생긴 후, 보호자로서의 역할에 점차 소홀해진다. 자신의 행동에 실망감을 느끼기도 하지만 곧 이를 합리화하는 찬성을 통해 '책임'의 의미를 생각해 보게 한다.

① 에반과 공놀이를 하는 찬성의 모습은 찬성과 에반이 친밀감을 느끼는 것을 드러내는군.
② 아픈 에반을 병원에 데려가고자 하는 모습은 찬성이 에반에 대한 책임감을 느끼고 있음을 드러내는군.
③ 땅에 떨어진 휴대 전화를 보며 찬성의 눈동자가 흔들리는 모습은 그것을 갖고 싶어 한 자신에게 실망감을 느꼈음을 드러내는군.
④ 에반을 위해 모은 돈으로 휴대 전화의 보호 필름을 사는 것은 찬성이 보호자로서의 역할에 점차 소홀해지고 있음을 드러내는군.
⑤ 액세서리 용품 진열대 앞에서 사흘 정도는 에반이 기다려 주리라 생각하는 것은 찬성이 자신의 행동을 합리화하고 있음을 드러내는군.

총 문항				문항		맞은 문항			문항
개별 문항	1	2	3	4	5	6	7	8	9	10
채점									
개별 문항	11	12	13	14	15	16	17	18	19	20
채점									

7분 | 2022학년도 3월 학평 26~29번 | ★★☆ | 정답 004쪽

[1~4] 다음 글을 읽고 물음에 답하시오.

적어도 그 다락 속에는 어머니의 은밀한 움직임에 명분을 줄 만한 물건들을 찾아볼 수 없었다. 그러나 나는 곧 그것을 발견했고 해답도 얻어 낼 수 있었다. 그것은 무심코 지독*의 뚜껑을 열어 봤을 때였다. 지독의 뚜껑을 열어제치는 순간, 나는 굳어 버린 듯 그 자리에서 꼼짝할 수 없었다. 나는 못 볼 것을 본 것처럼 소스라쳐 지독의 뚜껑을 닫고 문 쪽으로 기어 나갔다. 이불이 깔려 있는 방은 조용했고 툇마루에서는 옹알이를 하고 있는 아우의 기척이 들려 왔다. 나는 다시 안쪽으로 들어가서 지독의 뚜껑을 벗겼다. 놀랍게도 그 지독엔 가녘까지 넘쳐 내릴 것 같은 곡식이 가득 채워져 있었다. 그것은 도정까지 마친 하얀 멥쌀이었고 옆에 있는 지독엔 보리쌀이 반 넘어나 채워져 있었다. 채워 놓은 곡식에서 풍기는 특유의 비릿한 누린내가 코로 스며들었다. 문득 지독 속으로 손을 집어넣고 싶은 충동을 느꼈다. 그러나 그럴 수 없었다. 평두가 되게 손등으로 꼭꼭 다져 놓은 곡식 사래 위에는 ⊙다섯 손가락의 형용이 너무나 선명한 손도장이 찍혀 있었기 때문이었다. 다식판에 요형(凹形)으로 파놓은 음각 무늬처럼 선명한 어머니의 손자국을 보는 순간 나는 섬짓한 긴장을 느꼈다. 그것은 함부로 범접할 수 없는 장군의 견장과 같은 것이었다. 내가 만일 그 쌀독 속을 헤적여 놓게 되면 어머니는 당장 다른 사람의 범접을 눈치 채게 될 것이었다. 어머니가 곡식을 다루는 꼼꼼한 경계심이 그 손자국에는 선명하게 드러나 있었다. 어머니는 심란해질 때, 그리고 우리들의 모습에서 찢어지는 가난을 목도했을 때 이 다락으로 올라와서 지독의 뚜껑을 열어 보곤 했을 것이었다. 그리고 어떤 때는 우리 형제들을 밖으로 내몰고 몰래 지독의 곡식을 채워 왔을 것이었다. 나는 오랫동안 지독을 물끄러미 바라보며 앉아 있었다. 이 많은 곡식을 다락 위에다 채워 두고도 우리 세 식구는 속절없이 배를 주려 왔던 것이었다. 나는 어머니 스스로 파 놓고 있는 함정의 모순을 어떻게 삭여 내야 할지 전혀 궁리가 닿지 않았다. 그때처럼 어머니를 미워했었던 적은 없었다. 단 한 톨의 손상인들 결코 용납하지 않겠다는 어머니의 섬짓한 의지를 손자국에서 발견하는 순간, 나는 사냥꾼에게 불을 맞고 죽을 때를 기다리는 짐승처럼 처절한 기분이었다. 곡식들이 지독 가녘으로 넘쳐 날 것 같이 채워질 동안 어머니는 얼마나 많은 손자국으로 채워지는 곡식을 가늠해 왔을까. 그리고 굶주림 속에서도 어머니 스스로 만든 위안 속에서 살아온 것이었다. 그 곡식이 밥이나 죽으로 둔갑하지 않는 한 그것은 언제까지나 어머니의 곡식일 뿐 우리 세 식구의 곡식은 될 수 없었다. 그러나 바로 그때였다. ⓒ마루로부터 와락 뛰어든 아우의 다급한 말소리가 들려왔다.

"히야, 엄마 온다."

[중략 부분 줄거리] 다락에 숨어 있다가 어머니에게 발각된 그날 밤 어머니는 우리를 혼내는 대신 쌀밥을 해 주셨다.

어머니가 우리들의 자존심을 부추기고 나온 결정적인 사건이 있었다. 그것은 갑자기 너무 많은 양의 밥을 먹고 난 뒤 설사에 부대끼느라고 밤잠을 설쳐야 했던 **그날 밤** 이후로 어머니는 고미다락의 문을 채우지 않았다는 것이다. 다락에 대해서

는 각별한 경계심을 갖고 채워 두기를 게을리하지 않던 어머니가 채워 둔다는 수칙을 스스로 깨뜨려 버린 것이었다. 어머니가 왜 그랬는지 그 내심을 알 수 없었다. 한동안이 지난 뒤에야 그것을 발견했던 우리는, 채워진 다락에 대해서 가졌던 강렬한 호기심보다 더욱 강렬하게 다락의 일에 빨려 들고 말았다. 어느 날 아우는 다락이 채워지지 않았다는 것을 어머니에게 일깨워 준 적이 있었다. 그러나 어머니는 코대답만 할 뿐 화들짝 놀라서 단속하려 들지 않았다. 그렇다고 어머니가 다락 출입을 중지해 버린 것도 아니었다. 옛날과 다른 점이 있다면, 우리가 바라보는 앞에서 그곳을 출입하기 시작했다는 것과 조마조마하고 비밀스런 발자국 소리도, 우리들 몰래 길게 몰아쉬던 숨소리도 그 뒤로는 들을 수 없게 되었다는 점이었다. 어머니는 자주 허리가 저리다는 둥, 청소를 해야겠다는 둥 혼잣소리로 다락 출입의 고초를 늘어놓곤 하였다. 지극히 일상적인 그런 말들이 우리로 하여금 다락에 대한 신비감을 반감시키는 단서가 됐을지도 몰랐다. 그렇다 해서 다락에 대한 원천적인 호기심이 회석되진 않았다. 다만 호기심의 방향이 바뀌어진 셈이었다. 그 다락에 자물쇠가 채워져 있는 동안 그것은 오직 어머니의 것이었다. 그런데 다락문이 개방된 이후로 그것은 우리 세 사람 모두의 것이 되었다. 아우와 나 사이에 은연중에 지켜진 관행에 따른다면, 내가 학교에서 생활하는 시간을 제외한 모든 시간을 아우와 짝이 되어 보낸다는 점이었다. 심지어 측간을 가는 일조차 행동 통일이 되어야 직성이 풀렸다. 그런데 어느 날이었다. 그날 우리는 한길에 있을 아이들을 찾아서 무심코 고샅길을 벗어나고 있었다. 그때 아우는 걸음을 딱 멈추었다.

"히야?"

"⋯⋯?"

"집 비워 두고 우리 둘 다 나가면 안 된다."

ⓒ아우의 반란은 의외였다. 우리는 어머니가 돌아온다는 보장이 없는 시각이라면 종일토록 줄곧 집을 비워 두고 쏘다녔었기 때문이었다. 그것이 어머니에게도 그랬었겠지만 우리들에게도 편했다.

"니는 가기 싫어졌나?"

"아니다, 가고 싶다."

"그런데 왜 앙탈이고?"

"히야는 다락문이 열려 있는 거 모르나, 누가 들어와서 다락문 열면 우짤라꼬."

그랬다. 그제서야 나도 뒤통수가 찡했다. 우리는 한길로 진출하려던 속셈을 바꾸어야 했다. 다락문을 예전처럼 다시 채워 놓는다면 우리들 나들이에 꺼림칙함을 지워 버릴 수도 있었다. 그러나 우리들 능력으로는 그것이 손쉬운 일이 아니었고, 또 ②어머니가 열쇠를 지니고 있는 것인지도 의문이었다. 그것이 난감했다. 나는 공연히 아우에게 쏘아붙였다.

"그러면 우짤래? 니 혼자서 집 지키고 있을래?"

아우는 아무런 갈등도 보이지 않고 고개를 주억거렸다. 고개만 주억거렸을 뿐만 아니라 그때까진 좀처럼 내뱉은 적이 없던 한마디를 서슴없이 덧붙였다.

"히야 혼자 갔다 오너라."

그러한 ⑩아우의 대견함은 낯설고 놀라운 것이었다.

– 김주영, 「고기잡이는 갈대를 꺾지 않는다」 –

*지독: 종이를 삶아 짓찧어서 만든 독.

1. 윗글의 서술상 특징으로 가장 적절한 것은?

① 회상을 통해 주인공이 직접 경험한 사건을 전달하고 있다.
② 반복되는 사건을 통해 인물 간의 갈등을 심화시키고 있다.
③ 장면의 빈번한 전환을 통해 사건의 이면을 폭로하고 있다.
④ 동시에 발생한 사건의 병치를 통해 긴장감을 조성하고 있다.
⑤ 공간적 배경에 대한 묘사를 통해 미래의 일을 암시하고 있다.

2. 함정의 모순에 대한 이해로 가장 적절한 것은?

① 곡식을 많이 모았지만 정작 모은 곡식을 숨겨 가족이 굶주리게 한 것을 의미하는군.
② 명분이 있을 만한 물건들이 없었음에도 어머니가 다락을 소중히 여겼던 것을 의미하는군.
③ 다락에 채워 놓은 자물쇠가 도난의 위험을 근본적으로 막을 수 없었다는 것을 의미하는군.
④ 쌀로 채워져 있을 것이라는 생각과 달리 보리쌀로만 채워진 지독을 발견한 것을 의미하는군.
⑤ 곡식을 온전히 보관하기 위해 지독을 이용했지만 곡식의 누린내를 막을 수 없었던 것을 의미하는군.

3. ㉠~㉤에 대한 설명으로 적절하지 않은 것은?

① ㉠: 누구도 범접할 수 없게 하기 위한 어머니의 의지를 나타내고 있다.
② ㉡: 어머니가 허용하지 않은 공간에 출입한 것을 들킬까 염려하는 마음이 담겨 있다.
③ ㉢: 행동 통일이 되어 왔던 관행을 '나'가 깨뜨리려 한 일에 대한 아우의 불만을 표현하고 있다.
④ ㉣: 아이들과 함께 놀고 싶은 생각에 제동이 걸리는 이유 중 하나로 작용하고 있다.
⑤ ㉤: 혼자서라도 다락을 지키겠다는 아우의 언행이 뜻밖이었음을 드러내고 있다.

4. <보기>의 선생님의 질문에 대한 대답으로 적절하지 않은 것은? [3점]

> ─── < 보 기 > ───
>
> 선생님 : 이 작품을 감상할 때는 '그날 밤'을 전후로 달라지는 인물의 행동과 심리, 사건의 전개 양상에 주목하는 것이 중요합니다. 작품에 나타난 시간의 흐름을 아래와 같이 정리할 때, 그날 밤 이전과 이후에 변화된 것이 무엇인지를 파악해 볼까요?
>
>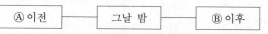
>
> Ⓐ 이전 ── 그날 밤 ── Ⓑ 이후

① Ⓐ에서 다락에 대해 품었던 '나'의 원천적인 호기심이, Ⓑ에서 모두 희석되었음을 알 수 있습니다.
② Ⓐ에서 다락의 곡식에 대해 가졌던 어머니의 꼼꼼한 경계심이, Ⓑ에서 느슨해지고 있음을 알 수 있습니다.
③ Ⓐ에서 다락의 곡식에 대해 어머니가 가졌던 애착을, Ⓑ에서 '나'와 아우도 가지게 되었음을 알 수 있습니다.
④ Ⓐ에서 어머니만 짊어졌던 다락에 대한 책임감이, Ⓑ에서 '나'와 아우에게도 부여되고 있음을 알 수 있습니다.
⑤ Ⓐ에서 몰래 다락방에 출입했던 어머니가, Ⓑ에서 '나'와 아우가 바라보는 앞에서도 출입하고 있음을 알 수 있습니다.

【5~8】 다음 글을 읽고 물음에 답하시오.

> [앞부분의 줄거리] 나는 방송국 기자였던 남편의 갑작스러운 해직 통고를 듣고 생활에 불안감을 느낀다. 매사 능동적이고 자존심이 강했던 남편은 철저히 관계없는 사람처럼 두 번의 역사적인 밤에 현장에 있지 못했다.

그 두 번의 돌연한 '역사적인 밤'을 겪고 난 다음 그는 자신의 직업에 대한 어떤 모멸감을 느꼈다. 아니다. 말이 틀렸다. 자신의 생업에 대한 주저, 회의, 나아가서 모멸은 취재 현장에서마다 맞닥뜨리곤 했던 터이라 ㉠이번에는 자신의 능력 자체 곧 기자로서 마땅히 갖추고 있어야 할 본분을 불신하게 되었다. 자신에게는 그것이 없는 것처럼 여겨졌다. 그러나 동료들은 더 유들유들해진 것 같았고, 더 고분고분해진 듯했다. 다들 **사태를 훤히 알고 있으면서도 눈만 껌벅거리**고 있었고, 공연히 전화질이나 해댔고, 어디선가 날아올 전화를 기다리고 있었고, '다 그런 거지 뭐'라는 **유행가 가사만을 읊조리는** 냉소주의자들로 자족하기에 분주했다. 그것은 엄연한 직무 방기였다. 그래도 줄기차게 화면은 만들어지고 있었는데, 그런 기계적인 일련의 직무 수행을 문득문득 되돌아보면 한편으로 우습기도 하고, ㉡**다른 한편으로 "이 시답잖은 것들아, 사기를 치려면 석 달 열흘쯤은 감쪽같이 속아 넘어갈 만한 사기를 치라"고 고함을 지르고 싶었다.**

그의 주위에는 점점 두터운 벽이, 묵언의 벽이 둘러싸이고 있었다. 심지어 **그를 따르**는 한 후배 기자까지도 "이선배, 오늘 저녁 부서 회식에 참석할 거요? 나까지 **안 찍히려면 적당한 핑계**를 하나 만들어 놔야지"라고 했다. 그는 자신의 생업에는 패배감을, 직장 안에서의 위상에는 무력감을 느꼈다. 괴물의 화면을 만드는 **괴물의 집단**이었다.

그의 결론은 이랬다.

먹물들은 위기가 닥치면 다 비겁해진다. 그리고 처자식 걱정부터 먼저 한다. 도대체 '이놈의 동네에서는' **기자로서의 사명감**이 없어진 지 오래다. 사명감을 언제부터인가 원천적으로 봉쇄 내지는 마비시켰기 때문에 그런 직업관이 있어야 하는 건지, 있기나 했는지조차 모르고 있다. 따라서 다들 **기계**고, **로봇**일 뿐이다. 과격하게 말하면 모든 먹물들은 태업할 권리조차 있는지 어떤지도 모르는 까막눈이다. 그것도 총 앞에서만 와들와들 떠는 과민성 체질의 까막눈이다. ㉢**그러니 이미 먹물도 뭣도 아니다.**

그는 자신의 입지가 점점 비좁아지고 있음을 매일같이 느끼고 있었다. 그는 될 대로 되라는 식으로 자신을 아무렇게나 내던져 버렸다. 이상하게도 생활에의 불안감 따위는 까마득히 사라졌다.

> [A]
>
> 나는 그의 실직을 누구에게도 알리지 않을 작정이었다. 이웃 사람들, 예컨대 아래채 셋방 가족, 구멍가게 주인, 쌀가게 주인, 연탄 가게 주인 등에게는 말을 하지 않으면 될 것이었고, 일가친지, 그와 나의 친구들에게는 내가 먼저 전화를 걸지 않으면 될 터였다. 그쪽에서 전화를 걸어 오더라도 그의 근황을 얼버무릴 심산이었다. 실없이 복직에 기대를 걸고 있었기 때문이 아니었다. 그 실직 소식에 꺼문어 올 건성의 걱정을 들어 내기가 고역일 듯싶었고, 그 걱정은 결국 나를 초라하게 만들 것이었다. 도와주지도 않을 동정을 하라 말라 할 수는 없겠지만, 그런 동정은 무조건 받기 싫었다.

(중략)

㉣**나는, 우리가 이제 지나온 날을 더듬어 보며 앞으로 살날을 헤아려 보는 어떤 관조기에 들었다고 생각했다.**

조금 쓸쓸해져서 나는 그에게로 다가갔고, 그가 봄기운이 무색해지는 말을 슬쩍 흘렸다.

"노인네보다 먼저 죽으면 안 되는데 말이야."

"ⓜ 원, 중병 걸린 사람 같은 소릴 하고 있네, 성성한 사람이. 안 죽어요. 죽긴 누가 죽어요?"

"금붕어 밥 줬어?"

그의 얼굴이 너무 진지해서 나는 툭 터져 나오는 웃음을 내버려 두었다.

"무슨 쓸데없는 생각을 그렇게 많이 해요? 안 죽어요, 당신이 먹이 안 줘도 금붕어는 죽지 않아요."

"돈키호테가 이런 거 저런 거를 많이 아는데…… 그 친구가 지금 외국에 나가 있지. 외국 나가 있는 친구들은 소심증, 우울증 같은 것도 모를 거야. 생존경쟁과는 담을 쌓고 붕붕 떠다닐 테니까 말이야. 내가 너무 **정신없이 바쁘게 살았**나 봐. 속이 허해졌고 **진기가 다 빠**져 버렸어."

"이제 나이도 있고 하니 봄을 타는 걸 거예요. 최근에 삼촌은 한번 만났어요?"

"며칠 전에 회사로 찾아와서 점심 같이 했지. 결혼한다대. 심신 무력증 같은 병도 있나?"

그가 엉뚱한 말을 불쑥 내놓았다.

"서울에서는 집만 지니고 있으면 살지?"

"살다마다요. 집 없는 사람도 다 사는데."

"일 년쯤 어디 낯선 데 가서 고생이나 실컷 했으면 좀 살 것 같애. 어젯밤에는 밤새 그 생각만 주물럭거렸어."

"하세요. 누가 말려요. 탄광 같은 데 가서 숨도 제대로 못 쉬고 한번 살다 오세요. 다들 너무 편하니 나사가 풀린 거예요. 해직기자 중에는 옳은 직장을 못 구해 전전긍긍하는 사람도 있다면서요? 그런 이들을 생각해서라도 열심히 살아야잖아요."

"**교과서 같은 소릴** 하고 있네. 그 친구들은 악이 살아 있을 테니 이런 무력감 같은 것도 모를 거야."

"당신은 악이 없어졌어요."

"언제는 내가 악이 있었나? 난 착한 사람이야. 악이 없다고 사람도 아닌가. 사람이 악만으로 어떻게 살아. 무쇠처럼 살았어. 정말 한심 천만이라는 생각이 들어……"

"궤변 늘어놓지 마시고 나사를 좀 조여 보세요. 당신은 지금 너무 편하고 걱정이 없어서 이런저런 잔걱정이 많은 거예요."

"내가 편하다고? 웃기고 있네. 돈 번다고, 남의 돈 벌어 준다고 쓸개까지 빼놓고 별지랄을 다 떠는데도? 나처럼 눈알 똑바로 박힌 놈이 다섯만 있어도 당장 내 사업 벌이겠네. 마누라를 전당포에 잡혀서라도. 어느 놈이 **무슨 욕을 하**고 지랄을 떨어도 **열심히 살아** 봐야지."

[B]
그는 지쳐 있었다. 일에 치여 잠시 멀미를 내고 있을 뿐이었다. 책임감이 강하고, 남의 사정을 쉴 새 없이 곁눈질하며, 속물들이 꾸려 가는 이 세상과 보조를 맞춰 가는 사람이 갑자기 만사에 흥미를 잃어버린 것이었다. 그 증세는 또 다른 일종의 무력감 내지는 허탈감이었고, 삶에의 회의였다. **각성의 계기**가 될지도 모르므로 그에게는 차라리 **축복**이었다. 나는 그를 이해할 수 있었고, 이해했기 때문에 갱년기라기보다는 관조기에 접어든 그의 뒤숭숭한 삶이 당연하다고 생각했다. 그리고 그가 세상살이와 인간관계에 좀 더 분별력이 있어지리라고 믿었다.

― 김원우, 「아득한 나날」 ―

[고2 국어 문학]

---

5. [A]와 [B]의 서술상 특징에 대한 설명으로 가장 적절한 것은?

① [A]에서는 내적 독백을 통해 서술자의 판단을, [B]에서는 풍자적 서술을 통해 서술 대상의 행위를 비판하고 있다.

② [A]에서는 예상되는 행위의 나열을 통해 서술자의 심리를, [B]에서는 특정 인물의 관점에서 서술 대상에 대한 주관적 판단을 제시하고 있다.

③ [A]에서는 시간의 흐름에 따라 변화되는 서술자의 생각을, [B]에서는 공간적 배경에 대한 묘사를 통해 서술 대상이 처한 상황을 드러내고 있다.

④ [A]에서는 반복되는 사건을 제시하여 서술자와 주변 인물 간의 관계를, [B]에서는 인물 간의 대화를 중심으로 서술 대상과의 갈등을 나타내고 있다.

⑤ [A]에서는 과거와 현재 사건의 대비를 통해 서술자가 세상을 바라보는 관점을, [B]에서는 과거의 사건을 나열하며 서술 대상에 대한 적대적 감정을 강조하고 있다.

6. ㉠ ~ ㉤에 대한 설명으로 적절하지 <u>않은</u> 것은?

① ㉠: 취재 현장에서 기자로서 당연히 해야 할 일을 하지 못한 것에 대한 그의 모멸감이 내재되어 있다.

② ㉡: 의식 없이 반복적으로 주어진 일을 수행하는 것에 대한 그의 분노를 엿볼 수 있다.

③ ㉢: 부당한 무력 앞에서 정당한 권리를 내세우지 못하는 것에 대한 그의 멸시가 드러나 있다.

④ ㉣: 남편과 자신이 지나온 삶을 되돌아보며 앞으로의 삶을 생각하는 시기로 접어드는 것에 대한 나의 쓸쓸함을 엿볼 수 있다.

⑤ ㉤: 갑작스럽고도 엉뚱하게 제시된 남편의 진지한 말에 대한 나의 의심이 내재되어 있다.

7. 나사, 악을 중심으로 윗글을 이해한 내용으로 적절하지 <u>않은</u> 것은?

① 남편은 아내가 '나사'가 풀려서 이런저런 잔걱정이 많아진 것이라고 여기고 있다.

② '악'과 관련지어 편한 삶을 바라보는 관점은 남편과 아내가 서로 차이를 보이고 있다.

③ 아내는 고생을 실컷 해보고 싶다는 남편을 현재 삶이 너무 편해 '나사'가 풀린 것으로 이해하고 있다.

④ 아내는 남편이 궤변을 늘어놓고 있다고 여기며 '악'이 없어졌으니 '나사'를 다시 조여 보라고 말하고 있다.

⑤ 직장을 못 구했지만 '악'이 살아 있을 것이라고 여겨지는 친구들과 달리 남편은 자신의 삶에 대해 무력감을 느끼고 있다.

8. <보기>를 참고하여 윗글을 감상한 내용으로 적절하지 <u>않은</u> 것은?
[3점]

─────〈 보 기 〉─────

　이 작품은 현실적 삶을 살아가는 중산층 인물들의 모습을 사실적으로 드러내고 있다. 특히 삶에 매몰된 채, 속물적 사고로 인해 신의를 저버리거나 현실 세계의 문제를 외면하며 살아가는 인물들의 부도덕함을 반성적으로 폭로하고 있다. 또한 원칙과 상식이 통하는 사회에 대한 갈망과 함께 평범한 삶의 의미를 찾아 일상을 회복하는 과정을 보여주고 있다.

① '사태를 훤히 알고 있으면서도 눈만 껌벅거리'며 '유행가 가사만을 읊조리는' 동료들의 모습에서 현실 세계의 문제를 외면하며 살아가는 인물들의 부도덕함을 알 수 있겠군.
② '그를 따'랐지만 '안 찍히려'고 '적당한 핑계'를 만들어 그를 피하려는 후배 기자의 모습에서 삶에 매몰되어 속물적 사고로 인해 신의를 저버리는 중산층의 일면을 확인할 수 있겠군.
③ '기계'와 '로봇'처럼 살아가는 '괴물의 집단'이 '기자로서의 사명감'을 잊었다고 여기는 그의 모습에서 현실적 삶을 반성적으로 인식하고 있는 모습을 확인할 수 있겠군.
④ '정신없이 바쁘게 살'며 '진기가 다 빠'졌다는 그의 상태를 '각성의 계기'이며 '축복'이라고 여기는 나의 모습에서 평범한 일상의 회복에 대한 기대를 알 수 있겠군.
⑤ 나의 말을 '교과서 같은 소'리라고 여기며 남들이 '무슨 욕을 하'더라도 '열심히 살아'가겠다는 그의 모습에서 원칙과 상식이 통하는 사회를 부정하는 태도를 알 수 있겠군.

【9~12】 다음 글을 읽고 물음에 답하시오.

　김장우는 형이 경영하던 여행사가 산산조각으로 부서지는 것을 두 손 늘어뜨리고 지켜봐야만 하는 고통이 있었다. 형은 가지고 있던 아파트와 늙어서 행여 사랑하는 동생과 나란히 집 짓고 살 수 있을까 해서 마련했던 시골의 땅과 자동차까지 다 팔았다. 동생은 잔액이 몇 십만 원인 통장까지 모조리 형에게 내밀었다. 형은 잔액이 몇 십만 원인 통장만 받고 나머지 적금 통장 등은 동생에게 돌려주었다. 야 이놈아, 죽지 않으려면 최소한 씨앗 값은 남겨야지, 형은 이렇게 말하며 동생의 등을 톡 쳤다던가…….
　㉠ <u>나도 만만치가 않았다.</u> 나에겐 진모가 있었다. 진모는 재판을 기다리고 있는 중이었다. 어머니는 검찰 주변에서 흘러나오는 온갖 정보들을 검토하고 분석하느라고 아예 가게를 접었다. 어머니 같은 보호자들만 골라 전문적으로 사기를 치는 사건 브로커에게 걸려 한차례 생돈을 날린 후로 조금 기가 꺾였지만, 그래도 어머니는 아침마다 건전지를 갈아 끼운 기계 인간처럼 싱싱하게 일어나 온종일 뛰어다니다 저녁이면 파김치가 되어 돌아오는 일과를 버리지 않았다. 어머니는, 정말 어머니는 대단했다. 사건 브로커에게 걸려 돈을 뜯긴 후 어머니는 당장 서점으로 달려가 형법에 관한 책을 한 권 사 들고 왔다. 법을 알아야 법과 싸워 이길 수 있다는 어머니의 논리는 지극히 타당했다. 문제는 그 전문 서적을 어머니가 읽어낼 수 있느냐는 것뿐이었다. 그런 어머니를 위해 나는 시내의 대형 서점을 뒤져서 전직 검사나 현직 변호사 들이 법에 관해 쉽게 풀어 쓴 책을 두 권 샀다.
　깊은 밤, 내 어머니는 아들을 위해서 돋보기를 쓰고 법정 이야기들을 읽었다. 몇 달 전에는 그렇게 일본어 회화 책을 읽었고 지금은 ⓐ <u>형법 책</u>을 읽는 어머니. 이미 말했듯이 어머니는 궁지에 몰리는 마지막 순간에는 버릇처럼 책을 떠올리는 사람이었다. 생각해 보면, 예기치 않은 삶의 곤경에 처할 때마다 어머니가 읽었던 여러 권의 책들 중에는 형법 책 못지않은 난해하고 어려웠던 독서가 또 있었다. 정확하지는 않지만 그 책의 제목은 아마 『정신 분열증의 이해와 치료』일 것이었다. 어찌나 두꺼운지 읽다가 베개 삼아 잠들어도 좋았던 그 ⓑ <u>의학 책</u>은 아버지를 위해 어머니가 선택한 책이었다. 그때도 그랬듯이 지금도 어머니는 진지하게 책을 읽었다. 아니, 그때보다 훨씬 더 진지하게 보이기도 했다. 왜냐하면 그때는 없었던 돋보기가 <u>어머니의 독서</u>를 한층 그럴싸하게 만들고 있었으므로. 이것이 어머니의 마지막 독서는 아닐 것이었다. 그것은 짐작할 수 있지만 미래에 내 어머니가 읽어야 할 책이 무엇인지, 세상과 맞서 싸우기 위해 또 어떤 ⓒ <u>난해한 분야의 책</u>들을 골라 읽어야 하는지에 대해서 나는 아무것도 알 수가 없다. 다만 한 가지, 어머니는 결코 이모가 읽어 왔던 그 많은 소설책이나 시집을 선택해 책값을 치르지 않을 것이란 점만은 분명했다.

[중략 줄거리] 어머니는 일본인을 상대하는 식품점을 새로 열고, 불화의 원인인 아버지는 가출했다가 중풍과 치매에 걸려 돌아온다.

　아버지 시중 때문에 결국 어머니는 가게에 점원 한 사람을 두었다. 얼마 되지 않는 수입에서 점원 월급까지 나가야 하니 그것 또한 어머니의 나날을 긴장으로 채워 주는 것이었다. 어머니는 더욱 바빠졌고 나날이 생기를 더해 갔다. 아, 어머니의 불행하고도 행복한 삶……

아버지는 이미 오래전에 자신의 인생을 벗어던지고 덤으로 살고 있는 사람이었다. 진짜 인생은 자기 혼자 다 즐기고, 덤으로 얹혀질 인생의 시기에 비로소 가족에게 돌아온 아버지는 천진난만 그 자체였다. 생의 이면을 보아 버린 자의 그 많은 갈등과 괴로움도 단숨에 압축해 버리니 별것도 아니었다. 남은 것은 음식에의 탐욕, 그것뿐이었다. 아버지의 뇌파는 오직 먹는 것에만 싱싱하게 반응하였다. 하루에도 몇 번씩 굶어 죽는다고 엄살이었다.

"배고파라. 아이구, 배고파 죽겠어. 이것 좀 봐, 배가 납작하게 붙었잖아."

ⓛ 슬픈 일몰을 이야기하고 아름다운 비밀 반쪽을 나에게 나누어 주던 아버지는 사라졌다. 나는 그것을 확인했다. 아버지 손과 내 손을 맞춰 보았지만 맞지 않았던 것이었다. 병과 늙음이 아버지의 손을 축소시켜 놓았다. 아버지의 뼈만 남은 야윈 손가락을 힘들여 펴서 손바닥을 포개 봤더니 두께는 고사하고 길이도 반 마디나 내가 컸다. 그래서 아버지는 지금도 나를 알아보지 못하고 있다. ⓒ 아마도, 우리는 영영 서로를 알아보지 못한 채 헤어질 것이다. 왜 사랑하는 우리를 멀리하고 떠돌아야만 했는지 묻지도 못한 채 나는 아버지와 헤어질 것이었다. 어쩌면 바로 그것이 **아버지가 내게 물려주고 싶었던 중요한 인생의 비밀**이었는지도 모를 일이었다.

옛날, 창과 방패를 만들어 파는 사람이 있었다. 그는 사람들에게 자랑했다. 이 창은 모든 방패를 뚫는다. 그리고 그는 또 말했다. 이 방패는 모든 창을 막아낸다. 그러자 사람들이 물었다. 그 창으로 그 방패를 찌르면 어떻게 되는가. 창과 방패를 파는 사람은 그만 입을 다물고 말았다.

이제는 나의 이야기를 해야 할 차례다. 나는 곧 결혼한다. 어머니와 이모에 이어 나도 4월의 신부가 된다. 물론 4월 1일 만우절은 아니다. 일 년 전쯤의 어느 날 아침, 불현듯 잠에서 깨어나는 순간 "내 인생에 나의 온 생애를 다 걸어야 해. 꼭 그래야만 해!"라고 부르짖었던 나의 다짐이 마침내 결혼이라는 실천의 단계에 이른 것이다.

그 다짐에 충실했던 일 년이었다. 살필 수 있는 만큼은 다 살폈고 생각할 수 있는 것은 다 생각했다. 그리고 결정했다. 4월의 결혼식에 내 손을 잡아 줄 남자는 그래서 나영규가 되었다. 일이 그렇게 되었으므로 '헤어진 다음날'은 나와 김장우의 노래가 되었다. 그러나 나는 헤어진 다음날들은 죽음뿐이라고 생각한 이모와는 달랐다. 나는 잘 견디었다. ⓔ 김장우는 어떠했는지 알 수 없지만.

인간에게는 행복만큼 불행도 필수적인 것이다. 할 수 있다면 늘 같은 분량의 행복과 불행을 누려야 사는 것처럼 사는 것이라고 이모는 죽음으로 내게 가르쳐 주었다. 이모의 가르침대로 하자면 나는 김장우의 손을 잡아야 옳은 것이었다. 그러나 역시 이모의 죽음이 나로 하여금 김장우의 손을 놓아 버리게 만들기도 했다. 모든 사람들에게 행복하게 보였던 이모의 삶이 스스로에겐 한없는 불행이었다면, 마찬가지로, 모든 사람들에게 불행하게 비쳤던 어머니의 삶이 이모에게는 행복이었다면, 남은 것은 어떤 종류의 불행과 행복을 택할 것인지 그것을 결정하는 문제뿐이었다. 나는 **내게 없었던 것을 선택한** 것이었다. 이전에도 없었고, 김장우와 결혼하면 앞으로도 없을 것이 분명한 그것, 그것을 나는 나영규에게서 구하기로 결심했다.

그것이 이모가 그토록이나 못 견뎌 했던 **'무덤 속 같은 평온'**이라 해도 할 수 없는 일이었다. 삶의 어떤 교훈도 내 속에서 체험

된 후가 아니면 절대 마음으로 들을 수 없다. 뜨거운 줄 알면서도 뜨거운 불 앞으로 다가가는 이 모순, 이 모순 때문에 내 삶은 발전할 것이다. 나는 그렇게 믿는다. 우이독경, 사람들은 모두 소의 귀를 가졌다. 마지막으로 한 마디. ⓜ 일 년쯤 전, 내가 한 말을 수정한다. 인생은 탐구하면서 살아가는 것이 아니라, 살아가면서 탐구하는 것이다. 실수는 되풀이된다. 그것이 인생이다……

– 양귀자, 「모순」 –

9. 윗글의 서술상 특징으로 가장 적절한 것은?

① 계절적 배경의 묘사를 통해 인물의 변화된 심리를 드러낸다.
② 독백적 진술을 통해 인물의 복잡한 내면 심리를 드러낸다.
③ 의식의 흐름 기법을 통해 인물의 무의식적 욕망을 드러낸다.
④ 의문과 추측의 진술을 통해 다른 인물에 대한 반감을 드러낸다.
⑤ 과거와 현재의 교차 서술을 통해 인물 간 갈등 양상을 드러낸다.

10. ㉠~㉤에 대한 설명으로 적절하지 않은 것은?

① ㉠ : 가족으로 인해 어려움에 처한 김장우처럼 '나'도 유사한 고통이 있음을 보여 준다.
② ㉡ : 과거의 순간들을 함께했던 아버지에 대해 '나'가 애틋함을 갖고 있음을 보여 준다.
③ ㉢ : 아버지의 병세가 호전되지 않을 것이라는 '나'의 부정적 인식을 보여 준다.
④ ㉣ : 심리적 갈등을 회피하는 '나'의 소극적 태도를 보여 준다.
⑤ ㉤ : 실수를 반복할 수밖에 없는 것이 인생이라는 '나'의 깨달음을 보여 준다.

11. ⓐ~ⓒ를 중심으로 어머니의 독서를 이해한 내용으로 가장 적절한 것은?

① 당면한 문제를 해결하기 위한 적극적 행위이다.
② 특정 대상과의 차별화를 목적으로 한 행위이다.
③ 정서적 안정을 위해 감정을 정화하는 행위이다.
④ 즐거움을 얻기 위해 일상적으로 반복하는 행위이다.
⑤ 가치관의 정립을 위한 개인적 성찰이 전제된 행위이다.

12. <보기>는 '작가 노트' 중 일부이다. 이를 참고하여 윗글을 감상한 내용으로 적절하지 <u>않은</u> 것은? [3점]

─────< 보 기 >─────

　　인간이란 누구나 각자 해석한 만큼의 생을 살아낸다. 해석의 폭을 넓히기 위해서는 사전적 정의에 만족하지 말고 그 반대어도 함께 들여다볼 일이다. 행복과 불행, 삶과 죽음, 정신과 육체, 풍요와 빈곤. 행복의 이면에 불행이 있고, 불행의 이면에 행복이 있다. 풍요의 뒷면을 들추면 반드시 빈곤이 있고, 빈곤의 뒷면에는 우리가 찾지 못한 풍요가 숨어 있다. 세상의 일들이란 모순으로 짜여 있으며 그 모순을 이해할 때 조금 더 삶의 본질 가까이로 다가갈 수 있는 것이다.

① '더욱 바빠졌고 나날이 생기를 더'하는 어머니의 모습은 불행의 이면에 행복이 있다는 삶의 모순을 보여 주는 것이겠군.
② '아버지가 내게 물려주고 싶었던 중요한 인생의 비밀'은 삶의 본질이 모순에 있음을 드러내는 것이겠군.
③ '그 다짐에 충실했던 일 년'은 사전적 의미와 그 반대 의미까지도 탐구하여 모순된 생에 대한 이해를 확장한 시기였겠군.
④ '내게 없었던 것을 선택한' 나의 결정은 물질적 행복의 이면에 있는 불행을 거부하려는 모순을 보여 주는 것이겠군.
⑤ '무덤 속 같은 평온'은 물질적 풍요에도 불구하고 정신적 빈곤에 시달렸던 이모의 모순된 삶을 드러내는 것이겠군.

총 문항				문항	맞은 문항				문항
개별 문항	1	2	3	4	5	6	7	8	9	10
채점										
개별 문항	11	12	13	14	15	16	17	18	19	20
채점										

현대 소설

【1~3】 다음 글을 읽고 물음에 답하시오.

"아파트에 이사 오더니 대접이 달라지네. 웬 밤참이야. 근데 이것 자몽 아냐?"

"글쎄, 오늘 은행에 갔다가 잡지를 봤더니 티타임에 곁들이는 간식이 화보로 나와 있더라구요. 하마터면 창피당할 뻔했지 뭐예요. 티타임이면 난 그냥 차만 마시는 줄 알았거든요. 그래서 좀 사왔는데 우리 식구들도 좀 맛을 봐야겠기에……."

"그런데 왜 하필 자몽이야?"

"귤이나 사과는 흔해서 잘 안 쓰나 봐요. 화보에 없더라구요. 말로만 듣던 키위가 가게에 가득 쌓여 있었지만 생긴 모양이 고약해서 썩 손이 안 가지더라구요. 바나나는 낱개로는 안 파는지 몸통이 그대로 있잖아요. 그러니 얼마나 비싸겠어요. 딸기도 포도도 있었지만 그것도 너무 비싸서 들었다가 슬쩍 놓았어요. 그래도 자몽이 값이 만만하고 또 먹음직스러워 보여서요."

"한동안 농약이 검출되었다고 텔레비전에서 왕왕거렸는데 당신은 듣지도 보지도 못했단 말야?"

"그래도 이쪽 동네에서 산 걸요."

"내 참, 저쪽 동네에서 사면 농약이 있고 이쪽 동네에서 사면 농약이 없는 거야?"

아내의 얼굴이 확 붉어졌다. 그래도 두 아이는 순식간에 접시를 비웠다.

밤참이 제공되기 시작한 것은 바로 그날부터였다. 다음날이라도 티타임이 이루어졌다면 부질없는 밤참 습관은 생기지 않았을 것이다. 티타임이 쉽사리 이루어지지 않았으므로 아내는 밤마다 조금씩 식구들에게 티타임에 멋지게 곁들였을 간식을 제공했다. 밤참은 같은 내용이 사나흘쯤 나오다가 바뀌었다. 영 먹을 것 같아 보이지 않는 키위도 나왔고, 맛대가리 없이 크기만 한 멜론, 입 안에 넣으면 슬슬 녹는 질 좋은 카스텔라, 부드럽게 씹히는 전병…… 두 아이가 손도 대지 않은 화과자는 하루에 두 개씩 내가 먹어 치웠고, 슈크림은 들척지근해서 나 대신 아이들이 반겼다. 습관처럼 고약한 것이 있을까. 처음엔 그렇지 않았었는데 점점 밤참 시간을 기다리게 된 것이다. 아내에게 내색은 하지 않았지만 그 시간이 되면 은근히 오늘은 무엇을 내줄 것인지 궁금해 하기도 했다. 두 아이는 아내와 체면을 차릴 사이가 아니어서 그런지 드러내 놓고 밤참을 독촉했다.

"이젠 망년회를 가느라고 다들 좀 바쁜가 봐요. 이 동네 사람들은 아마 호텔 같은 데에서 망년회를 하나 봐요. 상가에서 엿들은 건데 여자들 입에서 서울 시내 호텔 이름은 거의 다 나오는 것 같았어요."

그런데도 아내는 티타임을 포기하지 않고 날마다 밤참 시간을 식구들에게 베풀었다. 그런데 어느 날, 아내가 밤참을 제공하며 폭탄선언을 했다. 당분간 밤참은 없을 거예요. 그렇게 말하는 아내의 표정이 보기 드물게 밝았다. 오늘 내가 머리를 좀 굴렸거든요. 글쎄, 무작정 티타임을 기다리다가는 가계부가 엉망이 되겠더라구요. 허긴 그동안 무리를 했어요. 이쪽으로 이사 오니 생각보다 훨씬 생활비가 많이 들어가는데다가 엉뚱한 지출을 했으니 당연하지요. 그래서 아까 아침나절에 13호

여자가 나가는 소리를 토끼 귀를 해 가지고 기다리다가 쓰레기를 버리는 척하면서 마주치러 나갔지요. 아유, 내 꾀가 맞아떨어졌어요. 우연히 마주친 척 깜짝 놀라면서 반가워했더니 그 여자가 냉큼 티타임을 꺼내더라구요. 그래서 나도 망년회가 밀려 있어 도무지 시간을 낼 것 같지 않아 걱정하던 참이라고 내숭을 떨었지요. 망년회도 안 나간다면 시시하게 볼 것 아녜요. 어쨌든 당분간 맘 편히 쉴 수 있겠어요. 적어도 올해는 말예요…… 당분간 밤참이 제공되지 않을 것이라는 사실에 서운하기는 했지만 왠지 나도 아내처럼 개운해지는 기분이 들었다.

[중간 부분의 내용] 얼마 후 '나'는 티타임을 갖자고 술에 취해 복도에서 난동을 부리고, 며칠 뒤 아내는 급작스레 티타임을 갖게 된다.

"어쨌든 기어이 티타임을 갖기는 했군."

아내가 다분히 자조적인 웃음을 내비쳤다. 그리고 말했다. 아뇨, 라고. 그렇다면 우르르 몰려와 아내를 막다른 골목에 몰아붙이고 물 한 모금도 안 마시고 다시 우르르 되돌아갔다는 말인가. 아내가 기운 없는 목소리로 말했다.

"그날 밤 일은 아무도 꺼내지 않았어요. 하지만 그날 밤 일을 모르진 않을 거라구요. 앞 동에서도 인터폰을 두드렸다는데 바로 옆에서 모를 리가 없죠. 모두 시치미를 떼고 있는 게 분명했다구요. 아무튼 들어 오더니 집 구경 좀 하자면서 한바탕 집 안 구석구석을 돌아보더라구요. 하지만 그다지 볼 게 없는지 금방 시들해져서 저기 거실에서 서 있었거든요. 근데 누가 커튼 색깔이 괜찮다고 말했어요. 어찌나 반갑던지 나도 모르게 식탁보도 같은 걸로 했다고 자랑했지요. 그래서 모두 식탁보를 구경하려고 이쪽으로 왔는데…… 맙소사, 우리 애들이 여기 식탁에서 점심으로 떡을 먹고 있더라구요. 미처 애들을 방으로 밀어 넣지 못했던 거죠. 애들이 그때 피자 같은 걸 먹고 있었다면 얼마나 좋았겠어요. 당신은 아마 그때 기분을 이해하지 못할 거예요."

그러나 나는 아내의 그 기분을 충분히 이해할 수 있었다. 억울하고 부끄럽고 쓸쓸하고 참담했을 그 기분을……

"그런데 어떻게 된 줄 아세요? 글쎄, 13호 여자가 떡 접시를 보더니 환호성을 지르는 거예요. 나한테 먹어도 되느냐고 묻지도 않고 덥석 떡을 집더라니깐요. 그것도 손으로 말예요. 그러면서 하는 말이 떡은 이렇게 손으로 먹어야 제맛이 난다나요. 그리고 티타임은 그만두고 떡 잔치나 하자고 하질 않겠어요. 그래서 정신없이 냉동실 안에서 떡을 꺼내 찜통에 쪄 냈죠. 동치미를 몇 그릇이나 해치웠게요. 얼마나 신이 나던지……."

그렇다면 아내는 신나게 종잘거려야 한다. 그러나 이상하게도 아내는 너무나 쓸쓸하고 우울한 표정을 짓고 있었고, 목소리도 힘없이 늘어져 있었다. 한바탕 맛있게 떡을 먹고 나서야 본색을 드러냈다는 것인가. 잠자코 떡 접시를 만지작거리기만 하던 아내가 갑자기 나를 빤히 쳐다보더니 말했다.

"여보, 그런데 나는 왜 이쪽 사람들도 손으로 떡을 집어 먹을 수 있다는 생각을 못 했지요?"

아내의 표정이 너무 슬펐기 때문일까. 공연히 콧잔등이 근질근질거리면서 눈시울이 뜨거워졌다.

– 이선, 「티타임을 위하여」 –

1. 윗글에 대한 설명으로 가장 적절한 것은?

① 중심인물로부터 전해 들은 사건의 전말이 제시되고 있다.
② 특정 인물의 성격과 관련된 외양의 특징이 묘사되고 있다.
③ 과거와 현재가 반복적으로 교차되며 사건이 전개되고 있다.
④ 인물 간 대립된 행동이 갖는 의미가 상세히 설명되고 있다.
⑤ 새로운 인물의 등장으로 조성된 갈등 상황이 부각되고 있다.

2. <보기>의 ㉠~㉤에 일어난 사건에 대해 '나'가 했을 법한 생각으로 적절하지 **않은** 것은?

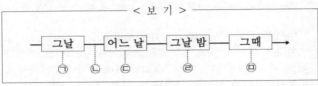

＜ 보 기 ＞

| 그날 | 어느 날 | 그날 밤 | 그때 |
| ㉠ | ㉡ | ㉢ | ㉣ ㉤ |

① ㉠ : '농약 문제로 시끄러웠는데 왜 군이 자몽을 사 왔는지 이해가 안 되는군.'
② ㉡ : '오늘도 어김없이 밤참이 제공된 것을 보니 티타임을 갖지 못한 것이겠군.'
③ ㉢ : '밤참이 제공되지 않아 서운했지만, 아내의 무거운 마음을 생각하니 안타까웠어.'
④ ㉣ : '나의 실수 때문에, 이웃들을 만났을 때 아내가 난감한 상황에 처할 수도 있겠어.'
⑤ ㉤ : '아이들이 먹는 게 피자 같은 음식이 아니어서 부끄러웠을 아내의 마음이 느껴져.'

3. <보기>를 바탕으로 윗글을 감상한 내용으로 적절하지 **않은** 것은? [3점]

＜ 보 기 ＞

르네 지라르는 주체가 매개자를 모방함으로써 '간접화된 욕망'이 발생한다고 보았다. 「티타임을 위하여」의 '아내' 역시 아파트 주민들을 매개로 중산층의 삶으로 편입되고자 하는 간접화된 욕망을 지닌다. 아내는 공간을 이분법적으로 구분하고 아파트 주민들을 닮고 싶어 하면서도 그들에게 경쟁 심리를 느끼기도 한다. 그러나 결국 아내의 간접화된 욕망의 대상이 허상임이 밝혀진다.

① '화보'는 아내로 하여금 매개자의 삶에 대한 모방 심리를 자각하게 하여 티타임을 갖겠다고 결심하게 하는 소재이겠군.
② '이쪽 동네에서 산 걸요'라는 말에서 '이쪽 동네'와 '저쪽 동네'를 구분 짓는 이분법적 사고를 엿볼 수 있겠군.
③ 아내가 '13호 여자'의 동태를 살피는 것은 중산층으로의 편입 기회인 티타임을 언제할지 몰라 답답했기 때문이겠군.
④ 아내가 '망년회가 밀려 있'다고 거짓말을 한 것은 욕망의 매개자인 아파트 주민들에 대한 경쟁 심리 때문이겠군.
⑤ '13호 여자'가 '손으로 떡을 집어 먹'은 것은 아내의 간접화된 욕망의 대상이 허상이었음을 보여 주는 것이겠군.

【4~6】 다음 글을 읽고 물음에 답하시오.

[앞부분의 줄거리] 한센병 환자(나환자)의 섬 소록도에 전직 군의관 출신 조백헌 대령이 병원장으로 부임한다. 소록도 출신으로 섬의 역사에 대해 누구보다도 잘 알고 있는 보건과장 이상욱은 조 원장의 부임 인사 이후 열린 술자리에서 조 원장과 대화를 나눈다.

상욱은 자기도 모르게 차츰 목소리가 흥분되어가고 있었다.
"그런데 내가 오늘 30년 뒤에 또 그 사람의 약속을 되풀이하고 있었다는 거구려."
원장은 이제 좀 맥이 빠진 표정이었다. 하지만 그는 원래 여유가 만만한 사내였다. 그는 바야흐로 열이 오르기 시작한 상욱을 방해하려 하진 않았다. 맥이 좀 빠진 듯하면서도 이젠 그 상욱을 향해 빙긋빙긋 장난기 어린 미소까지 지어 보이고 있었다.
㉠상욱은 그런 원장의 표정이나 말은 아예 상관을 않으려는 태도였다.
"그분은 무엇보다도 먼저 이 섬을 나환자의 복지로 꾸밀 것을 약속했습니다. 학대받고 쫓겨 다니며 서러운 유랑 생활을 되풀이할 것이 아니라, 오순도순 서로를 위로하며 의지하고 살아갈 그들의 고향을 만들자고 설득했습니다. 인간으로서의 최소한의 긍지와 보람을 누리자고 격려했습니다. 병사와 의료 시설을 늘리고 생활 환경과 후생 시설을 다시 꾸미자고 했습니다. 그러자면 먼저 환자들 자신부터 절망과 비탄에서 벗어나 추악한 유랑 습벽을 버리고 새로운 인간으로 다시 태어나야 한다고 충고했습니다. 그리고 스스로의 복지를 스스로 꾸며간다는 자부심과 자활 의욕이 솟아나야 한다고 촉구했습니다. 환자들은 박수를 아끼지 않았습니다."
"그는 약속을 지켰겠지."
"하지만 그는 약속을 지킨 대신 이곳에 자신의 동상을 세웠습니다."
㉡원장의 얼굴에서 비로소 웃음기가 사라졌다.
"당신 아무래도 좀 이상한 노이로제 증세가 있구만그래. 동상 이야긴 벌써 두 번째 듣고 있는 것 같은데, 도대체 그 동상이라는 건 뭘 말하고 싶은 거요?"
원장은 당황하고 있는 게 분명했으나 상욱의 말을 중단시키려고 하지는 않았다. 눈에 보이지 않는 두 사람의 대결이 주위를 완전히 침묵시키고 있었다.
㉢상욱의 어조에선 아직도 열기가 숙을 줄을 몰랐다.
"동상이 무엇을 뜻하는가는 원장님께서도 벌써 충분히 짐작을 하고 계실 줄 압니다. 그보다도 제가 벌써 두 차례씩이나 동상이라는 말을 원장님 앞에서 입에 담게 된 것은 아까 그 원장님 앞에 서 있던 사람들이 그동안에 그러한 동상을 너무도 많이 보아왔을 터이기 때문입니다. 그 사람들은 주정수 이후에도 새 원장님만 갈려 오면 번번이 또 그 원장이 새 동상을, 아니 실인즉슨 또 하나의 주정수의 동상을 보곤 했던 것입니다. 그 사람들은 오늘 낮 원장님을 뵙기 전에 벌써 열 번 이상이나 그곳에 서서 새 원장이 숨겨 가지고 온 주 원장의 동상을 보곤 했습니다. 누구든지 이곳에만 오면 주 원장의 동상을 새로 세우고 싶어 했습니다. 더러는 성공하고 더러는 실패도 했습니다. 어느 쪽이나 원장이 섬을 떠나고 나면 섬에 남는 것은 배반뿐이었습니다."

(중략)

축구 경기를 보급시키고 시합의 승리를 맛보게 함으로써 섬사람들에게 어느 정도 자신감을 갖게 한 조백헌 원장은 마침내 그의 본격적인 사업 계획을 드러내고 나섰다.

그러나 ㉣섬사람들의 반응은 아직도 그의 기대에는 훨씬 미치지 못했다. 조백헌 원장이 오랫동안 혼자 가슴속에 숨겨오면서 공을 들여오던 사업 계획을 실현해 내는 데는 아직도 뛰어넘어야 할 수많은 장벽들이 가로놓여 있었다. 무엇보다 그가 먼저 싸워 넘어서야 할 장벽은 5천여 소록도 주민 바로 그 사람들의 불신감이었다. 축구 시합 승리의 소식을 안겨다 줌으로써 어느 정도 활기를 되찾은 듯싶던 섬사람들은 원장의 새 사업 계획이 드러나자 다시 또 냉랭하게 굳어져 버린 것이다.

"여러분, 이제 여러분은 이 섬을 나가야 합니다. 여러분과 여러분의 후손을 위한 고향을 꾸미기엔 이 섬은 너무도 비좁습니다……"

구름처럼 섬을 뒤덮고 있던 연분홍 꽃무리가 소리 없이 자취를 감추고 난 어느 조용한 봄날 오후, 조백헌 원장은 각 마을 장로 일곱 명을 중앙리 공회당으로 불러 모아 놓고 모처럼 그의 사업 계획을 털어놓았다.

"물론 이 일은 지난날 이 섬에 있었던 어떤 다른 역사보다도 더 힘들고 긴 세월이 필요할 겁니다. 그리고 과거의 다른 어떤 역사에서보다 그 혜택이 멀고 아득한 곳에 있다고밖에 할 수 없는 일입니다. 우리가 마음속에 지니고 기도해 온 약속이 내일 당장 우리에게 이루어질 수는 없습니다. 여러분 자신은 아마 이 일을 여러분의 손으로 이룩해 내고 나서도 그 땅에서 얻은 것을 가지고 지금보다 더 배불리 먹게 될 수도 없는지 모릅니다."

원장은 5만분의 1 지도를 벽에 걸어놓고 그가 계획하고 있는 간척 사업의 개요를 설명한 다음 장로들을 간곡히 설득하기 시작했다.

장로들 쪽에서는 반응이 없었다. 바다를 막아야 한다는 원장의 말이 떨어지면서 차갑게 굳어지기 시작한 장로들의 얼굴 표정은 계속되는 원장의 설득에도 불구하고 좀처럼 변화의 기미가 엿보이지 않았다.

㉤원장은 맥이 풀렸다. 지난 1년 동안 그가 섬에서 이룩해 놓은 것들이 일시에 다시 허사가 되어버리고 있는 것 같았다. 그는 지난해 8월 이 섬으로 부임해 왔을 때의 그 숨이 막힐 듯 깊고 거대한 침묵의 회중 앞에 땀을 뻘뻘 흘리고 서 있었던 바로 그날의 그 회중 앞에 다시 선 기분이었다. 하지만 그는 이제 물러설 수가 없었다.

— 이청준, 「당신들의 천국」 —

4. 윗글의 서술상의 특징으로 가장 적절한 것은?

① 내적 독백을 나열하여 인물들의 심리 변화 양상을 보여 주고 있다.
② 감각적인 묘사를 통하여 시대적 상황을 상징적으로 제시하고 있다.
③ 대화와 행동을 제시하여 인물 간의 갈등 양상을 실감 나게 보여 주고 있다.
④ 과거 회상 장면을 삽입하여 인물 간의 갈등이 해소될 수 있음을 암시하고 있다.
⑤ 다른 공간에서 동시에 진행되는 사건을 병치하여 서사의 흐름을 지연시키고 있다.

5. ㉠ ~ ㉤에 대한 설명으로 적절한 것은?

① ㉠: 자신의 말을 비웃는 조 원장을 조롱하려는 상욱의 심리를 드러내고 있다.
② ㉡: 자신의 예상과 다르게 상황이 전개됨을 인지한 조 원장이 당황해하는 모습을 보여 주고 있다.
③ ㉢: 상욱은 자신의 말을 막으려는 조 원장의 의도를 파악하지 못하고 있음을 보여 주고 있다.
④ ㉣: 섬사람들은 적극적으로 호응하였으나 조 원장의 기대가 비현실적이었음을 나타내고 있다.
⑤ ㉤: 섬사람들과 신뢰가 무너져 간척 사업을 포기할 수밖에 없는 조 원장의 좌절감이 드러나 있다.

6. <보기>를 참고하여 윗글을 감상한 내용으로 적절하지 <u>않은</u> 것은? [3점]

— < 보 기 > —
이 작품은 극도의 절망 속에서 살아가는 소록도 나환자들을 새로운 삶의 길로 이끌어 내려는 인물의 이야기를 그려내고 있다. 나환자들을 패배감에서 벗어나게 한 주인공은 그들을 위한 천국을 만들기 위해 대규모의 오마도 간척 사업을 추진한다. 작가는 주인공의 의지는 긍정하지만, 지배와 피지배 사이의 역학 관계 속에서 뜻을 이루려는 주인공이 권력과 명예욕의 화신으로 돌변할지도 모를 타락 가능성을 의심하는 시선을 끝까지 놓지 않고 있다.

① 동상은 이전 원장들의 명예욕과 타락을 상징적으로 보여 주는 소재라고 하겠군.
② 조 원장의 진의를 의심하고 있다는 점에서 상욱은 작가의 시선을 대변하는 인물이라 할 수 있겠군.
③ 조 원장이 축구 경기를 보급한 것은 섬사람들을 패배감에서 벗어나게 하려는 의도와 관련이 있겠군.
④ 장로들이 침묵하는 것은 그들의 천국을 이루려면 간척 사업보다 더 큰 사업이 필요하다고 여기기 때문이겠군.
⑤ 인물들 간의 역학 관계를 중심에 놓고 생각할 때 조 원장은 지배자이고 섬사람들은 피지배자라고 볼 수 있겠군.

【7~10】 다음 글을 읽고 물음에 답하시오.

그의 결심이란 다른 것이 아니라 살림을 떠엎고 말리라는 것이었다.

살림이라야 **가진 논밭이** 없고, 몇 대쨀진 몰라도 하늘에서 떨어져서는 첫 동네라는 안악굴 꼭대기에서 그중에서도 제일 외따로 떨어져 있는 오막살이를 근거로 하고 화전이나 파먹고 숯이나 구워 먹고 덫과 함정을 놓아 산짐승이나 잡아먹던 구차한 살림이었다.

그래도 자기 아버지 대에까지는 **굶지는 않고** 남에게 비럭질은 하지 않고 살아왔다. 그렇던 것이 언제 누구라 임자로 나서 팔아먹었는지 둘레가 백 리도 더 될 큰 산을 **삼정회사**에서 샀노라고 나서 가지고는 부대*를 파지 못한다, 숯을 허가 없이 굽지 못한다, 또 **경찰**에서는 멧돼지 함정이나 여우 덫은 물론이요, 꿩 창애나 옥누 같은 것도 허가 없이는 못 놓는다 하고 금하였다.

요즘 와서 안악굴 동네는 **산지기와 관청**에서 이르는 대로만 지키자면 봄여름에는 산나물이나 뜯어 먹고, 가을에는 머루 다래나 하고 도토리나 주워다 먹고 겨울에는 곤충류와 같이 땅속에 들어가 동면이나 할 수 있으면 상책이게 되었다.

그러나 큰 산 속 안악굴서 사는 사람들이라고 해서 이 장군이네부터도 갑자기 멧돼지나 노루와 같이 초식만을 할 수가 없고 나비나 살무사처럼 삼동 한 철을 자고만 배길 수도 없었다. 배길 수가 없어서가 아니라 하고 싶어도 재주가 없어서였다.

그래서 안악굴 사람들은 관청의 눈이 동뜬 때문인지 엄밀하게 따지려면 늘 **범죄**의 생활자들이었다.

안악굴서 멧돼지와 노루의 함정을 파놓은 것이 이 장군이 한 사람만은 아니었다. 그날 하필 사냥을 나왔던 순사부장이 빠진다는 것이 알고 보니 **여러 함정** 중에 장군이가 파놓은 함정이었다.

그래서 장군이는 쩔름거리는 **순사부장의 뒤를 따라** 그의 묵직한 총을 메고 경찰서로 들어왔고 경찰서에 들어와선 처음엔 귀때기깨나 맞았으나 다음날로부터는 저희 집 관솔불이나 상사발에 대어서는 너무나 문화적인 전기등 밑에서 알미늄 벤또에다 쌀밥만 먹고 지내다가 스무 날 만에 집으로 나오는 길이었다.

[중간 부분의 내용] 경찰서에서 나와 집으로 돌아오던 장군이는 자신의 처지를 돌아보고 발걸음이 무거워짐을 느낀다.

철둑을 넘어서 안악굴로 올라가는 길섶에 들면 되다 만 **방앗간**이 하나 있다. 돌각담으로 담만 둘러쌓고 확*도 아직 만들지 않았고 풍채도 없다. 그러나 물 받을 자리와 물 빠질 보통*은 다 째어 놓았고, 제법 주머니방아는 못 되더라도 한참 만에 한 번씩 뒷박질듯 하는 통방아채 하나만은 확만 파 놓으면 물을 대어 봐도 좋게 손이 떨어진 것이었다.

장군이는 가을에 들어 이것으로 쌀되나 얻어먹어 볼까 하고 여름내 보통을 낸다 돌각담을 쌓는다, **빚을 마흔 냥 가까이 내어** 가지고 방아채 재목을 사고 목수 품을 들이면서 거의 끝을 마쳐 가는데 소문이 나기를, 새 술막 장풍언네가 발동긴가 무슨 조화방안가 하는 걸 사온다고 떠들어댈 대었다. 그리고 발동기는 하루 쌀을 몇 백 말도 찧으니까, 새 술막에 전에부터

있던 물방아도 세월이 없으리라 전하였다.

알고 보니 아닌 게 아니라 **장풍언네는** 아들이 서울 가서 **발동기를 사오고 풍채를 사오고,** 그리고는 미리부터 찧는 삯이 물방아보다 적다는 것, 아무리 멀어도 저희가 일꾼을 시켜 찧을 것을 가져가고 찧어서는 배달까지 해 준다는 것을 광고하였다. 이렇게 되고 보니 벼 두어 섬만 찧으려도 밤늦도록 관솔불을 켜가지고 북새를 놀게 더디기도 하려니와, **까부름* 새를 모두 곡식 임자가 가서 거들어 줘야 되는** 물방아로 찾아올 사람이 있을 것 같지 않았다. 이래서 장군이는 여름내 방아터를 잡느라고 **세월만 허비하고,** 게다가 빚까지 진 것을 **중도에 손을 떼고 내어던지지** 않을 수 없이 된 것이다.

장군이는 걸음을 멈추고 봇도랑 낸 데 물이 고인 것을 한참이나 서서 내려다보았다. 웅덩이라 바람 한 점 스치지 않는 **수면은 거울같이 맑고 고요하여** 내려다보는 장군이의 얼굴이 잔주름 하나 없이 비치었다.

누가 불러 보아도 듣지 못할 것처럼 **꿈꾸듯 물만 내려다보고 섰던** 장군이는 한참 만에 슬그머니 허리를 굽히었다. 그리고 손을 더듬더듬하여 커다란 몽우리돌을 하나 집었다.

[A] 그리고는 다시 허리를 펴서 물을 내려다보았다.

물속에는 잠긴 자기 얼굴을 간지르는 듯 어찌 생각하면 자기를 비웃는 듯도 한 빤작빤작하는 송사리 떼가 알른거리고 몰려다니었다.

철버덩!

장군이 손에 잡히었던 **몽우리돌**은 거울 같은 물을 깨뜨리고 가을 산기슭의 적막을 흔들어 놓았다. 그러나 그의 돌땅*에 맞고 **입이 광주리만큼씩 찢어**지며 올려다보는 것은 **제 얼굴의 그림자뿐,** 송사리 떼는 한 마리도 뜨지 않았다.

— 이태준, 「촌뜨기」 —

* 부대 : 주로 산간 지대에서 풀과 나무를 불살라 버리고 그 자리를 파일구어 농사를 짓는 밭.
* 확 : 방앗공이로 찧을 수 있게 돌절구 모양으로 우묵하게 판 돌.
* 보통 : 봇둑. 보를 둘러쌓은 둑.
* 까부름 : 키를 위 아래로 흔들어 곡식의 티나 검불 따위를 날리는 일.
* 돌땅 : 돌이나 망치 등으로 고기가 숨어 있을 만한 물속의 큰 돌을 세게 쳐서 그 충격으로 고기를 잡는 일. 또는 그렇게 치는 돌.

7. 윗글에 대한 설명으로 가장 적절한 것은?

① 인물의 과장된 반응을 통해 비극적 분위기를 반전시키고 있다.
② 인물이 떠올린 상상 속 장면을 통해 인물의 지향을 드러내고 있다.
③ 습관적 행위를 중심으로 인물을 묘사하여 인물의 개성적 성격을 강조하고 있다.
④ 사건과 관련된 인물의 의문점을 나열하여 작중 상황에 대한 독자의 비판을 유도하고 있다.
⑤ 인물과 관련된 사건의 추이를 요약적으로 서술하여 인물에 대한 독자의 이해를 돕고 있다.

8. 안악굴에 대한 이해로 적절하지 않은 것은?

① 한때는 '가진 논밭'이 없어도 '굶지는 않'았던 곳이다.
② '삼정회사'의 출현으로 생활의 변화가 일어난 곳이다.
③ '산지기'나 '관청'의 통제가 영향을 끼치고 있는 곳이다.
④ '경찰'에 저항하기 위한 '여러 함정'이 존재하는 곳이다.
⑤ 생계유지를 위한 기존의 방식이 '범죄'가 될 수 있는 곳이다.

9. <보기>를 바탕으로 윗글을 감상한 내용으로 적절하지 <u>않은</u> 것은? [3점]

> ─── < 보 기 > ───
>
> 　이 작품에는 근대화 시기의 과도기적 삶의 모습이 드러나 있다. 근대화된 방식의 삶은 당대를 살아간 사람들의 성취 욕구를 자극하기도 하였으나, 이를 따라가지 못하고 좌절하는 사람도 있었다. 작품의 제목인 '촌뜨기'는, 과도기적 사회에서 제 나름의 방식으로 더 나은 삶을 위해 노력하지만 시대적 흐름을 충분히 이해하지 못한 까닭에 실패하게 되는 인물의 처지를 드러낸다.

① 장군이가 '순사부장의 뒤를 따라 그의 묵직한 총을 메고' 가는 것은 근대화된 방식에 따르려는 욕구가 자극되었기 때문이라 할 수 있군.

② 장군이가 '빚을 마흔 냥 가까이 내어'서 '방앗간'을 지은 것은 더 나은 삶을 위해 제 나름대로 노력하는 모습으로 볼 수 있군.

③ '장풍언네'가 '서울 가서 발동기를 사오고 풍채를 사오'는 것은 근대화 시기에 적응해 가는 모습으로 볼 수 있군.

④ '까부름 새를 모두 곡식 임자가 가서 거들어 줘야 되는' 방식의 '방앗간'을 차리려고 한 것은 장군이가 시대적 흐름을 충분히 이해하지 못했기 때문이라 볼 수 있군.

⑤ 장군이가 '세월만 허비'한 채 '중도에 손을 떼고 내어던지'게 된 것은 근대화된 삶의 방식을 따라가지 못하고 '촌뜨기'로 머물게 된 상황을 보여 준다고 할 수 있군.

10. <보기>를 참고하여 [A]를 이해한 내용으로 가장 적절한 것은?

> ─── < 보 기 > ───
>
> 　문학 작품에서 '물'을 바라보는 행위는 물에 비친 상(像)을 통한 자기 인식과 관련된다. 물에 비친 상은 주체가 자신의 내면이나 자신과 관련된 사태의 본질을 스스로 깨닫도록 한다.

① '거울같이 맑고 고요'한 '수면'은 사태의 본질을 깨달은 이후의 평온함을 보여 준다고 할 수 있다.

② '꿈꾸듯 물만 내려다보고 섰던' 것은 자기 인식이 중단된 순간의 상실감을 드러냈다고 볼 수 있다.

③ '철버덩!' 하는 소리를 내며 '몽우리돌'이 떨어진 것은 자기 인식 기능이 작동하지 않는 데 대한 분노를 드러낸 것이라고 할 수 있다.

④ '입이 광주리만큼씩 찢'어져 보이는 '제 얼굴의 그림자'는 자신에 대한 부정적 인식을 드러낸다고 볼 수 있다.

⑤ '한 마리도 뜨지 않'은 '송사리 떼'는 내면에 대한 깨달음을 스스로의 힘으로 얻는 것이 불가능함을 보여 준다고 할 수 있다.

총 문항				문항	맞은 문항				문항
개별 문항	1	2	3	4	5	6	7	8	9	10
채점										
개별 문항	11	12	13	14	15	16	17	18	19	20
채점										

【1~3】 다음 글을 읽고 물음에 답하시오.

만득이가 두 살 나던 해 9월 남편은 논에서 일을 하다 말고 전쟁터로 끌려 나갔다. ㉠남편은 흙이 묻은 손으로 화물 열차에 떠밀려 들어가며 소리 지르고 있었다.

"소 잘 간수허고, 만득이 병 안 들게 혀!"

남편은 문단속 잘하고 자라는 말은 하지 않았지만 징용을 끌려갈 때처럼 기차는 산굽이를 돌아갔고, 그네는 그때와 마찬가지로 넋 잃은 사람처럼 언제까지나 그 자리에 서 있었다.

해 질 무렵에야 논둑에서 눈만 껌벅이고 섰는 소를 끌고 오면서 그네는 중얼거리고 있었다.

"아무나 다 죽간디? 죽고 사는 것이야 다 운수소관이여."

이장 어른의 말은 남편이 노무자로 나갔다고 했다. 이북 사람들이 쳐 내려와 싸움이 한창이라는 것이었다.

찬바람이 일기 시작하자 낯모를 객지 사람들이 몰려들기 시작했다. 피란민이라고 했다. ㉡동네 사람들은 싸움터에서 멀리 떨어져서 피란을 가지 않는 것만도 다행이라고 했다.

어수선한 인심, 힘쓸 남자들이 없는 농촌. 궁색한 속에 해가 바뀌고, 그네가 남편을 한 줌의 재로 맞은 것은 그해 겨울이었다. 남편은 집을 떠난 지 1년 반이 가까워 재로 변해 온 것이었다. 그네 나이 스물일곱이었다.

전쟁은 다음 해에 끝났고, 남편의 삼년상이 지나기 전에 누구의 입에선지 모르게 동네 사람들은 그네를 청산댁이라고 부르기 시작했다.

청산댁은 이를 앙다물었다. 울어서 돌아올 남편이 아니었고 전답을 두고 두 자식을 굶겨 죽일 수는 없었다.

[중략 부분 줄거리] 청산댁은 두 아들을 뒷바라지하며 어렵게 살아간다. 시간이 흘러, 장애가 있는 첫째 아들과 달리 둘째 아들 만득이는 군대에 간 후 월남으로 떠나게 된다.

청산댁은 며칠 남지 않은 손자 돌 채비에 일손이 바빴다. 콩나물도 통통하게 살이 오른 게 손가락 두 마디 정도 자라 있었다. 고사리며 취나물 등 산나물도 물에 담가 두었고 삶아서 두 번 물을 갈았다. 돌떡은 종류가 많을수록 좋다니까 인절미며 백설기 절편은 물론 수수떡도 하고 약과도 만들 [A] 작정이었다.

청산댁은 마루에서 수수를 고르고 있었다. 옆에 놓인 트랜지스터에서는 재방송 연속극이 흘러나오고 있었다.

"청산댁 기시요?"

"누구다요?"

청산댁은 연속극에 귀를 기울인 채 고개를 돌렸다. 반장이 낯모를 사내를 데리고 마당을 가로질러 오고 있었다.

"마침 기셨구만이라."

"위쩐 일이요. 일로 앉으셔요."

청산댁은 마루를 대충 치웠다.

"괜찮으요. 근디, 읍사무소서 나온 양반이요."

반장은 낯선 사내를 가리켰다.

"저 실례합니다. 읍사무소에서 나왔습니다."

"세금 다 냈는디 읍사무소는 무신……."

"그게 아니고요. 저 천만득이 모친이 틀림없지요?"

"야, 그런디요?"

"저 다름이 아니라……."

㉢사내는 서류를 넘기며 말을 주저하고 있었다.

"무신 일이다요? 아, 앉거나 허씨요."

"저 다름이 아니라…… 이걸 전하려고……."

사내는 한 발짝 다가서며 종이를 내밀었고, 반장은 굳은 얼굴로 외면을 하고 있었다.

"까막눈인디 뭔지 알겠소?"

"저 다름이 아니라…… 천만득이 전사 통지섭니다."

"……"

남편의 얼굴이 확 다가들었다. 만득이 얼굴이 뒤범벅이 되었다. 남편을 한 줌의 재로 맞던 날, 싸우다 죽은 소식을 알리는 것이라는 설명을 듣고서야 정신을 잃었던 그 무시무시한 말, 전사 통지서.

"워쩌? 전사 통지서?"

㉣청산댁은 벌떡 일어서는가 했더니 나무 둥치처럼 그대로 나가넘어졌다. 눈알이 허옇게 뒤집혀 있었다.

반장과 읍사무소 직원이 찬물을 끼얹고 수족을 주무르고 해서 한참 만에 정신이 들었다. 청산댁은 소스라치게 놀라며 눈을 떴다. 그리고 벌떡 일어났다. 잠시 주춤하더니 곧 읍사무소 직원에게로 달려들었다.

"내 자석을, 내 자석을, 안 된다니께 안 되여. 워째 내 자석을……."

청산댁은 소리소리 지르며 읍사무소 직원에게 매달렸다. 그런 청산댁의 눈에는 파란 불이 켜져 있었다.

청산댁은 이빨을 뿌드득 갈더니 직원의 양복 깃을 틀어잡은 채 또 까무러쳤다.

청산댁 손에서 풀려나온 직원은 뺑소니를 쳤다.

다시 정신을 차린 청산댁은 소리를 지르며 읍내로 뻗은 길을 내달리고 있었다. 맨발인 채 뛰고 있는 청산댁의 낭자머리는 헤풀어졌고 손에는 낫이 들려 있었다.

청산댁은 그길로 실성을 해 버렸다는 말이 삽시간에 동네에 퍼졌다.

청산댁은 돌아오지 않았고 밤새도록 며느리의 곡소리만 어둠에 번지고 있었다.

청산댁은 사흘 후에 차에 실려 돌아왔다. 그날 청산댁은 읍사무소에서 또 까무러쳤고, 그길로 병원으로 옮겨졌던 것이다.

청산댁은 사색이 깃들어 있었다. 눈은 멍하니 허공을 더듬고 있었다.

청산댁을 보자 며느리는 다시 울음을 터뜨렸다. 청산댁은 표정 없는 얼굴로 며느리 품에서 손자를 옮겨 안았다.

"울지 말아라. 무신 소양이 있냐. 자석 땀새 이빨 앙물고 살어사 쓴다. 방앗간에 가서 쌀 찧어 오니라. 나는 솔잎 뜯으로 갈란다. 니 남편은 송편을 억세게 좋아했니라."

㉤청산댁의 목소리는 착 가라앉아 있었다.

그날 밤 늦도록 청산댁은 송편을 빚었다. 손자 돌잔치에 쓰려고 장만했던 쌀로 아들 장례에 쓸 송편을 온 정성을 다해 빚고 있었다. 모레 국군묘지에서 장례식을 올리기 때문에 내일 떠나야 된다고 읍사무소에서 병원으로 알려 왔던 것이다.

"전생에 무신 악헌 죄를 짓고 나서 요리 복 쪼가리도 읎고, 한평생 살기가 요리도 험허고 기구헐 수가 있당가. 이 새끼 땀새 죽어뿔지도 못허고……."

잠이 든 손자의 볼을 쓰다듬는 청산댁의 두 볼에 눈물이 골을 파고 흘러내리고 있었다.

　　　　　　　　　　　　　　　　　　　　　　　　　－ 조정래, 「청산댁」 －

1. [A]의 서술상 특징에 대한 설명으로 가장 적절한 것은?
① 요약적 서술을 통해 인물의 과거 상황을 제시하고 있다.
② 사투리의 활용을 통해 상황을 사실감 있게 표현하고 있다.
③ 인물 간의 대화를 통해 인물들의 성격 변화를 드러내고 있다.
④ 회상의 기법을 사용하여 갈등 해소의 실마리를 제시하고 있다.
⑤ 인물의 반복적 행위를 제시하여 긴박한 분위기를 조성하고 있다.

2. ㉠ ~ ㉤에 대한 이해로 적절하지 <u>않은</u> 것은?
① ㉠: 갑자기 가족을 떠날 수밖에 없는 상황에서 가족에 대한 청산댁 남편의 걱정을 엿볼 수 있다.
② ㉡: 전쟁이 끝나자 객지에서 몰려든 피란민에 대한 동네 사람들의 반감을 엿볼 수 있다.
③ ㉢: 만득이의 전사 통지서를 청산댁에게 전하려는 낯선 사내의 망설이는 태도를 엿볼 수 있다.
④ ㉣: 예상치 못한 만득이의 전사 소식을 들은 청산댁의 충격을 엿볼 수 있다.
⑤ ㉤: 울고 있는 며느리에게 조언을 하는 청산댁의 차분한 태도를 엿볼 수 있다.

3. <보기>를 바탕으로 윗글을 감상한 내용으로 적절하지 <u>않은</u> 것은?
[3점]

> ───────〈 보 기 〉───────
> 이 작품에는 역사적 질곡이 빚어낸 민족의 희생이 드러나는데, 특히 반복되는 수난을 겪는 여성 개인의 한(恨)이 부각된다. 자식에 대한 사랑과 자손을 지키려는 의지로 발현된 개인의 강인한 모성은 시대의 아픔에 대한 치유와 극복의 가능성을 보여 준다는 점에서 사회적 의미를 지니게 된다.

① 청산댁의 남편이 '징용을 끌려갈 때처럼' '전쟁터로 끌려 나갔다'는 것에서 역사적 질곡이 빚어낸 민족의 희생을 짐작할 수 있겠군.
② 청산댁이 '전사 통지서' 때문에 '남편의 얼굴'과 '만득이 얼굴이 뒤범벅이 되'는 느낌을 경험한 것에서 여성의 반복되는 수난을 짐작할 수 있겠군.
③ 청산댁이 '다시 정신을 차린' 후 '손에는 낫'을 들고 '맨발인 채 뛰'었다는 것에서 시대의 아픔을 겪은 사회를 치유하려는 개인의 의지를 짐작할 수 있겠군.
④ 청산댁이 며느리에게 '울지 말'고 '자석 땀새 이빨 앙물고 살어'야 한다고 말한 것에서 자손을 지키려는 여성의 강인한 모성을 짐작할 수 있겠군.
⑤ 청산댁이 '손자 돌잔치에 쓰려고 장만했던 쌀로 아들 장례에 쓸 송편을 온 정성을 다해 빚'었다는 것에서 자식에 대한 어머니의 사랑을 짐작할 수 있겠군.

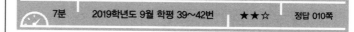

【4~7】 다음 글을 읽고 물음에 답하시오.

> [앞부분 줄거리] 숙부가 별세했다는 전보를 받은 저녁, '나'는 노을을 보고 핏빛을 연상한다. 숙부의 장례를 치르러 아들 '현구'와 함께 고향을 방문한 '나'는 백정인 아버지와 살던 어린 시절을 떠올린다.

갑득이가 뒤따르며 외쳤으나 나는 들은 척하지 않았다. 땀이 쏟아지고 숨이 턱에 닿았으나, 나는 내 눈으로 그 증거물을 빨리 찾아내고 싶었다. 집 마당으로 들어섰으나 또출이할머니는 잔칫집에 가버려 보이지 않았다. 나는 집 뒤란 채마밭을 빠져 대숲길로 들어섰다. 숨을 가라앉히고 걸으며 길섶을 샅샅이 훑었다. 땅을 판 자리나 웅덩이나, 양철통을 감출 만한 곳을 빠뜨리지 않고 대숲을 뒤져나갔다.
"새이야 머 찾노?"
뒤쫓아온 갑득이가 헐떡이며 물었다.
㉠나는 대답 않고 대숲을 빠져나와 과녁판이 세워진 언덕길을 내리 걸었다. 선달바우산과 중앙산이 골을 파며 마주친 곳이 개울이었고, 개울 건너 완만한 더기에 과녁판이 있었다. 물 마른 개울까지 내려갔을 때, 상류 쪽에 설핏 눈이 갔다. 사태진 돌 틈으로 무엇인가 희끔한 게 보였다. 나는 개울을 거슬러 올랐다. 물 마른 모래 바닥 웅덩이 옆에 작은 양철통이 쑤셔 박혀 있었다. 그 아가리에 횟가루 묻은 옷가지가 비어져 나왔다.
"그거 아부지 주봉 아인가?"
쨍쨍한 한낮 햇볕 아래 내가 펼쳐 든 바지를 보고 갑득이가 말했다. 아버지 바지는 온통 흰 횟가루가 누덕누덕 묻어 있었다. 콩뜰이가 내 글씨보다 삐뚤삐뚤하더라고 말했는데, 그게 아버지 글씬가 하는 생각이 들었다. ㉡그러나 아버지는 글자를 쓸 줄 모른다. 백묵으로 글자를 써놓으면 그걸 그대로 베껴낼 수는 있을 터이다. 나는 눈앞이 캄캄했다. 이제 나는 어느 누구 귀띔을 들어서가 아닌, 아버지 행적에 따른 실제 증거물을 손에 쥔 셈이었다. 내 앞을 막아선 선달바우산의 짙푸른 감나무잎도 그 위 더위로 끓는 하늘도 눈에 들어오지 않았다. ㉢모든 게 물속처럼 흐릿하게 흘러갈 뿐이었다. 바지를 든 채 떨고 섰는 나를 보고 갑득이가 무엇인가 눈치를 챘는지 조그만 소리로 중얼거렸다.
"그라모 새이야, 아부지가 **어젯밤에 미창에 갔단 말이가**?"
나는 아우에게, 그 **비밀을 누구에게도 말해서는 안 된다**는 부탁도, 또 다른 어떤 말도 못 한 채 뙤약볕 아래 구슬땀을 흘리며 망연히 섰기만 했다. 아버지마저 삼돌이삼촌이나 우출이아저씨나 저 배도수씨처럼 우리 형제를 버리고 장터마당에서 사라진다면, 그렇게 되어 죽어버리거나 감옥소에 갇히거나 산사람이 되어버린다면, 정말 우리 형제는 이제 누구를 의지하고 살아야 하는지, 그 생각만이 크나큰 두려움으로 나를 슬픔 속에 내동댕이쳤다. 그 슬픔은 **배가 고픈 따위의 서러움조차 우습게 여겨질 정도**여서, ㉣어떤 막강한 힘이 나와 갑득이를 엿가락처럼 꼬아 걸레 짜듯 쥐어짰다. 다 늙어 언제 죽을지 모르는 또출이할머니를 의지하고 살기엔 우리 형제는 아직 어렸다. 어느 집 꼴머슴으로 뿔뿔이 팔려가는 길밖에 없었다.

"새이야, 와 우노? 머시 슬퍼 우노? 아부지가 좌익, 그런 거해서 우나? 그라모 우리가 아부지한테 그런 짓 하지 말라고 빌모 안 되나? 그런 짓 하모 학교도 안 가고 부산이나 마산으로 도망가뿌리겠다고 말하지러?"

갑득이가 내 손을 잡고 흔들며 울먹이는 목소리로 애원했다.

"가자, 배 주사 집에. 우신에 묵고 바야제."

나는 아우에게 웃어 보이며 눈물을 닦았다. ⓜ나마저 울고 있을 수 없다는 생각이 내 다리에 힘을 뻗쳤다. 어느 사이 땀 밴 손에서 구겨지고 만 장 선생님 편지 쪽지를 나는 찢어 버렸다.

(중략)

노을에 비낀 고향이 차츰 내 눈앞에서 빠르게 흘러간다. 이제 언제쯤 나는 다시 고향을 찾게 될는지 알 수 없다. 차창 밖으로 지나가는 여래리와 선달바우산이 눈앞에 스쳐간다. 숙모가 돌아가시면 그때쯤 내려오게 될는지, 어쩌면 영원히 고향을 찾지 못하는지도 모른다. 내가 고향을 버렸으므로 내려올 이유를 구태여 만들 필요는 없다. 그러나 고향을 떠나 산 스물아홉 해 동안 나는 하루도 고향을 잊어본 적 없다. 치모 말처럼 고향을 잊으려 노력해 온 만큼 이곳은 나로 하여금 더욱 잊지 못하게 하는 어떤 힘을 지니고 있었다. 그 점을 그 시절 폭동의 상처라 해도 좋고 굶주림이라 해도 좋다. 그런 이유를 떠나서라도 **고향은 오늘의 나를 있게 한 모태가 된 것만은 사실이다.** 인간은 누구나 두 군데 고향을 가질 수 없으므로 나는 객지의 햇살과 비와 눈발 속에 떠돌면서도 **뿌리만은 언제나 고향에 내리고 살아왔다.**

산 위에 걸린 쌘구름이 노을빛에 물들었다. 노을은 산과 가까운 쪽일수록 찬란한 금빛을 띠고 있다. 가운데는 벌겋게 타오르는 주황색, 멀어질수록 보라색 쪽으로 여리어져, 노을을 단순히 붉다고 볼 수만은 없다. 자세히 보면 그 속에는 여러 가지 색이 섞여 있음에도 사람들은 노을을 단순히 붉다고 말한다. 핏빛만이 아닌, 진노란색, 옅은 푸른색, 회색도 노을에 섞여 있다. 그런데도 사람들은 무엇인가 한 가지로 뭉뚱그려 말하기를 좋아한다. 문득 아버지와 헤어져 봉화산에서 내려온 저녁이 생각난다. 장마 뒤끝이라 노을이 아름다웠다. 폭동의 잔재도 소멸되고, 백태도 기수도 죽고 없는 텅 빈 장터마당에서 절름발이 미송이만이 홀로 종이비행기를 날리고 있었다. 제대로 걷지 못하기에 하늘로 날고 싶은 꿈을 키우던 병약한 미송이가 그날따라 날려 올리는 종이비행기는 유연하게 포물선을 그리며 노을빛 고운 하늘을 맴돌았다. "갑수야, 저 노을 있제? 저 노을꺼정 이 비행기가 날아 올라간데이. 내 태우고 말이데이." 미송이가 웃으며 말했다. 그는 노을에 힘차게 종이비행기를 띄워 보냈다. 미송이가 그렇게 나는 회망을 키우는 만큼, 그의 눈에 비친 하늘은 어둠을 맞는 핏빛 노을이 아니라 내일 아침을 기다리는 오색찬란한 무지갯빛일 터이다.

지금 노을 진 차창 밖을 내다보는 **현구 눈에 비친 아버지 고향도 반드시 어둠을 기다리는 상처 깊은 고향이기보다, 내일 아침을 예비하는** 다시 오고 싶은 아버지 고향일 수 있으리라.

– 김원일, 「노을」 –

4. 윗글에 대한 설명으로 적절하지 <u>않은</u> 것은?

① '나'는 미송이가 종이비행기를 날리던 일을 회상하며 인지하지 못했던 것을 깨닫는다.

② '나'가 비밀을 지키지 못해 삼돌이삼촌과 배도수씨는 가족과 헤어져 살게 된다.

③ '나'는 주봉에 묻은 가루와 콩뜰이 이야기한 글씨가 연관이 있다고 생각한다.

④ '나'는 치모의 말을 떠올리며 고향에 대한 자신의 인식을 드러낸다.

⑤ '나'는 선달바우산에서의 일을 통해 아버지의 행적을 알게 된다.

5. ㉠~ⓜ에 대한 설명으로 적절하지 <u>않은</u> 것은?

① ㉠: 사건의 정황을 빨리 확인하고 싶은 '나'의 조바심이 드러나 있다.

② ㉡: 사회적으로 천대받는 아버지의 모습에 대한 '나'의 수치심이 나타나 있다.

③ ㉢: 짐작했던 상황이 실제로 벌어졌음을 지각한 '나'의 막막함이 드러나 있다.

④ ㉣: 아버지의 부재로 인해 일어날 상황에 대한 '나'의 두려움이 나타나 있다.

⑤ ⓜ: 어려운 처지에서 형으로서 동생을 챙겨야 한다는 '나'의 책임감이 드러나 있다.

6. 노을빛에 대한 이해로 가장 적절한 것은?

① 반목하던 인물들이 화해하는 계기가 되고 있다.

② 인물들을 둘러싼 사건을 객관적으로 보여 주고 있다.

③ 인물이 다른 사람들의 생각에 공감하도록 유도하고 있다.

④ 현실의 모순에 맞서 인물이 지향했던 삶의 모습을 암시하고 있다.

⑤ 인물이 시간의 흐름에 따라 새롭게 자각한 인식이 투영되어 있다.

7. <보기>를 바탕으로 윗글을 감상한 내용으로 적절하지 <u>않은</u> 것은? [3점]

―――――――< 보 기 >―――――――
　　김원일의 「노을」은 유년의 '나'와 현재의 '나'의 의식이 교차 서술되고 있다. 유년의 순수한 눈을 통해 이데올로기에 휩쓸린 아버지의 행위가, 자신을 포함한 주변 인물들에게 가져다준 고통을 드러내고 있다. 그러나 사건의 본질을 이해하지 못하여 상처 극복의 과정까지는 보여 주지 못한다. 한편 아버지가 된 현재의 '나'는 과거의 상처와 마주하면서 정체성을 확인하고 상처가 치유되어 가는 모습도 보여 주고 있다.

① 아버지가 '어젯밤에 미창에 갔'다는 '비밀을 누구에게도 말해서는 안 된다'고 생각하는 것은 유년의 '나'가 이데올로기에 휩쓸린 아버지에 대해 연민을 느끼고 있는 것이군.

② '배가 고픈 따위의 서러움조차 우습게 여겨질 정도'로 유년의 '나'가 '슬픔'을 느끼는 것은 아버지의 행위로 인해 겪은 주변 인물들의 고통을 드러낸 것이군.

③ '고향은 오늘의 나를 있게 한 모태'라고 인정하는 것에서 현재의 '나'가 유년의 상처를 마주했음을 알 수 있군.

④ '뿌리만은 언제나 고향에 내리고 살아왔다'고 생각하는 것은 자신의 정체성을 확인하는 현재의 '나'의 의식을 나타낸 것이군.

⑤ '현구 눈에 비친 아버지 고향'을 '내일 아침을 예비하는' 고향일 수 있다고 여기는 것에서 상처를 치유하려는 현재의 '나'를 확인할 수 있군.

【8~10】 다음 글을 읽고 물음에 답하시오.

　　송노인도 그 중의 한 사람이었다. 그는 더욱 심한 손해를 보았다. <원지본위>란 환지* 원칙이 있는데도 불구하고 송노인의 경우는 도합 천오백열 평 중 원지로 받은 것은 불과 사백 평뿐이고 나머지 천백열 평은 말도 안 되는 박토――산을 깎은 개간지를 환지로서 받았던 것이다.

　　㉠"죽일 놈들!"

　　송노인의 입에서는 또 이런 말이 나왔다. 환지에 불만을 가진 사람들은 모두 불평을 했다. 마을 환지위원들이 공정하지 못했다는 말이 떠돌았다. 진흥공사의 ××사업소 사람들도 그러고 그랬으리란 소문도 나돌았다. 이런 소문들이 맹탕 거짓말이 아니란 것은, 가령 마을 환지위원들 가운데는 그런 억울한 변을 당한 사람이 없었다는 사실과 또 환지위원들과 가까이 지내는 사람들도 어느 정도 덕을 본 셈이라는 얘기들을 미루어서 능히 짐작할 수 있는 일이었다.

　　부당한 환지를 받은 사람은 모두 같은 기분들이었지만 그런 뜻을 모아서 어떻게 해 보자는 사람들은 없는 것 같았다. 가뜩이나 <오리엔탈 골프장>의 경우와는 달라서 이건 바로 **정부에서 한 일**이니까 어쩔 도리가 없다고 생각하는 눈치들이었다. 말하자면 다루기 쉬운 백성들로 잘 훈련이 되어 있었던 것이다.

　　"망했다, 망했어!"

　　송노인의 불평은 한 계단 더 비약했다. 그는 자기에게 내려진 부당한 처사를 참을 수가 없었다. 늙은 몸으로 두 달을 계속 관계요로에 <부당 환지의 시정>을 호소하고 다녔다. 새어 나온 그의 유서 내용에 의하면 마을 환지위원장인 이성복 동장에게는 무려 15회, 농업진흥공사 ××사업소에는 6회나 찾아간 것으로 되어 있다. 그러나 모두가 허사였다. 시종일관 묵살을 당하고만 셈이니까.

　　게다가 고속도로가 통하면 사람 왕래도 많아져서 송노인의 집에서는 **가게도 차릴 수 있을 것**이란 메기입 이성복 동장의 말도 턱도 아닌 헛나발이 되고 말았다. 고속도로를 다니는 차들은 아무데나 설 수도 없고 또 고속도로는 함부로 건너갈 수도 없다는 것을 시골 사람들은 길이 통한 뒤에야 비로소 알았다. 바로 길 너멋 논에 두엄을 내는 사람들도 **먼 굴다리 쪽을 일부러 돌아야만** 되었다.

　　"제―기, 이기 무슨 지랄고!"

　　짐이 무거울수록 그들의 입에서는 욕이 절로 나왔다.

　　길에서 집이 가까운 송노인의 경우는 은근히 희망을 걸어보던 가게를 내긴커녕 지나가는 차들이 내뿜는 매연과 소음과 먼지 때문에 도리어 역정만 늘어날 판이었다. 그래서 처음에는 행여 구멍가게라도 될까싶어 일부러 길 쪽으로 내 보았던 마루방도 이내 문을 닫아걸었다. 길 쪽 창유리가 쉴 새 없이 밀어닥치는 먼지로 인해 마치 매가릿간의 그것처럼 뿌옇게 되어 버렸다.

　　㉡"망했다. 망했어!"

　　[중략 부분의 줄거리] 마을의 농토는 공장부지 조성 등의 명목으로 자본가들에게 넘어간다. 이러한 상황을 심각하게 받아들이지 않고 가벼운 농담이나 하는 마을 젊은이들과 송노인은 갈등하게 된다.

　　"비꼬지 마이소."

　　이번에는 메기입의 친구요 역시 마을 환지위원의 한 사람인 상출이란 청년이 불쑥 나섰다.

　　"영감님이 젊었을 때 무슨 대단한 일이라도 했다고 툭하면 젊었을 때는――하고 나서는기요? 농민조합에 들어가서 경찰서 때리부수는 일에 가담했다는 것밖에 더 있소?"

　　청년회장까지 겸하고 있는 만큼 비교적 머리가 영리하고 옛

날 일도 제법 알고 있는 편이다. 안다는 놈이 그러니 송영감은 더욱 부아가 치밀었다.

"그래 농민조합에 가담한 기 그렇게 나쁜 일인가?"

"농민조합은 빨갱이 단체 아니오?"

상출이는 숫제 위협 비슷하게 나왔다. 송노인은 드디어 부아통이 터지고 말았다.

"머 빨갱이 단체? 이놈들이 몬하는 말이 없구나. 그래 왜놈의 경찰이 우리 경찰이더냐? 일제 때 고자질이나 하고 헌병 앞잽이나 돼서 독립운동하던 사람들을 괴롭히고 쏘아 죽이고 하던 놈들이 요새 와서는 자긴 반공 투쟁을 했을 뿐이라고 도리어 큰소릴 치고 돌아다닌다 카디이, ⓒ <u>바로 느그가 생사람 잡을 소릴 하는구나. 어데 그 소리 한 번 더 해 봐라!</u>"

송노인은 뼈만 남은 팔을 걷어 올렸다. 금방 칼이나 창 구실을 하는지도 모를 그런 팔이었다.

"영감님 참으이소. 장난으로 한 소리 아잉기요."

송노인의 성깔을 누구보다도 잘 아는 메기입이 얼른 사이에 들었다. 다행히 별일은 없었다.

ⓓ "아나, 이놈아 어서 파출소에 가서 신고나 해라! 송기호는 늙은 빨갱이라고——."

송노인은 상출의 얼굴에 침이라도 뱉아 주려다 그대로 돌아섰다. 그러나 따지고 보면 송노인의 그러한 감정은 비단 상출이에게만이 아니라 아무런 주견도 패기도 없으면서 그래도 마을의 무슨 대표인 체하고 우쭐거리는 젊은 치 전체에 대한 것인지도 모른다. 물론 모든 청년들이 다 그렇다는 것은 아니다. 이른바 세대교체의 탓인지도 모르되 옛날과 달라서 요즘은 어느 마을 할 것 없이 어른들은 다 뒤로 물러앉고 그런 젊은 치들이 마을 일을 도맡듯 해서 옳든 그르든 위에서 시키는 대로만 용춤을 추고 있는 판국이라고 송노인은 생각했다. 환지문제 기타로 인해 송노인과 같은 생각을 가진 사람들도 많았지만 노인네들은 그저 **"세상이 그런 걸 머!"** 할 뿐 드러내 놓고 말을 잘 안했다.—— 요컨대 아직은 드러내 놓고 말은 하지 않더라도 마을 사람들 사이에는 **눈에 보이지 않는 어떤 틈이 생기고 있는** 것만은 숨길 수 없는 사실이었다. 멍청한 얼굴들에 나타나게 마련인 쓸쓸한 웃음들만 보아도 능히 짐작할 만한 일이었다.

ⓔ '철딱서니 없는 놈들……'

— 김정한, 「어떤 유서」 —

* 환지: 토지를 서로 바꿈. 또는 바꾼 땅. 환토(換土)

8. 윗글의 서술상의 특징으로 가장 적절한 것은?

① 외부의 이야기에 내부의 이야기가 삽입되어 있다.
② 다양한 인물들의 경험을 삽화 형식으로 나열하고 있다.
③ 인물의 회상을 중심으로 과거와 현재를 반복하여 교차하고 있다.
④ 같은 시간에 벌어지는 다양한 장면을 병렬적으로 제시하고 있다.
⑤ 이야기 밖의 서술자가 특정 인물의 입장에서 사건을 전개하고 있다.

9. ㉠ ~ ㉤에 대한 설명으로 적절하지 <u>않은</u> 것은?

① ㉠: 송노인은 자신이 재산상의 피해를 입은 일로 인해 분노하고 있다.
② ㉡: 송노인은 자신의 기대와 다른 상황이 벌어진 것에 대해 실망하고 있다.
③ ㉢: 송노인은 과거에 그가 한 일을 왜곡하는 젊은이들에 대해 노여움을 드러내고 있다.
④ ㉣: 송노인은 폭력 행위에 적극적으로 가담했던 자신의 실수에 대해 인정하고 있다.
⑤ ㉤: 송노인은 자신이 생각하는 기준과는 다르게 행동하는 사람들의 모습에 대해 불편한 마음을 갖고 있다.

10. <보기>를 바탕으로 윗글을 감상한 내용으로 적절하지 <u>않은</u> 것은? [3점]

〈 보 기 〉

이 작품은 1970년대 국가 발전이라는 명목으로 권력자들에게 토지를 침탈당하는 농민들의 현실을 보여준다. 이 과정에서 가해자와 피해자의 갈등이 나타나는데, 여기에는 가해자 편에 서 있는 중간자가 개입되어 있다. 또한 권력이 휘두르는 폭력 앞에서 농민들은 다양한 양상을 보이는데, 무기력한 태도로 방관하거나 세대 간의 갈등을 일으키며 분열되는 등 파편화된 모습을 보인다.

① '정부에서 한 일'로 인해 '부당한 환지를 받은' 것은 권력자들에 의해 토지를 침탈당한 농민들의 모습이라고 할 수 있겠군.
② 송노인에게 '가게도 차릴 수 있을 것'이라고 한 점에서 이성복 동장은 가해자의 편에 서서 개발에 동조하고 있는 중간자라고 할 수 있겠군.
③ '먼 굴다리 쪽을 일부러 돌아'가는 모습을 통해 권력이 휘두르는 폭력 앞에서 세대 간의 갈등을 일으키는 농민들의 모습을 확인할 수 있겠군.
④ '세상이 그런 걸 머!'라고 체념하는 노인들의 모습을 통해 현실에 대해 무기력한 태도로 방관하고 있는 농민들의 모습을 확인할 수 있겠군.
⑤ 마을 사람들 사이에 '눈에 보이지 않는 어떤 틈이 생기고 있는' 모습을 통해 파편화되어 가는 농민들의 모습을 확인할 수 있겠군.

총 문항				문항	맞은 문항				문항
개별 문항	1	2	3	4	5	6	7	8	9	10
채점										
개별 문항	11	12	13	14	15	16	17	18	19	20
채점										

현대 소설

| 7분 | 2018학년도 9월 학평 33~36번 | ★★☆ | 정답 012쪽 |

【1~4】 다음 글을 읽고 물음에 답하시오.

[앞부분의 줄거리] '나'는 너우네 아저씨가 위독하다는 소식을 듣고 한국 전쟁 때 자식 대신 성표를 데리고 피난했던 너우네 아저씨를 떠올린다.

밤새도록 반짝반짝 닦은 크고 작은 자물쇠를 앞뒤로 주렁주렁 달고 장군처럼 거만하고 당당하게 장사를 나가는 너우네 아저씨의 권위는 완벽했다. 내 자식을 사지에 뿌리치고 조카자식을 구해 내서 공부시킨다는 게 그렇게 위대한 일일까? 나는 그의 당당함에 압도된 채, 속으론 '언제고 그의 위대성이 터무니없는 가짜라는 걸 보고 말 테다'라는 엉큼한 생각을 키우고 있었다.

휴전이 되었지만 우린 고향에 돌아갈 수 없었다. 38 이남이었기 때문에 꼭 돌아갈 수 있으리라 믿었던 우리는 하필 우리 고향 쪽에서 남으로 쳐진 휴전선이 억울하고 원망스러웠다.

너우네 아저씨인들 그때 이별이 영이별 될 줄만 알았으면 설마 지게에 은표 대신 성표를 올려놓지는 않았으련만…… 형과 나는 고향을 아주 잃은 비감 때문에 이렇게 너우네 아저씨의 처사를 인간적으로 해석하려 들었다.

그러나 그게 아니었다. 너우네 아저씨는 한술 더 떠서 이렇게 될 줄 미리 알고 장조카를 구했노라고 으스댔다. 장조카를 공부시킬 위대한 사명을 띤 그의 행상이 조그만 점포로 발전할 무렵 우리도 생활이 좀 나아져서 딴 동네로 이사를 가게 됐다. 그러나 자주 소식을 주고받았고, 만날 기회도 심심찮게 있었다.

1년에 두 번 있는 동향인의 군민회도 우리 식구가 모두 기다리고 기다렸다가 참석하는 즐거운 모임이었지만 너우네 아저씨네도 꼭 숙질이 함께 참석했다. 또 실향민끼리의 의리라는 것도 각별해서 고향 땅에선 서로 모르고 지냈던 사이끼리도 경조사를 서로 연락하고 적극 참석했다.

결혼식장 같은 데서 가끔 만나는 너우네 아저씨는 성표를 대동할 적도 있었고 혼자일 적도 있었다. 물론 앞뒤에 자물쇠를 주렁주렁 달고 다니던 왕년의 행상 티는 조금도 나지 않았다. 그러나 내 눈엔 언제나 그가 자물쇠를 훈장처럼 달고 다니는 것처럼 보였다.

제 자식을 모질게 뿌리치고 장조카를 데리고 나와 성공시키기 위해 온갖 고생 다 했다는 걸로 자신을 빛내려 들었기 때문이다. 나는 그가 자물쇠 행상일 적에 매일 밤 그것을 닦아 훈장처럼 빛냈듯이, 요새도 매일 밤 자신의 내력을 번쩍번쩍 빛나게 닦고 있다고 생각했다. 그는 그 특이한 내력으로 어디서나 빛났다. 동향 사람들 중에서도 특히 나잇살이나 먹은 이들은 그의 자랑을 끝까지 들어 주고 아낌없이 그를 칭송하고 존경하는 걸로 자신의 도덕적인 결함까지 은폐하려 드는 것 같았다.

그러나 나는 은표 어머니의 ⓐ억장이 무너지는 소리를 잊

지 못하는 한 그의 위대성이 가짜라는 게 드러나 그가 웃음거리가 되는 걸 보고야 말겠다는 생각을 단념할 수 없었다.

동향인의 결혼식도 잦았지만 장례식도 잦아졌다. 동향인이 모이는 자리에도 세대교체 현상이 나타나 나잇살이나 먹은 이들이 점점 줄었다. 너우네 아저씨의 자랑을 들어 주고 칭송할 사람도 그만큼 줄었다. 자신의 내력이 더 이상 자신을 빛내 줄 수 없다는 걸 알았는지 너우네 아저씨는 눈에 띄게 풀이 죽어 갔다. 나는 그런 허점을 놓칠세라 젊은 사람들한테 그가 한 짓을 풍겼다. 젊은이들의 반응은 노인들의 반응과 판이했다. 우린 이미 너우네 아저씨가 신봉하던 케케묵은 도덕과 상관없는 세대였다. 그건 한낱 웃음거리에 지나지 않았다. 그게 웃음거리라면 너우네 아저씨는 더 큰 웃음거리였다. 좀 더 생각이 깊은 젊은이라면 너우네 아저씨가 자기 처자식에게 저지른 비인간적인 처사에 분개해 마지않았고, 그를 숫제 징그러운 괴물 취급하려 들었다.

(중략)

"에구머니, 이제 죽을 날이 정말 가까웠나 봐. 곡기 끊으면 죽는다는데……."

아주머니가 경망스럽게 숟갈을 내던지며 놀랐다. 그러나 나는 그가 무슨 말을 하고 싶어서 그런다는 확신을 얻고, 그의 경련 치는 손을 잡고 애타게 외쳤다.

"아저씨, 너우네 아저씨, 저를 알아보시겠어요? 네, 너우네 아저씨, 뭐라고 말씀 좀 해 보세요."

이윽고 아저씨의 손에 힘이 쥐어지는 듯하더니 입놀림이 확실해졌다. 나는 그의 멍청하던 눈에 그윽한 환희가 어리는 걸 똑똑히 보았고 그의 ⓑ입이 말하는 소리를 분명히 들었다.

"은표야, 아아, 은표야."

아저씨는 그렇게 말하고 있었다. 나는 아저씨가 그의 아들을 뿌리치고 대신 조카를 데리고 피난 내려온 뒤 한 번도 아들의 이름을 입에 올리는 걸 들은 적이 없었다. 은표의 단짝이었던 나를 보면 은표도 어느 하늘 밑에 죽지 않고 살았으면 저만할 텐데 하고 비감하는 눈치라도 보일 법한데 그런 적조차 없었다. 그는 아들을 뿌리침과 동시에 아들의 이름까지 잊어버렸을 뿐더러 아예 기억에서 지우고 사는 사람 같았다. 아들 대신 장조카 데리고 피난 나왔다고 자랑할 때의 아들도 보통 명사로서의 아들이지 은표라는 고유 명사로서의 아들이 아니었다.

그가 처음으로 입에 올린 은표 소리는 나만 겨우 알아들을 만큼 희미했다. 그러나 내 귀엔 억장이 무너지는 소리로 들렸다. 그는 사력을 다해 ⓒ억장이 무너지는 소리를 내고 있었다. 아아, 30여 년 전 은표 어머니의 억장이 무너지는 소리는 이제야 앙갚음을 완수한 것이다.

나는 그렇게 되길 오랫동안 바라고 기다려 왔을 터인데도 쾌감보다는 허망감에 소스라쳤다.

다시 열쇠고리 장수가 늘어선 거리로 나왔을 땐 해가 뉘엿뉘엿했다. 해가 뉘엿뉘엿할 무렵이면 가슴에 하나 가득 갖가지 자물쇠를 늘인 채 봉지쌀과 자반고등어를 사들고 뒤뚱뒤

[고2 국어 문학]

025

Day 05 · 현대 소설

뚱 걸어오던 너우네 아저씨의 모습이 떠올랐다. 봉지쌀과 자반고등어 때문인지 자물쇠가 훈장으로 보이는 엉뚱한 착각은 일어나지 않았다. 그는 외롭고 초라한 자물쇠 장수에 지나지 않았다.

내가 그를 직시할 수 있기까지 자그마치 서른두 해가 걸렸던 것이다.

－ 박완서, 「아저씨의 훈장」 －

1. 윗글의 서술상 특징으로 가장 적절한 것은?

① 특정 인물의 행동과 심리에 초점을 맞추어 이야기를 전개하고 있다.
② 공간적 배경을 사실적으로 묘사하여 시대적 상황을 구체화하고 있다.
③ 작중 인물인 서술자가 객관적인 입장에서 인물의 행동을 관찰하고 있다.
④ 장면을 빈번하게 교차하여 인물이 처한 상황의 긴박한 분위기를 조성하고 있다.
⑤ 공간의 이동에 따라 서술자를 달리하여 사건에 대한 다양한 관점을 제시하고 있다.

2. 자물쇠의 기능으로 가장 적절한 것은?

① '너우네 아저씨'에 대한 '나'의 인식을 드러낸다.
② '나'와 '너우네 아저씨'의 심리 변화를 유발한다.
③ '나'와 '너우네 아저씨'의 삶의 성찰을 이끌어낸다.
④ '나'와 '너우네 아저씨'가 갈등하는 이유를 드러낸다.
⑤ '너우네 아저씨'에 대한 '나'의 이중적 태도를 보여준다.

3. ⓐ~ⓒ에 대한 이해로 가장 적절한 것은?

① ⓐ로 인한 인물 간의 오해가 ⓑ로 인해 심화되고 있다.
② ⓐ를 통한 인물에 대한 판단을 ⓒ로 인해 보류하고 있다.
③ ⓐ를 통해 ⓒ를 공감하게 되면서 인물 간의 화해가 이루어지고 있다.
④ ⓑ를 통해 ⓐ를 회상하면서 사건의 전모가 밝혀지고 있다.
⑤ ⓑ를 ⓒ로 인식하면서 상대에 대한 심리적 거리가 가까워진다.

4. <보기>를 바탕으로 윗글을 감상한 내용으로 적절하지 <u>않은</u> 것은? [3점]

──< 보 기 >──
「아저씨의 훈장」은 가부장적 세계관과 사회적 평가에 사로잡혀 속박된 삶을 산 인물의 모습을 그리고 있다. 작품 속 인물은 자신이 따라야 한다고 생각한 믿음을 실천하며 자신이 속한 공동체에서 인정을 받고자 한다. 하지만 시대 흐름에 따라 세대가 교체되면서 사회적 평가가 달라지는 양상을 보인다. 아울러 작가는 인물들의 삶을 바탕으로 한국 전쟁으로 인한 분단의 문제까지 함께 조명하고 있다.

① '형'과 '나'가 고향을 잃은 비감을 느끼는 모습에서 한국 전쟁으로 인한 분단의 슬픔을 엿볼 수 있군.
② '너우네 아저씨'를 비웃는 '젊은이들'의 모습에서 기존 세대에서 인정받던 믿음이 달라지고 있음을 확인할 수 있군.
③ '나'는 풀이 죽어가는 '너우네 아저씨'의 모습을 시대에 따라 달라진 사회적 평가를 지각하지 못한 것으로 보고 있군.
④ '너우네 아저씨'를 칭송하는 '노인들'의 모습에서 가부장적 세계관을 따르고자 하는 사람들의 단면을 확인할 수 있군.
⑤ '나'는 '너우네 아저씨'가 장조카를 통해 자신을 빛내려 하는 모습을 공동체 안에서 인정받고자 하는 모습으로 보고 있군.

【5~8】 다음 글을 읽고 물음에 답하시오.

[앞부분의 줄거리] 눈 덮인 밤길을 억구와 큰 키의 사내(형사)가 동행하게 된다. 그 과정에서 억구가 6·25 때 자신의 아버지를 죽인 득칠을 우연히 만나 술자리 끝에 그를 살해하고, 부친의 산소 곁에서 죽을 심산으로 고향으로 가는 길임이 드러난다.

옆 산 소나무 위에 얹혔던 눈무더기가 쏴르르 쏟아져 내렸다. 마치 자기 무게를 그렇게 나약한 소나뭇가지 위에선 더 이상 지탱할 수 없다는 듯이……. 그때 좀 먼 곳에서 뚝 우지끈 소나뭇가지 부러져 내리는 소리가 들려 왔다.

그러자 이때 억구가 느닷없이 키 큰 사내의 앞을 막아 서며,

"선생, 난 득수 동생놈을, 그 김득칠일 어제 죽였단 말이오. 이렇게 온통 눈이 내리는데 그까짓 걸 숨겨 뭘 하겠소. 선생은 아주 추악한, 사람을 몇씩이나 죽인 무서운 놈과 함께 서 있는 거유. 자, 날 어떻게 하겠수?"

그러면서 한 걸음 큰 키의 사내 앞으로 다가섰다.

㉠큰 키의 사내는 후딱 몇 걸음 물러서며 오버 주머니에 오른손을 잽싸게 넣었다.

그의 시선은 억구가 양복 윗주머니의 불룩한 것을 움켜쥐고 있는 것에 머물러 있었다.

"아까두 말했지만, 그 술집에서 난 놈에게 이주걱댔죠. 그래 자넨 분명 우리 아버질 잡았것다? ㉡그래 벌초를 매년 해왔다구? 아 고마워, 고마워…… 하고 말입네다. 헌데 그 득칠일 난 그날 밤 죽이고야 만 것입니다. 글쎄, 나두 그걸 모르겠수다. 왜 내가 그 득칠일 죽였는지……."

여직 들어 보지 못한 맥빠진, 그렇게 풀이 죽은 목소리로 말했다. 그러나 큰 키의 사내는 묵묵히 억구의 얼굴을 뜯어보고만 있었다. 이윽고 억구가 큰 키의 사내 앞에서 몸을 돌리며 저쪽 산등성이를 가리켜 보였다.

"바루 저 산에 가친 산소가 있답니다. 우리 조부님 산소 옆이라는군요. 난 지금 거길 가는 겁니다. 가서 우선 무덤의 눈을 쳐드려야죠. 그리구 술을 한잔 올립랍니다. 술을 올리면서 가친의 음성을 들을 겁니다. 올해두 눈이 퍽 내렸구나, 눈 온 짐작으루 봐선 내년두 분명 풍년이겠다만…… 하실 겁니다. 그리고 푹 한숨을 몰아쉬겠죠. ㉢그 한숨 소릴 들으면서 가친 옆에 누워야죠. 이젠 가친을 혼자 버려두고 달아나진 않을 겁니다."

그는 산으로 향한 생눈길을 몇 걸음 걷다가 다시 이쪽을 향해,

"참, 바루 저기 보이는 저 모퉁일 돌아감 거기가 바루 와야립니다. 가서서 우선 구장네 집을 찾아 몸을 녹이시우. 뜨끈뜨끈한 아랫목에 폭 몸을 녹여서. 자, 그럼 난……."

산을 향해 생눈길을 걸어가는 그의 언 바짓가랑이가 서걱서걱 요란한 소리를 냈다.

어깨를 잔뜩 구부리고 흡사 한 마리 흰 곰처럼 산을 향해 걷는 억구의 을씨년스럽고 초라한 뒷모습에 눈을 주고 선 큰 키의 사내는 한참이나 그렇게 묵묵히 섰다가 문득 큰길 아래로 내려서서 억구 쪽으로 따라가며,

"노—형, 잠깐!"

말소리 속에 강인한 무엇인가 깔려 있는 듯싶었다.

언 바짓가랑이를 데걱거리며 걸어가던 억구가 주춤 멈춰서 이쪽으로 몸을 돌렸다. 큰 키의 사내가 성큼성큼 다가갔다. 오버 안주머니에 손을 넣어 무엇인가 움켜진 그런 자세였다.

억구가 짐짓 몸을 추스르며 자기에게로 다가서는 큰 키의 사내 거동을 바라보고만 있었다.

억구 앞에 멈춰 선 큰 키의 사내가 할 말을 잊은 듯 멍청하니 고개를 위로 향했다. 고개를 약간 젖히고 입을 헤— 벌린 채. 그의 이러한 생각하는 표정 위에 눈이 내려앉고 있었다.

[A]
—— 그날 밤 난 생물 선생네 담을 빙빙 돌고만 있었지. 내 키보다두 낮은 담이었어. 난 거푸 담을 돌고만 있었지. 만약 내가 담을 넘어 들어간다면……. 그러나 난 담을 넘어서는 안 된다고 생각했다. 담이란 남이 들어오지 말라고 만들어 놓은 거니까. 들어오지 말라는 걸 들어가면 그건 나쁜 짓이니까, 그건 도둑놈이지. 난 나쁜 놈이 되는 건 싫었으니까. 무서웠던 거야. 나는 담만 돌며 생각했다. 오늘 갑자기 생물 선생넨 무서운 개를 얻어다 놓았을지도 모른다고. 또, 어쩌면 선생이 설사 나서 변소에 웅크려 앉았을지도 모른다는 지레 경계를……. 그리고 남의 담을 넘는다는 건 분명 나쁜 짓이라고……. 무서웠던 거야. 결국 난 새끼토낄 구할 생각을 거두고 담만 돌다 돌아오고 말았지.

"아니 선생, 남을 불러 놓군 왜 그리 하늘만 쳐다보슈?"

억구가 말했다.

—— 나쁜 놈이 되기가 싫었던 거야. 담을 넘는다는 건……. 큰 키의 사내가 한걸음 물러섰다. 생각하는 표정을 거두지 못한 채.

산 속 소나무 위에서 다시 눈무더기가 쏴르르 쏟아져 내렸다. 마치 그 연약한 나뭇가지 위에선, 그리고 거푸 내려 쌓이고 있는 눈의 무게를 더 이상 지탱할 수 없다는 듯.

억구가 다시 다그쳤다.

"선생, 발이 시립니다. 내가 여기 얼어붙어야 좋겠소? 원 별 양반도……. 자, 그럼……."

억구가 다시 몸을 돌려 산을 향했다. ㉣그가 몸을 돌리는 순간 그의 깡똥한 양복 윗주머니에 삐죽하니 2홉들이 소주병 노란 덮개가 드러나 보였다.

순간 망설이던 큰 키의 사내 얼굴에 어떤 결의의 빛이 스쳤다.

"아, 노형, 잠깐!"

억구가 바짓가랑이를 데걱거리며 다시 몸을 돌렸다.

순간 큰 키의 사내는 오른쪽 오버 주머니에서 서서히 손을 뺐다. 그리고 무엇인가 불쑥 억구 앞으로 내밀었다.

—— 나는 담만 돌았지. 무서웠던 거야.

"이걸 나한테 주시는 겁니까?" / 억구가 물었다.

"예, 드리는 겁니다. 아까 두 개비를 피웠으니까 꼭 열여덟 개비가 남아 있을 겁니다. 눈이 이렇게 많이 왔으니 올핸 담배도 풍년이겠죠. 그러나 제가 지금 드린 담배는 하루에 꼭 한 개씩만 피우셔야 합니다."

㉤큰 키의 사내 얼굴에 엷은 미소가 번지고 있었다.

그리고 그는 담배 한 갑을 받아 든 채 멍청히 서 있는 억구에게서 몸을 돌려 마치 눈에 홀린 사람처럼 비척비척 큰길을 향해 걸어가고 있었다. / 잔기침을 몇 번 쿳쿳 하면서.

걸어가는 그의 등뒤로 마치 울음 같은 억구의 외침이 따랐다.

"하루에 꼭 한 개씩 피우라구요? 꼭, 한 개씩, 피, 우, 라, 구요?"

그러면서 그는 느닷없이 웃음을 터뜨리는 것이었다.

흐 흐 흐 흐 흐 흐 흐 흐…….

눈 덮인 산 속, 아직 눈 조용히 비껴 내리고 있는 밤이었다.

– 전상국, 「동행」 –

5. 윗글의 서술상 특징으로 가장 적절한 것은?

① 현재 시제를 활용하여 상황의 현장감을 부각하고 있다.
② 빈번하게 장면을 전환하여 주제 의식을 강조하고 있다.
③ 대화와 내적 독백을 통하여 인물의 심리적 갈등을 드러내고 있다.
④ 서술의 시점을 달리하여 사건의 의미를 다각적으로 조명하고 있다.
⑤ 동시에 일어난 두 사건을 대비하여 갈등 해결의 실마리를 제시하고 있다.

6. <보기>와 [A]를 참고하여 '큰 키의 사내'에 대해 이해한 내용으로 가장 적절한 것은?

< 보 기 >

'큰 키의 사내'는 학창 시절에 새끼 토끼를 잡게 된다. 생물 선생은 그 새끼 토끼를 다음날 해부하고 고기는 술안주로 삼겠다고 하였다. 그날 밤, 새끼 토끼를 구하기 위해 목숨을 걸고 달려들던 어미 토끼의 눈과 끔찍하게 해부될 새끼 토끼를 떠올리던 '큰 키의 사내'는 고민 끝에 새끼 토끼를 구하러 가지만 생물 선생네 담을 넘지 못해 새끼 토끼를 구할 수 없었다.

---

① '억구'가 자신에게 위협적인 존재라고 인식하고 있다.
② '억구'를 '새끼 토끼'와 동일시하는 태도를 보이고 있다.
③ '새끼 토끼'를 구하지 못했던 과거 경험을 부정하고 있다.
④ '억구'의 처지가 '어미 토끼'를 닮아가고 있다고 여기고 있다.
⑤ '어미 토끼'에 대한 불쾌한 기억을 지우지 못해 후회하고 있다.

7. ㉠~㉤에 대한 설명으로 적절하지 <u>않은</u> 것은?

① ㉠: '큰 키의 사내'가 범행을 털어놓는 '억구'를 경계하고 있음을 알 수 있다.
② ㉡: 아버지의 산소 벌초를 매년 한 것에 대해 '억구'가 득칠에게 진심으로 고마워하고 있음을 알 수 있다.
③ ㉢: 과거와 달리 아버지 곁을 떠나지 않겠다고 다짐하는 '억구'의 마음을 짐작할 수 있다.
④ ㉣: 아버지의 산소에 술을 올리고 그 옆에 눕겠다는 '억구'의 말이 사실임을 짐작할 수 있다.
⑤ ㉤: 미소가 번지는 표정을 통해 '큰 키의 사내'가 '억구'에 대한 자신의 결정에 만족해하고 있음을 알 수 있다.

8. <보기>를 참고하여 윗글을 감상한 내용으로 가장 적절한 것은?
[3점]

< 보 기 >

「동행」은 동일한 여정 속의 두 인물에 관한 이야기이다. 전쟁이 남긴 상흔을 안고 살아가는 인물과 우연히 그를 만나 눈길을 동행하게 되는 인물의 모습이 잘 드러나 있다. 이들을 통해 작가는 전쟁이 남긴 아픔을 치유하는 인간애를 보이고 있다.

---

① '억구'와 '큰 키의 사내'는 전쟁의 상흔으로 고향을 떠났다가 돌아오는 동일한 여정을 지니고 있군.
② '억구'가 '큰 키의 사내'에게 구장네 집을 알려 주는 모습에서 쫓기는 자로서의 다급함을 느낄 수 있군.
③ '억구'가 자신의 범행을 '큰 키의 사내'에게 털어놓은 것은 밤길을 동행하며 느낀 인간적인 연민 때문이로군.
④ '큰 키의 사내'가 '억구'에게 담배를 하루에 한 개씩만 피우라고 당부하는 모습에서 따뜻한 인간애를 엿볼 수 있군.
⑤ '큰 키의 사내'를 뒤로하고 떠나가는 '억구'의 을씨년스러운 뒷모습에서 전쟁의 상처를 극복하려는 의지를 느낄 수 있군.

【9~12】 다음 글을 읽고 물음에 답하시오.

(가)

고향이 그립다는 것이지? 작자는 나로서는 생전 이름도 들어 보지 못한 시골에서 올라와서 서울을 빙빙 돌아다니며 사는 놈인데 그리고 보니 작자의 저 광증에 가까운 생활 태도는 무전여행자의 그것 아니면 촌놈이 서울에 와 보니 모든 게 신기하기만 해서 어쩔 줄을 몰라, 아니 **무턱대고 우쭐대고 싶은 저 촌뜨기 의식에 가득 차서** 괜히 심각한 체해 보았다가 시시하게 웃어 보았다가 술 사달라고 조르고 사랑이 어쩌고 하고 있는 게 분명한 것이다. 고향이 그립다는 것이지? 그러나 고향이 그리운 것 같지도 않다. 작자의 고향에는 자기의 어머니와 누이가 살고 있다고 얘기하는 것을 들은 적이 있지만 작자는 그들에게 대해서 별 애착을 갖고 있는 것 같지도 않은 것이다. 나는 작자에게 보낸 그의 어머니의 편지를 한번 읽은 적이 있는데 내가 보기에는 세상에서 그처럼 다정하고 착하고 그리고 내가 그 편지 속에서 받은 느낌을 상상해 보건대 그처럼 아름다운 용모를 가진 어머니가 좀처럼 있을 것 같지 않았다. 성모 마리아의 하얀 석상을 볼 때 받는 느낌 같았다고나 할까, 요컨대 **작자에게는 분에 넘치기 짝이 없이 훌륭한 어머니**인 것이다.

'아들아, 먼 곳에 너를 보내 놓고 마음 한시도 놓지 못하고 있다. 하느님께 기도 드리면 내 아들이 아무리 먼 곳에 가 있더라도 심신 평안하다 하여 지난 주일부터는 읍내에 있는 성당에 다니기로 하였다. 어느 곳에 있든지 무슨 일을 하든지 …'

내가 읽은 그의 어머니의 편지 한 구절이다.

내가 그 편지를 읽고 있는 동안에 작자는, 우리 마을에서 성당이 있는 읍내까지는 꼬박 30리 길인데… 왕복 60리, … 미친 짓하고 계셔, 라고 투덜대더니 괜히 화가 나가지고 내가 그 편지를 돌려주자 북북 찢어서 팽개쳐 버리는 것이었다. 그처럼 착한 어머니께 '미친'이라는 차마 **입에 담을 수 없는 욕**을 하는 그야말로 미친 바보, 멍텅구리, 촌놈, 얼치기, 치한.

(나)

[A]
── 누이는 도시에서의 이야기를 나와 어머니의 간절한 요청에도 불구하고 한마디 하려 들지 않았었다. 우리는 누이가 지니고 왔던 **작은 보따리**를 헤쳐 보았다. 그러나 헌옷 몇 벌과 두어 가지의 화장 도구를 발견할 수 있었을 뿐이었다. 그것으로써는 누이에게 침묵을 만들어 준 이 년의 내용을 측량해 볼 길이 없었다. 누이의 침묵은 무엇엔가의 항거의 표시였다. 우리를 향한 항거였을까, 도시를 향한 항거였을까. 그렇지만 우리를 향한 것이라면 그것은 분명 누이에게 잘못이 있는 것이다. 높은 목소리로 질책하는 방법이 침묵의 질책보다 더 서툴렀다는 것을 결국 도시에서 배워 왔단 말인가?

반대로, 도시를 향한 항거라면 ─아마 틀림없이 이것인 모양이었는데 ─그렇다면 누이의 저 향수와 고독을 발산하는 눈빛, 사람들이 ⓐ <u>두고 온 것들에게 보내는 마음의 등불</u> 같은 저 눈빛을 우리는 무엇으로써 설명해야 할 것
── 인가?

누이가 돌아오고, 누이가 도시에서의 기억을 망각하려고 애쓰는 듯한 침묵 속에 빠져드는 것을 보고 우리는 아마 누이가 도시에서 묻혀온 고독이 병균처럼 우리 자신들조차 침식시켜 들어오는 것을 느끼게 되었다.

이 황혼과 이 해풍. 그들이 우리에게 알기를 강요하던 세계

는 도대체 무엇이란 말인가. ⓑ <u>미소를 침묵으로 바꾸어 놓는,</u> 요컨대 우리가 만족해 있던 것을 그 반대로 치환시켜 버리는 세계였던 것인가. 누이는 적어도 우리가 보낼 때에는, 훈련을 받기 위해서 그곳에 간 것이 아니라 완성되기 위해서 간 것이었다. 그런데 침묵의 훈련만을 받고 돌아오다니.

어제 저녁, 어머니는 당신이 우리에게 마음을 쓰고 있다는 표시로 되어 있는 밀국수를 끓여서 저녁 식사를 하는 자리에서 당신이 할 수 있는 ⓒ <u>가장 부드러운 말씨와 정성어린 손짓</u>으로 누이의 어깨를 쓰다듬으며 도시에서 무슨 일을 했던가, 결국 곤란을 겪었던가, 무엇이 재미있었던가, 남자를 사귀었던가, 그렇다면 어떤 남자였던가, 고 얘기해 주기를 간청했다. 그런데 그것이 짐작컨대 누이의 쓰라린 추억을 불러일으킨 모양이었다. 누이는 어머니를 붙들고 소리 없이 울었다. 석유 등잔불의 펄럭이는 빛이 그들의 그림자를 더욱 쓸쓸해 보이게 했다. ⓓ <u>왜 저를 태어나게 했어요,</u> 라고 누이는 말했다. 어머니도 소리 없이 울었다. 누이는 어머니의 얼굴을 올려다보며 새삼스럽게 **울음**을 터뜨렸다. 미안해요, 어머니, 라고 누이는 말하고 싶었던 거다. 하루는 아무렇지 않다는 듯이 무서운 사건이 세계의 은밀한 곳에서 벌어지고 그리고 다음날은 **희생자들이 작은 조각에 몸을 기대고 자기들의 괴로움을 울며 부유하는 것**이다.

강물이 빠르게 밀려오고 금빛 하늘이 점점 회색으로 변해가는 이 시각에 아직도 신비한 힘을 보여 주는 자연 속에서 나는 누이로 하여금 **도시의 모든 기억을 토해 버리게** 할 생각이었다. 나를 위해서가 아니라 누이를 위해서였다. 이 년 동안을 씻어 버리고 다시 이 짠 냄새만을 싣고 오는 **해풍으로 목욕시키고 싶었다.** 인간이란 뭐냐, 인간이란? 저 도시가 침범해 오지 않는 한, 우리는 한 고장을 지키기에 충분한 만족을 가지고 있는 것이다. ⓔ <u>영원의 토대를 만든다는 것,</u> 의지의 신화들을 배운다는 것, 우는 것을 배운다는 것, 침묵을 배운다는 것, 그것만이 인간인 것이냐? 인간의 허영이 아닌가, 라고 나는 누이에게 말해주고 싶었다.

― 김승옥, 「누이를 이해하기 위하여」 ―

[선생님의 설명]

(가)와 (나)는 하나의 작품을 구성하는 서로 다른 장들의 일부로, 각각의 구조를 다음과 같이 파악할 수 있습니다.

○ (가)의 '나'는, 고향에 어머니와 누이를 두고 서울로 와 살고 있는 '작자'에 대하여 이야기한다.
○ (나)의 '나'는, 고향을 떠나 도시에서 2년간 살다 귀향한 '누이'에 대하여 이야기한다.

(가)와 (나)는 '작자'와 '누이', 즉 고향을 떠나 도시 공간을 경험하고 있거나 경험한 인물을 다룸으로써 관련을 맺고 있습니다. 이 때문에 (가)와 (나)는 독립된 장으로 서로 구별되어 있음에도 '누이를 이해하기 위하여'라는 단일 제목 하에서 통합된 의미를 구현하게 되지요. 이 작품을 읽으며 독자는, (가)에서 '나'의 시각으로 서술되는 '작자'의 모습을 통해 (나)의 [㉠]을/를 짐작할 수 있습니다.

9. (가)와 (나)를 이해한 내용으로 적절하지 <u>않은</u> 것은? [3점]

① (가)에서 '나'는 '작자'를 '무턱대고 우쭐대고 싶은 저 촌뜨기 의식에 가득 차' 있다고 평가함으로써 '작자'에 대한 '나'의 부정적 태도를 드러내고 있다.

② (가)에서 '나'는 '작자'의 어머니를 '작자에게는 분에 넘치기 짝이 없이 훌륭한 어머니'로 표현하여 '작자'와 그 어머니에 대해 대조적인 시선을 보이고 있다.

③ (가)에서 '나'는 '작자'가 어머니의 편지를 찢고 '입에 담을 수 없는 욕'을 하는 것을 어머니의 헌신적인 태도에 대한 감동을 감추기 위한 것으로 이해하고 있다.

④ (나)에서 '나'는 '누이'의 '울음'을, '자기들의 괴로움을 울며 부유하는' '희생자들'과 연결지어 이해하고 있다.

⑤ (나)에서 '누이'를 '해풍으로 목욕시키고 싶'어 하는 것은 '누이'가 '도시의 모든 기억을 토해 버리'고 과거와 같은 존재로 돌아오기를 바라는 마음을 드러낸 것으로 볼 수 있다.

10. '[선생님의 설명]'의 ㉠에 들어갈 말로 가장 적절한 것은?

① '누이'가 가져온 '작은 보따리'의 가치
② '누이'가 도시에서 겪었을 경험의 성격
③ '누이'가 고향을 떠나고 싶어 하게 된 계기
④ '나'와 '어머니'가 '누이'를 도시로 보낸 까닭
⑤ '어머니'가 '누이'의 고독을 견디지 못하는 이유

11. [A]에 대한 설명으로 가장 적절한 것은?

① 독백적 질문이 반복되며 내적인 탐색의 과정이 제시되고 있다.
② 공간적 배경의 아름다움을 감각적인 언어로 묘사하고 있다.
③ 계절적 이미지를 묘사하여 사건 전개를 암시하고 있다.
④ 담담한 태도로 사건을 객관적으로 묘사하고 있다.
⑤ 인물 간의 갈등이 대화를 통해 심화되고 있다.

12. ⓐ~ⓔ와 관련하여 (나)의 인물에 대해 설명한 내용으로 적절하지 <u>않은</u> 것은?

① '나'는 ⓐ를 도시에 대해 미련을 떨치지 못한 것으로 해석하고 있다.

② '나'는 도시를 ⓑ로 보고 자신의 고향과는 이질적인 곳으로 인식하고 있다.

③ '어머니'는 ⓒ를 통해 '누이'가 도시에서의 경험을 털어놓도록 유도하고 있다.

④ '나'는 ⓓ의 발화에 이어지는 '울음'에 '누이'의 미안함이 담겨 있다고 생각하고 있다.

⑤ '나'는 고향의 속성들을 ⓔ와 같이 열거하며 도시의 허영적 속성을 일깨우고 있다.

총 문항					문항	맞은 문항				문항
개별 문항	1	2	3	4	5	6	7	8	9	10
채점										
개별 문항	11	12	13	14	15	16	17	18	19	20
채점										

현 대 시

• 고2 국어 문학 •

# Ⅱ 현 대 시

🔖 출제 트렌드

현대시에서는 유명한 작가의 작품이 자주 출제되므로 개별 작가와 작품의 경향을 알아 두면 도움이 됩니다. 특히 작가가 작품 활동을 했을 당시의 시대상이 시에 반영되는 경우가 많습니다. 시 문학에서는 화자의 정서와 태도가 가장 중요한데, 시대상을 알면 이를 파악하는 데에도 도움이 됩니다. 또한 문제에 주어지는 〈보기〉를 통해 작품 해석의 실마리를 얻을 수도 있습니다. 또 한 가지 중요한 것은 바로 시의 표현 방법들을 알아 두는 것입니다. 비유, 상징, 역설, 반어, 대구, 열거, 점층 등 표현 방법에 관한 용어의 의미를 정확하게 알고 있어야만 시 영역의 문제를 풀 수 있습니다. 2022학년도 시험에서는 김춘수 시인의 작품이 9월과 11월에 두 번 출제된 것이 특징적이며 문제 수는 2021학년도부터 고정적으로 3문제씩 출제되고 있습니다. 문학 영역에서는 대체로 고전 문학 문제를 푸는 시간이 더 오래 걸리므로, 현대 문학에서 시간을 단축하는 것이 좋습니다.

시행	출제 지문	문제 수	난이도
2022학년도 11월 학평	김춘수, '부재' / 황동규, '삶을 살아낸다는 건'	3문제 출제	★☆☆
2022학년도 9월 학평	김춘수, '겨울밤의 꿈' / 오규원, '개봉동과 장미'	3문제 출제	★★☆
2022학년도 6월 학평	이상, '거울' / 천양희, '가시나무'	3문제 출제	★★☆
2022학년도 3월 학평	나희덕, '그 복숭아나무 곁으로' / 복효근, '잔디에게 덜 미안한 날'	3문제 출제	★★☆

🔖 1등급 꿀팁

하나 _ 시의 화자 또는 대상이 처한 상황을 상상하며 읽자.

두울 _ 시어의 의미는 반드시 문맥 속에서 찾자.

세엣 _ 〈보기〉가 주어질 경우 작품 해석에 대한 힌트로 사용하자.

네엣 _ 비유법, 도치법, 설의법 등 대표적인 표현 방법들을 예시와 함께 외워 두자.

다섯 _ 자주 출제되는 작가의 주요 작품, 작품의 특징과 경향 등을 미리 알아 두자.

여섯 _ 서술어나 어미를 보고 시의 전체적인 분위기를 파악하자.

일곱 _ 두 편의 시가 묶여 출제되는 것이 일반적이므로 작품 간의 공통점과 차이점을 생각하며 읽자.

다음 글을 읽고 물음에 답하시오.

(가)

저녁 한동안 **가난한 시민들의**
살과 피를 데워 주고
밥상머리에
된장찌개도 데워 주고
아버지가 식후에 석간을 읽는 동안
아들이 식후에
이웃집 라디오를 엿듣는 동안
연탄가스는 가만가만히
쥐라기*의 지층으로 내려간다.
그날 밤
가난한 서울의 시민들은
㉠꿈에 볼 것이다.
날개에 산호빛 발톱을 달고
앞다리에 세 개나 새끼 공룡의
순금의 손을 달고
서양 어느 학자가
Archaeopteryx* 라 불렀다는
쥐라기의 새와 같은 새가 한 마리
연탄가스에 그을린 서울의 겨울의
제일 낮은 지붕 위에
내려와 앉는 것을,

― 김춘수, 「겨울밤의 꿈」―

* 쥐라기: 시조새가 나타났던 중생대의 중간 시기.
* Archaeopteryx: 아르케옵테릭스, 시조새.

(나)

개봉동 입구의 길은
한 송이 장미 때문에 왼쪽으로 굽고,
굽은 길 어디에선가 빠져나와
장미는
길을 제 혼자 가게 하고
아직 흔들리는 가지 그대로 ㉡길 밖에 선다.

보라 가끔 몸을 흔들며
잎들이 제 마음대로 시간의 바람을 일으키는 것을.
장미는 이곳 주민이 아니어서
시간 밖의 서울의 일부이고,
그대와 나는
사촌들 얘기 속의 한 토막으로
비 오는 지상의 어느 발자국에나 고인다.

말해 보라
무엇으로 장미와 닿을 수 있는가를.
저 불편한 의문, 저 불편한 비밀의 꽃
장미와 닿을 수 없을 때,
두드려 보라 개봉동 집들의 문은
어느 곳이나 열리지 않는다.

― 오규원, 「개봉동과 장미」―

27. <보기>를 참고하여 (가)와 (나)를 감상한 내용으로 적절하지 <u>않은</u> 것은? [3점]

<보 기>

(가)와 (나)는 모두 비슷한 시기의 서울을 배경으로 하고 있으나 두 작품의 화자가 주목하고 있는 것은 다르다. (가)의 화자는 '연탄가스'에서 촉발된 상상력을 바탕으로, 연탄과 관련된 오래전 과거와 가난한 도시 사람들의 현재가 만나는 순간을 감각적으로 그려 내어 연민의 정서를 드러내고 있다. 한편 (나)의 화자는 현대 문명을 상징하는 '개봉동'과 그곳에 종속되지 않고 순수한 생명력을 지키고 있는 '장미'의 대비를 통해 현대 문명 속에서도 본연의 모습을 잃지 않는 삶이 필요함을 드러내고 있다.

---

① (가)에서 연탄이 '가난한 시민들의 / 살과 피를 데워' 준다는 것은 연탄이 가난한 사람들에게 온기를 줄 수 있음을 보여 주는 것이겠군.
② (가)에서 '연탄가스'가 '쥐라기의 지층으로 내려간다'는 것은 화자가 연탄과 관련된 오래전 과거의 시간을 떠올리고 있음을 보여 주는 것이겠군.
③ (가)에서 '쥐라기의 새와 같은 새'가 '제일 낮은 지붕 위에 / 내려와 앉는'다는 것은 가난한 사람들이 따뜻해지길 바라는 화자의 바람을 감각적으로 드러낸 것이겠군.
④ (나)에서 '장미'의 '잎들이 제 마음대로 시간의 바람을 일으'킨다는 것은 현대 문명의 속성에 종속되지 않는 장미의 순수한 생명력을 드러낸 것이겠군.
⑤ (나)에서 '개봉동 집들의 문'을 '두드려'도 '어느 곳이나 열리지 않는다'는 것은 현대 문명의 발전과 본연의 모습을 잃지 않고 살아가는 삶이 공존할 수 있음을 드러낸 것이겠군.

5분 　 2022학년도 11월 학평 39~41번 　 ★☆☆ 　 정답 015쪽

【1~3】 다음 글을 읽고 물음에 답하시오.

(가)

ㄱ어쩌다 **바람**이라도 와 흔들면
울타리는
슬픈 소리로 울었다.

맨드라미, 나팔꽃, 봉숭아 같은 것
철마다 피곤
소리없이 **져 버렸다.**

차운 한겨울에도
ㄴ외롭게 햇살은
청석(靑石) 섬돌 위에서
낮잠을 졸다 갔다.

할일없이 세월은 흘러만 가고
꿈결같이 사람들은
살다 죽었다.

　　　　　　　　　　　　　　　　－ 김춘수, 「부재」 －

(나)

다 왔다.
하늘이 자잔히 잿빛으로 바뀌기 시작한
아파트 동과 동 사이로
마지막 잎들이 지고 있다, 허투루루.
바람이 지나가다 말고 투덜거린다.
엘리베이터 같이 쓰는 이웃이
걸음 멈추고 ㄷ같이 투덜대다 말고
인사를 한다.
조그만 인사, 서로가 살갑다.

얇은 서리 가운 입던 꽃들 사라지고
땅에 꽂아논 철사 같은 장미 줄기들 사이로
낙엽은 ㄹ이리저리 돌아다니고
밟히면 먼저 떨어진 것일수록 소리가 엷어진다.
ㅁ아직 햇빛이 닿아 있는 **피라칸사 열매**는 더 붉어지고
하나하나 눈인사하듯 **똑똑해졌다.**
더 똑똑해지면 사라지리라
사라지리라, 사라지리라 이 가을의 모든 것이,
시각을 떠나
청각에서 걸러지며.

두터운 잎을 두르고 있던 **나무** 몇이
가랑가랑 **마른기침 소리**로 나타나
속에 감추었던 **가지와 둥치**들을 내놓는다.
근육을 저리 **바싹 말려버린 괜찮은 삶**도 있었다니!
무엇에 맞았는지 깊이 파인 가슴도 하나 있다.
다 나았소이다, 그가 속삭인다.

이런! 삶을, 삶을 살아낸다는 건……
나도 모르게 가슴에 손이 간다.

　　　　　　　　　　　　－ 황동규, 「삶을 살아낸다는 건」 －

1. (가), (나)에 대한 설명으로 가장 적절한 것은?
　① (가)는 과거와 현재를 대비하며 시상을 전개하고 있다.
　② (나)는 상승과 하강의 이미지를 반복하여 주제를 강조하고 있다.
　③ (가)와 (나)는 모두 말줄임표로 끝내는 시행을 사용하여 여운을 주고 있다.
　④ (가)와 (나)는 모두 자연물에 인격을 부여하여 시적 의미를 나타내고 있다.
　⑤ (가)는 명령적 어조를 활용하여, (나)는 영탄적 어조를 활용하여 화자의 정서를 전달하고 있다.

2. ㄱ~ㅁ에 대한 이해로 적절하지 **않은** 것은?
　① ㄱ은 규칙적이지 않고 우연한 어떤 시간에 현상이 나타났음을 드러낸다.
　② ㄴ은 대상이 주어진 환경 속에서 홀로인 상태임을 표현한다.
　③ ㄷ은 대상의 행위가 혼자만의 행동이 아님을 나타낸다.
　④ ㄹ은 대상이 규칙적으로 떨어지고 있는 모습을 시각적으로 형상화한다.
　⑤ ㅁ은 대상의 변화를 이끌어 내는 과정이 끝나지 않고 지속되고 있음을 드러낸다.

3. <보기>를 참고하여 (가), (나)를 감상한 내용으로 적절하지 **않은** 것은? [3점]

─〈 보 기 〉─
시인은 관념적 주제를 자연 현상의 속성을 활용하여 형상화한다. (가)에서는 유한한 존재가 지닌 부재의 의미를, 삶과 죽음의 순환적 공존이 일어나는 자연 현상에 대한 정서적 반응을 통해 감각적으로 드러낸다. (나)에서는 삶의 의미를, 소멸하는 자연물이 지닌 생의 감각과 자연과 교감하며 깨달은 일상적인 경험을 세세하게 표현함으로써 드러낸다.

　① (가)에서 '사람들'이 '꿈결같이' '살다 죽'는 모습에서 존재의 유한함을 형상화하고 있음을 알 수 있겠군.
　② (가)에서 '바람'이 '흔들'면 '울타리'가 '슬픈 소리'로 우는 모습에서 자연 현상에 대한 정서적 반응을 알 수 있겠군.
　③ (나)에서 '눈인사하듯 똑똑해'진 '피라칸사 열매'가 '더 똑똑해지면 사라'질 것이라고 하는 모습에서 자연과 교감하며 얻은 깨달음이 드러나 있음을 알 수 있겠군.
　④ (가)에서 '햇살'이 '낮잠을 졸다' 사라지는 모습과, (나)에서 '바싹 말'라버린 '나무'의 상태를 '괜찮은 삶'이라고 하는 모습에서 자연 현상의 속성을 활용하여 관념적 주제를 형상화하고 있음을 알 수 있겠군.
　⑤ (가)에서 '맨드라미' 같은 꽃들이 '철마다 피'고는 '져 버'리는 모습에서 삶과 죽음의 순환적 공존을, (나)에서 '마른기침 소리'를 내던 나무가 새롭게 '가지와 둥치'를 내놓는 모습에서 생의 감각이 소멸한다는 것을 알 수 있겠군.

【4~6】 다음 글을 읽고 물음에 답하시오.

(가)

저녁 한동안 **가난한 시민들의**
살과 피를 데워 주고
밥상머리에
된장찌개도 데워 주고
아버지가 식후에 석간을 읽는 동안
아들이 식후에
이웃집 라디오를 엿듣는 동안
연탄가스는 가만가만히
쥐라기*의 지층으로 내려간다.
그날 밤
가난한 서울의 시민들은
㉠**꿈**에 볼 것이다.
날개에 산호빛 발톱을 달고
앞다리에 세 개나 새끼 공룡의
순금의 손을 달고
서양 어느 학자가
Archaeopteryx*라 불렀다는
쥐라기의 새와 같은 새가 한 마리
연탄가스에 그을린 서울의 겨울의
제일 낮은 지붕 위에
내려와 앉는 것을,

— 김춘수, 「겨울밤의 꿈」 —

* 쥐라기: 시조새가 나타났던 중생대의 중간 시기.
* Archaeopteryx: 아르케옵테릭스, 시조새.

(나)

개봉동 입구의 길은
한 송이 장미 때문에 왼쪽으로 굽고,
굽은 길 어디에선가 빠져나와
장미는
길을 제 혼자 가게 하고
아직 흔들리는 가지 그대로 ㉡**길 밖에 선다.**

보라 가끔 몸을 흔들며
잎들이 제 마음대로 시간의 바람을 일으키는 것을.
장미는 이곳 주민이 아니어서
시간 밖의 서울의 일부이고,
그대와 나는
사촌들 얘기 속의 한 토막으로
비 오는 지상의 어느 발자국에나 고인다.

말해 보라
무엇으로 장미와 닿을 수 있는가를.
저 불편한 의문, 저 불편한 비밀의 꽃
장미와 닿을 수 없을 때,
두드려 보라 개봉동 집들의 문은
어느 곳이나 열리지 않는다.

— 오규원, 「개봉동과 장미」 —

4. (가)와 (나)의 공통점으로 가장 적절한 것은?

① 도치의 방식을 활용하여 시적 상황을 부각하고 있다.
② 명령형 문장을 활용하여 화자의 의지를 드러내고 있다.
③ 감탄사를 사용하여 고조되는 화자의 감정을 나타내고 있다.
④ 인격화된 대상을 청자로 설정하여 친근감을 드러내고 있다.
⑤ 동일한 시행의 반복을 통해 대상이 지닌 속성을 강조하고 있다.

5. ㉠과 ㉡에 대한 이해로 가장 적절한 것은?

① ㉠과 ㉡은 모두 화자의 시선을 다른 인물의 시선으로 확장시키는 매개체이다.
② ㉠과 ㉡은 모두 부정적 과거에서 벗어나 긍정적 미래로 향할 수 있게 해 주는 계기이다.
③ ㉠은 화자가 자신의 내면을 성찰하게 되는 동기이고, ㉡은 화자의 인식이 변화하게 되는 원인이다.
④ ㉠은 화자의 상상을 시각적으로 나타내는 장치이고, ㉡은 대상이 이질적 속성을 지니고 있음을 보여 주는 공간이다.
⑤ ㉠은 화자가 현실을 부정함으로써 상처를 극복하게 되는 원동력이고, ㉡은 대상이 현실의 상황과 마주하게 되는 장소이다.

6. <보기>를 참고하여 (가)와 (나)를 감상한 내용으로 적절하지 **않은** 것은? [3점]

> <보 기>
>
> (가)와 (나)는 모두 비슷한 시기의 서울을 배경으로 하고 있으나 두 작품의 화자가 주목하고 있는 것은 다르다. (가)의 화자는 '연탄가스'에서 촉발된 상상력을 바탕으로, 연탄과 관련된 오래전 과거와 가난한 도시 사람들의 현재가 만나는 순간을 감각적으로 그려 내어 연민의 정서를 드러내고 있다. 한편 (나)의 화자는 현대 문명을 상징하는 '개봉동'과 그곳에 종속되지 않고 순수한 생명력을 지키고 있는 '장미'의 대비를 통해 현대 문명 속에서도 본연의 모습을 잃지 않는 삶이 필요함을 드러내고 있다.

① (가)에서 연탄이 '가난한 시민들의 / 살과 피를 데워' 준다는 것은 연탄이 가난한 사람들에게 온기를 줄 수 있음을 보여 주는 것이겠군.
② (가)에서 '연탄가스'가 '쥐라기의 지층으로 내려간다'는 것은 화자가 연탄과 관련된 오래전 과거의 시간을 떠올리고 있음을 보여 주는 것이겠군.
③ (가)에서 '쥐라기의 새와 같은 새'가 '제일 낮은 지붕 위에 / 내려와 앉'는다는 것은 가난한 사람들이 따뜻해지길 바라는 화자의 바람을 감각적으로 드러낸 것이겠군.
④ (나)에서 '장미'의 '잎들이 제 마음대로 시간의 바람을 일으'킨다는 것은 현대 문명의 속성에 종속되지 않는 장미의 순수한 생명력을 드러낸 것이겠군.
⑤ (나)에서 '개봉동 집들의 문'을 '두드려'도 '어느 곳이나 열리지 않는다'는 것은 현대 문명의 발전과 본연의 모습을 잃지 않고 살아가는 삶이 공존할 수 있음을 드러낸 것이겠군.

【7~9】 다음 글을 읽고 물음에 답하시오.

(가)

거울속에는소리가없소
저렇게까지조용한세상은참없을것이오 [A]

거울속에도내게**귀**가있소
내말을못알아듣는딱한귀가두개나있소 [B]

거울속의나는왼손잡이오
내악수(握手)를받을줄모르는―악수(握手)를모르는왼손잡이오 [C]

거울때문에나는**거울속의나를만져보지를못하**는구료마는
거울이아니었던들내가어찌**거울속의나**를**만나보**기만이라도했 [D]
겠소

나는지금(至今)거울을안가졌소마는거울속에는늘거울속의내가
있소
잘은모르지만외로된사업(事業)에골몰할게요

거울속의나는참**나**와는반대(反對)요마는
또꽤닮았소 [E]
나는거울속의나를근심하고진찰(診察)할수없으니퍽섭섭하오
― 이상, 「거울」 ―

(나)

누가 내 속에 **가시나무**를 심어놓았다
그 위를 **말벌**이 날아다닌다
몸 어딘가, 쏘인 듯 아프다
생(生)이 벌겋게 부어오른다 잉잉거린다
이건 **지독한 노역(勞役)***이다
나는 놀라서 멈칫거린다
지상에서 생긴 일을 나는 많이 몰랐다
모르다니! 이젠 **가시밭길**이 끔찍해겼다
이 길, 지나가면 다시는 안 돌아오리라
돌아가지 않으리라
가시나무에 기대 다짐하는 나여
이게 오늘 나의 희망이니
가시나무는 얼마나 **많은 가시**를
감추고 있어서 가시나무인가
나는 또 얼마나 **많은 나**를
감추고 있어서 나인가
가시나무는 가시가 있고
나에게는 가시나무가 있다
― 천양희, 「가시나무」 ―

* 노역 : 괴롭고 힘든 노동.

---

7. (가)와 (나)에 대한 설명으로 가장 적절한 것은?

① (가)는 명사형으로 시상을 마무리하여 시적 여운을 주고 있다.
② (나)는 유사한 통사 구조를 반복하여 시적 의미를 강조하고 있다.
③ (가)는 (나)와 달리 공간의 이동에 따라 화자의 태도 변화를 드러내고 있다.
④ (나)는 (가)와 달리 수미상관 방식을 통해 구조적 안정감을 드러내고 있다.
⑤ (가)는 음성 상징어를 활용하여, (나)는 청각적 이미지를 활용하여 대상의 속성을 나타내고 있다.

8. (가)의 [A] ~ [E]를 이해한 내용으로 적절하지 <u>않은</u> 것은?

① [A]에서 화자는 거울 밖과 구분되는 '거울속' 세상이 존재함을 인식하고 있다.
② [B]에서 화자는 '거울속'의 '귀'에 대한 정서적 반응을 표출하고 있다.
③ [C]에서 화자는 '거울속의나'와 소통하고 있지만 지속적일 수 없음을 인식하고 있다.
④ [D]에서 화자는 '거울속의나'를 '만져보지를못하'게 하지만 '만나보'게 해준 거울의 이중적 속성을 파악하고 있다.
⑤ [E]에서 화자는 '거울속의나'와 '나'가 반대이면서도 닮았다는 모순적 상황을 파악하고 있다.

9. <보기>를 바탕으로 (나)를 감상한 내용으로 적절하지 <u>않은</u> 것은? [3점]

> ── < 보 기 > ──
>
> 이 작품은 고통을 상징하는 '가시'의 이미지를 바탕으로 화자의 내면 풍경과 삶의 과정을 성찰하고 있다. 삶의 고난이 화자를 고통스럽게 만들기에 화자는 그것을 벗어나고 싶어 하지만, 그런 생각조차 '가시나무에 기대'어 하는 모습에서 화자가 결국 고통을 인정하고 있음을 드러낸다. 화자는 고통이 존재의 본질임을 깨닫고 고통과 함께하는 삶을 수용하게 된다.

① 고통받는 화자의 내면 풍경을 '가시나무'와 '말벌'을 이용하여 드러냈다고 할 수 있군.
② 화자의 순탄하지 않았던 삶의 과정을 '가시밭길'이라는 표현으로 드러냈다고 할 수 있군.
③ 고통에서 벗어나려는 화자의 행위를 '지독한 노역'에서 확인할 수 있군.
④ '가시나무'와 '많은 가시', '나'와 '많은 나'의 대응 관계를 통해 존재의 본질을 인식했다고 볼 수 있군.
⑤ 고통과 함께하는 삶을 수용하는 화자의 인식을 '나에게는 가시나무가 있다'로 표현했다고 할 수 있군.

총 문항				문항	맞은 문항				문항
개별 문항	1	2	3	4	5	6	7	8	9	10
채점										
개별 문항	11	12	13	14	15	16	17	18	19	20
채점										

II

| 5분 | 2022학년도 3월 학평 35~37번 | ★★☆ | 정답 017쪽 |

[1~3] 다음 글을 읽고 물음에 답하시오.

(가)

너무도 여러 겹의 마음을 가진
그 복숭아나무 곁으로
나는 왠지 가까이 가고 싶지 않았습니다
흰꽃과 분홍꽃을 나란히 피우고 서 있는 그 나무는 아마
사람이 앉지 못할 그늘을 가졌을 거라고
멀리로 ㉠멀리로만 지나쳤을 뿐입니다
흰꽃과 분홍꽃 사이에 수천의 빛깔이 있다는 것을
나는 그 나무를 보고 멀리서 알았습니다
눈부셔 눈부셔 알았습니다
피우고 싶은 꽃빛이 너무 많은 그 나무는
그래서 외로웠을 것이지만 **외로운 줄도 몰랐을 것입니다**
그 여러 겹의 마음을 읽는 데 참 오래 걸렸습니다

흩어진 꽃잎들 어디 먼 데 닿았을 무렵
조금은 심심한 얼굴을 하고 있는 그 복숭아나무 그늘에서
가만히 들었습니다 저녁이 오는 소리를

　　　　　　　　　– 나희덕, 「그 복숭아나무 곁으로」 –

(나)

천변 잔디밭을 밟고
사람들이 걷기 운동을 하자
잔디밭에 외줄기 길이 생겼다
어쩌나 잔디가 밟혀죽을 텐데
내 걱정 아랑곳없이
가르마길이 나고 그 자리만 **잔디가 모두 죽었다**
오늘 새벽에도 사람들이 그 길을 걷는데
㉡**멀리서도 보였다**
죽은 잔디싹들이 사람의 몸 속에 푸른 길을 내고 살아 있는 것이
푸른 잔디의 것이 아니라면
저 사람들의 말소리가 저렇게 청량하랴
걷는 사람들의 웃음소리 얘기소리에서
싱싱한 풀꽃 냄새가 난다
그제서야 나는 잔디가 죽은 것이 아니라
사람들에게 길을 내어주고 비켜서 있거나
아예 **사람 속에서 꽃피고 있음을 안다**
그렇듯 언젠가는 사람들도
잔디에게 자리를 내어준다는 것도 알겠다

　　　　　　　　　– 복효근, 「잔디에게 덜 미안한 날」 –

1. (가)와 (나)의 표현상 공통점으로 가장 적절한 것은?

① 색채어를 활용하여 대상의 모습을 구체화하고 있다.
② 설의적 표현을 사용하여 화자의 확신을 드러내고 있다.
③ 경어체를 활용하여 화자의 내적 정서를 고백하고 있다.
④ 후각적 심상을 활용하여 대상의 속성을 부각하고 있다.
⑤ 상승과 하강의 이미지를 반복하여 주제를 강조하고 있다.

2. ㉠, ㉡에 대한 설명으로 가장 적절한 것은?

① ㉠은 대상에 대한 동경을, ㉡은 연민을 나타낸다.
② ㉠은 대상에 대한 기대감을, ㉡은 친밀감을 나타낸다.
③ ㉠은 대상에 대한 이질감을, ㉡은 일체감을 나타낸다.
④ ㉠은 대상에 대한 상실감을, ㉡은 실망감을 나타낸다.
⑤ ㉠은 대상에 대한 심리적 거리감을, ㉡은 관심을 나타낸다.

3. 다음은 (가), (나)에 대한 '엮어 읽기 과제 수행록'이다. 과제를 수행한 결과로 적절하지 **않은** 것은? [3점]

○ 공통점 : 인식의 변화 과정을 담고 있음.
○ 시적 대상(의미)
　(가) : 복숭아나무(타인), (나) : 잔디(자연물)
○ 시상의 흐름에 따른 감상

(가)	시상	(나)
'사람이 앉지 못할 그늘을 가졌을 거'에서 타인에 대한 선입견이 나타남. ·············· a	피상적 인식	'잔디가 모두 죽었다'에서 자연물에 대한 단편적 인식이 나타남.
'흰꽃과 분홍꽃 사이에 수천의 빛깔이 있다'에서 타인의 본모습을 발견함.	새로운 발견	'푸른 잔디의 것이 아니라면 저 사람들의 말소리가 저렇게 청량하랴'에서 자연물과 사람들의 관계를 발견함. ·········· b
'외로운 줄도 몰랐을 것'에서 욕심을 버리고 다른 사람을 위해 자신을 희생하는 타인의 모습을 인식하게 됨. ·········· c	인식의 변화	'잔디가 죽은 것이 아니라' '사람 속에서 꽃피고 있음'에서 자연물이 사람들에게 생명력을 전해 준다고 인식하게 됨.
'복숭아나무 그늘에서 가만히 들었습니다'에서 타인을 진정으로 이해하고 교감함. ·········· d	결과	'언젠가는 사람들도 잔디에게 자리를 내어준다'에서 죽음이 생명으로 이어지는 자연의 순환적 원리를 깨달음. ·········· e

① a　　　② b　　　③ c　　　④ d　　　⑤ e

【4~6】 다음 글을 읽고 물음에 답하시오.

(가)

태양이 돌아온 기념으로
집집마다
카렌다아를 한 장씩 뜯는 시간이면
검누른 소리 항구의 하늘을 빈틈없이 흘렀다

머언 해로를 이겨낸 기선(汽船)이
항구와의 인연을 사수하려는 **검은 기선이**
뒤를 이어 **입항**했었고
상륙하는 얼골들은
바늘 끝으로 쏙 찔렀자
솟아나올 한 방울 붉은 피도 없을 것 같은
얼골 얼골 **희머얼건 얼골**뿐

부두의 **인부꾼들**은
흙을 씹고 자라난 듯 꺼머틔틔했고
시금트레한 눈초리는
푸른 하늘을 쳐다본 적이 없는 것 같았다
그 가운데서 나는 너무나 어린
어린 노동자였고-

물 위를 도롬도롬 헤어 다니던 마음
흩어졌다도 다시 작대기처럼 꼿꼿해지던 마음
나는 **날마다 바다의 꿈**을 꾸었다
나를 **믿고저** 했었다
여러 해 지난 오늘 마음은 항구로 돌아간다
부두로 돌아간다 그날의 나진*이여

– 이용악, 「항구」 –

* 나진: 함경북도 북부 동쪽 해안에 있는 항구 도시.

(나)

옥수숫대는
땅바닥에서 서너 마디까지
뿌리를 내딛는다
땅에 닿지 못할 **헛발일지라도**
길게 발가락을 **들이민다**

허방으로 내딛는 저 곁뿌리처럼
마디마다 **맨발의 근성**을 키우는 **것이다**
목 울대까지 울컥울컥
부젓가락 같은 뿌리를 내미는 것이다

옥수수밭 두둑의
저 버드나무는, 또한
제 흠집에서 뿌리를 내려 제 **흠집**에 **박는다**
상처의 지붕에서 상처의 주춧돌로
스스로 기둥을 **세운다**

생이란,
자신의 상처에서 자신의 버팀목을
꺼내는 것이라고
버드나무와 옥수수
푸른 이파리들 눈을 맞춘다

– 이정록, 「희망의 거처」 –

4. (가)와 (나)의 공통점으로 가장 적절한 것은?
① 반어적 표현을 통해 현실을 우회적으로 제시하고 있다.
② 의문형 진술을 반복적으로 사용해 문제의식을 드러내고 있다.
③ 영탄적 어조를 사용하여 화자의 의지적 태도를 부각하고 있다.
④ 점층적 시상 전개를 통해 화자의 고조된 감정을 강조하고 있다.
⑤ 직유적 표현으로 대상의 외양에 드러나는 특성을 나타내고 있다.

5. <보기>를 바탕으로 (가)를 감상한 내용으로 적절하지 <u>않은</u> 것은?
[3점]

〈 보 기 〉

(가)는 화자의 과거 회상 속 항구의 모습을 감각적으로 형상화하고 있다. 이 작품에서 항구는 부두의 인부들과 어린 노동자인 화자가 고달픈 삶을 이어가는 공간이다. 한편으로는 육지와 바다를 연결하는 곳으로, 새로운 세계로 나아가기 위한 출발점이라는 의미를 갖기도 한다. 이런 항구에서 다른 노동자들이 이상을 잃은 채 살아가는 것과 달리 화자는 방황하는 마음을 다잡아 삶의 의지를 다지고 미래의 희망을 꿈꾸게 된다. 그리고 화자에게 이러한 과거 자신의 모습은 그리움의 대상이 되고 있다.

① '검은 기선'이 '입항'하고 '희머얼건 얼골'이 '상륙하는' 것은, 화자의 시선에서 바라본 항구의 모습을 감각적으로 형상화한 것이겠군.
② '푸른 하늘을 쳐다본 적이 없는 것 같'은 '인부꾼들'은, 이상을 잃어버린 모습으로 표현되어 고달픈 생활 현장으로서의 항구를 보여 주는 것이겠군.
③ '날마다 바다의 꿈을 꾸'며 자신을 '믿고'자 했던 화자의 모습은, '시금트레한 눈초리'와 대비되며 새로운 미래에 대한 화자의 희망적 태도를 나타내는 것이겠군.
④ '마음'이 '흩어졌다'가도 '작대기처럼 꼿꼿해'졌다는 것은, 방황하는 마음을 다잡으려 하다가도 바다로 가로막힌 공간에서 좌절하곤 했던 화자의 모습을 드러낸 것이겠군.
⑤ '여러 해 지난 오늘' '마음'이 '항구로 돌아간다'는 것은, 화자가 '그날의 나진'에서 자신이 가졌던 마음에 대해 느끼는 그리움을 표현한 것이겠군.

6. (나)를 이해한 내용으로 적절하지 <u>않은</u> 것은?
① '들이민다'는 '헛발일지라도'와 연결되어 실패를 두려워하지 않고 시도하는 의지를 드러내고 있다.
② '키우는 것이다'는 '맨발의 근성'과 연결되어 옥수숫대가 다른 존재와의 교감을 통해 성장하게 됨을 드러내고 있다.
③ '박는다'는 '흠집'과 연결되어 버드나무가 고통을 인내하는 모습을 드러내고 있다.
④ '세운다'는 '스스로'와 연결되어 버드나무가 자신의 힘으로 상처를 극복하는 모습을 드러내고 있다.
⑤ '꺼내는 것이라고'는 '생이란'과 연결되어 자연의 모습으로부터 생에 대한 깨달음을 유추하고 있음을 드러내고 있다.

[7~10] 다음 글을 읽고 물음에 답하시오.

(가)

　비탈진 공터 언덕 위 푸른 풀이 덮이고 그 아래 웅덩이 옆 미루나무 세 그루 **갈라진 밑동**에도 **푸른 싹**이 돋았다 때로 늙은 나무도 젊고 싶은가 보다

　기다리던 것이 오지 않는다는 것은 누구나 안다 누가 누구를 사랑하고 누가 누구의 목을 껴안듯이 비틀었는가　[A]
나도 안다 돼지 목 따는 동네의 더디고 나른한 세월

　때로 우리는 묻는다 **우리의 굽은 등**에 푸른 싹이 돋을까 묻고 또 묻지만 비계처럼 씹히는 달착지근한 혀, 항시 우리들 삶은 낡은 유리창에 흔들리는 **먼지 낀 풍경** 같은 것이었다　[B]

　흔들리며 보채며 얼핏 잠들기도 하고 그 잠에서 깨일 땐 솟아오르고 싶었다 세차장 고무호스의 **길길이 날뛰는 물줄기**처럼 갈기갈기 찢어지며 아우성치며 울고불고 머리칼 쥐어뜯고 몸부림치면서……　[C]

　그런 일은 없었다 돼지 목 따는 동네의 더디고 나른한 세월, 풀잎 아래 엎드려 숨죽이면 가슴엔 **윤기나는 석탄층*** 이 깊었다

　　　　　　　　　　　　　　　　　　－ 이성복, 「다시 봄이 왔다」 －

＊석탄층 : 식물이 땅속에 층을 이루어 퇴적되면서 생긴 층.

(나)

옆구리에서 아까부터
무언가 꼼지락거리고 있었다.
내려다보니 **작은 할머니**였다.
만원 전동차에서 내리려고
혼자 ⊙ 헛되이 허우적거리고 있었다.
승객들은 빈틈없이 할머니를 에워싸고
높고 ⓛ 튼튼한 **벽**이 되어 있었다.
할머니가 아무리 중얼거리며 떠밀어도
벽은 꿈쩍도 하지 않았다.
할머니는 있는 힘을 다하였으나
태아의 발가락처럼 꿈틀거릴 뿐이었다.
전동차가 멈추고 문이 열리고 닫혔지만
벽은 ⓒ 조금도 흔들림이 없었다.
할머니가 필사적으로 **꿈틀거리는** 동안
꿈틀거릴수록 점점 작아지는 동안
승객들은 빈틈을 ⓔ 더 세게 조이며
더욱 ⓜ 견고한 벽이 되고 있었다.

　　　　　　　　　　　　　　　　　　－ 김기택, 「벽」 －

---

7. (가)와 (나)의 공통점으로 가장 적절한 것은?

① 단정적 진술을 활용하여 주제 의식을 드러내고 있다.
② 도치의 방식을 활용하여 시적 의미를 부각하고 있다.
③ 점층적 표현을 활용하여 시적 분위기를 고조하고 있다.
④ 반복과 열거를 활용하여 화자의 의지를 강조하고 있다.
⑤ 색채의 상징적 의미를 활용하여 시적 상황을 드러내고 있다.

8. [A]~[C]에 대한 설명으로 적절하지 <u>않은</u> 것은?

① [A] : 변화 가능성이 없는 상황에서 오는 권태로운 삶을 드러내고 있다.
② [B] : 자신이 처해 있는 현실에 대한 회의적인 태도를 드러내고 있다.
③ [B] : 생기 있는 삶을 기대할 수 없는 비관적 현실 인식을 드러내고 있다.
④ [C] : 치열하고 역동적으로 살기 위해 과거의 삶을 반성하는 모습을 드러내고 있다.
⑤ [C] : 무기력한 삶에서 벗어나 자유롭고 활기 있는 삶을 살고자 하는 욕망을 드러내고 있다.

9. ⊙~⑩의 의미를 고려하여 (나)를 이해한 내용으로 적절하지 <u>않은</u> 것은?

① ⊙을 활용하여 혼자의 힘으로는 문제를 해결할 수 없는 할머니의 상황을 부각하고 있군.

② ⓛ을 활용하여 할머니의 어려움을 심화시키는 대상을 강조하고 있군.

③ ⓒ을 활용하여 할머니의 고통에 반응하지 않는 승객들의 모습을 강조하고 있군.

④ ②을 활용하여 속박된 상황을 벗어나려는 할머니의 모습을 부각하고 있군.

⑤ ⑩을 활용하여 할머니의 처지에 관계없이 자신의 상황을 고수하고 있는 승객들의 모습을 부각하고 있군.

10. <보기>를 바탕으로 (가)와 (나)를 감상한 내용으로 적절하지 <u>않은</u> 것은? [3점]

> ──────── <보 기> ────────
>
> 시는 언어를 통해 이미지를 발현하고 영화는 영상을 통해 이미지를 표출한다. 시는 시어와 행과 연으로, 영화에서는 쇼트와 쇼트의 조합을 통해 이미지를 구성해 간다. 영화 기법은 영상의 이미지를 다루는 방법으로 시의 이미지를 분석하는 데 중요한 틀을 제공한다.
>
> 먼저 촬영 기법인 클로즈업은 주관적 의도에 의해 선택된 대상을 확대하여 대상에 집중하게 하고 관련된 상황과 심리를 강조한다.
>
> 한편 편집 기법인 몽타주는 이질적인 장면이나, 시공간이 다른 장면들을 연결하여 그들 사이의 대조나 유사성에 의한 연상적 비교를 일으켜 정서적 반응을 유발한다.

① (가)의 '갈라진 밑동'에 돋은 '푸른 싹'이 클로즈업처럼 확대되어 화자가 바라는 삶의 모습이 강조되겠군.

② (가)의 '우리의 굽은 등'과 '먼지 낀 풍경'은 몽타주 기법처럼 연결되어 화자가 처한 부정적 상황에 대한 정서가 유발되겠군.

③ (가)의 '길길이 날뛰는 물줄기'와 '윤기나는 석탄층'은 몽타주 기법처럼 연결되어 현실에 맞서는 화자에 대한 정서가 유발되겠군.

④ (나)의 '작은 할머니'와 높은 '벽'은 몽타주 기법처럼 연결되어 괴로움을 느끼는 할머니에 대한 정서가 유발되겠군.

⑤ (나)의 '꿈틀거리'는 '할머니'의 모습이 클로즈업처럼 확대되어 할머니가 애쓰는 상황이 강조되겠군.

총 문항					문항		맞은 문항				문항
개별 문항	1	2	3	4	5	6	7	8	9	10
채점										
개별 문항	11	12	13	14	15	16	17	18	19	20
채점										

 5분 | 2021학년도 6월 학평 43~45번 | ★☆☆ | 정답 020쪽

【1~3】 다음 글을 읽고 물음에 답하시오.

(가)

세상의 열매들은 왜 모두
둥글어야 하는가.
가시나무도 향기로운 그의 탱자만은 둥글다.

땅으로 땅으로 파고드는 뿌리는
날카롭지만
하늘로 하늘로 뻗어가는 가지는
뾰족하지만
스스로 익어 떨어질 줄 아는 열매는
모가 나지 않는다.

덥썩 / 한입에 물어 깨무는
탐스런 한 알의 능금
먹는 자의 이빨은 예리하지만
먹히는 능금은 부드럽다.

그대는 아는가,
모든 생성하는 존재는 둥글다는 것을
스스로 먹힐 줄 아는 열매는
모가 나지 않는다는 것을.

— 오세영, 「열매」 —

(나)

제 손으로 만들지 않고
한꺼번에 싸게 사서
마구 쓰다가 / 망가지면 내다 버리는
플라스틱 물건처럼 느껴질 때
나는 당장 **버스**에서 뛰어내리고 싶다
현대 아파트가 들어서며
홍은동 사거리에서 사라진
털보네 대장간을 찾아가고 싶다
풀무질로 이글거리는 불 속에
시우쇠*처럼 나를 달구고
모루* 위에서 벼리고 / 숫돌에 갈아
시퍼런 무쇠낫으로 바꾸고 싶다
땀흘리며 두들겨 하나씩 만들어낸
꼬부랑 호미가 되어
소나무 자루에서 송진을 흘리면서
대장간 벽에 걸리고 싶다
지금까지 살아온 인생이
온통 부끄러워지고
직지사 해우소
아득한 나락으로 떨어져내리는
똥덩이처럼 느껴질 때
나는 **가던 길**을 멈추고 문득

어딘가 걸려 있고 싶다

— 김광규, 「대장간의 유혹」 —

* 시우쇠 : 무쇠를 불에 달구어 단단하게 만든 쇠붙이.
* 모루 : 대장간에서 불린 쇠를 올려놓고 두드릴 때 받침으로 쓰는 쇳덩이.

1. (가)에 대한 설명으로 가장 적절한 것은?

① 자연물에 감정을 이입하여 시적 정서를 드러내고 있다.
② 청각적 심상을 활용하여 시적 상황을 구체화하고 있다.
③ 유사한 통사 구조의 반복으로 시적 의미를 강조하고 있다.
④ 색채어의 대비를 통해 대상에서 받은 인상을 부각하고 있다.
⑤ 계절의 흐름을 활용하여 대상의 변화 과정을 드러내고 있다.

2. (나)에 대한 이해로 적절하지 <u>않은</u> 것은?

① '버스'에서 뛰어내리고 싶다고 한 것을 통해 부정적 상황에서 벗어나고 싶어 하는 태도를 드러내고 있다.
② '홍은동 사거리'의 변화로 인해 사라진 공간을 찾아가고 싶은 심정을 드러내고 있다.
③ '털보네 대장간'을 통해 자신을 단련하여 탈바꿈하고 싶은 마음을 드러내고 있다.
④ '직지사 해우소'와 관련된 소재를 통해 자신의 삶에 대한 반성적 인식을 보여 주고 있다.
⑤ '가던 길'을 멈추는 행동을 통해 현실과 일시적으로 타협하려는 모습을 보여 주고 있다.

3. <보기>를 바탕으로 (가)와 (나)를 감상한 내용으로 적절하지 <u>않은</u> 것은? [3점]

───── <보 기> ─────
　(가)와 (나)는 모두 상징적 소재를 통해 바람직한 삶의 자세에 대한 깨달음을 그리고 있다. (가)는 나무의 모습을 관찰하며 원만한 삶의 태도와 자기희생적 정신을 발견하고, 이를 통해 얻은 깨달음을 확장하고 있다. (나)는 플라스틱 제품과 대장간의 농기구를 통해 무가치하고 소모품적인 존재가 아니라 자기만의 의미와 가치를 지닌 존재가 되고 싶다는 소망을 보여 주고 있다.

① (가) : 날카로운 '뿌리'와 대비되는 둥근 '열매'의 모습에서 원만한 삶의 태도를 발견할 수 있군.
② (가) : '스스로 먹힐 줄' 아는 열매에서 다른 생명을 위한 자기희생의 자세를 볼 수 있군.
③ (가) : '모든 생성하는 존재'가 둥글다는 인식은 열매의 모습에서 얻은 깨달음을 확장한 것으로 볼 수 있군.
④ (나) : '망가지면 내다 버리는' 물건은 무가치하고 소모품적인 존재를 의미한다고 볼 수 있군.
⑤ (나) : '꼬부랑 호미'가 '송진'을 흘리며 벽에 걸린 모습에서 무가치한 존재로 머물러 있음을 알 수 있군.

【4~6】 다음 글을 읽고 물음에 답하시오.

(가)

매운 계절의 채찍에 갈겨
마침내 **북방**으로 휩쓸려 오다.

하늘도 그만 지쳐 끝난 **고원**(高原)
서릿발 칼날진 그 위에 서다.

어데다 무릎을 꿇어야 하나
한 발 재겨 디딜 곳조차 없다.

이러매 눈 감아 생각해 볼밖에
겨울은 **강철로 된 무지갠가 보다.**

　　　　　　　　　　－이육사, 「절정」－

(나)

생명은
추운 몸으로 온다
벌거벗고 **언 땅에 꽂혀 자라는**
초록의 **겨울보리,**
생명의 어머니도 먼 곳
추운 몸으로 왔다

진실도
부서지고 불에 타면서 온다
버려지고 피 흘리면서 온다

겨울 나무들을 보라
추위의 면도날로 제 몸을 다듬는다
잎은 **떨어져** 먼 날의 섭리에 **불려 가고**
줄기는 이렇듯이
충전 부싯돌*임을 보라

금 가고 일그러진 걸 사랑할 줄 모르는 이는
친구가 아니다
상한 살을 헤집고 입맞출 줄 모르는 이는
친구가 아니다

생명은
추운 몸으로 온다
열두 대문 다 지나온 추위로
하얗게 드러눕는
함박눈 눈송이로 온다

　　　　　　　　　　－김남조, 「생명」－

* 부싯돌: 불씨를 일으키기 위해 사용되는 돌.

---

4. (가)와 (나)의 공통점으로 가장 적절한 것은?

① 음성상징어를 제시하여 생동감을 드러내고 있다.
② 추상적 관념을 시각화하여 주제를 드러내고 있다.
③ 동일한 문장을 반복하여 리듬감을 드러내고 있다.
④ 추측의 표현을 활용하여 시적 상황을 드러내고 있다.
⑤ 명령형 어조를 사용하여 화자의 태도를 드러내고 있다.

5. 다음은 (가)를 읽은 학생이 쓴 감상문의 일부이다. ⓐ~ⓔ 중 적절하지 <u>않은</u> 것은?

　이 작품을 감상할 때, 계절의 이미지에 주목하여 읽으니 화자의 상황과 정서에 더 공감할 수 있었다. ⓐ작품 속 계절적 상황이 '매운'이라는 감각적 이미지로 제시되어 있으니 혹독한 추위가 실감나게 느껴졌고, ⓑ겨울을 연상시키는 '서릿발'이라는 시어에서는 겨울이 주는 시련의 의미가 더욱 분명하게 드러나는 것 같았다. ⓒ이러한 겨울의 이미지들이 '북방'과 '고원'이라는 극한적 공간의 이미지와 맞물리면서 화자가 처한 상황이 고통스럽다는 것에 쉽게 공감할 수 있었다. 그리고 ⓓ화자가 고난이 끝났음을 인지하고 '한 발 재겨 디딜 곳'을 찾는 모습을 보면서 부정적 현실을 이겨내려는 자세를 본받고 싶어졌다. 또한 ⓔ겨울을 '강철로 된 무지개'의 이미지로 전환하여 현실 상황을 다르게 인식하려는 화자의 모습이 인상적이었다.

① ⓐ　　② ⓑ　　③ ⓒ　　④ ⓓ　　⑤ ⓔ

6. <보기>를 바탕으로 (나)를 감상한 것으로 적절하지 <u>않은</u> 것은? [3점]

〈 보 기 〉
　이 작품은 생명의 속성을 자연물로 형상화하며 화자가 추구하는 삶의 방향을 드러내고 있다. 화자는 생명이란 고통을 동반할 수밖에 없는 것임을 보여주며 삶의 진실 또한 이와 다르지 않음을 강조한다. 또한 생성과 소멸이라는 이중적인 속성을 가진 자연물의 모습을 통해, 고통을 감내하며 또 다른 생성을 준비하는 생명의 속성을 드러낸다.

① '언 땅에 꽂혀 자라는' '겨울보리'의 모습에서 생명의 속성을 자연물로 형상화하고 있음을 확인할 수 있겠군.
② '진실'이 '부서지고 불에 타면서' 오는 모습에서 삶의 진실도 생명의 속성과 다르지 않다고 여기는 화자의 생각을 확인할 수 있겠군.
③ '제 몸'을 '추위의 면도날'로 '다듬'는 '겨울 나무'의 모습에서 고통을 감내하는 자연물의 속성을 확인할 수 있겠군.
④ '떨어져' '불려 가'는 '잎'과 '충전 부싯돌'인 '줄기'의 모습에서 소멸과 생성이라는 자연물의 이중적 속성을 확인할 수 있겠군.
⑤ '상한 살을 헤집고 입맞'추는 사람을 부정하는 모습에서 화자가 지향하는 삶의 방향을 확인할 수 있겠군.

【7~10】 다음 글을 읽고 물음에 답하시오.

(가)

　　내 유년 시절 바람이 문풍지를 더듬던 동지의 밤이면 어머니는
내 머리를 당신 무릎에 뉘고 무딘 칼끝으로 시퍼런 무를 깎
아주시곤 하였다. 어머니 무서워요 저 울음 소리, 어머니조차
무서워요. 애야, 그것은 네 속에서 울리는 소리란다. 네가 크
면 너는 이 겨울을 그리워하기 위해 더 큰 소리로 울어야 한
다. 자정 지나 앞마당에 은빛 금속처럼 서리가 깔릴 때까지
어머니는 마른 손으로 종잇장 같은 내 배를 자꾸만 쓸어내렸
다. 처마 밑 시래기 한줌 부스러짐으로 천천히 등을 돌리던
바람의 한숨. 사위어가는 호롱불 주위로 방안 가득 풀풀 수
십 장 입김이 날리던 밤, 그 작은 소년과 어머니는 지금 어
디서 무엇을 할까?

　　　　　　　　　　　　　　　－ 기형도, 「바람의 집—겨울 판화 1」 －

(나)

　가을 뜨락에
　씨앗을 받으려니
　두 손이 송구하다

　모진 비바람에 부대끼며
　머언 세월을 살아오신
　반백(斑白)의 어머니, 가을 초목이여

　나는
　바쁘게 바쁘게
　거리를 헤매고도

　아무
　얻은 것 없이
　꺼멓게 때만 묻어 돌아왔는데

　저리
　알차고 여문 황금빛 생명을
　당신은 마련하셨네

　가을 뜨락에
　젊음이 역사한 씨앗을 받으려니
　도무지
　두 손이 염치없다.

　　　　　　　　　　　　　　　－ 허영자, 「씨앗을 받으며」 －

---

7. (가)와 (나)의 공통점으로 가장 적절한 것은?

① 일상적 소재를 열거하여 화자의 심리적 변화를 보여 주고 있다.
② 과거와 현재의 대비를 통해 화자의 의지를 선명하게 표현하
　고 있다.
③ 영탄적 표현을 사용하여 대상에 대한 예찬적 태도를 드러내
　고 있다.
④ 특정 대상과의 대화를 활용하여 시적 상황을 구체적으로 묘
　사하고 있다.
⑤ 색채어와 비유적 표현을 통해 대상이 지닌 속성을 감각적으
　로 드러내고 있다.

8. 다음은 '상징어 사전'의 일부이다. 다음을 바탕으로 (가)와
　(나)를 이해한 내용으로 가장 적절한 것은?

> **어머니 [Mother]**
> 　어머니는 모든 생명의 근원으로서 모체, 대지,
> 자연을 뜻한다. 상징으로서의 어머니는 온화하고
> 부드러운 따뜻함뿐만 아니라 냉정하고 단호한 차
> 가움의 속성을 지닌다. 어머니는 절대적인 모성애
> 를 발휘하는 포용의 상징이기도 하지만, 자식의 온
> 전한 성장과 독립을 위해서 자신으로부터의 분리
> 를 행하는 엄격함의 상징이기도 하기 때문이다.

① (가)에서는 자신으로부터의 분리를 행하지 못하는 '어머니'의
　모습을, (나)에서는 자신으로부터의 분리를 행하는 '어머니'의
　모습을 볼 수 있다.
② (가)에서는 온화한 태도에서 단호한 태도로 바뀌어 가는 '어
　머니'의 모습을, (나)에서는 단호한 태도에서 온화한 태도로
　바뀌어 가는 '어머니'의 모습을 볼 수 있다.
③ (가)에서는 성숙을 돕기 위한 존재로서 냉정하게 미래를 전
　망하는 '어머니'의 모습을, (나)에서는 생명의 근원으로서 너
　그럽게 포용하는 '어머니'의 모습을 볼 수 있다.
④ (가)와 (나)에서는 모두 세계에 대항하지 못하는 나약함을
　질책하는 엄격한 '어머니'의 모습을 볼 수 있다.
⑤ (가)와 (나)에서는 모두 외부의 시련을 차단해 내며 절대적인
　모성애를 발휘하는 '어머니'의 모습을 볼 수 있다.

9. (가)에 대한 감상으로 적절하지 <u>않은</u> 것은?

① '바람'의 움직임은 '울음 소리'를 일으키며 어린 시절 화자가 느꼈던 불안의 정서를 유발하는군.

② '종잇장'은 '시래기 한줌 부스러짐'과 연결되어 화자가 겪었던 팍팍한 삶의 이미지를 형성하는군.

③ '지금 어디서 무엇을 할까'에서는 판화처럼 각인된 '유년 시절'에 대한 화자의 그리움이 드러나는군.

④ '수십 장 입김이 날리던 밤'은 구체적인 시간적 배경인 '동지'와 결합되며 안온한 시적 분위기를 조성하는군.

⑤ '방안'의 '사위어가는 호롱불'은 시간의 경과를 나타내는 동시에 어린 시절 화자의 심리를 상징적으로 보여 주는군.

10. (나)에 대한 <학습 활동>을 수행한 결과로 적절하지 <u>않은</u> 것은? [3점]

<학습 활동>

「씨앗을 받으며」는 작품의 처음과 끝이 유사한 구조로 구성되어 있다. 첫 연과 마지막 연의 내용에서 반복 또는 변주된 부분에 주목하며 작품을 감상해 보자.

	반복	추가	반복	추가	변형
1연	가을 뜨락에	–	씨앗을 받으려니	–	두 손이 송구하다
6연	가을 뜨락에	젊음이 역사한	씨앗을 받으려니	도무지	두 손이 염치없다

① '가을 뜨락에'를 반복하여 화자가 자신의 삶을 탐색하는 계기가 된 계절적 상황을 강조하는군.

② '젊음이 역사한'을 추가하여 화자가 과거에 기울였던 노력의 가치를 스스로 재인식하는 모습을 부각하는군.

③ '씨앗을 받으려니'를 반복하여 화자가 현재 느끼고 있는 감정을 촉발한 소재에 주목하게 하는군.

④ '도무지'를 추가하여 화자가 처한 상황에서 보이는 정서적 반응이 심화되었음을 나타내는군.

⑤ '송구하다'를 '염치없다'로 변형하여 화자가 시적 대상을 통해 갖게 된 성찰적 태도를 강화하는군.

총 문항					문항	맞은 문항				문항
개별 문항	1	2	3	4	5	6	7	8	9	10
채점										
개별 문항	11	12	13	14	15	16	17	18	19	20
채점										

[고2 국어 문학]

5분 | 2020학년도 6월 학평 43~45번 | ★☆☆ | 정답 022쪽

[1~3] 다음 글을 읽고 물음에 답하시오.

(가)

네가 살아온 나날을 누가
어둠뿐이었다고 말하는가
몸통 군데군데 썩어
흉한 상처 거멓게 드러나고
팔다리 여기저기 잘리고 문드러져
온몸이 일그러지고 뒤틀렸지만
터진 네 살갗 들치고
바람과 노을을 동무해서
어깨와 등과 손끝에
자잘한 꽃들 노랗게 피어나는데
비록 꽃향기 온 들판을 덮거나
산을 넘고 바다를 건너지는 못해도
노란 꽃잎 풀 속에 떨어지면
옛얘기보다 더 애달픈
초저녁 풀벌레의 노랫소리가 되겠지
누가 말하는가 이 노래 듣는 이
오직 하늘과 별뿐이라고

– 신경림, 「수유나무에 대하여」 –

(나)

굳어지기 전까지 저 딱딱한 것들은 물결이었다
파도와 해일이 쉬고 있는 바닷속
지느러미 물결 사이에 끼여
㉠ 유유히 흘러다니던 무수한 갈래의 길이었다
㉡ 그물이 물결 속에서 멸치들을 떼어냈던 것이다
햇빛의 꼿꼿한 직선들 틈에 끼이자마자
부드러운 물결은 팔딱거리다 길을 잃었을 것이다
바람과 햇볕이 달라붙어 물기를 빨아들이는 동안
바다의 무늬는 뼈다귀처럼 남아
멸치의 등과 지느러미 위에서 딱딱하게 굳어갔던 것이다
㉢ 모래 더미처럼 길거리에 쌓이고
건어물집의 푸석한 공기에 풀리다가
기름에 튀겨지고 접시에 담겨졌던 것이다
지금 젓가락 끝에 깍두기처럼 딱딱하게 잡히는 이 멸치에는
두껍고 뻣뻣한 공기를 뚫고 흘러가는
바다가 있다 그 바다에는 아직도
㉣ 지느러미가 있고 지느러미를 흔드는 물결이 있다
이 작은 물결이
지금도 멸치의 몸통을 뒤틀고 있는 이 작은 무늬가
㉤ 파도를 만들고 해일을 부르고
고깃배를 부수고 그물을 찢었던 것이다

– 김기택, 「멸치」 –

1. (가)와 (나)에 대한 설명으로 가장 적절한 것은?

① (가)는 (나)와 달리 설의법을 활용하여 화자의 의도를 강조하고 있다.
② (나)는 (가)와 달리 색채어를 활용하여 화자의 정서 변화를 드러내고 있다.
③ (가)와 (나)는 모두 음성 상징어를 활용하여 생동감을 부여하고 있다.
④ (가)와 (나)는 모두 직유법을 활용하여 대상의 특성을 구체적으로 드러내고 있다.
⑤ (가)와 (나)는 모두 말을 건네는 방식을 활용하여 대상에 대한 친밀감을 드러내고 있다.

2. (가)를 감상한 내용으로 적절하지 않은 것은?

① '상처' 난 몸통과 '문드러'진 팔다리는 수유나무가 겪었던 고난을 짐작하게 하는군.
② '바람과 노을'은 수유나무가 '꽃'을 피우는 과정에서 함께 있었던 존재로군.
③ '어깨와 등과 손끝'에 꽃이 핀 모습은 '온몸'이 뒤틀렸던 모습과 대조적이군.
④ '산'과 '바다'는 수유나무의 '꽃향기'가 궁극적으로 도달하려는 목적지라고 하겠군.
⑤ 떨어진 수유나무의 '꽃잎'은 '풀벌레의 노랫소리'로 변하여 퍼져 나가게 되겠군.

3. <보기>를 참고하여 ㉠~㉤을 감상한 내용으로 적절하지 않은 것은? [3점]

< 보 기 >
　(나)의 화자는 식탁에 오른 멸치 볶음을 관찰하면서 멸치가 식탁으로 오기까지의 과정을 상상하고 있다. 이 시는 '생명의 본래 모습 → 생명력의 상실 과정 → 생명력 회복의 소망'으로 시상이 전개된다.

① ㉠: 멸치가 과거에 바다에서 생명력을 지닌 자유로운 존재였음을 드러내고 있어.
② ㉡: 외부적인 힘에 의해 멸치의 생명력이 상실되는 모습이 드러나 있어.
③ ㉢: 멸치가 식탁 위에 오르기까지의 과정에서 겪었을 상황을 상상하고 있어.
④ ㉣: 눈앞의 멸치를 보며 멸치가 본래 지녔던 생명력을 떠올리고 있어.
⑤ ㉤: 멸치가 생명력을 회복하기 위해 극복해야 할 것이 무엇인지가 드러나 있어.

【4~6】 다음 글을 읽고 물음에 답하시오.

(가)
　달은 밝고 당신이 **하도 기루었습니다***
　자던 옷을 고쳐 입고 뜰에 나와 퍼지르고 앉아서 **달을 한참** 보았습니다

　달은 **차차차** 당신의 얼굴이 되더니 **넓은 이마 둥근 코 아름다운 수염**이 **역력히** 보입니다
　간 해에는 당신의 얼굴이 달로 보이더니 **오늘 밤**에는 달이 당신의 얼굴이 됩니다

　당신의 얼굴이 달이기에 나의 얼굴도 **달**이 되었습니다
　나의 얼굴은 그믐달이 된 줄을 당신이 아십니까
　아아 당신의 얼굴이 달이기에 나의 얼굴도 달이 되었습니다
　　　　　　　　　　　　　 – 한용운, 「달을 보며」 –

*기루었습니다 : 그리웠습니다.

(나)
　결국 남쪽 악양 방면으로 길을 꺾었다
　하루 종일 해가 들었다
　밥을 짓고 국 끓이며
　어쩌다 생선 한 토막의 비린내를 구웠으나
　밥상머리 맞은편
　내 뼈를 발라 살점 얹어줄 사람의
　늘 비어 있던 자리는 달라지지 않았다
　이따금 아직도 낯선 **아랫마을 밤 개**가
　컹컹거리며 그 부재의 이유를 묻기도 했다
　별들과 산마을의 **불빛들**은
　결코 나뉠 수 없는 우주의 경계로 인해
　밤마다 한 몸이 되고는 했다
　부럽기도 했다 해가 바뀔수록
　검던 머리 **더욱** 희끗거리고
　희끗거리며 날리는 눈발을 봐도
　점점 무심해졌다
　겨울바람이 처마 끝을 **풀썩** 뒤흔들다 간다
　아침이 드는 창을 비워두는 것은 옛 버릇이나
　무덤을 앞둔 여우들이 그러했듯이
　나 또한 북쪽 그리운 창을 향해 머리를 눕히고
　길고 먼 꿈길을 청한다
　　　　　　　　　　　　　 – 박남준, 「이사, 악양」 –

---

4. (가)와 (나)에 대한 설명으로 가장 적절한 것은?

① (가)는 동일한 종결 어미를 반복하여 운율감을 드러내고 있다.
② (나)는 설의적 표현을 활용하여 화자의 의지를 강조하고 있다.
③ (가)는 (나)와 달리 공감각적 심상을 활용하여 자연을 묘사하고 있다.
④ (나)는 (가)와 달리 말을 건네는 방식으로 청자의 공감을 유도하고 있다.
⑤ (가)와 (나) 모두 연쇄적 표현으로 역동적인 분위기를 형성하고 있다.

5. (가), (나)의 시어에 대한 이해로 적절하지 <u>않은</u> 것은?

① (가)에서는 '하도'와 '한참'이 연결되면서, 감정의 크기와 행위의 지속 시간이 조응하고 있다.
② (가)에서는 '차차차'와 '역력히'가 연결되면서, 외부 사물에 투영된 화자의 인식이 드러나고 있다.
③ (나)에서는 '어쩌다'와 대비되는 '늘'을 통해, 변함없는 상황이 지속되고 있음이 강조되고 있다.
④ (나)에서는 '이따금'과 '아직도'의 대비를 통해, 상황의 변화 가능성이 암시되고 있다.
⑤ (나)에서는 '더욱'과 '점점'이 연결되면서, 시간의 흐름에 따른 변화가 나타나고 있다.

6. <보기>를 바탕으로 (가)와 (나)를 감상한 내용으로 적절하지 <u>않은</u> 것은? [3점]

> < 보 기 >
> 　(가)와 (나)는 모두 대상의 부재에 관한 화자의 태도를 드러내고 있다. (가)의 화자는 부재하는 대상과 재회하기를 소망하여, 자연물을 매개로 대상과의 합일을 바란다. (나)의 화자는 부재하는 대상의 빈자리를 느끼며 살아가는 가운데, 자연물 간의 합일을 부러워하는 모습을 보이기도 한다.

① (가)의 화자는 '뜰'에 앉아 밝은 '달'을 보며, (나)의 화자는 밥상에 놓인 '생선 한 토막'을 보며 대상의 부재를 느끼고 있군.
② (가)에서는 '넓은 이마 둥근 코 아름다운 수염'으로, (나)에서는 '내 뼈를 발라 살점 얹어줄 사람'으로 대상이 표현되고 있군.
③ (가)의 화자는 '간 해'의 경험을 '오늘 밤'과, (나)의 화자는 '아랫마을 밤 개'가 짖던 상황과 '겨울바람'이 '풀썩'이는 현재를 대비하여 재회에 대한 확신을 드러내고 있군.
④ (가)의 화자는 '당신의 얼굴이 달이기에' 자신의 얼굴도 '달'이 된다고 표현함으로써, 자연물을 매개로 대상과 합일하고 싶은 마음을 드러내고 있군.
⑤ (나)의 화자는 '밤마다 한 몸이 되'는 '별들'과 '불빛들'을 바라보며, 자신의 처지와 달리 합일을 이루는 자연물에 대한 부러움을 드러내고 있군.

【7~9】 다음 글을 읽고 물음에 답하시오.

(가)

황혼이 짙어지는 길모금에서
하루 종일 시들은 귀를 가만히 기울이면
땅검*의 옮겨지는 발자취 소리,

발자취 소리를 들을 수 있도록
나는 총명했던가요.

이제 어리석게도 모든 것을 깨달은 다음
오래 마음 깊은 속에
괴로워하던 수많은 나를
하나, 둘, 제고장으로 돌려보내면
거리 모퉁이 어둠 속으로
소리 없이 사라지는 흰 그림자,

흰 그림자들
연연히 사랑하던 흰 그림자들,

내 모든 것을 돌려보낸 뒤
허전히 뒷골목을 돌아
황혼처럼 물드는 내 방으로 돌아오면

신념이 깊은 의젓한 양(羊)처럼
하루 종일 시름없이 풀포기나 뜯자.

　　　　　　　　　　　　　－ 윤동주, 「흰 그림자」 －

* 땅검: 땅거미

(나)

잘라놓은 ㉠연어의 살 속엔
나이테 무늬가 있다
연하디 연한 연어의 살결에
나무처럼 단단한 한 시절이 있었다는 뜻이리라
중력을 거부하고 하늘로 솟구치던 나무를
눈바람이 주저앉히려 할 때마다
제 근육에 새겨넣은 굴렁쇠같이 단단한 것이
나무의 나이테이듯이
한사코 아래로만 흐르려는 물길을 거슬러
㉡폭포수를 뛰어넘는 연어를
㉢사나운 물살이 저 바다로 내동댕이칠 때마다
열 번이고 스무 번이고 솟구쳐
여린 살 속에 쓰라린 햇살이 나이테로 쌓였으리라
켜놓은 원목의 나이테가
제가 맞은 눈바람을 순한 향기로 뿜어내놓듯이
그래서
연어의 살결에선 ㉣강물 냄새가 나는 것이다
죽은 어미연어의 나이테를 먹은 새끼연어가
폭포수를 뛰어넘어 ㉤몇 만 년을 두고
다시 그 강에 회귀하는 것은 다 그 때문이 아니겠는가

　　　　　　　　　　　　　－ 복효근, 「연어의 나이테」 －

7. (가)와 (나)의 표현상의 공통점으로 가장 적절한 것은?

① 동일한 시행을 반복하여 운율감을 형성하고 있다.
② 의문형 어미를 활용하여 시적 의미를 드러내고 있다.
③ 색채어를 활용하여 대상의 이미지를 구체화하고 있다.
④ 명령형 어조를 활용하여 화자의 강한 의지를 표출하고 있다.
⑤ 음성 상징어를 활용하여 대상의 모습에 생동감을 부여하고 있다.

8. <보기>를 바탕으로 (가)를 감상한 내용으로 적절하지 <u>않은</u> 것은?

───────〈 보 기 〉───────
　'흰 그림자'는 암담한 시대 현실에서 고뇌로 지친 화자의 분신인 분열된 자아를 상징한다. 이는 공존과 애정의 대상인 동시에 내면에 갈등을 유발하는 대상이기도 하다. 화자는 지난날의 자신을 반성하고 분열된 자아를 떠나보냄으로써 갈등을 극복하는데, 이로써 번민에서 벗어나 묵묵히 자신의 삶을 지탱해 나가고자 한다.

① '하루 종일 시들은 귀', '오래' '괴로워하던' 것을 통해 시대 현실 속 고뇌로 지친 화자의 모습을 확인할 수 있겠군.
② '수많은 나'를 '제고장으로 돌려보'낸다는 것을 통해 분열된 자아를 떠나보내는 화자의 모습을 확인할 수 있겠군.
③ '흰 그림자들'을 '연연히 사랑'했었다는 것을 통해 자신의 분신에 대한 화자의 애정을 짐작할 수 있겠군.
④ '황혼처럼 물드는 내 방으로 돌아오'면서 '허전'함을 느끼는 것을 통해 내면의 갈등을 유발하는 대상과 공존할 수밖에 없는 화자의 상황을 짐작할 수 있겠군.
⑤ '신념이 깊은 의젓한 양처럼' '시름없이 풀포기'를 '뜯'겠다는 것을 통해 번민에서 벗어나 묵묵히 자신의 삶을 지탱해 나가고자 하는 화자의 모습을 짐작할 수 있겠군.

9. 다음은 (나)에 대한 <학습 활동> 과제이다. 이를 수행한 결과로 적절하지 <u>않은</u> 것은? [3점]

<학습 활동>

「연어의 나이테」는 생의 형식이라는 측면에 착안하여 연어와 나무 사이의 유사성을 중심으로 두 대상을 연결한 작품이다. '낯선 대상'과 '낯익은 대상'을 연결함으로써 시적 효과를 극대화하고 있는데, 두 대상이 연결되는 양상과 시적 의미를 탐구해 보자.

① ㉠과 '제 근육'은 유사한 형태의 무늬를 지녔다는 점에서 연결되어, 연어의 무늬에 나무의 나이테와 같은 단단함이 있음을 드러내고 있다.

② ㉡과 '솟구치던 나무'는 자신에게 가해지는 아래로 향하는 힘을 거부한다는 점에서 연결되어, 연어에게 나무와 같은 강인함이 있음을 드러내고 있다.

③ ㉢과 '눈바람'은 대상에게 가해지는 반복적인 시련이라는 점에서 연결되어, 연어가 나무처럼 부단히 반복되는 시련을 겪어 내는 존재임을 드러내고 있다.

④ ㉣과 '순한 향기'는 대상이 시련을 겪은 결과 지니게 된 것이라는 점에서 연결되어, 연어가 나무처럼 시련을 승화시켜 간직하는 존재임을 드러내고 있다.

⑤ ㉤과 '한 시절'은 대상이 자연의 순리를 따르고 있다는 점에서 연결되어, 강으로 회귀하는 연어가 나무처럼 생을 마감하는 존재임을 드러내고 있다.

총 문항				문항	맞은 문항				문항
개별 문항	1	2	3	4	5	6	7	8	9	10
채점										
개별 문항	11	12	13	14	15	16	17	18	19	20
채점										

| 5분 | 2019학년도 6월 학평 35~37번 | ★★☆ | 정답 025쪽 |

【1~3】 다음 글을 읽고 물음에 답하시오.

(가)

[A] 이 길을 만든 이들이 누구인지를 나는 안다

[B]
이렇게 길을 따라 나를 걷게 하는 그이들이
지금 조릿대밭 눕히며 소리치는 바람이거나
이름 모를 풀꽃들 문득 나를 쳐다보는 수줍음으로 와서
내 가슴 벅차게 하는 까닭을 나는 안다

[C]
그러기에 짐승처럼 그이들 옛 내음이라도 맡고 싶어
나는 자꾸 집을 떠나고
그때마다 서울을 버리는 일에 신명나지 않았더냐

[D]
무엇에 쫓기듯 살아가는 이들도
힘을 다하여 비칠거리는 발걸음들도
무엇 하나씩 저마다 다져놓고 사라진다는 것을
뒤늦게나마 나는 배웠다

[E]
그것이 부질없는 되풀이라 하더라도
그 부질없음 쌓이고 쌓여져서 마침내 길을 만들고
길 따라 그이들을 따라 오르는 일
이리 힘들고 어려워도
왜 내가 지금 주저앉아서는 안 되는지를 나는 안다

— 이성부, 「산길에서」 —

(나)

잃어버렸습니다.
무얼 어디다 잃었는지 몰라
두 손이 주머니를 더듬어
길에 나아갑니다.

돌과 돌과 돌이 끝없이 연달아
길은 돌담을 끼고 갑니다.

담은 쇠문을 굳게 닫아
길 위에 긴 그림자를 드리우고

길은 아침에서 저녁으로
저녁에서 아침으로 통했습니다.

돌담을 더듬어 눈물짓다
쳐다보면 하늘은 부끄럽게 푸릅니다.

풀 한 포기 없는 이 길을 걷는 것은
담 저쪽에 내가 남아 있는 까닭이고,

내가 사는 것은, 다만,
잃은 것을 찾는 까닭입니다.

— 윤동주, 「길」 —

1. (가)와 (나)에 대한 설명으로 가장 적절한 것은?

① (가)는 (나)와 달리 자연물에 인격을 부여하여 대상과의 교감을 드러내고 있다.

② (나)는 (가)와 달리 동일한 종결 어미를 반복하여 운율감을 높이고 있다.

③ (가)와 (나)는 모두 색채어를 활용하여 공간에 대한 인식을 드러내고 있다.

④ (가)와 (나)는 모두 공감각적 심상을 제시하여 대상에 입체감을 부여하고 있다.

⑤ (가)는 계절의 변화를 통해, (나)는 공간의 이동을 통해 시상을 구체화하고 있다.

2. (가)의 화자에 대한 이해로 적절하지 <u>않은</u> 것은?

① [A]: 길을 만든 이들이 누구인지 지각하고 있다.

② [B]: 삶의 고달픔이 어디에서 비롯되는지를 깨닫고 있다.

③ [C]: 집을 버리고 산길을 찾는 것에 즐거움을 느끼고 있다.

④ [D]: 사람은 누구나 삶의 자취를 남긴다는 사실을 알게 되었다.

⑤ [E]: 산길을 걷는 과정에서 포기하지 않는 삶의 태도를 다짐하고 있다.

3. <보기>를 참고하여 (나)를 감상한 내용으로 적절하지 <u>않은</u> 것은? [3점]

< 보 기 >

이 시는 '길'이라는 상징적 소재를 통해 '잃어버린 나'를 되찾으려는 화자의 모습을 잘 보여 주는 작품이다. 이 시의 화자는 부정적 상황 속에서 자기 탐색과 성찰을 통해, '잃어버린 나'를 회복하려고 끊임없이 노력하는 모습을 보인다.

① 굳게 닫힌 '쇠문'을 통해 화자가 처한 부정적 상황을 드러낸다고 할 수 있군.

② 길이 '저녁에서 아침으로 통했'다는 것은 자기 탐색의 과정이 끊임없이 이어짐을 의미하겠군.

③ '눈물짓'는 행위는 절망적 상황을 극복하려는 화자의 노력을 나타낸 것이겠군.

④ '부끄럽게'를 통해 화자가 하늘을 보며 자기 성찰을 하고 있음을 짐작할 수 있군.

⑤ 화자가 길을 걷는 이유는 '담 저쪽'의 '나'를 회복하기 위해서이겠군.

4. (가)와 (나)의 공통점으로 가장 적절한 것은?

① 구체적인 지명을 활용하여 시적 상황을 형상화한다.
② 유사한 시구를 반복하여 시적 의미를 강조한다.
③ 청자를 명시적으로 설정하여 어조를 형성한다.
④ 반어적 표현을 통해 화자의 태도를 드러낸다.
⑤ 시선의 이동에 따라 시상을 전개한다.

【4~6】 다음 글을 읽고 물음에 답하시오.

(가)

　집도 많은 집도 많은 남대문턱 움 속에서 두 손 오구려 혹혹 입김 불며 이따금씩 쳐다보는 하늘이사 아마 하늘이기 혼자만 곱구나

　거북네는 만주서 왔단다 두터운 얼음장과 거센 바람 속을 세월은 흘러 거북이는 만주서 나고 할배는 만주에 묻히고 세월이 무심찮아 봄을 본다고 쫓겨서 울면서 가던 길 돌아왔단다

　띠팡*을 떠날 때 강을 건늘 때 조선으로 돌아가면 빼앗겼던 땅에서 농사지으며 가 갸 거 겨 배운다더니 조선으로 돌아와도 집도 고향도 없고

　거북이는 배추꼬리를 씹으며 달디달구나 배추꼬리를 씹으며 꺼무테테한 아배의 얼굴을 바라보면서 배추꼬리를 씹으며 거북이는 무엇을 생각하누

　첫눈 이미 내리고 이윽고 새해가 온다는데 집도 많은 집도 많은 남대문턱 움 속에서 이따금씩 쳐다보는 하늘이사 아마 하늘이기 혼자만 곱구나

　　　　　　　　　　　　　　　　– 이용악,「하늘만 곱구나」–

* 띠팡 : '장소'를 뜻하는 중국말. 여기서는 거북네가 유이민으로 생활하면서 경작하던 땅을 가리킴.

5. (가)에 대한 이해로 적절하지 <u>않은</u> 것은?

① 1연에서는 고운 '하늘'과 '두 손을 오구려 혹혹 입김'을 부는 '움 속'의 상황이 대비를 이룬다.
② 2연에서 '두터운 얼음장과 거센 바람 속'의 세월은 거북네가 겪었을 시련을 짐작하게 한다.
③ 3연에서는 거북네가 고향에 돌아오면서 가졌던 기대와 돌아와서 직면한 현실 사이의 괴리가 드러난다.
④ 4연에서는 거북이와 아배의 행동이 번갈아 제시되면서 거북이의 내적 갈등이 드러난다.
⑤ 5연에서 '첫눈'이 내리고 '새해가 온다는데'도 '움 속'에서 보는 '하늘'이 '혼자만 곱'다는 것은 상황의 비극성을 부각한다.

(나)

　등 너머로 훔쳐 듣는 남의 집 대숲바람 소리 속에는
　밤사이 내려와 놀던 초록별들의
　퍼렇게 멍든 날개쭉지가 떨어져 있다.
　어린날 뒤울안에서
　매 맞고 혼자 숨어 울던 눈물의 찌꺼기가
　비칠비칠 아직도 거기
　남아 빛나고 있다.

　심청이네집 심청이
　빌어먹으러 나가고
　심봉사 혼자 앉아
　날무처럼 꼬들꼬들 졸고 있는 툇마루 끝에
　개다리소반 위 비인 상사발에
　마음만 부자로 쌓여주던 그 햇살이
　다시 눈 트고 있다, 다시 눈 트고 있다.
　장 승상네 참대밭의 우레 소리도
　다시 무너져서 내게로 달려오고 있다.

　등 너머로 훔쳐 듣는
　남의 집 대숲바람 소리 속에는
　내 어린날 여름냇가에서
　손바닥 벌려 잡다 놓쳐버린
　벌거벗은 햇살의 그 반쪽이
　앞질러 달려와서 기다리며
　저 혼자 심심해 반짝이고 있다.
　저 혼자 심심해 물구나무 서 보이고 있다.

　　　　　　　　　　– 나태주,「등 너머로 훔쳐 듣는 대숲바람 소리」–

6. <보기>를 바탕으로 (나)를 감상한 내용으로 적절하지 <u>않은</u> 것은? [3점]

> ─── < 보 기 > ───
> 　(나)의 화자는 특정한 소리로 인해 떠올리게 된 장면에서, 슬픔과 외로움을 느끼면서도 이를 견뎌내는 어린 시절 자신의 모습을 발견하고 과거의 상처를 포용하게 된다. 2연을 기점으로 하여 1연과 3연에 나뉘어 제시된 장면에서는 기억 속 화자의 서로 다른 모습을 포착함으로써 이러한 양상을 드러내고 있다.

① 1연의 '대숲바람 소리'는 '초록별들의 / 퍼렇게 멍든 날개쭉지'와 연결되면서 화자에게 '매 맞고 혼자 숨어 울던' 유년 시절의 서러운 기억을 떠올리게 한다.
② 2연에서는 '심청이네집'에 '마음만 부자로 쌓여주던 그 햇살'이 화자에게도 '다시 눈 트고 있'는 것으로 언급되면서 서러운 기억을 포용할 수 있는 가능성을 암시하고 있다.
③ 2연에서는 '다시 눈 트고 있다'와 '다시 무너져서 내게로 달려오고 있다'가 대응되어 '햇살'과 '참대밭의 우레 소리'가 유사한 기능을 하고 있음을 읽어내게 한다.
④ 3연의 '여름냇가'는 2연의 '툇마루 끝'과 동일시되면서 화자가 어린 시절의 결핍으로 인해 꿈과 희망의 좌절을 경험했던 공간을 구체적으로 형상화하고 있다.
⑤ 3연의 '대숲바람 소리'로 떠올리게 된 '햇살의 그 반쪽'은 '기다리며' '반짝이고 있'는 것으로 제시되면서 화자가 기억 속 자신의 또 다른 모습을 발견하게 되었음을 드러내고 있다.

【7~10】 다음 글을 읽고 물음에 답하시오.

(가)

거미 새끼 하나 방바닥에 나린 것을 나는 아모 생각 없이 **문 밖**으로 쓸어버린다
차디찬 밤이다

어니젠가 새끼 거미 쓸려나간 곳에 큰 거미가 왔다
나는 가슴이 짜릿한다
나는 또 큰 거미를 쓸어 문 밖으로 버리며
찬 밖이라도 새끼 있는 데로 가라고 하며 서러워한다

이렇게 해서 아린 가슴이 싹기도 전이다
어데서 좁쌀알만 한 알에서 가제 깨인 듯한 발이 채 서지도 못한 무척 작은 새끼 거미가 이번엔 큰 거미 없어진 곳으로 와서 아물거린다
나는 가슴이 메이는 듯하다
내 손에 오르기라도 하라고 나는 손을 내어 미나 분명히 울고불고 할 이 작은 것은 나를 무서우이 달아나 버리며 나를 서럽게 한다
나는 이 작은 것을 고이 ⊙<u>보드러운 종이</u>에 받어 또 **문 밖**으로 버리며
이것의 엄마와 누나나 형이 가까이 이것의 걱정을 하며 있다가 쉬이 만나기나 했으면 좋으련만 하고 슬퍼한다

– 백석, 「수라(修羅)」 –

(나)

고향이 고향인 줄도 모르면서
긴 장대 휘둘러 까치밥 따는
서울 조카아이들이여
그 까치밥 따지 말라
남도의 빈 겨울 하늘만 남으면
우리 마음 얼마나 허전할까
살아온 이 세상 어느 물굽이
소용돌이치고 휩쓸려 배 주릴 때도
공중을 오가는 **날짐승에게 길을 내어주는**
그것은 따뜻한 등불이었으니
철없는 조카아이들이여
그 까치밥 따지 말라
사랑방 말쿠지에 짚신 몇 죽 걸어놓고
할아버지는 무덤 속을 걸어가지 않았느냐
그 짚신 더러는 외로운 길손의 길보시가 되고
한밤중 동네 개 컹컹 짖어 그 짚신 젊어지고
아버지는 다시 새벽 두만강 국경을 넘기도 하였느니
아이들아, 수많은 기다림의 세월
그러니 서러워하지도 말아라
눈 속에 익은 ⓒ<u>까치밥 몇 개</u>가
겨울 하늘에 떠서
아직도 너희들이 **가야 할 머나먼 길**
이렇게 등 따숩게 비춰주고 있지 않으냐.

– 송수권, 「까치밥」 –

(다)

우리는 시를 감상하면서 시인이 시 속에 감추어 놓은 여러 장치들을 발견해 내는 즐거움을 경험할 수 있다. 여러 장치 중 하나인 시적 공간은 시인이 주제를 형상화하기 위해 설정한 곳으로 우리가 일상적 경험을 통해 지각하며 생활하게 되는 공간과는 성격이 다르다.

시적 공간은 시인이 특별한 의미를 부여하는 순간부터 구성된다. 시인은 이러한 시적 공간을 우리가 일상에서 볼 수 없는 공간으로 설정하기도 하고, 사람들이 일반적으로 생각하는 공간과는 다른 의미의 공간으로 설정하기도 하고, 동일한 공간도 한 편의 시에서 다른 의미를 담은 공간으로 설정하기도 한다.

또한 시적 공간은 시인이 살아온 삶과 가치관의 영향을 받기 때문에 주제를 이해하기 위해서는 시인에 대한 이해가 필요하다. 그리고 독자가 주체적으로 체득한 공간에 대한 인식도 중요하다. 이처럼 시적 공간은 감상의 실마리가 되며 나아가 창조적 의미를 구성하는 요소로 기능하기도 한다.

7. (가)와 (나)의 공통점으로 가장 적절한 것은?

① 대상과의 이별에 대한 화자의 안타까움이 나타나 있다.
② 과거 회상을 통해 바람직한 삶의 방향을 모색하고 있다.
③ 계절적 배경을 통해 화자가 처한 상황을 부각하고 있다.
④ 자연에서 얻은 깨달음을 통해 화자의 태도가 변화하고 있다.
⑤ 삶의 경험을 바탕으로 화자가 지향하는 바를 드러내고 있다.

8. ⊙과 ⓒ에 대한 이해로 가장 적절한 것은?

① ⊙, ⓒ은 모두 수고에 대한 보상을 나타낸다.
② ⊙, ⓒ은 모두 다른 대상에 대한 배려를 나타낸다.
③ ⊙은 미물에 대한 용서를, ⓒ은 미물에 대한 사랑을 나타낸다.
④ ⊙은 이상에 대한 동경을, ⓒ은 현실에 대한 비판을 나타낸다.
⑤ ⊙은 인간과 자연의 합일을, ⓒ은 인간과 자연의 조화를 나타낸다.

9. (가)에 대한 설명으로 적절하지 <u>않은</u> 것은?

① 대상을 의인화하여 화자의 연민을 드러내고 있다.
② 촉각적 심상을 활용하여 대상이 놓인 비극성을 부각하고 있다.
③ 현재형 어미를 사용하여 시적 상황을 생생하게 보여주고 있다.
④ 화자의 태도가 달라짐에 따라 대상이 처한 상황이 악화되고 있다.
⑤ 1연→2연→3연에 따라 행의 수가 늘어나는 구조를 통해 정서가 심화되는 양상을 보이고 있다.

10. (다)를 바탕으로 (가), (나)를 이해한 내용으로 적절하지 <u>않</u>은 것은? [3점]

① 시인은 (가)의 1연에서 '문 밖'을 일상적 경험을 통해 지각하는 공간과는 다른, 가족 공동체가 해체된 공간으로 설정했겠군.
② (가)의 3연의 '문 밖'은 1연의 '문 밖'과 동일한 공간이지만, 시인은 특별한 의미를 부여하여 1연의 '문 밖'과는 다른 의미를 가진 공간으로 설정했겠군.
③ 시인은 (나)의 '남도의 빈 겨울 하늘'을 일반적으로 생각하는 공간과는 다른, 화자가 지키려는 가치관이 사라졌을 때를 가정한 공간으로 설정했겠군.
④ 독자는 (나)의 '날짐승에게 길을 내어주는'에서의 '길'을 일상에서 지각하는 '길'이 아닌, 시인의 고된 삶이 반영된 '길'로 이해할 수 있겠군.
⑤ 독자는 (나)의 '가야 할 머나먼 길'에서의 '길'을 일상에서 지각하며 생활하는 공간으로서의 '길'이 아닌, 주체적으로 체득한 '길'로 이해할 수 있겠군.

총 문항					문항	맞은 문항				문항
개별 문항	1	2	3	4	5	6	7	8	9	10
채점										
개별 문항	11	12	13	14	15	16	17	18	19	20
채점										

고 전 산 문

• 고2 국어 문학 •

고전산문

출제 트렌드

고전 산문은 이미 만들어진 작품들이 출제되므로 범위가 한정적이라고 볼 수 있습니다. 영웅 소설, 군담 소설, 가정 소설, 판소리계 소설, 우화 소설 등이 출제되며 한 번 출제된 작품이 다시 출제되기도 합니다. 그러므로 자주 출제되었던 작품들을 주제에 따라 정리해 두고 각각의 대략적인 줄거리를 알아 두면 도움이 됩니다. 현대 소설과 마찬가지로 인물 간의 관계와 갈등과 사건이 출제의 핵심인데, 등장인물은 주로 주인공에게 도움을 주는 조력자와 주인공의 반대 세력으로 구분되는 경우가 많습니다. 현대 소설과 다른 고전 산문만의 두드러지는 특징으로는 영웅의 일대기 구조, 적강 구조, 환몽 구조 등의 구성이 나타난다는 점입니다. 이러한 구조를 알아 둔다면 작품의 흐름을 이해하기 훨씬 쉬울 것입니다. 낯선 고전 어휘들이 작품 이해를 어렵게 하기도 하지만, 산문 문학인 만큼 앞뒤 내용과 맥락으로 단어의 뜻을 유추할 수 있습니다. 2022학년도 시험에서는 '두껍전'을 제외하고는 문제가 다소 까다로웠으며 고난도 문제가 한두 개씩 섞여 있어 수험생들의 체감 난도가 높았습니다.

시행	출제 지문	문제 수	난이도
2022학년도 11월 학평	작자 미상, '두껍전'	4문제 출제	★★☆
2022학년도 9월 학평	작자 미상, '왕경룡전'	4문제 출제	★★★
2022학년도 6월 학평	작자 미상, '진성운전'	4문제 출제	★★★
2022학년도 3월 학평	작자 미상, '월영낭자전'	4문제 출제	★★★

1등급 꿀팁

하나 _ 낯선 어휘와 긴 문장에 익숙해지는 연습을 하자.

두울 _ 등장인물들의 갈등과 대립 양상에 중점을 두고 읽자.

세엣 _ 갈등이 해소되는 과정에서 작품의 주제가 드러난다는 것을 명심하자.

네엣 _ 공간적 배경(장소)의 변화와 이동에 주목하여 내용을 파악하자.

다섯 _ 기출 작품들을 주제별로 분류하여 학습하자.

여섯 _ 빈출 작품은 출제된 부분 외에 다른 장면을 찾아보고 전체 줄거리를 알아 두자.

일곱 _ 작품 속에서 의미 있는 역할을 하는 소재는 반드시 출제되므로 놓치지 말고 기억해 두자.

다음 글을 읽고 물음에 답하시오.

[앞부분 줄거리] 천상의 선관이 두꺼비의 모습으로 지상으로 쫓겨나 박 판서의 셋째 딸과 혼인한다. 장인의 회갑이 다가오자 동서들은 두꺼비를 빼고 사냥을 가려고 하지만, 두꺼비도 장인을 졸라서 결국 사냥을 간다.

짐을 지고 돌아오는 ㉠길에 두 동서를 만났다. 동서들이 두꺼비는 돌아보지도 아니 하였으나, 하인 셋이 무겁게 지고 오는 장끼, 까투리를 보고 놀랐다. 하인들이
"두꺼비 서방님이 잡은 것이라."
하였다. 두 동서는 장끼는 고사하고 쥐 한 마리도 잡지 못하였다. 두꺼비가
"자네들은 얼마나 잡았는고?"
하면서 조롱하거늘, 두 동서가 그제야 두꺼비에게 비는 듯이,
"자네는 사냥을 못하여도 관계없거니와 우리는 책망이 있을 것이니, 자네 사냥한 것을 우리에게 주면 어떻겠나?"
라고 하였다. 두꺼비가 말하기를
"내 동서에게 무엇을 아끼리요. 그러나 나는 본시 그런 것을 줄 때 그 사람의 등에 도장을 찍으니, 동서들은 언짢게 생각하지 마오."
하였다. 그래도 두 사람이 사냥한 것을 욕심내어, 두꺼비가 쾌히 허락하며, 필낭에서 필묵을 꺼내어 벼루 뚜껑을 벗기고 먹을 묻혀서 등에다 ⓐ도장을 찍고 종에게 분부하되
"사냥한 짐승들을 다 주어라."
하였다. 하인들이 두꺼비의 명대로 잡은 것을 다 주니, 동서와 여러 하인이 기뻐하였다. 사냥한 짐을 지고 들어가니 집안사람들과 장인과 장모가 칭찬하였다. 뒤늦게 두꺼비가 빈손으로 턱을 덜렁거리며 헐떡헐떡 들어오니, 집안사람들과 노복들이 이르기를
"저런 것이 사냥을 어찌 한단 말인가." 하더라.
그럭저럭 회갑 날이 이르러 마을에 사는 사람이면 상중하 남녀노소 없이 모였는지라. 맏사위와 둘째사위도 참석하여 사수병풍이며 빛나는 장막 천으로 햇볕을 가리고, 맑고 아름다운 색채를 띄우는 듯한, 춤과 노래, 양금, 거문고를 희롱하며 유유히 좌우로 펼치며 놀았다. 이러한 경사에 두꺼비 내외는 못 오게 하였으니, 그네들이 두꺼비를 매우 미워하기 때문이었다.
이에 두꺼비가 분하여 진언을 외워 그 허물을 벗으니, 하늘에서 청모시 한 필과 하인 열 셋이 내려왔다. 살펴보니 층층다리 무지개 안장에 황금 등자를 걸었으며, 하인들이 치장한 것을 보니 슬렁슬렁 벙거지에 열십자 끈을 넓게 달고 흑띠와 복끈을 둘러메고 육모방망이 등을 거꾸로 잡고 두꺼비에게 문안하였다. 두꺼비 또한 어느 새 선관의 의복을 제대로 갖추었다. 이리하여 ㉡윗문을 나오니 뉘라서 두꺼비인 줄 알리오.
두꺼비가 곧바로 잔치하는 ㉢집 사랑에 들어가 대감께 뵈오니, 대감과 좌중이 모두 그 풍채를 보고 놀라 입을 다물지 못하였다. 대감이 말하기를
"어디에 계시며 뉘 댁 사람입니까?" 하니, 두꺼비가 답하기를
"소생은 평안도 송천부에 사는데, 대대로 부린 종 두 놈을 잃고 찾지 못하였더니, 소문을 들으니 이 댁에 왔다 하기로 불원천리하고 찾아왔습니다."

(중략)

그때서야 두꺼비가 마음을 가라앉히고 대감께 절하며
"대감은 너무 근심 마십시오. 제가 두꺼비 사위로소이다."
하였다. 대감이 깜짝 놀라며 반기기를
"두꺼비 사위가 그대인가? 무슨 연고로 두꺼비 허물을 쓰고 사람을 그다지 속이느냐?"
두꺼비가 장인에게 말하기를
"소생은 본디 두꺼비의 모양이 아니라 천상에서 비를 내려 주는 선관이었더니, 인간에 비를 잘못 내린 죄로 옥황상제께서 허물을 씌워 인간에 내쳐서 어부 노인에게 수양자가 되도록 하였습니다. 대감의 사위가 된 것은 다름이 아니라, 대감께서 젊은 시절 벼슬할 때에 애매한 사람을 많이 죽인 죄로 두꺼비 사위를 점지하고 자손을 없게 한 것입니다."
하니, 그제야 대감이 즐겁기도 하고 한편 슬프기도 한 마음을 그치지 못하였다. 부인도 이 말을 듣고는 마음을 진정치 못하며 기뻐하고 칭찬하여 말하기를
"저러한 인물로 그 흉한 허물을 쓰고 있었던가! 내 딸 월성은 벌써 알았을 것이건만 그런 말을 추호도 하지 않았으니, 저런 줄 뉘 알았으리요?" 하며 대단히 기뻐하였다.
"저렇게나 좋은 풍채가 이 세상에 어디에 있으리오."
하고 반기며 좋아하니, 뉘 아니 부러워하리오?
선관이 두 동서를 돌아보고 말하기를
"그대들은 나를 너무 업신여긴 죄로 욕을 보았노라."
하였다. 뒤이어 선관이 빈 상자를 장인에게 올리고는 말하기를
"이것을 간수해 두면 부귀할 것이니 잘 간수하소서."
하고는 곧 소저를 불러 자초지종을 알렸다.
얼마 지나지 않아 뇌성벽력이 진동하면서 천상에서 ⓑ옥으로 된 가마가 내려오거늘 선관이 장인장모에게
"정히 섭섭하오나 천명을 이기지 못하고 ㉣천상으로 올라가니 어찌할 도리가 없습니다. 만수무강 하십시오." 하였다.
— 작자 미상, 「두껍전」 —

43. <보기>는 윗글의 내용을 공간을 중심으로 도식화한 것이다. 이에 대한 설명으로 적절하지 않은 것은?

< 보 기 >

㉠	㉡	㉢	㉣
길	윗문	집	천상

① ㉠에서 두꺼비는 동서들의 부탁을 들어주고 있다.
② ㉡의 안쪽에서 분노한 두꺼비는 하인들을 불러 ㉠에서 있었던 일에 대해 문책을 하고 있다.
③ ㉡에서 ㉢으로 이동한 두꺼비를, 대감은 자신의 사위라고 인식하지 못하고 있다.
④ ㉢에서 부인은 두꺼비에 대한 생각을 바꾸게 된다.
⑤ ㉢에서 ㉣로 가기 전에 두꺼비는 장인에게 간직할 물건을 주고 있다.

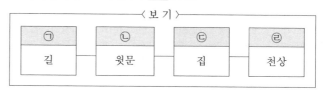

Day 11

| 7분 | 2022학년도 11월 학평 42~45번 | ★★☆ | 정답 029쪽 |

【1~4】 다음 글을 읽고 물음에 답하시오.

[앞부분 줄거리] 천상의 선관이 두꺼비의 모습으로 지상으로 쫓겨나 박 판서의 셋째 딸과 혼인한다. 장인의 회갑이 다가오자 동서들은 두꺼비를 빼고 사냥을 가려고 하지만, 두꺼비도 장인을 졸라 결국 사냥을 간다.

짐을 지고 돌아오는 ㉠길에 두 동서를 만났다. 동서들이 두 꺼비는 돌아보지도 아니 하였으나, 하인 셋이 무겁게 지고 오는 장끼, 까투리를 보고 놀랐다. 하인들이

"두꺼비 서방님이 잡은 것이라."

하였다. 두 동서는 장끼는 고사하고 쥐 한 마리도 잡지 못하였다. 두꺼비가

"자네들은 얼마나 잡았는고?"

하면서 조롱하거늘, 두 동서가 그제야 두꺼비에게 비는 듯이,

"자네는 사냥을 못하여도 관계없거니와 우리는 책망이 있을 것이니, 자네 사냥한 것을 우리에게 주면 어떻겠나?"

라고 하였다. 두꺼비가 말하기를

"내 동서에게 무엇을 아끼리오? 그러나 나는 본시 그런 것을 줄 때 그 사람의 등에 도장을 찍으니, 동서들은 언짢게 생각 하지 마오."

하였다. 그래도 두 사람이 사냥한 것을 욕심내니, 두꺼비가 쾌 히 허락하며, 필낭에서 필묵을 꺼내어 벼루 뚜껑을 벗기고 먹을 묻혀서 등에다 ⓐ도장을 찍고 종에게 분부하되

"사냥한 짐승들을 다 주어라."

하였다. 하인들이 두꺼비의 명대로 잡은 것을 다 주니, 동서와 여러 하인이 기뻐하였다. 사냥한 짐을 지고 들어가니 집안사람 들과 장인과 장모가 칭찬하였다. 뒤늦게 두꺼비가 빈손으로 턱을 덜렁거리며 헐떡헐떡 들어오니, 집안사람들과 노복들이 이르기를

"저런 것이 사냥을 어찌 한단 말인가." 하더라.

그럭저럭 회갑 날이 이르러 마을에 사는 사람이면 상중하 남 녀노소 없이 모였는지라. 맏사위와 둘째사위도 참석하여 사수병 풍이며 빛나는 장막 천으로 햇볕을 가리고, 맑고 아름다운 색채 를 띄우는 듯한, 춤과 노래, 양금, 거문고를 희롱하며 유유히 좌 우로 펼치며 놀았다. 이러한 경사에 두꺼비 내외는 못 오게 하 였으니, 그네들이 두꺼비를 매우 미워하기 때문이었다.

이에 두꺼비가 분하여 진언을 외워 그 허물을 벗으니, 하늘에 서 청모시 한 필과 하인 열 셋이 내려왔다. 살펴보니 층층다리 무지개 안장에 황금 등자를 걸었으며, 하인들이 치장한 것을 보 니 슬렁슬렁 벙거지에 열십자 끈을 넓게 달고 흑띠와 복끈을 둘러메고 육모방망이 등을 거꾸로 잡고 두꺼비에게 문안하였다. 두꺼비 또한 어느 새 선관의 의복을 제대로 갖추었다. 이리하여 ㉡윗문을 나오니 뉘라서 두꺼비인 줄 알리오.

두꺼비가 곧바로 잔치하는 ㉢집 사랑에 들어가 대감께 뵈오 니, 대감과 좌중이 모두 그 풍채를 보고 놀라 입을 다물지 못하 였다. 대감이 말하기를

"어디에 계시며 뉘 댁 사람입니까?" 하니, 두꺼비가 답하기를

"소생은 평안도 송천부에 사는데, 대대로 부린 종 두 놈을 잃 고 찾지 못하였더니, 소문을 들으니 이 댁에 왔다 하기로 불 원천리하고 찾아왔습니다."

(중략)

두 동서를 가리키며,

"저 놈들이 나의 종이로소이다."

하였다. 대감이 기가 막혀 옷을 벗기고 보니 과연 그 표가 완연 한지라. 두꺼비가 호령하여 말하기를

"저 두 놈을 잡아 결박하라."

하는 소리가 천지를 진동시켰다. 하인이 달려들어 거행하자 두 꺼비가 호령을 더욱 추상같이 하는데, 뉘라서 능히 그것을 말리 리오? 두꺼비가 호령하기를

"너희가 옷과 밥이 부족하다고 상전을 배반하고 도망하여, 양 반에게 장가를 들어 제법 사랑에 앉았다만 어찌 망녕치 아니 하리오?"

또 호령하기를

"종놈을 매달아 항복을 받도록 하라."

하는 소리가 천지를 뒤흔드는 듯하였다.

안에서 부인이 이 말을 듣고 통곡하기를

"팔자도 무상하여 딸 하나는 두꺼비 사위를 보고, 딸 둘은 남 의 종놈 사위를 보게 되었나!"

하였다. 잔치는 성대하나 분위기는 초상난 집 같더라.

이때 두 사위가 장인께 아뢰기를

"저 사람에게서 한때 도장이나 표를 받은 일은 따로 없고, 우 리들이 지난날 사냥 갔을 때에 두꺼비 동서를 만나서 이리이 리 하였습니다."

라고 자백하였다. 놀란 대감이 급히 하인을 시켜 두꺼비 사위를 데려오라 하였다. 그러나 곳곳을 찾아도 없는지라. 대감에게 찾 지 못함을 아뢰니 대감이 더욱 놀라서 하인을 모두 풀어 사방 으로 찾는데, 두꺼비는 벌써 형체를 변형하고 있었으니 두꺼비 를 어디에 가서 찾으리오?

그때서야 두꺼비가 마음을 가라앉히고 대감께 절하며

"대감은 너무 근심 마십시오. 제가 두꺼비 사위로소이다."

하였다. 대감이 깜짝 놀라며 반기기를

"두꺼비 사위가 그대인가? 무슨 연고로 두꺼비 허물을 쓰고 사람을 그다지 속이느냐?"

두꺼비가 장인에게 말하기를

"소생은 본디 두꺼비의 모양이 아니라 천상에서 비를 내려 주 는 선관이었더니, 인간에 비를 잘못 내린 죄로 옥황상제께서 허물을 씌워 인간에 내쳐서 어부 노인에게 수양자가 되도록 하였습니다. 대감의 사위가 된 것은 다름이 아니라, 대감께서 젊은 시절 벼슬할 때에 애매한 사람을 많이 죽인 죄로 두꺼 비 사위를 점지하고 자손을 없게 한 것입니다."

하니, 그제야 대감이 즐겁기도 하고 한편 슬프기도 한 마음을 그치지 못하였다. 부인도 이 말을 듣고는 마음을 진정치 못하며 기뻐하고 칭찬하여 말하기를

"저러한 인물로 그 흉한 허물을 쓰고 있었던가! 내 딸 월성은 벌써 알았을 것이건만 그런 말을 추호도 하지 않았으니, 저 런 줄 뉘 알았으리요?" 하며 대단히 기뻐하였다.

"저렇게나 좋은 풍채가 이 세상에 어디에 있으리오."

하고 반기며 좋아하니, 뉘 아니 부러워하리오?

선관이 두 동서를 돌아보고 말하기를

"그대들은 나를 너무 업신여긴 죄로 욕을 보였노라."

하였다. 뒤이어 선관이 빈 상자를 장인에게 올리고는 말하기를

"이것을 간수해 두면 부귀할 것이니 잘 간수하소서."

하고는 곧 소저를 불러 자초지종을 알렸다.

얼마 지나지 않아 뇌성벽력이 진동하면서 천상에서 ⓑ옥으로 된 가마가 내려오거늘 선관이 장인장모에게
"정히 섭섭하오나 천명을 이기지 못하고 ㉣천상으로 올라가 니 어찌할 도리가 없습니다. 만수무강 하십시오." 하였다.
– 작자 미상, 「두껍전」 –

1. 윗글에 나타난 서술상의 특징으로 적절한 것은?
① 섬세한 배경 묘사를 통해 작중 상황을 희화화하고 있다.
② 시간의 역전을 통해 인물의 심리 변화를 보여 주고 있다.
③ 대화를 통해 이전에 일어난 사건의 정황을 드러내고 있다.
④ 꿈과 현실의 교차를 통해 앞으로 일어날 사건을 암시하고 있다.
⑤ 현실 세태와 자연물의 대비를 통해 당대 사회상을 비판하고 있다.

2. <보기>는 윗글의 내용을 공간을 중심으로 도식화한 것이다. 이에 대한 설명으로 적절하지 <u>않은</u> 것은?

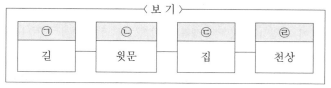

〈 보 기 〉

㉠	㉡	㉢	㉣
길	윗문	집	천상

① ㉠에서 두꺼비는 동서들의 부탁을 들어주고 있다.
② ㉡의 안쪽에서 분노한 두꺼비는 하인들을 불러 ㉠에서 있었던 일에 대해 문책을 하고 있다.
③ ㉡에서 ㉢으로 이동한 두꺼비를, 대감은 자신의 사위라고 인식하지 못하고 있다.
④ ㉢에서 부인은 두꺼비에 대한 생각을 바꾸게 된다.
⑤ ㉢에서 ㉣로 가기 전에 두꺼비는 장인에게 간직할 물건을 주고 있다.

3. ⓐ와 ⓑ에 대한 이해로 가장 적절한 것은?
① ⓐ는 인물이 칭찬을 받기 위한 수단이고, ⓑ는 인물이 벌을 내리기 위한 수단이다.
② ⓐ는 계획한 일을 실현하기 위한 수단이고, ⓑ는 명령을 이행하는 데 쓰이는 수단이다.
③ ⓐ는 과거의 부귀했던 처지를 드러내는 수단이고, ⓑ는 현재의 곤궁한 처지를 밝히는 수단이다.
④ ⓐ는 위기 상황을 알리기 위한 수단이고, ⓑ는 위험 상황에서 벗어났음을 알려주기 위한 수단이다.
⑤ ⓐ는 상대방에 대한 경계심을 나타내는 수단이고, ⓑ는 상대방에 대한 거부감을 드러내기 위한 수단이다.

4. <보기>를 참고하여 윗글을 감상한 내용으로 적절하지 <u>않은</u> 것은? [3점]

〈 보 기 〉

이 작품은 천상에서 쫓겨난 인물이 지상의 삶을 살아간다는 내용의 적강 모티프와 사위가 처가에서 인정받지 못한다는 내용의 사위 박대담이 결합되어 나타난다. 초월적 존재에게 볼품없는 외양을 부여받은 주인공은 지상에서 가족들에게 소외되는 등의 박대를 당하며 속죄의 과정을 거친다. 이 과정에서, 정체를 숨긴 채 뛰어난 능력을 발휘하던 주인공은 정체를 밝힌 후 가족들의 인정을 받고 다시 천상으로 돌아가게 된다.

① 두꺼비가 진언을 외워 하늘에서 하인이 내려오는 장면에서, 숨기고 있었던 주인공의 정체를 확인할 수 있겠군.
② 부인이 마음을 진정치 못하며 두꺼비의 외양을 언급하는 장면에서 가족들에게 인정받는 모습을 확인할 수 있겠군.
③ 회갑 날 두꺼비 내외를 못 오게 한 장면에서 가족 구성원으로부터 박대를 당하는 주인공의 모습을 확인할 수 있겠군.
④ 동서들에게 자신이 사냥한 것을 주는 장면에서 속죄를 위해 뛰어난 능력을 발휘하는 주인공의 모습을 확인할 수 있겠군.
⑤ 두꺼비가 장인에게 자신의 죄에 대해 이야기하는 장면에서 주인공이 천상에서 쫓겨나 지상의 삶을 살게 된 이유를 확인할 수 있겠군.

【5~8】 다음 글을 읽고 물음에 답하시오.

[앞부분의 줄거리] 왕경룡은 아버지가 상인에게 빌려준 돈을 받아 절강으로 돌아가던 중 서주에서 기생 옥단을 만나 함께 살게 된다. 기생 어미는 경룡의 재물이 떨어지자 노림에서 죽이려 하지만 경룡은 겨우 목숨을 부지하고 떠돌게 된다. 이후 어렵게 살아가던 경룡은 옥단을 다시 만나고, 잃었던 재물을 옥단의 기지로 되찾아 절강으로 가려 한다.

옥단이 답하여 말하였다.

"열녀는 두 지아비를 섬기지 않는다 하니 만일 방법이 있사오면 목숨을 보존하려니와 만일 몸을 더럽히는 지경에 이른다면 죽을 뿐입니다. 어찌 살기를 바라겠습니까?"

경룡이 마침내 울며 이별하고 절강으로 향하였다.

옥단이 공자를 보내고 **침방**에 돌아와 시비와 함께 약속하고 각각 옷을 찢어 그 입을 막고 줄을 그 손과 발에 얽매고 침상 아래에 거꾸러졌다.

이튿날 **기생집**의 노복이 경룡의 일행과 말이 없어진 것을 보고 기생 어미에게 고하니, 기생 어미가 취함을 이기지 못하여 머리를 들고 일어나 옥단의 침소에 가서 보니 옥단과 시비가 모두 침상 아래에 엎어져 죽은 듯 쓰러져 있었다. 기생 어미가 놀라서 구원하니 짐짓 깨어난 체하며 말하였다.

"내가 어제 공자를 보지 아니하려고 했는데, 모친이 지극히 권해서 이렇게 되었으니 누구를 원망하리요? 공자가 비록 노림에서의 원한을 잊었다 하나 간밤에 취침할 때에 서로 합방치 아니함을 이상히 여겼더니 밤이 깊음에 가만히 그 종자를 불러 들어와 그 금은보화를 다 거두어 갔나이다. 우리를 결박하여 죽이려 하다가 공자가 이를 알고 살렸사오나 첩이 욕봄은 가히 원통치 아니하나 가산을 다 잃었사오니 어찌 통탄치 아니하리요? 첩이 묶일 때에 그 약속하는 말을 들으니 우리가 추적할 것을 두려워하여 서주 관청에 머물다가 도망가자 했으니 속히 잡으십시오."

기생 어미가 이웃 사람을 모아서 말을 타고 **서주 관청**에 이르니, 옥단이 갑자기 기생 어미를 말에서 끌어 내리치고 관청 서리와 이웃 사람에게 고하여 말하였다.

"첩이 본래 양가집 자식으로 부모님을 잃어 의탁할 곳이 없었는데 할미가 나의 자색을 보고 양녀를 삼아 여러 사람들에게 값을 취하려 하니 어찌 어미와 딸 사이의 의리가 있겠습니까? 전날에 절강 사는 왕경룡이 마침 첩을 보고 흠모하여 수만금을 들여 저를 아내로 맞아 해로하려 했더니, 저 할미가 음모를 꾸며 노림에서 죽이려 하였습니다. 공자께서 다행히 벗어나 맨몸으로 환향하다가 첩을 사모하여 다시 재물을 가지고 어제 다시 왔었더니, 저 할미가 또 재물을 **뺏으려** 하니 공자가 그 기미를 알고 피하였습니다. 그런데 이 할미가 다시 데리고 와서는 재물도 **빼앗고** 공자를 죽이려 하였기에 첩이 거짓으로 함께 모의를 하는 듯하여 왔으니, 당초 일의 과정은 이웃 사람이 다 아는 바이니, 어찌 거짓을 아뢸 수 있겠습니까?"

하고 통곡하며 그 기생 어미를 끌고 송사에 나가려 하였다. 이 일은 이웃 사람들이 아는 바여서, 밤사이의 음모를 믿고 모두 옥단이 옳고 기생 어미가 그르다고 하면서,

[A]
「"왕 공자가 재물을 훔쳐 도망갔다고 거짓말을 하여 우리들 에게 쫓아가자 하옵기로 왔사오나 만약 공자를 죽이고 재물

└을 빼앗으려는 사정을 알았으면 어찌 따라왔겠습니까?"

하였다.

서리들이 또한 노림의 일을 아는지라 모두 다 기생 어미를 꾸짖어 도적이라고 말하고, 옥단에게 권해 송사하게 하였다.

기생 어미가 두려워하거늘, 옥단이 말하였다.

"할미가 비록 지아비를 죽이려는 음모를 꾸몄으나 나를 길러 준 은혜가 있으니 일단 관아에 송사하지는 않겠소. 그러면 나를 끝까지 수절하게 하여, 협박하지 아니하겠소?"

하니, 기생 어미가 허락하거늘, 옥단이 서리를 청하여 문서를 쓰고 이웃 사람에게 서명하게 한 후 문서를 가지고 돌아와 **북루**에 올라 시비를 불러 쌀을 빌어 조석으로 바치게 했다.

그 시비 또한 정성으로 쌀을 빌어 낭자를 구원하니 그 시비의 이름은 난영이었다. 또한 자색이 있고 성품이 타인을 더불어 즐기는 것을 좋아하지 않으니, 본래 옥단이 양가집에서 데리고 온 시비였다.

기생 어미가 옥단을 해치고자 하나, 이웃이 알까 염려하였다. 한편 전날 조씨 상인에게 금은을 받은 바가 있었는데, 조씨 상인이 옥단을 어찌할 수 없음을 알고 금은을 돌려받고자 하였다. 기생 어미는 그 재물이 아까워 몰래 약속하여,

"이리이리하시오."

하였다.

몇 개월 뒤에 기생 어미가 옥단을 구박하여 말하였다.

"네가 공자를 위하여 나를 배반하고 비록 내 집에 있으나 이 익되는 것이 없으니 북루를 비우고 나가 살아라."

하고, 옥단을 내쫓았다. 이에 앞서 기생 어미가 마을에 있는 장사치 할미에게 많은 재물을 주고 비밀리에 약속을 했다.

옥단이 쫓겨나 시비 하나를 거느리고 돌아갈 곳이 없어 길가에 앉아 통곡하니, 길에서 한 할미가 그 까닭을 묻고 거짓으로 우는 체하며 말하였다.

"제가 매양 낭자가 정조를 지키려 고생스럽게 쌀을 빌어 입에 풀칠하는 것을 불쌍하게 여겼는데 이제 다시 쫓겨나 의탁할 곳이 없으니 누추한 내 집에서 머물도록 하오."

낭자가 다행스럽게 여겨 감사하고 따라가 할미의 집에 거처하였는데, 한 달이 지나자 할미가 말하였다.

[B]
「"저는 낭자가 절개 지킴을 어여삐 여겼습니다. 하여 약간의 가산을 팔아 인마를 갖추어 낭자를 데리고 절강으로 가고 자 합니다. 절강에 도착하면 낭자께서는 능히 공자로 하여 금 후한 값을 치르게 하여 돌려보낼 수 있겠습니까?"

옥단이 그 말을 다행히 여겨 감사하여 말하였다.

"그렇게 해 주신다면 어찌 힘을 다하여 갚지 않겠습니까?"

할미가 허락하고 마부와 말을 내어 행장을 수습하여 날을 받아 길을 떠났다.

여러 날 만에 **서주의 경계**에 이르니 갑자기 사람들이 길을 막고 옥단을 에워싸고 구박하면서 데리고 갔다. 옥단이 할미를 불렀으나 간 곳이 없거늘, 무리에게 말하였다.

"무슨 연유로 너희가 나를 위협하여 데리고 가는 게냐?"

모두가 답하여 말하였다.

"우리는 조씨 상인이 시키는 대로 낭자를 맞이하여 데려가거늘 무슨 위협이 있겠소?"

옥단이 몹시 통곡하며 말하였다.

"내가 두 할미에게 속았구나."

하고, 말에서 떨어지니, 무리들이 부둥켜안아 옥단을 말에다 태웠다.

- 작자 미상, 「왕경룡전」 -

5. 윗글에 대한 설명으로 적절하지 <u>않은</u> 것은?

① '침방'은 옥단이 경룡의 무리에게 결박당했다고 기생 어미를 속이는 장소이다.

② '기생집'은 기생 어미가 부모를 잃은 옥단을 위해 난영을 시비로 내어 준 공간이다.

③ '서주 관청'은 옥단이 기생 어미의 잘못을 사람들에게 알리기 위해 기생 어미를 유인하여 데리고 간 공간이다.

④ '북루'는 옥단이 경룡에게 절개를 지키겠다고 했던 다짐을 실천하는 공간이다.

⑤ '서주의 경계'는 절강에서 경룡을 만날 수 있다는 옥단의 기대가 깨지는 공간이다.

6. 윗글에 대한 이해로 가장 적절한 것은?

① 난영은 이웃 사람과 더불어 사귀기를 좋아했다.

② 서리들은 옥단이 작성한 문서에 증인으로 서명했다.

③ 조씨 상인은 자색이 있는 난영을 얻기 위해 무리를 보냈다.

④ 옥단은 관청에서 돌아온 뒤 난영이 빌어 온 양식으로 어렵게 살아갔다.

⑤ 이웃 사람들은 노림의 일에 대한 사실을 알기 위해 옥단에게 송사를 권유했다.

7. [A], [B]에 대한 설명으로 가장 적절한 것은?

① [A]에서 화자는 자신의 불우한 처지를 언급하며 상대의 감정에 호소하고 있다.

② [B]에서 화자는 감정을 절제하며 상대의 결정에 대해 비판적 태도를 드러내고 있다.

③ [A]와 [B] 모두에서 화자는 상대의 과거 행적을 드러내며 상대의 미래를 예견하고 있다.

④ [A]에서는 [B]에서와 달리, 화자가 고사를 인용하여 상대의 요구를 우회적으로 거절하고 있다.

⑤ [A]에서 화자는 상대에게 자신이 현재 장소로 오게 된 이유를 밝히고 있고, [B]에서 화자는 상대에게 현재 장소를 떠날 것을 제안하고 있다.

8. <보기>를 바탕으로 윗글을 감상한 내용으로 적절하지 <u>않은</u> 것은? [3점]

─── <보 기> ───
이 작품은 남녀 주인공의 결합을 방해하는 혼사 장애 모티프를 지닌 애정 소설이다. 여자 주인공 옥단은 신분이 기생이지만 유교 사회에서 여성에게 요구되었던 정절을 지키려고 노력한다. 이런 옥단의 노력은 자신의 이익을 취하려 음모를 꾸미는 악인에 의해 방해를 받는다. 이 작품은 선인과 악인의 대립 구도가 드러나며, 악인의 음모로 인해 새로운 사건이 발생하거나 사건이 전환되기도 한다.

① 옥단을 쫓아낸 기생 어미와 쫓겨난 옥단에게 머물 곳을 제공한 장사치 할미가 대립하는 모습에서 선인과 악인의 대립 구도를 확인할 수 있군.

② 기생 어미가 경룡의 재산을 다시 빼앗고 죽이려 한 음모로 인해, 옥단이 기지를 발휘하여 경룡이 자신의 재물을 되찾는 새로운 사건이 발생하는군.

③ 조씨 상인의 재물을 돌려주는 것을 아까워하는 기생 어미의 욕심은, 기생 어미가 조씨 상인의 무리들에게 옥단을 납치하도록 하는 음모를 꾸미는 원인이 되는군.

④ 옥단과 재회한 경룡이 생명의 위협을 느낀 후 해로하기로 한 옥단을 남겨둔 채 절강으로 떠나는 모습에서, 경룡과 옥단의 결합을 방해하는 혼사 장애 모티프를 확인할 수 있군.

⑤ 옥단이 송사하지 않는다는 조건을 내세워 기생 어미에게 자신의 정절을 훼손하지 않겠다는 승낙을 받는 장면에서, 기생이지만 유교적 가치를 지키려 노력하는 모습을 확인할 수 있군.

[9~12] 다음 글을 읽고 물음에 답하시오.

[앞부분의 줄거리] 명나라의 진성운은 순경, 호원, 학녹을 만나 연을 맺고 문무의 재주를 익힌다. 적군이 침략하여 천자가 동관으로 피란하자 성운은 적을 무찌르고 천자를 구하여 대원수가 된다. 그러나 금인국 장수 중행달과 맹호원이 쳐들어와 천자와 그 가족은 다시 위험에 처한다.

원수가 생각하기를, '중행달은 천하 명장이라. 조용히 잡지 못할 것이니 다른 술법으로 잡으리라.'고 하였다.

그리하여 밤이 깊은 후에 원수는 갑옷과 투구를 벗어 놓고 초의를 입고 갈건을 쓰고 청려장을 짚고 중행달의 침소로 갔다. 이때 중행달이 잠이 깊이 들어 있는 것을 보고는 그 곁에 앉아 행달을 깨웠다. 행달이 놀라 일어나자 원수가 천연히 위로하며 말하기를,

[A] ┌ "그대는 놀라지 말지어다. 나는 금인국 백화산의 신령이라. 세상을 둘러보니 중국이 어진 천자를 얻지 못하여 백성이 도탄 중에 들었으니, 하늘이 노하시어 장군으로 천하를 평정하게 하였다. 그러나 대명 대원수 진성운은 천하의 명장이라, 그대가 조용히 잡지는 못할 것이다. 내일 아침에 태풍이 일어날 것이니, 장군은 배를 낱낱이 육지로 흩어 놓으라. 바람이 일어나면 배가 풍비박산할 것이니, 모든 배를 한데 └ 잡아매도록 하라."

하고는 몸을 날려 공중으로 솟아오르며 사라졌다. 이에 중행달이 크게 기뻐하며 말하기를,

"귀신이 나를 도우니 이제는 무슨 염려 있겠느냐?"

하고는 그 말대로 배를 낱낱이 한데 잡아매었다.

원수가 본진에 돌아가 제장과 의논하기를,

"적진이 분명히 배를 한데 잡아맬 것이니, 제장은 적진의 사면에서 불을 준비하고 있다가, 방포 일성*에 들어가 배에 불을 질러라." 하고, 순경과 학녹에게 말하기를

"정병 오천씩 거느리고 적진 좌우에 매복하였다가 불이 일어남을 보고 또 군사를 놓아 쳐라." 하고는 때를 기다렸다.

밤이 밝아오자, 원수가 장대*에 올라 진풍경*을 외우니 난데없는 바람이 서북에서 일어나며 먼지가 천지에 자욱하였다. 중행달은 바람이 일어남을 보고 즐겨 말하기를,

"어젯밤 신령의 말이 옳구나!" 하고 즐거워하였다.

뜻밖에 불이 일어나더니 배가 모두 불탔다. ㉠배를 한 곳에 잡아매었으니 따로 떨어질 수도 없었고, 모진 바람이 급하게 부니 불꽃을 잡을 길이 없었다. 그 와중에 사면에서 순경과 학녹이 군사로 급히 몰아쳤다. 고각 함성이 천지를 진동하고 바람 소리 또한 천지를 진동했다. 이렇게 뜻하지 못한 화를 만나자 장수와 장졸이 각각 도망하다가 서로 밟혀 죽는 것이 부지기수로 만여 명이 되었다. 중행달이 수백만 군사를 강 가운데서 잃고, 탄식하며 도망하여 녹림산으로 갔다.

원수가 적국을 파하고 승전고를 울리며 동관성에 들어갔다. 모든 신하와 천자가 원수의 손을 잡고 못내 칭찬하니, 여러 충신 등이 다 태평가를 부르며 천자께서도 대장수라 외쳤다. 원수가 군사를 거느리고 천자와 백관과 더불어 장안에 도달하였다.

이때 금인국 장수 맹호원이 십만 대병을 거느리고 녹림산으로 급하게 달려왔다. 과연 황후와 태자와 공주 세 자매가 녹림산에 피란을 와 있었는데, 불의에 맹호원이 나타나 군사로 녹림산을 둘러쌌다. 그리고는 황후와 태자와 공주 세 자매를 데려다가 진중에 두고 기다리는데, 중행달이 대군을 패하고 녹림산으로 들어

왔다. 맹호원이 황후, 태자, 공주 세 자매를 데려다가 군중에 두니 중행달이 말하기를,

"이제 천자가 항복하는 것은 어렵지 아니할 것이다."

하고, 동관에 들어가 군사를 웅거하게 하였다. 또한 성중에 지하 감옥을 만들어 황후, 태자, 공주 세 자매를 그곳에 가두고 장안으로 격서*를 전하여 말하기를,

"만일 천자가 항복하지 아니하면 황후, 태자, 공주 세 자매를 죽이리라." 하기에, 천자가 격서를 보시고 크게 근심하여,

"이 일을 어찌할까?" 하시니, 진성운이 대답하기를,

"폐하는 너무 근심 마십시오. 소장이 군사를 거느리고 나가 보겠습니다." 하였다.

성운이 정병 백만을 거느리고 순경과 호원과 학녹을 데리고 녹림산으로 나갔다. 성 밖에 진을 치고 이삼 일을 유진*하였는데, 중행달이 종시 나오지 아니하고 성문을 굳게 닫고 있었다.

성운이 순경에게,

"그대가 접전하되, 만일 적이 성문을 열고 나오면 내가 군사를 거느리고 싸우다가 달아날 것이니, 그때 재빨리 성에 들어가 황후와 태자와 공주 세 자매를 뫼시고 급히 나오도록 하라."

하고, 군사 대여섯 명에게 적병의 옷을 입혀 진문 밖에 세우고는 군사가 좌우에서 웅위하게 하였다.

그리고 성운이 성 위에 올라 외치며 말하기를,

[B] ┌ "적장은 나의 재주를 모르느냐? 아느냐? 어젯밤에 내가 이미 너의 진중에 들어가서 황후와 태자와 공주 세 자매를 모셔다가 진문 밖에 계시게끔 하였다. 네가 이제는 성중에 천년을 있어도 쓸데없을 것이니 급히 나와 승부를 결단하자."

중행달이 그 말을 듣고 성운의 진을 바라보니, 과연 금인의 옷을 입은 사람 대여섯이 그 진중에서 군사들의 웅위를 받고 있었다. 이에 중행달이 탄식하며,

"진성운의 재주는 과연 귀신 같구나! 어느 사이에 들어와 데리고 갔는가?"

하고, 마침내 군사를 재촉하여 성문을 열고 접전하였다. 성운이 군사를 몰아 크게 싸우다가 급히 도망하니, 중행달이 승승장구하여 쫓아오면서 말하기를,

"계속 접전하였으면 진성운의 머리를 베었을 것이다."

하며 계속 뒤쫓아왔다.

이때 순경과 학녹과 호원이 군사를 거느리고 급히 성을 넘어가 보니, 과연 지하 감옥에 황후와 태자와 공주 세 자매가 갇혀 있었다. 순경이 급히 모시고 나와서 학녹에게 군사 사천을 주어,

"황후와 태자와 공주 세 자매를 모시고 장안으로 가라."

하고, 순경과 호원은 중행달을 쫓아 군사를 재촉하였다.

이때 성운이 도망치기를 멈추고, 군사를 몰아 중행달의 군사를 앞뒤로 둘러싸니, 천하 명장인들 이에서 어찌 벗어나겠는가?

그중에 순경과 호원이 장창단검으로 적진 중에 들어가 좌우를 치고 죽이니, 중행달이 스스로 벗어날 길이 없을 줄 알고는 칼을 빼어 자결하고, 맹호원은 남은 군졸과 함께 항복하였다.

원수가 적장을 장대 아래에 꿇리고 죄를 물은 후에 대군을 거느리고 승전곡과 태평가를 부르며 들어오니, 천자가 남문 밖에 나와 원수를 맞아들이고 크게 칭찬하였다.

– 작자 미상, 「진성운전」 –

* 방포 일성 : 군중의 호령으로 총을 한 번 쏘아 소리를 냄.
* 장대 : 장수가 올라서서 명령·지휘하던 대.
* 진풍경 : 먼지 섞인 바람을 일으키게 하는 경전의 일종.
* 격서 : 군병을 모집하거나, 적군을 달래거나 꾸짖기 위한 글.
* 유진 : 군사들이 머물러 있음.

9. 윗글에 대한 이해로 적절한 것은?

① 학녹은 순경과 함께 적진 근처에 매복해 있다가 불을 보고 적을 공격하였다.
② 맹호원은 군대를 이끌고 녹림산으로 달려와 천자와 그 가족을 사로잡았다.
③ 중행달은 성운과 다시 맞붙고 싶다는 내용을 담은 격서를 장안으로 보냈다.
④ 성운은 순경에게 적병의 옷을 입히고 진문 밖에 세워 군사가 좌우에서 옹위하게 하였다.
⑤ 순경은 성운이 중행달과 싸우다가 달아난 것을 알지 못하고 군사를 몰아 중행달의 뒤를 쫓았다.

10. [A]와 [B]에 대한 설명으로 가장 적절한 것은?

① [A]는 [B]와 달리 자신이 상대의 편이라고 속여 자신의 목적을 달성하려 하고 있다.
② [A]는 [B]와 달리 상대가 처한 무력한 상황을 언급하여 자신의 능력을 과시하고 있다.
③ [B]는 [A]와 달리 상대의 환심을 사기 위해 자신이 초월적 존재라는 것을 밝히고 있다.
④ [B]는 [A]와 달리 자신의 예지 능력을 근거로 들어 상대의 행동 변화를 촉구하고 있다.
⑤ [A]와 [B]는 모두 위기에 처한 백성을 위해 상대가 수행할 임무를 일깨우고 있다.

11. <보기>를 참고하여 윗글을 감상한 내용으로 적절하지 <u>않은</u> 것은? [3점]

─────< 보기 >─────
　이 작품은 진성운을 비롯한 복수(複數)의 영웅이 등장하여 활약하는 내용을 담은 영웅 군담 소설이다. 영웅들은 자신들이 지향하는 세계 질서를 위협하는 무리를 적으로 규정하고 바람직한 질서를 회복하기 위해 노력한다. 영웅이 전기(傳奇)적 능력을 드러낼 뿐만 아니라 현실적 차원에서 기지를 발휘하고 전략을 세우는 점이 이 작품의 흥미로운 요소로 꼽힌다.
─────────────────

① 중행달이 천자에게 항복을 종용한 것은 영웅들이 중행달을 적으로 규정한 이유로 볼 수 있군.
② 성운이 배에 불을 지르기 위해 배를 묶게 한 것은 전략을 세워 활약하는 영웅의 모습으로 볼 수 있군.
③ 성운이 천자의 가족이 탈출한 것처럼 중행달의 눈을 속인 것은 영웅이 전기적 능력을 발휘한 모습으로 볼 수 있군.
④ 순경과 학녹 등이 천가의 가족을 구하기 위해 함께 힘을 합친 것은 복수의 영웅이 활약하는 모습으로 볼 수 있군.
⑤ 성운이 적군을 파하고 난 후 승전곡을 부르며 돌아온 것은 영웅들이 지향하는 세계 질서가 회복된 모습으로 볼 수 있군.

12. ㉠의 상황을 나타낸 말로 가장 적절한 것은?

① 진퇴양난(進退兩難)
② 자가당착(自家撞着)
③ 이심전심(以心傳心)
④ 다다익선(多多益善)
⑤ 기사회생(起死回生)

총 문항				문항		맞은 문항			문항
개별 문항	1	2	3	4	5	6	7	8	9	10
채점										
개별 문항	11	12	13	14	15	16	17	18	19	20
채점										

7분 | 2022학년도 3월 학평 42~45번 | ★★★ | 정답 031쪽

【1~4】 다음 글을 읽고 물음에 답하시오.

[앞 부분 줄거리] 선녀였던 월영은 호원의 딸로 태어나 최 상서 아들 희성과 정혼하고 월귀탄 귀걸이를 징표로 준다. 모해로 부모를 잃은 월영은 상을 치르려고 소주에 이르는데, 월영의 현숙함을 듣고 소주 자사 위현은 차인을 보내 혼인하려는 뜻을 전한다.

"낭자의 말씀이 그른지라. 이제 낭자의 부모 친척이 없고 천리원정에 최생 소식을 통할 길이 없거늘, 헛되이 신의를 지키고 평생을 그르게 하니 어찌 아깝지 아니하리오. 또한 위 자사는 청춘에 부귀영화 일국에 진동하니 이제 낭자 결혼하여 빛난 가문에 아름다운 부인이 되어 생남생녀하시며 부귀영화 누리다가 백년해로하시고 위로 부모의 제사를 받들고 아래로 평생을 온전케 할 것이니 어찌 즐겁지 아니하리오. 사생을 돌아보지 아니하고 쓸데없는 최생을 따르고져 하시나이까. 낭자는 깊이 생각하소서. 불연즉 도리어 큰 화가 있을지라. 후회하여도 미치지 못하리다."

하거늘 낭자 변색 대로 왈,

"비록 규중에 있어 배운 것은 없으나 인륜대절은 아나니, 어찌 불측한 말로 감히 욕되게 하느뇨? 그대는 자사의 형세를 자세히 알거니와 나도 사대부 여자로 도리가 있거늘, 비례를 행하라 희롱하니 어찌 방자치 않으리오."

즉시 노복을 불러 등을 내치니 차인이 무료하여 돌아와 낭자의 화용월태며 수작하던 말을 자세히 고한대, 자사 듣기를 다하고 차탄 왈,

"이 여자는 짐짓 군자호구(君子好逑)라. 천만금이라도 달라지 못하거니와, 내 만일 이 여자를 구치 못하면 맹세하고 이 세상에 살지 못할지라."

하고 한 꾀를 내어 일봉 서간을 만들고 봉채를 차려 시비를 주며 왈,

"호부에 가서 ㉠여차여차하라." 하고 보내니라.

각설, 낭자가 차인을 보내고 울울한 마음과 혈혈한 일신을 진정치 못하여 차탄함을 마지아니하더니, 시비 들어와 고하되,

"경성 최 상서 댁 노복이 서간을 드리나이다."

하고 서간과 금함을 드리거늘, 낭자 시비를 명하여 함을 열고 보니 명주 십여 필과 황금 채단이 들었는지라. 낭자 미소하고 시비로 하여금 서간을 보라 하니, 그 서간에 왈,

"경성 최생은 두 번 절하고 호 낭자 좌하에 올리옵나니 슬프다. 세월이 여류하여 벌써 상공의 삼년상을 지낸 지 오랜지라. 전일 언약을 굳게 지키어 지금까지 실가를 정하지 아니함은 이유 없도다. 낭자를 저버리지 아니함이니, 이제 십여 노복과 조그마한 보배를 보내나니, 이것이 소소하나 행장을 차리어 전일 정한 언약을 이룸이 또한 아름답지 아니하리오. 낭자는 빨리 돌아와 고대하옵는 마음을 저버리지 마옵소서. 허다한 말씀을 다 못하나이다." 하였더라.

낭자 듣기를 다하매 위 자사가 보낸 줄 알고 냉소하기를 이윽히 하더니, 시비 등을 불러 왈,

"최생의 서간을 보시고 냉소하시니 어쩐 일이시오니까."

"봉서를 보니 의심이 많도다. 최생이 나를 데려가려 할진대, 천리 원정에 노복만 보내지 아니할 것이요, 또한 서간의 말씀이 심히 허소하니*, 의심이 두 가지요, 최생의 글

씨는 사람마다 칭찬하는 바이나 글씨 이같이 무식하니, 의
[A] 심이 세 가지요, 나의 월귀탄은 보내지 아니하였으니 의심이 네 가지요. 최 상서는 본대 정직한 군자라, 어찌 원로(遠路)에 이렇듯 보배를 보내리오. 의심이 다섯 가지라. 이는 위 자사가 나를 반드시 속이고져 하는 일이라. 어찌 경솔히 발행하리오."

유모와 시비 등이 이 말을 듣고 탄복함을 마지아니하더라.

낭자 즉시 봉서를 담아 그 노복으로 금백 채단을 도로 금함에 넣어 보내니 그 노복 하직하고 가는지라.

각설, 이때 자사 묘한 계교를 내어 보내고 내념에 생각하되, '내 비밀한 계교는 유식한 남자라도 속을진대, 또한 어린 여자가 어찌 의심할 바가 있으리오.'

하고 기다리더니, 문득 노복이 헛되이 옴을 듣고 대경하여 발을 구르며 문 왈,

"네 어찌 헛되었는가"

노복이 가로되,

"㉡여차여차하옵기로 봉서와 금함을 도로 올리나이다."

(중략)

"우리 등은 위 자사의 명을 받아 낭자를 모시려 왔사오니 낭자는 바삐 가시면 좋거니와 불연즉 이 비수 아래 놀란 혼백이 될 것이니, 어찌 청춘이 아깝지 아니하리오. 후회하여도 미치지 못하리니 낭자는 길이 생각하소서."

낭자가 정색 대 왈,

"내 비록 여자나 너희 등 비수는 두렵지 아니하나, 어찌 죽기를 저어하리오마는 지금까지 목숨을 보전하기는 이유 없도다. 부모의 유언도 있을뿐더러 후사를 근심함일러니, 이제 너희 등의 핍박을 보니 어찌 소소한 일을 생각하고 잔명을 구차히 살아 무엇에 쓰리오. 또한 내 벌써 죽어 너희 자사의 더러운 욕을 씻고져 하였더니 이제 너희 등 손에 죽느니 차라리 내 먼저 자결하여 더러운 욕을 면하리라."

하고 언파에 비수를 빼어 우선 자객 삼 인을 베니, 관군 오십 인 등이 수각이 황란하여 손을 놀리지 못하고 각각 몸을 빼처 도망하더라.

규중에 조그마한 처자로 어찌 자객 삼사인을 베리오마는 이는 반드시 범인이 아니요. 조화가 무궁한 연고로 이러함이라. 관군 등이 낭자를 해치지 못하고 도망함은 목숨을 아낌이라. 낭자 관군 등을 물리치고 인하여 자결하는 체하니, 관군 등이 몸을 감추어 그 낭자 하는 거동을 보고 자사에게 돌아오니라.

이때 낭자 계교로써 관군을 물리치고 노복을 불러 자객의 주검을 자사 부중에 버리고 오너라 하거늘, 노복 등이 그 경상을 보고 대경 왈,

"이 어찐 신체오며 낭자는 어찌하여 살아 계시이까."

낭자 소 왈, "지금 ㉢여차여차하였노라." 하거늘 노복 등이 낭자의 의견과 담대함을 하례하더라.

이때 관군 등이 돌아가 자사를 보고 전후 수말을 고한대, 자사 듣기를 다하매 오래 침음하다가 또 흉계를 내어 친히 와서 해치려 하더라. 낭자는 본대 지혜 용맹 있는 여자라. 자사의 흉계를 짐작하고 일변 남복(男服)을 짓고 상복을 지으며, 초상을 치르게 준비한 후에 거짓말을 내어 왈,

"호 낭자 병이 깊이 들어 만분 위중타 하니라."

이때 자사 듣고 허실을 탐지하더라.

낭자 가만히 유모와 시비 사인을 데리고 금안이라 하는 골로 가서 부모의 친구를 찾아 의지코져 할새, 노복을 불러 왈,

"오래지 않아 자사 올 것이니 ⓔ여차여차하면 너희 등은 화를 면하리라"
하고 각각 이별 후 낭자 남복을 개착하고 월야를 타서 금안으로 달아나니라.

― 작자 미상, 「월영낭자전」 ―

* 허소 : 허술하거나 허전함.

1. 윗글에 대한 설명으로 가장 적절한 것은?

① 꿈과 현실이 교차되면서 낭만적인 분위기가 조성되고 있다.
② 서술자가 사건과 인물에 대한 주관적 평가를 드러내고 있다.
③ 우의적 기법으로 대상에 대한 풍자적 태도를 드러내고 있다.
④ 액자식 구성을 통해 사건의 전모를 구체적으로 밝히고 있다.
⑤ 섬세하고 치밀한 묘사로 인물의 외양과 행동을 부각하고 있다.

2. ㉠ ~ ㉣에 대한 설명으로 가장 적절한 것은?

① ㉠은 인물 간의 내재된 갈등을 직접 언급하여 사건 전개의 방향을 뚜렷하게 한다.
② ㉡은 여러 사건에 대한 인물들의 다양한 입장을 예상하게 하여 인물 간의 관계를 추론하게 한다.
③ ㉣은 인물의 성격이 변화됨을 암시하여 그에 따른 행동에 대한 독자의 호기심을 이끌게 한다.
④ ㉡, ㉢은 앞에서 일어났던 사건의 주요 내용을 생략하여 반복적 진술을 피하게 한다.
⑤ ㉢, ㉣은 인물이 앞으로 취할 행동을 알려 주어 독자들이 인물의 성격을 짐작하게 한다.

3. <보기>의 빈칸에 들어갈 말을 [A]에서 찾아 정리한 내용으로 적절하지 않은 것은?

― < 보 기 > ―

낭자는 시비에게서 서간의 내용을 듣고 (   )을 들어 위 자사가 자신을 속이려고 보낸 것임을 바로 눈치챘다.

① 최생이 자신에게 그간의 안위를 묻지 않음
② 최생이 먼 길에 노복만 보낸 일이 의심스러움
③ 최생이 썼다는 서간의 내용이 허술하고 빈약함
④ 최생과 정혼의 징표로 삼은 물건을 전달하지 않음
⑤ 보배를 보낸 것이 최 상서의 인물됨에 반하는 행동임

4. <보기>를 바탕으로 윗글을 감상한 내용으로 적절하지 않은 것은? [3점]

― < 보 기 > ―

「월영낭자전」은 주인공의 결연 과정에서 혼사를 어렵게 만드는 혼사 장애 모티프를 바탕으로 이야기가 전개되고 있다. 반동 인물이 지위, 재물 등을 이용해 주인공과 강제 결혼을 시도하는 과정에서 권력의 폭력성이 드러나고 대립이 심화된다. 한편 반동 인물에게 용기 있게 맞서는 데서 주인공의 윤리적 가치관, 비범함과 지략이 부각되며 흥미가 더욱 고조되는 서사적 특징을 보인다. 고난을 주체적으로 극복해 나가는 주인공의 모습이 당대 여성 독자들의 호응을 얻었고, 근대적 여성상을 제시한 작품으로 평가받고 있다.

① 부귀영화를 누리는 위 자사가 지위와 재물을 이용하여 강제 결혼을 하려는 모습에서 혼사 장애 모티프가 드러나 있군.
② 무기를 든 관군들이 위 자사의 명령에 따라 낭자를 납치하려는 데서 권력의 폭력성이 자행되는 모습이 드러나 있군.
③ 사대부 여자의 도리를 들며 위 자사의 위력에 저항하는 모습에서 인륜을 중시하는 주인공의 가치관이 드러나 있군.
④ 부모의 유언을 따르고 후사를 잇기 위해 목숨을 보전하려는 데서 근대적 여성으로서 주인공의 면모가 드러나 있군.
⑤ 병이 위중하다고 꾸민 후 남복으로 갈아입고 금안으로 떠나며 위기를 벗어나는 데서 주인공의 지략이 드러나 있군.

【5~8】다음 글을 읽고 물음에 답하시오.

차설, 이때 유씨 해평읍을 떠나 절강을 향해 가며 말하기를
"성인의 말씀에 참으로 홍진비래는 사람의 일상사라 하였거니와 팔자 기박(奇薄)하여 낭군을 천 리 밖에 두고 불측한 일을 당하여 목숨을 겨우 부지하였으되 슬프다, 한림은 그 어디에 가 잦아지고 내 이러한 줄 모르는고."
하며, 애연(哀然)히 울면서 가니 산천초목이 다 슬퍼하더라.
그럭저럭 절도에 다다르니 청산이 먼저 들어가 정양옥께 유씨 오심을 전하니 양옥이 놀라 칭찬하되
"여자의 몸으로 이곳 만 리 길을 헤매고 이르렀으니 남자라도 어려웠으리라."
하고는, 십 리 밖에 나와 기다렸다. 이윽고 문득 백교자 한 행차 들어오며 한림 부르며 슬피 우는 청량한 소리는 사람 애간장을 끊는 듯하더라. 양옥이 하인에게 전갈하되
"먼 길에 평안히 왔습니까?"
하거늘 유씨 답하기를
"그간 중에도 위문하러 나오시다니 실로 미안하여이다. 한 많은 말씀은 종후에 논하외다."
하고, 통곡하니 길 가던 사람들 보고 들으며 뉘 아니 눈물을 흘리리. 청초히 말하기를
"유씨 정절은 만고에 없을 것이라."
하더라.
유씨 관 앞에 이르자
[A] ┌ "유씨 왔나이다. 어찌 한 말씀도 없으신고. 이제 가시면 백발 노친과 기댈 곳 없는 첩은 어찌하라고 그리 무정하게 누웠는고. 첩이 삼천 리 길을 마다 않고 지척이라 달려 왔건
     └ 만 반기지도 아니 하시나이까?"
하며, 통곡하다 기절하거늘 양옥이 어쩔 줄 몰라 연연히 분주하더니 이윽고 인사를 차리고는 양옥은 밖에서 울고 유씨는 안에서 통곡하니 그 구차한 정경은 차마 보지 못할 것 같았다.

[중략 부분 줄거리] 남편 춘매가 혼백으로 나타나 유씨에게 후생을 기약하고 떠나간다.

유씨 도리어 망극하여 통곡하며
"신체라면 붙들거니와 혼백으로 가니 무엇으로 붙들리오. 도리어 아니 만남만 같지 못하도다."
하고 머리를 풀고 관을 붙들고 울며 말하기를
"한림은 할 말 듣게만 하고 저는 한 말도 못하여 적막케 하고 가십니까?"
하며, 시신을 붙들고 그만 쓰러져 죽거늘, 정생과 하인이 망극하여 아무리 구하되 회생할 기미가 없고 더 이상 막무가내라.
"초상(初喪)의 예를 차려라."
하고, 주선하니 이때 유씨 혼백이 한림을 붙들고 구천을 급히 따라오거늘 한림이 돌아보니 유씨 오거늘 급히 위로하여 말하기를
"그대는 어찌 오는가. 바삐 가옵소서."
하니 유씨 말하기를
"내 어찌 낭군을 버리고 혼자 어디로 가며 남은 명을 보존하오리까. 낭군과 한가지로 구천에 있겠습니다."
하고 따라오거늘 한림이 할 수 없어 함께 들어가는데 염라왕이 말하기를
"춘매는 인간에게 가서 시한을 어기었다."

하고, 사신을 명하여
"급히 잡아들이라."
한데, 사신이 영을 받고 춘매를 만나 염왕의 분부를 전하여 왈
"그대를 잡아오라 하여 왔나니라."
하니, 춘매가
"내 돌아오는 길에 아내의 혼백을 만나 다시 돌아가라 만류하다가 시한을 어기어 하는 수 없이 데리고 들어가노라."
하고, 들어가니 사자가 염왕에게 사연을 고하였는데 염라대왕이 즉시 춘매와 유씨를 불러 세우고 물어 말하기를
"춘매는 제 원명(原命)*으로 잡아 왔거니와 유씨는 아직 원명이 멀었으니 어찌 들어왔는고?"
하거늘 유씨 이마를 조아려 여쭈되
"대왕께서 사람을 생기게 하실 때에 부자유친, 부부유별, 장유유서, 붕우유신이라. 그중 부부애(夫婦愛)도 중한지라 남편 춘매를 결단코 따라왔사오니 대왕께서는 첩도 이 곳에 있게 해 주옵소서."
하니, 대왕이 유씨를 달래어 보내려 하자 유씨 또 여쭈되
[B] ┌ "대왕의 법으로 세상에 내었다가 어찌 첩에게 이런 작별을 하게 하였으며 또한 남편 춘매에게 어찌 부모 자식 간에 사랑을 이리도 일찍 저버리게 하셨습니까? 나는 새와 달리는 짐승도 다 짝이 있사오니 하물며 젊은 인생 배필 없이 어이 살며 의탁할 곳 없는 몸을 누구에게 붙여 살라고 하십니까? 여필종부는 인간의 제일 정절이니 결단코 춘매를 떠나지 못
     └ 하겠습니다."
염라대왕이 말하기를
"그대 모친과 춘매 모친은 누구에게 부탁하고 왔느냐?"
하기에 유씨 대답하여 말하기를
"정이 이토록 절박하온데 첩의 청춘으로 부부 함께 있어야 봉양도 하옵고 영화도 볼 터인데 공방 독침 혼자 누워 무슨 봉양하며 무슨 참 영화 보오리까. 부부지정은 끊지 못하겠습니다."
하니, 염라대왕이 말하기를
"진실로 그러하면 다른 배필을 정하여 줄 것이니 네 여연(餘緣)*을 다 살고 돌아오라."
하시니 유씨 아득하여 얼굴색을 변하며 말하기를
"아무리 저승과 이승이 다르오나 대왕이 어찌 무류한 말씀으로 건곤재생의 여자로 더불어 희롱하십니까. 대왕께서 저러하고도 저승을 밝게 다스리는 대왕이라 하십니까?"
하며, 천연히 꾸짖거늘 염라대왕이 유씨의 백설 같은 정절과 절의에 탄복하여 말하기를
"그대의 마음을 탐지해 보고자 함이니 도리어 무색하도다."
유씨 대답하여 말하기를
"염라께서 무색하다 하시니 도로 죄를 사하옵니다."
하고, 사죄하거늘 염라대왕이 말하기를
"내 그대를 위하여 가군(家君)*과 함께 도로 내려보내니 세상에 나가 부귀영화를 누려 자손에게 전하고 한날한시에 들어오라."
                                            – 작자 미상, 「유씨전」 –

* 원명: 본디 타고난 목숨.
* 여연: 남은 인생.
* 가군: 남편.

5. 윗글에 대한 설명으로 가장 적절한 것은?

① 시간의 역전을 통해 사건의 진상을 밝히고 있다.

② 꿈의 삽입을 통해 환상적 분위기를 조성하고 있다.

③ 인물 간의 대화를 통해 갈등 상황을 구체화하고 있다.

④ 서술자를 교체하여 사건을 새로운 국면으로 전환하고 있다.

⑤ 동시에 벌어진 사건을 병치하여 사건의 흐름을 지연시키고 있다.

6. 윗글의 내용에 대한 이해로 적절하지 <u>않은</u> 것은?

① 염왕은 사신에게 명하여 춘매를 잡아오게 하였다.

② 춘매는 구천으로 자신을 따라오는 유씨를 만류했다.

③ 양옥은 유씨가 온다는 소식을 듣고 유씨를 기다리고 있었다.

④ 유씨는 춘매를 죽음에 이르게 했다는 이유로 양옥을 원망했다.

⑤ 춘매는 유씨로 인하여 저승으로 돌아갈 시한을 어기게 되었다.

7. [A]와 [B]에 나타난 말하기 방식에 대한 설명으로 가장 적절한 것은?

① [A]와 [B]는 모두 상대방의 행동을 질책하며 상대방에게 사죄를 요구하고 있다.

② [A]와 [B]는 모두 자신과 타인의 불행한 처지를 들어 자신의 감정을 토로하고 있다.

③ [A]는 [B]와 달리 상대방의 약점을 공격하며 자신의 주장을 강조하고 있다.

④ [B]는 [A]와 달리 자신의 직책을 언급하며 상대방에게 협조를 요청하고 있다.

⑤ [A]는 과거의 경험을 회상하며, [B]는 미래의 상황을 가정하며 상대방을 위로하고 있다.

8. <보기>를 참고하여 윗글을 감상한 내용으로 적절하지 <u>않은</u> 것은?

[3점]

─────〈 보 기 〉─────

「유씨전」은 여성에게 정절이 요구되던 시대를 살아가며 적극적으로 사랑을 실현하는 여인의 삶을 그린 작품이다. 비현실계에서 주어지는 시험과 현실계로 이어지는 보상은 시대가 바라던 여성으로서의 규범을 더욱 강조한다. 한편 현실 세계의 고난을 견뎌 내고, 죽음마저 불사하는 유씨의 열행에는 주체적인 여인상이 드러난다. 특히 초월적 존재 앞에서도 의지를 굽히지 않는 당당한 모습, 다른 유교적 가치에 앞서 사랑을 택하는 모습은 주목할 만하다.

① 염왕이 유씨와 춘매를 저승에서 이승으로 돌려보내려는 장면에서, 현실계로 이어지는 염왕의 보상을 확인할 수 있군.

② 염왕이 유씨에게 춘매의 원명이 다하여 잡아 왔다고 말하는 장면에서, 춘매의 능력을 알아보기 위한 염왕의 시험을 확인할 수 있군.

③ 유씨가 모친을 봉양하는 것보다 춘매와의 정이 중요하다고 말하는 장면에서, 다른 유교적 가치에 앞서 사랑을 택하는 적극적 모습을 확인할 수 있군.

④ 유씨가 불측한 일을 당하고도 먼 길을 거쳐서 춘매의 관 앞에 당도한 장면에서, 남편에 대한 사랑으로 현실 세계의 고난을 견뎌 내는 모습을 확인할 수 있군.

⑤ 유씨가 다른 배필을 정하여 준다는 염왕을 책망하는 장면에서, 초월적 존재 앞에서도 당당하게 자신의 의지를 굽히지 않는 주체적인 여인의 모습을 확인할 수 있군.

Ⅲ

【9~11】 다음 글을 읽고 물음에 답하시오.

[앞부분의 줄거리] 불도 수행자 성진은 여덟 선녀를 희롱한 죄로 육관대사에 의해 연화봉에서 쫓겨나 꿈속에서 양소유로 환생한다.

양생이 과거가 닥쳤지만 과거에는 마음이 없어 수일 후에 또 두련사를 찾아보니 두련사가 말하되,
"한 처자가 있으니 재모를 의논하면 분명 양랑의 짝이로되 다만 가문이 너무 높아 공후의 벼슬을 여섯 대에 걸쳐 지냈고 대대로 정승을 한 집안이라. 양랑이 만일 신방 급제를 하면 이 혼사를 의논하려니 그 전에는 부질없으니 구태여 노신을 자주 찾아와 보지 말고 과거에 힘쓸지어다."
양생이 왈,
"어떤 집 여자니이까?"
두련사가 왈,
"춘명문 안에 사는 정 사도 집이니 붉은 칠한 문이 길에 닿아 있고 위에 계극을 배설한 집이라."
양생이 심중에 섬월이 말하던 여자인 줄 알고 가만히 생각하되, '어떤 여자이기에 두 서울 사이에 이렇듯 이름을 얻었는고?' 하고 묻기를,
"정 씨 여자를 사부께서 일찍이 보신 적이 있으니이까?"
두련사가 왈,
"어찌 보지 못하였으리오. 정 소저는 하늘 사람이니 어찌 언어로 형용하리오?"
양생이 왈,
[A]「 "소자 감히 자랑하는 것이 아니라 이번 과거는 소자의 주머니 가운데 있는 것이나 다름이 없습니다. 다만 평생 바라는 바가 있어 처자의 얼굴을 보지 못하면 구혼을 하지 않으려 하나니 사부는 자비를 베풀어 소자로 하여금 한번 보게 하소서." 」
두련사가 크게 웃고 이르되,
"재상가 처자를 어찌 서로 볼 수 있으리오. 양랑이 노신의 말이 믿음직하지 않은가 의심하느냐?"
양생이 왈,
"소자가 어찌 감히 의심하리이까? 그러나 사람의 마음이 다 각각 다르니 사부의 눈이 어찌 소자와 같겠사옵니까?"
두련사가 왈,
"그렇지 않다. 봉황과 기린은 사람마다 상서로운 줄 알고 청천백일은 사람마다 그 청명함을 우러러보나니 만일 눈 없는 사람이 아니면 어찌 자도가 고운 줄을 모르리오?"
양생이 오히려 기분이 좋지 못하여 돌아왔다가 이튿날 일찍 자청관에 오니 두련사가 웃고 이르되,
"양랑이 일찍 오니 분명 까닭이 있도다."
양생이 말하되,
"정 소저를 보지 못하고는 소자 끝내 의심이 있으니 사부는 우리 모친이 정성을 다해 부탁한 것을 생각하여 계교를 베풀어 무슨 수를 써서라도 잠깐 바라보게 하소서."
(중략)
전 노파가 교자를 타려 하다가 문득 들으니 삼청전 동쪽

정당 앞에서 거문고 소리가 나는데 매우 맑았다. 이에 방황하며 차마 가지 못하고 귀를 기울여 듣자 그 소리가 더욱 묘한지라. 두련사에게 이르되,
"내 부인을 뫼셔 유명하고 잘 타는 거문고를 많이 들었으되 이 곡조는 듣지 못하였으니 대관절 어떤 사람이니이까?"
두련사 대답하되,
"수일 전에 초 땅에서 나이 젊은 여관이 서울 구경차 이곳에 와 머물며 이따금 거문고를 타되 나는 곡조를 알지 못하더니 그대가 칭찬하니 필연 잘 타는 솜씨로다."
전 노파가 말하되,
"우리 부인이 들으시면 부르실 법하니 두련사는 저 사람을 머물러 두소서."
재삼 당부하고 가더라.
두련사가 전 노파를 보내고 양생에게 이 말을 전하고 좋은 소식이 오기를 초조하게 기다리더니 다음날 정 사도 집에서 작은 교자와 시비 한 사람을 보내 거문고 타는 여자를 청하였다. 양생이 여사도의 복장으로 거문고를 안고 나서니 마고선자와 사자연 같더라. 양생이 교자에 올라 정 사도 집에 가니 부인이 당상에 앉았으니 위의가 매우 단엄하더라.
양생이 거문고를 놓고 당 아래에서 머리를 숙이자 부인이 당으로 올라오라 하여 자리를 주고 말하되,
"어제 집안 시비가 자청관에 갔다가 신선의 풍류를 듣고 왔다 말하기에 한번 보고자 하였더니 이제 도사의 맑은 거동을 서로 대하니 돈연히 더러운 마음을 사라지게 하는도다."
양생이 자리를 피하여 대답하되,
"빈도는 본래 오초의 사람이라. 구름 같은 자취가 정처 없이 다니더니 천한 재주를 인연하여 부인을 뵐 줄 뜻밖이니이다."
부인이 이르되,
"사부께서 타던 바는 무슨 곡조인고?"
양생이 대답하여 말하기를,
"빈도가 일찍이 남전산에서 이인을 만나 여러 가지 곡조를 전수받았지만 다 옛사람의 소리라. 오늘날 사람의 귀에는 맞지 않을까 하나이다."
부인이 시비로 하여금 양생의 거문고를 가져오라 하여 이르되,
"아주 좋은 재목이라."
양생이 말하되,
"이는 용문산 위 절벽에 있는 꺾어진 백 년 묵은 오동이라. 나무의 성질이 다 없어지고 단단하기가 금석 같으니 비록 천금이라도 바꾸지 못하리이다."
이처럼 문답하되, 소저가 나오지 않으니 양생이 다급하여 부인께 여쭙되,
[B]「 "빈도가 비록 옛 소리를 배웠으나 스스로 좋고 나쁨을 알지 못하더니 자청관에서 듣자오니 소저께서 매우 총명하여 곡조를 아는 것이 문희보다 나으시다 하오니 원컨대 천한 재주를 시험하여 소저의 가르치심을 바라나이다." 」
부인이 시비를 시켜 소저를 나오라 하니 향기로운 바람이 패옥 소리를 끌더니 소저가 나와 부인 곁에 모로 앉았다. 양생이 예하여 뵙고 눈을 바로 하여 보니 눈이 부시고 정신이 요란하여 가히 측량하지 못할 지경이었다. 앉은 자리가 소저와 거리가 먼 것을 꺼려 부인에게 청하여 말하되,
"빈도가 소저의 가르침을 들으려 하는데 당이 너무 넓어

자세히 듣지 못하실까 하나이다."

부인이 시녀를 명하여 자리를 가져오라 하니 시녀가 자리를 옮겨 부인 곁에 가까이 놓았다. 소저의 앉은 곳과 멀지 아니하되 옆자리라. 도리어 앞에서 바라볼 때만 못했다. 안타깝지만 감히 다시 청하지 못하더라.

– 김만중, 「구운몽」 –

9. 윗글에 대한 이해로 적절하지 <u>않은</u> 것은?

① 양생은 정 소저가 명성이 높음을 알고 있었다.
② 양생은 정 소저와 만나기 위해 과거 시험을 피하고자 하였다.
③ 부인은 교자를 보내 거문고 타는 여자를 집으로 불러 들였다.
④ 부인은 정 소저가 젊은 여관에게 가르침을 주는 것에 동의하였다.
⑤ 두련사는 부인이 전 노파의 이야기를 듣고 양생을 불러주기를 기대하였다.

10. [A]와 [B]에 대한 이해로 가장 적절한 것은?

① [A]와 [B]에서는 모두 상황을 가정하며 상대방을 회유하고 있다.
② [A]와 [B]에서는 모두 이상적 가치를 내세워 자신의 행동을 정당화하고 있다.
③ [A]에서는 과거 사건에 대한 정보를 제공하고, [B]에서는 앞으로 일어날 일을 예견하고 있다.
④ [A]에서는 상대방을 설득하기 위해 자신의 능력을 과시하고, [B]에서는 환심을 사기 위해 우월한 지위를 드러내고 있다.
⑤ [A]에서는 자신이 원하는 바를 직접 드러내고, [B]에서는 자신이 원하는 바를 이루기 위해 상대방의 행동을 유도하고 있다.

11. <보기>를 참고하여 윗글을 감상한 내용으로 적절하지 <u>않은</u> 것은? [3점]

<보 기>

「구운몽」은 문학적 형상화를 통해 소설적 재미와 진실성을 확보하였다. 속임수를 통한 긴장감의 유발, 애정의 상대를 직접 보고 싶어 하는 인간 본연의 욕망에 대한 진솔한 표현, 당대의 사회적 금기를 넘어서는 인물의 행동, 치밀하게 전개되는 욕망의 성취 과정과 욕망의 성취 과정에서 발생하는 감정의 변화 등은 독자들에게 문학적 쾌감을 주어 널리 애독되었고 후대 문학에 영향을 주었다.

① 양생이 여사도의 복장으로 정 사도 집에 들어가는 부분은 긴장감을 유발한다고 할 수 있겠군.
② 양생이 재상가의 처자인 정 소저를 만나는 부분에서 당대의 사회적 금기를 넘어서는 행동이 드러나는군.
③ 양생이 두련사의 도움을 받고 전 노파를 이용해 부인에게 초대받는 부분은 욕망의 성취 과정이라고 할 수 있겠군.
④ 양생이 부인에게 귀한 거문고를 보이며 천금이라도 바꾸지 않겠다고 하는 부분에서 인간 본연의 욕망이 드러나는군.
⑤ 양생이 정 소저와의 만남을 이루는 과정에서 다급해 하고 정신이 요란해지고 안타까워하는 감정의 변화가 드러나는군.

총 문항				문항	맞은 문항				문항
개별 문항	1	2	3	4	5	6	7	8	9	10
채점										
개별 문항	11	12	13	14	15	16	17	18	19	20
채점										

【1~4】 다음 글을 읽고 물음에 답하시오.

[앞부분의 줄거리] 평양 감사가 된 김진희는 집안 형편이 어려워 도움을 청하러 온 오랜 친구인 이혈룡을 박대하며 죽이려 한다. 기생 옥단춘의 도움으로 생명을 구한 이혈룡은 암행어사가 되어 신분을 숨긴 채 거지 차림으로 옥단춘을 만나고 김진희의 잔치 자리에도 나타난다.

이때 당황한 나졸들이 와르르 달려와서 혈룡을 잡아서 층계 밑에 꿇려 놓으니, 김 감사가 대상에서 호통을 치니라.

"너 이놈 이혈룡이로구나. 네가 저번에 죽지 않고 또 살아서 왔느냐? 이번에는 어디 견디어 보라!"

"나도 전번에 너를 친구라고 신세를 지려고 하였으나, 나도 양반의 자식이라. 이놈 진희야, 들어보라. 머나먼 길에 너를 찾아 왔다가 영문에서 통기도 못하고 근근이 지내다가 이 연광정에서 네가 놀고 있는 것을 보고 반가워하였으나, 너는 나를 미친놈이라고 대동강의 사공을 불러서 배에 태워 물속에 던져서 죽이지 않았느냐. 내 물귀신 될 원혼이 오늘 또다시 네가 연광정에서 호유*하기에 다시 보려고 왔다."

혈룡의 귀신이 원수를 갚으러 왔다는 위협에 김 감사도 등골이 섬뜩하여 좌우 비장을 노려보며 어떻게 하라 하고 물으니, 비장이,

"아무래도 참말 같지 않사옵니다. 죽은 원혼이 어찌 사람 모습이 되어 올 수 있습니까? 그때 데리고 갔던 사공을 불러다가 문초하여 보시는 것이 좋을까 합니다."

하고, 사공을 빨리 잡아들이라는 영을 내리니, 나졸들이 청령하고 나가서 잡아가면서 어르기를,

"야단났다, 야단났다. 너희들 사공 놈들 야단났다. 어서 빨리 들어가자."

하고, 사공들의 덜미를 잡고 연광정 밑으로 가니,

"사공 놈을 잡아왔소."

나졸들의 복명하는 소리가 산천에 진동하니라. 이 광경을 보고 있던 연회장의 옥단춘은 사공이 매에 못 이기고 사실대로 불어 대면 자기도 죄를 당할 것이고, 그보다 귀신 아닌 자기의 서방님 이생원이 능지처참될 것을 생각하고 전신이 벌벌 떨렸으니, 김 감사는 불러서 형구를 차려 놓고,

"그놈을 능지가 되도록 때려서 문초하라."

[A] ┌ 추상같은 엄명을 내리매, 형방조차 겁을 내고 뱃사공들
　　　을 치면서 얼러 대기를,
　　└ "이놈들 들어 보라. 저번에 너희들은 저기 저 양반을 영
　　　대로 물에 던져 죽였느냐? 바른대로 고하라!"

사공들은 악착같은 악형에 못 이기고 여차여차하였다고 사실대로 토설*하고 말았으니, 김 감사는 다른 형방에게,

"저 이혈룡은 목을 베어 죽여도 죄가 남을 놈인데, 아까 형방 놈은 내 앞에서 저놈을 양반이라고 불러서 존대하였으니, 그 형방 놈도 혈룡 놈과 죄가 같다!"

하고, 먼저 형방을 잡아 꿇리고 분을 이기지 못하여 책상을 치면서 호통치기를,

"전부터 내 수청도 거역한 요망스러운 기생년 옥단춘을 잡아내라!"

좌우 나졸이 일시에 달려들어 소복 단장한 채로 분결 같은 손목을 덥석 잡아서 끌어내리매, 연광정이 뒤집힐 듯이 살벌한 형장으로 일변하였으니, 평생에 이런 봉변을 만나 보지 않다가 오늘 이런 일을 당하자 수족을 벌벌 떨면서 이혈룡을 돌아보고,

"여보시오, 이것이 웬일이오? 내가 그처럼 집을 보고 있으라고 신신당부하였는데 정말로 귀신이 되려고 여기 왔소? 무슨 살매*가 들려서 죽을 곳을 찾아왔소? 내 집의 재물만으로도 호의호식 지낼 텐데 어찌하여 여기 와서 이 지경이 된단 말이오? 애고애고 우리 낭군 어찌하면 살 수 있소? 요전번에 죽을 목숨 살려 백년해로 언약하고 즐겁게 살려 하였더니, 일 년에 못 되어 이런 죽음 웬일이오? 애고애고 우리 낭군 야속하고 원통하오. 나는 지금 죽더라도 원통할 것 없건마는, 낭군님은 대장부로 생겨나서 공명 한 번 못 해보고 억울하게 황천객이 되면 얼마나 원통한 일이오. 아아, 낭군 팔자나 내 팔자나 전생의 무슨 죄로 이다지도 험악하단 말인가? 사주팔자가 이럴진대 누구를 원망하겠소. 죽어도 같이 죽고 살아도 같이 살 우리이매, 저승에서 죽어도 후세에 다시 만나 이승에서 미진한 우리 정을 백 년 다시 살아 보십시다. 임아 임아, 우리 낭군 어찌하여 살아날까? 아무리 원통해서 저승에 만나자고 빌어 봐도 지금 한 번 죽어지면 모든 것이 허사로다."

하며 통곡하는 옥단춘의 정상을 누가 아니 슬퍼하랴.

<중략>

그중에서 각 읍의 수령들은 불의의 변을 당하고 겁낸 거동 가관이다. 칼집 쥐고 오줌 싸고 안장 없는 말을 타고, 개울로 빠져들고, 말을 거꾸로 타기도 하고, 동서를 분별하지 못하여 이리저리 갈팡질팡 도망친다. 오다가 혼을 잃고 가다가 넋을 잃고 수라장으로 요란할 제, 평양 감사 김진희의 거동이 가장 볼만하니라.

김 감사는 수령들과 기생들을 거느리고 의기양양 노닐다가, 암행어사 출도 통에 혼비백산 달아날 제, 연광정 누다락의 높은 마루 밑에서 떨어져서 삼혼칠백* 간 데 없고, 두 눈에 동자 부처가 벌써 떠나 멀리 가고, 청보에 똥을 싸고, 신발들메 하느라고 야단이라. 이때에 비장들이 달려들어 잡아 나꾸자, 어사또 그놈을 잡아내라고 추상같이 달려들어서 사지를 결박해서 어사또 앞으로 끌어다 엎어놓느니라.

"너희들 들어라! 남의 막하에 있어 관장이 악한 정사를 하면 바른길로 권할 것이지, 그러지 않고 악한 짓을 권하니, 무죄한 백성이 어찌 편히 살며, 양반이 어찌 도의를 지킬 수 있겠느냐!"

하는 호통을 하며, 형벌 제구를 내어놓고, 팔십 명 나졸 중에서 날랜 놈 십여 명을 골라서 형장을 잡으니라.

"너희들, 매질에 사정 두면 명령 거역으로 죽을 줄 알아라."

엄명을 받은 용맹한 나졸들이 사정없이 볼기 육십 대씩 때려서 큰칼을 씌워서 옥에 가두고, 김 감사를 마지막으로 다스리니라. 서리 나졸들이 감사의 상투를 거머잡고 끌어내면서,

"평양 감사 김진희 잡아 왔습니다."

하고, 복명하는 소리가 진동하니라.

"너, 김진희 오늘부터 파직한다."

— 작자 미상, 「옥단춘전」—

* 호유 : 호화롭게 놂.
* 토설 : 숨겼던 사실을 처음으로 밝혀 말함.
* 살매 : 사람의 의지와 관계없이 초인적인 위력에 의해 지배된다고 생각하는 길흉화복.
* 삼혼칠백 : 사람의 혼백을 통틀어 이르는 말.

1. 윗글에 대한 설명으로 적절하지 <u>않은</u> 것은?

① 인물의 대화와 행동을 통하여 사건을 전개하고 있다.
② 외양 묘사를 통하여 인물의 성격 변화를 보여 주고 있다.
③ 인물의 행동을 과장하여 상황을 해학적으로 표현하고 있다.
④ 인물의 말을 통하여 지난 사건을 요약적으로 전달하고 있다.
⑤ 서술자 개입으로 인물에 대한 주관적 감정을 드러내고 있다.

2. 윗글을 이해한 내용으로 적절한 것은?

① 이혈룡은 옥단춘과의 언약을 후회하였다.
② 김 감사는 이혈룡이 찾아올 것을 짐작하였다.
③ 비장은 김 감사의 호통에 이혈룡을 모함하였다.
④ 김 감사의 호의로 옥단춘은 위기 상황에서 벗어났다.
⑤ 옥단춘은 이혈룡이 자신의 당부를 듣지 않아 낙담하였다.

3. <보기>를 참고하여 윗글을 감상한 내용으로 적절하지 <u>않은</u> 것은? [3점]

<보 기>

이 작품은 암행어사 모티프를 사용하여 악인을 징계하고 있다는 점에서 권선징악이라는 고전소설의 전형적인 주제 의식을 드러내고 있다. 하지만 이 작품은 천민 신분인 여성이 상당한 경제력을 지닌 인물로 그려진 점, 부도덕한 사대부와 대비되는 신의가 있는 존재로 그려진 점 등 당시의 사회 변화상을 반영한 것이 특징이다.

① 친구인 이혈룡을 대하는 김 감사의 행위에서 우정을 저버리는 부도덕한 사대부의 모습을 확인할 수 있군.
② 김 감사의 영을 거역한 죄로 뱃사공이 문초를 당하는 것은 악인을 징계하는 것에 해당한다고 할 수 있군.
③ 목숨이 위태로운 상황에서도 자신보다 이혈룡을 걱정하는 옥단춘의 모습을 통해 신의 있는 모습을 엿볼 수 있군.
④ 제 집의 재물만으로도 잘 지낼 수 있을 것이라는 옥단춘의 말을 통해 상당한 경제력을 지니고 있음을 알 수 있군.
⑤ 무죄한 백성들을 괴롭힌 죄목으로 김 감사와 그 무리를 잡아들인 것은 암행어사 모티프를 활용한 것이라고 할 수 있군.

4. [A]에 대해 이해한 내용으로 가장 적절한 것은?

① 이실직고(以實直告)할 것을 다그치고 있다.
② 결초보은(結草報恩)할 것을 권유하고 있다.
③ 상부상조(相扶相助)할 것을 당부하고 있다.
④ 각골통한(刻骨痛恨)의 심정을 드러내고 있다.
⑤ 전화위복(轉禍爲福)의 상황을 보여 주고 있다.

【5~8】다음 글을 읽고 물음에 답하시오.

천자 가만히 북문을 열고 도망하실새, 길은 없고 다만 산이 가리우니 어찌 행하리오. 적장 강공 형제 천자를 쫓아오며 무수히 무찌르니, 최두와 왕건 두 사람이 천자를 호위하며 닫더니, 적병이 급함을 보고 칼을 들고 내달아 싸우더니, 일합이 못 하여 강공은 최두를 베고, 강녕은 왕건을 베니, 송 진영에 남은 군사 싸울 마음 없는지라. 강공이 칼을 춤추며 외쳐 왈,
"송 천자는 죽기를 두리거든 빨리 나와 내 칼을 받으라."
하고 점점 가까와 오니, 천자가 황황망조하여 앙천통곡 왈,
"송조 백여 년 기업이 짐에게 이르러 망할 줄 알리오."
하시고 어찌할 줄 모르시며, 찼던 **인검을 빼어서 자결코자 하시**더니, 천만의외에 한 소년 장수가 나는 듯이 내달아 천자를 구하고 적병을 엄살하니, **아지 못하겠어라. 이 어떤 사람인고.**

㉠**선설***, 유실부가 모친 슬하를 떠나 말을 타고 연무대를 찾아 천자가 친히 출정하시는 군중에 참여코자 하였더니, 천자가 그 나이 어림을 꺼리사 무용지인(無用之人)으로 내치심을 보고 물러나매, 그 향할 바를 아지 못하고 말을 이끌고 초조히 다니며 부친 소식을 탐지하더니, 한 주점을 찾아 밥을 사 먹으며 쉬더니, 문득 백발노인이 갈건야복으로 청려장을 끌고 지나다가, 유생을 보고 급히 들어와 문 왈,
"그대 아니 유실부인다?"
유생이 그 노인의 늠름한 거동을 보고 일어 공경 대 왈,
"과연 그렇도소이다."
노인 왈,
"내 그대에게 가르칠 말이 있으니, 나와 한가지로 집에 감이 어떠하뇨?"

(중략)

수 권 서책을 내어 놓고 보라 하니, 유생이 일견에 신통한 술법임을 알고 인하여 배우니, **불과 수년지내(數年之內)에 능히 재주를 통**한지라. 노인이 기뻐 실부에게 일러 왈,
[A] "그대 이제 천지조화지리를 알았으니, 세상에 나아가 천자의 위태함을 구하고, 꽃다운 이름을 후세에 전하라."
유생이 이미 도적이 군사를 일으켜 천자가 출정하심을 짐작하였으나, 위태하심을 구하란 말을 듣고 크게 놀라 문 왈,
"대인 이런 산중에 은거하시며 어찌 세상일 알으시니이까?"
노인이 미소 왈,
"내 자연 알 일이 있기로 알거니와, 사람이 때를 잃음이 불관(不關)하니, 이별이 심히 서운하나 어찌 면하리오."
하고 행장을 차려 주며 떠남을 재촉하니, 생이 마지못하여 절하며 왈,
"대인의 은혜로 배운 일이 많사올 뿐 아니라 천륜(天倫) 같은 정의(情義)를 졸연히 이별하오니, 어느 날 다시 만남을 아지 못하리로소이다."
노인이 더욱 기특히 여겨 왈,
"일후 나를 찾고자 하거든, 백학산 백학도사를 찾으라."
하고, 한가지로 산에 내려 작별하고 문득 간 데 없는지라. 유생이 신기히 여겨 백학산을 바라보고 무수히 감사드려 절하며, 길을 찾아 말을 타고 황성(皇城)으로 향하더니 날이 저물매 저녁을 사 먹고 밤이 깊도록 잠을 이루지 못하더니, 홀연 일위 선관(仙官)이 앞에 나와 절하고 왈,
"소제(小弟)는 동해 용왕의 둘째 아들이옵더니, 부왕의 명을 받자와 형장께 당부할 말이 있기로 왔삽거니와, '지금

[B] 천하가 요란하여 명일 신시(申時)에 천자의 위태함을 구
┌ 할 자는 당금(當今) 유실부라.' 하시기로 왔사오니, 부디
└ 때를 잃지 말고 아름다운 이름을 후세에 전하소서."
하거늘, 유생이 이 말을 듣고 무슨 말을 묻고자 하다가 홀연
벽력(霹靂) 같은 말소리에 놀라 깨달으니 꿈이라. 유생이 급히
일어나 마음을 진정치 못하고 날이 새기를 기다려, 다시 말을
타고 채를 치니 순식간에 오백여 리를 행한지라. 바로 황성으
로 향하더니, 문득 공중에서 외쳐 왈,
　"장군은 황성으로 가지 말고 남평관 북문 밖으로 가라."
하거늘, 유생이 비로소 신령이 지시함을 짐작하고 말을 달려 남
평관을 찾아가니, 관중에 적병이 웅거하고 산하에 호통 소리 진
동하거늘, 생이 분기를 이기지 못하여 갑주를 떨치고 칼을 춤
추며 십만 적병을 풀 베듯 하여 무인지경(無人之境)같이 하여
들어가니, 적장 강공과 강녕이 천자를 에워싸고 무수히 꾸짖고
욕하며 항복하라 재촉하거늘, 유생이 분기 대발하여 쟁룡검을
두르고 짓쳐 들어가니, 장졸의 머리 무수히 떨어지는지라.
　강공과 강녕이 비록 용맹하나 불의지변(不義之變)을 만나매
미처 손을 놀리지 못하여, 쟁룡검이 이르는 곳에 강공과 강녕
의 머리 칼빛을 좇아 떨어지는지라. 호로왕이 몹시 놀라 남은
군사를 이끌고 십 리를 물러 제장을 불러 왈,
　"아까 강공 형제 벤 장수는 천신(天神)이 아니면, 이는 반드
　시 신장(神將)이로다."
하고 양장의 죽음을 슬퍼하더라.
　**유생이 적장의 머리를 칼끝에 꿰어 들고 바로 천자 앞에 나
아가** 복지(伏地) 주 왈,
　"신은 당초 연무대에서 말 달리던 유실부옵더니, 황실의 위
　태하심을 듣삽고 혈기지분(血氣之忿)으로 **당돌히 전장에 참
　여하여** 다행히 적군을 물리치오나, 천명(天命)을 어기었사오
　니 군법으로 시행하소서."
차시*, 천자가 적진에 싸여 거의 잡히기에 이르매, 하늘을
우러러 통곡하고 자결코자 하시더니, 난데없는 소년 장수가 나
는 듯이 들어와 일합에 적장을 베고, 좌충우돌하여 화망을 벗
겨 줌을 보시고 천심을 진정하사 좌우에게 물어 가라사대,
　"저 어떤 장수인고? 필경 천신이 도우심이로다."
하시고 신기히 여기시더니, 오래지 아니하여 그 소년 장수가
적장의 머리를 가지고 엎드리며, 성명이 유실부라 하여 죄를
청함을 보시고, 천심이 기쁘사 친히 내려 그 손목을 잡으시고
타루(墮淚) 왈,
　"저 즈음에 짐이 경의 용맹 있음을 짐작하였으나 그 소년을
　아껴 감히 쓰지 못하였더니, 이제 경이 짐의 어리석음을 생
　각지 아니하고 짐의 급함을 구하여 송 왕실을 회복하고 사
　직(社稷)을 안보케 되니, 그 공을 갚을 바를 아지 못하거니
　와, 경의 부친은 이름이 무엇이뇨?"
생이 머리를 조아리며 왈,
　"신의 아비는 한림학사 유태사요, 조부는 호부상서 유방이로
　소이다."

　　　　　　　　　　　　　　　　－ 작자 미상, 「월왕전」 －

*선설 : 앞의 이야기를 하자면.
*차시 : 이때.

---

5. 윗글을 이해한 내용으로 가장 적절한 것은?

① 천자는 북문을 나와 유실부가 있는 곳으로 몸을 피했다.
② 최두와 왕건의 충성에 송나라 군사들은 전의를 불태웠다.
③ 연무대를 나온 유실부는 주점에서 부친을 간절히 기다렸다.
④ 유실부는 술법을 배우려고 백발노인을 찾아 산천을 헤맸다.
⑤ 유실부는 명을 어기고 출정한 점에 대해 천자께 죄를 청했다.

6. ㉠의 서사적 기능으로 가장 적절한 것은?

① 유실부의 활약을 소개해 천자의 위태로운 상황을 부각한다.
② 유실부의 행적을 서술해 최두를 만나게 된 내막을 부각한다.
③ 유실부의 고난을 드러내 천자가 조력자가 된 사연을 부각한다.
④ 유실부의 정체를 밝혀 영웅적 활약상을 펼친 배경을 제시한다.
⑤ 유실부의 가계를 언급해 고귀한 혈통을 지닌 내력을 제시한다.

7. <보기>를 바탕으로 윗글을 감상한 내용으로 적절하지 <u>않은</u>
것은? [3점]

────── < 보 기 > ──────
　「월왕전」은 유교적 충효 사상을 주제로 한 군담소설로서
19세기 무렵 민간에서 판각한 방각본 소설이다. 상업성을 추
구했던 대개의 방각본 소설처럼 이 작품도 주로 오락적 목적
의 독서를 즐겨 하는 독자층을 겨냥한 다양한 소설적 기법을
구사하고 있다. 전기적(傳奇的) 요소의 활용은 물론, 극단적
상황 설정, 이야기의 흐름을 끊는 단절 기법, 속도감 있는 사
건 전개를 위한 압축적인 사건 서술이 잘 나타나 있다.

① 천자가 쫓기다 '인검을 빼어서 자결코자 하'는 데서 극단적
　상황을 통해 긴박감을 조성하고 있군.
② '아지 못하겠어라. 이 어떤 사람인고.'에서 단절 기법을 통해
　소년 장수에 대한 독자의 궁금증을 유발하고 있군.
③ '불과 수년지내에 능히 재주를 통'했다는 데서 유실부가 신통
　한 술법을 갖춘 과정을 압축적으로 제시하고 있군.
④ '유생이 적장의 머리를 칼끝에 꿰어 들고 바로 천자 앞에 나
　아가'는 데서 전기적 요소가 드러나고 있군.
⑤ 위태로운 황실의 상황을 듣고 '당돌히 전장에 참여하'여 적장
　을 물리치는 데서 유교적 충의 사상이 나타나 있군.

8. [A], [B]에 대한 설명으로 적절하지 <u>않은</u> 것은?

① [A]는 [B]와 달리 현실 상황에서 이루어지고 있다.
② [B]는 [A]와 달리 행동의 시의성을 강조하고 있다.
③ [A]는 상대의 능력을, [B]는 권위자의 명령을 근거로 한 발
　화이다.
④ [A]는 수행할 임무를, [B]는 임무 수행의 구체적인 방법을
　서술하고 있다.
⑤ [A]와 [B]는 모두 상대의 명망이 높아질 것에 대한 기대를
　나타내고 있다.

【9~12】 다음 글을 읽고 물음에 답하시오.

관찰사는 아들을 불러 말했다.

"남녀의 사랑에 대해서는 아비도 아들에게 가르칠 수 없는 법이니, 나 역시 네 마음을 막을 도리가 없다. 내가 보니 자란과 네가 사랑하는 정이 깊어 헤어지기 어려울 듯하구나. 헌데 너는 아직 혼인하지 않은 터라, 지금 만일 자란을 데리고 간다면 앞으로 혼인하는 데 방해가 되지 않을까 싶다. 다만 남자가 첩 하나 두는 거야 세상에 흔한 일이니, 네가 자란을 사랑해서 도저히 잊을 수 없다면 비록 약간의 문제가 있더라도 감당해야겠지. 네 뜻에 따라 결정하는 게 좋겠으니, 숨기지 말고 네 속마음을 말해 보거라."

도령이 서슴없이 이렇게 대답했다.

[A] "아버지께선 제가 그깟 기녀 하나와 떨어진다고 해서 상사병이라도 들 거라 생각하십니까? 한때 제가 번화한 데 눈을 주긴 했지만, 지금 그 아이를 버리고 서울로 가면 헌신짝 여기듯이 할 겁니다. 그러니 제가 그 아이에게 연연하여 잊지 못하는 마음을 가질 리 있겠습니까? 아버지께서는 이 일로 더 이상 염려하지 마십시오."

관찰사 부부가 매우 기뻐하며 말했다.

"우리 아이가 진정 대장부로구나."

이별의 날이 왔다. 자란은 눈물을 쏟고 목메어 울며 도령의 얼굴을 차마 보지 못했다. 하지만 도령은 조금도 연연해하는 기색이 없었다. ㉠관아의 모든 사람들이 그 광경을 보며 도령의 의연한 모습에 감탄했다.

그러나 실은 도령이 자란과 오륙 년을 함께 지내며 한시도 떨어져 본 적이 없었던 까닭에 이별이라는 게 도대체 어떤 것인지 알지 못했고, 그래서 호쾌한 말을 내뱉으며 이별을 가볍게 여겼던 것이다.

관찰사는 임무를 마치고 대사헌에 임명되어 조정으로 돌아왔다. 도령은 부모를 따라 ㉡서울로 돌아온 뒤 차츰 자신이 자란을 그리워하고 있음을 깨닫게 되었다. 그렇지만 감히 내색할 수는 없는 일이었다.

감시가 다가왔다. 도령은 부친의 명을 받아 친구 몇 사람과 함께 산속에 있는 ㉢절에 들어가 시험 준비를 했다. 그러던 어느 날 밤이었다. 벗들은 모두 잠들었는데, 도령 혼자 잠 못 이루고 뒤척이다 나와 뜰 앞을 서성였다. 때는 바야흐로 한겨울이라 쌓인 눈 위로 달빛이 환했고, 깊은 산 적막한 밤에 아무런 소리도 들리지 않았다. 도령은 달을 바라보다가 문득 자란 생각이 들며 마음이 서글퍼졌다. 한 번만이라도 자란의 얼굴을 보고 싶은 욕망을 억누를 수 없어 마치 실성한 사람처럼 되었다.

마침내 도령은 한밤중에 절을 뛰쳐나와 곧장 ㉣평양으로 향했다. 털모자에 쪽빛 비단옷을 입고 가죽신을 신은 채 길을 걷노라니 10여 리도 채 못 가서 발병이 나 걸을 수가 없었다. 시골 농가를 찾아가 신고 있던 가죽신을 내주고는 짚신을 얻어 신었고, 털모자를 벗어 던지고 그 대신 해지고 테두리가 뜯어진 벙거지를 얻어 머리에 썼다. 길을 가며 밥을 빌어먹다 보니 늘 굶주릴 때가 많았고, 여관 한 귀퉁이에 빌붙어 잠을 자다 보니 밤새도록 추위에 몸이 얼었다.

[중략 줄거리] 평양에 도착한 도령은 자란을 만나기를 원하지만, 기녀인 자란은 이미 새로 부임한 관찰사 아들의 총애를 받고 있다. 도령은 자란을 만나기 위해 그녀가 기거하는 곳에서 눈을 쓰는 인부로 일을 하게 되

고, 둘은 극적으로 재회하게 된다.

이윽고 밤이 깊어지자 두 사람은 자란의 어미가 깊이 잠든 틈을 타 보따리를 이고 지고 몰래 달아났다. 양덕과 맹산 사이의 ㉤깊은 골짜기 안으로 들어가서는 시골 촌가에 몸을 의탁했다.

처음에는 그 집 머슴살이를 했는데, 도령은 천한 일을 제대로 해내지 못했다. 하지만 자란이 베 짜기와 바느질을 잘했으므로 그 덕분에 겨우 입에 풀칠을 할 수 있었다. 그리하여 얼마 뒤에는 마을에 몇 칸짜리 초가집을 짓고 살게 되었다. 자란이 베 짜기와 바느질을 부지런히 하며 밤낮으로 쉬지 않았고, 또 지니고 온 옷가지와 패물을 팔아서 먹을 것과 입을 것을 마련하니 살림이 아주 궁핍하지는 않았다. 자란은 또 이웃과도 잘 지내며 환심을 샀기에, 사방 이웃들이 새로 이사 온 젊은 부부가 가난하게 사는 것을 안타까이 여기며 도움을 주었으므로 마침내 자리를 잡을 수 있었다.

예전에 도령이 절을 뛰쳐나왔을 때의 일이다. 절에서 함께 공부하던 도령의 친구들은 아침에 일어나 도령이 보이지 않자 깜짝 놀랐다. 친구들은 즉시 승려들과 함께 온 산을 샅샅이 뒤졌지만 끝내 도령의 종적을 찾을 수 없었다. 도령의 집에 소식이 전해지자 온 집안사람들이 소스라치게 놀랐다. 많은 하인들을 풀어 절 부근 수십 리를 며칠 동안 샅샅이 뒤져 보았지만 역시 그 자취를 찾을 수 없었다. 모두들 이렇게 말했다.

"요사한 여우에게 홀려서 죽었거나 호랑이 밥이 된 게 틀림없다."

결국 도령의 상을 치르고 빈 무덤 앞에서 제사를 지냈다.

신임 관찰사의 아들은 자란이 달아난 뒤 서윤으로 하여금 자란의 어미와 친척을 모두 가두고 자란의 행방을 쫓게 했으나, 몇 달이 지나도 종적을 알 수 없자 포기하고 말았다.

자란은 도령과 자리를 잡고 살아가던 어느 날 도령에게 이렇게 말했다.

[B] "당신은 재상 가문의 외아들이건만 한낱 기생에게 빠져 부모를 버리고 달아나 외진 산골에 숨어 살며 집에서는 살았는지 죽었는지조차 알지 못하니, 이보다 더 큰 불효는 없을 것이며 이보다 나쁜 행실은 없을 거예요. 이제 우리가 여기서 늙어 죽을 수는 없는 일이요, 그렇다고 지금 얼굴을 들고 집으로 돌아갈 수도 없는 일이에요. 당신은 앞으로 어쩌실 작정인가요?"

도령이 눈물을 줄줄 흘리며 말했다.

"나도 그게 걱정이지만, 어떡해야 좋을지 모르겠소."

자란이 말했다.

"오직 한 가지 방법이 있긴 해요. 그런대로 과거의 허물을 덮는 동시에 새로운 공을 이룰 수 있어, 위로는 부모님을 다시 모실 수 있고 아래로는 세상에 홀로 나설 수 있는 길인데, 당신이 할 수 있을지 모르겠어요."

도령이 물었다.

"대체 어떤 방법이오?"

자란이 말했다.

"오직 과거에 급제해서 이름을 떨치는 길 한 가지뿐이어요. 더 말씀 안 드려도 무슨 말인지 아시겠지요?"

도령이 몹시 기뻐하며 이렇게 말했다.

"참으로 좋은 계책이오."

－임방, 「옥소선」－

9. 윗글에 나타난 서술상의 특징으로 적절하지 <u>않은</u> 것은?

① 인물이 겪은 일들을 요약적으로 제시하고 있다.

② 인물이 처한 상황을 외양 묘사를 통해 제시하고 있다.

③ 갈등이 해소되는 과정을 전기적 요소를 통해 제시하고 있다.

④ 서술자가 개입하여 자신의 생각을 직접적으로 제시하고 있다.

⑤ 이야기의 전개 도중 그보다 이전에 일어났던 사건에 대한 추가 정보를 제시하고 있다.

10. <보기>는 윗글의 '도령'이 이동한 경로를 도식화한 것이다. 이를 이해한 내용으로 적절하지 <u>않은</u> 것은?

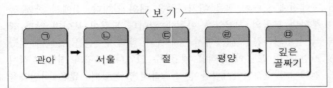

─〈 보 기 〉─

㉠ 관아 → ㉡ 서울 → ㉢ 절 → ㉣ 평양 → ㉤ 깊은 골짜기

① ㉠에서 ㉡으로 이동한 이유는 부친이 ㉠에서의 임무를 마쳤기 때문이다.

② ㉡에서 ㉢으로 이동한 것은 ㉣의 인물들이 옥에 갇히는 직접적인 원인이 되었다.

③ ㉢에서 ㉣로 향한 것을 ㉢에 함께 있었던 인물들은 알지 못했다.

④ ㉢에서 ㉣로 향한 것은 과거 ㉠에서 헤어졌던 인물이 보고 싶어졌기 때문이다.

⑤ ㉣에서 ㉤으로 이동한 것은 ㉣에서 만난 인물과 함께 살기 위해서이다.

11. <보기>를 바탕으로 윗글을 이해한 내용으로 적절하지 <u>않은</u> 것은?
[3점]

─〈 보 기 〉─

이 작품은 신분이 다른 남녀 간의 사랑을 다룬 애정 소설이다. 작품 속 주인공들은 사회적으로 중시되는 효나 입신양명과 같은 유교적 가치와, 신분 질서로부터 완전히 벗어나지는 못한다. 하지만 주인공들이 인간의 본질적 욕망인 사랑을 성취하는 과정에서는 이러한 구속에서 벗어나려는 모습을 보이기도 한다. 한편 사랑을 성취한 후 현실적인 문제를 해결하는 과정에서 여성 인물의 역할이 확대되었다는 것은 주목할 만하다.

① 도령과 자란이 이별하는 장면을 통해, 신분 질서의 구속에서 벗어나기 위해 개인의 의지대로 행동하는 주인공들의 모습을 확인할 수 있겠군.

② 도령이 실성한 사람처럼 되어 자란을 찾아가는 장면을 통해, 인간의 본질적 욕망을 추구하는 모습을 확인할 수 있겠군.

③ 자란과 도령이 도망한 후 안정적으로 정착해 가는 장면을 통해, 여성 인물의 역할이 확대된 모습을 확인할 수 있겠군.

④ 도령이 자란의 문제 제기에 눈물을 흘리며 동의하는 장면을 통해, 주인공들이 효를 중시하는 모습을 확인할 수 있겠군.

⑤ 자란이 과거 급제의 당위성을 강조하는 장면을 통해, 유교적 가치로부터 완전히 벗어나지 못한 모습을 확인할 수 있겠군.

12. [A]와 [B]에 나타난 말하기 방식에 대한 설명으로 가장 적절한 것은?

① [A]에서는 자신의 생각을 확신하며 청자를 안심시키고 있고, [B]에서는 자신들이 처한 상황을 환기하며 청자의 생각을 묻고 있다.

② [A]에서는 청자의 장점을 언급하며 청자의 성품을 칭송하고 있고, [B]에서는 청자의 잘못을 지적하며 청자의 언행을 질책하고 있다.

③ [A]에서는 청자에게 질문을 반복하며 예견되는 상황을 장담하고 있고, [B]에서는 청자에게 명령을 거듭하며 자신의 의지를 강요하고 있다.

④ [A]에서는 청자의 의견에 반박하며 자신의 무고함을 주장하고 있고, [B]에서는 청자의 의견에 동의하며 청자의 삶의 방식을 칭찬하고 있다.

⑤ [A]에서는 다른 사람의 의견을 근거로 들며 청자를 설득하고 있고, [B]에서는 청자의 신분적 위세를 두려워하며 자신의 생각을 감추고 있다.

총 문항					문항		맞은 문항				문항
개별 문항	1	2	3	4	5	6	7	8	9	10
채점										
개별 문항	11	12	13	14	15	16	17	18	19	20
채점										

[고2 국어 문학]

6분　2020학년도 9월 학평 30~32번　★★☆　정답 036쪽

【1~3】 다음 글을 읽고 물음에 답하시오.

대명 가정 연간에 청주 땅에 사는 한 사람이 있으니, 성은 이요, 이름은 형도라. 일찍 등과하여 벼슬이 이부시랑에 이르니 이름이 전국에 진동하며, 일남일녀를 두었으니 여아의 이름은 현경이요, 남아의 이름은 연경이라. 현경이 비록 여자나 뜻은 남자에 지나니, 삼 세부터 글 읽기를 힘쓰니 재주와 학식이 날로 성취하여 나이 팔구 세에 읽어 보지 못한 글이 없고 통하지 않는 글이 없어 문장이 일세에 겨룰 이가 없으니, 이공 부부가 비록 그 재주를 사랑하나 너무 활달함을 염려하여 경계 왈,

"네 여자의 몸으로 **여자의 도를 닦을 것이어늘**, 남자의 일을 행함은 어찌된 일인가."

현경이 공경 대왈,

"사람이 세상에 나매 임금을 충성으로 섬기고 어버이를 효도로 섬겨 **공명을 일세에 누리고** 이름을 백세에 전하함이 떳떳하온지라, 소녀가 비록 여자의 몸이오나 뜻은 세상의 용렬한 남자를 비웃나니, 원컨대 여복을 벗고 **남복으로 갈아입고** 부모를 모셔 아들의 도를 행코자 하나이다."

이공이 처음에는 망령되다 꾸짖다가 다시 생각하되,

'제 아직 철이 없고 사리에 어두워 이 같은 뜻을 두니, 아직 저 하고자 하는 바를 좇을 것이요, 이후에 장성하면 제 스스로 부끄럽고 창피한 마음이 있어 여자의 도를 행하리라.'

하고 금하지 아니하매, 소저가 이날부터 남복으로 갈아입고 시랑을 모셨으니, 모든 사람이 이르기를 **이형도의 자식이라 하여 그 얼굴과 풍채를 사랑하고**, 여자가 화하여 남자가 됨을 알지 못하더라.

현경이 팔 세에 이르러는 시랑의 부부가 모두 세상을 떠나니, 소저가 노복을 거느려 선산에 안장하니, 그 예절을 차리는 것은 어른도 미치지 못하고 애도함이 과도하니, 시랑의 친구들이 조문할새, 어린 상제의 저렇듯 어른스러움을 보고 모두 눈물을 흘리며 왈,

"이형도는 비록 세상을 버렸으나 팔 세 아들을 두어 상을 치르는 예절이 장성한 열 아들보다 지나니, 시랑이 죽지 않았다."

하고 칭찬함을 마지 아니하더라.

[중략 줄거리] 이현경은 선우의 난을 정벌하며 높은 벼슬에 오르나, 병이 든 후 태의의 진맥으로 어쩔 수 없이 여자임을 밝히게 된다.

장연이 일봉 서찰을 써 청주후의 집에 보내니, 수문자가 차사로 전하여 드린대, 이현경이 받아 보고자 하되 오히려 즐겨 뜯어보지 아니하거늘, 연경 공자가 물으니,

"형장이 어찌 즐겨하지 아니하십니까."

이후가 답하지 않고 마지못하여 뜯어 보니 하였으되,

[A] '소제 장연은 예의를 갖춰 청주후께 글월을 올리나니 슬프다. 옛날 죽마고우로 지내며 관포지기를 맺어 한 부중에 있으며 권권한 뜻으로 백 년이라도 떠나지 아니할까

하였더니, 형이 임금께 올린 진정표를 들으니, 소제의 마음이 무너지는 것 같은지라. 하늘을 우러러 탄식하나니, 현후의 유화한 기상과 장강대해 같은 능력은 일컫기 어렵거니와 갑옷을 입고 장검을 춤추며 활을 당기고 말을 달림은 예나 지금이나 뛰어난지라. 여차한 재주로 남자가 되지 못하여 십 년 공업이 하루아침에 티끌이 되었도다. 소제의 벗을 다시 누구에게 의탁하리오. 한 번 밥을 먹으매 열 번을 헤아리건대, 이 도무지 천명이라 인력으로 미치리오. 다만 어리석은 소회 있으니, 현후가 도요*를 읊지 아니하고 소제가 숙녀를 정하지 아니 하였으니, 전일 지기를 아껴 버리지 아니하시거든 기러기 전함을 우러러 바라나니 즐겨 허락하시리이까. 장연은 혼례를 갖추고자 하나이다. 모년 모월 모일에 호부상서 기주후 장연은 올리노라.'

하였더라.

이후가 보기를 다하매 눈썹을 찡그리고 탄식 왈,

"장생은 아름다운 사람이어늘, 어찌 구차함이 이러한고. 나의 뜻을 알지 못하는 까닭이로다."

연경 공자가 왈,

"형이 이제는 근본이 탄로되었으니 가히 홀로 늙지 못할지라. 장후를 버리고 어떤 사람을 얻으려 하십니까? 답장을 잘하여 보내시면 좋을까 하나이다."

이후가 웃으며 왈,

"내 몸이 비록 여자나 황상이 총애하시고 벼슬과 봉록이 떨어지지 아니하였으니, 규중에 잔몰한 사람이 아니라. 이 몸으로 백세를 지내며 보름마다 천자께 조회하여 천자를 뵈옵고, 때때로 음풍영월하여 종신토록 즐기다가 **사후에 묘에 새기기를, '대명 청주후 태학사 이현경지묘'라 하리니**, 어찌 장연의 아내 되기를 원하리오."

하고 붓을 들어 답장을 쓴 후, 장연의 하인에게 내어 주라 하니, 하인이 돌아와 답서를 올린대, 장후가 답장을 뜯어보니 가라사대,

[B] '촌인 이씨는 공경하여 글월을 장공께 올리나니, 천만 의외의 손수 쓴 편지를 보니 한편 두려웁고 또한 황감하여 답장하기 어려우나, 옛날 동조하던 일을 생각하여 염치를 불고하고 회포를 베푸나니, 청컨대 비루한 뜻을 더럽다 아니하실까 하나이다. 당초에 뜻이 망령되어 죄를 사후에 얻고 천하에 비웃음이 되온지라. 이제 깨달으니 낯을 들어 상공을 대하기 부끄럽나이다. 높으신 천자를 보오매 땅을 파고 들고자 하되 어찌 못함을 한하옵나니, 옛날 사람이 후하다 하나 불과 조정의 일개 서생으로 만나 면목이 있을 뿐이요, 어렸을 때부터 간혹 글월을 화답할 따름이라. 어찌 관포의 지기가 있으리오. 이제 옛날 근본을 들은 후, 일 서간으로 비로소 할 따름이니, 어찌 옛날 사귐으로 인하여 욕설을 구차히 하십니까. 제 종신토록 조정 벼슬로 후직을 지켜 욕됨이 없게 할지라. 남의 집 며느리 되기를 원치 아니하나니, 적은 소견으로 어찌 나를 비웃으리오. 모월 모일에 청주후 태학사 이현경은 올리노라.'

장연이 끝까지 읽어보고 크게 놀라며 왈,

"이 혼사가 쉬우리라 하였더니, 어찌 여차할 줄 뜻하였으리오."
하더라.
　장연의 장형 장협과 차형 장흡과 모든 벗들이 일시에 놀라
가로되,
"여자로서 저러할 줄을 누가 능히 알았으리오."

　　　　　　　　　　　　　　　　　－ 작자 미상, 「이학사전」 －

* 도요: 혼인을 올리기 좋은 시절.

---

1. 윗글에 대한 이해로 적절하지 <u>않은</u> 것은?

① 현경은 여자임이 밝혀진 후에도 황제의 총애를 받고 있다.
② 연경은 편지 내용을 숨기려는 현경의 의도를 파악하고 있다.
③ 연경은 장연이 현경의 혼인 상대로 적합하다고 여기고 있다.
④ 장연은 자신의 기대에 부합하는 답장이 올 것이라고 생각했다.
⑤ 이부시랑의 벗들은 성숙한 자세로 장례를 치르는 현경의 모습을 높이 평가하였다.

---

2. [A]와 [B]에 대한 설명으로 가장 적절한 것은?

① [A]에는 상대가 처한 상황에 대한 자신의 해석이, [B]에는 상대가 처할 상황에 대한 타인의 추측이 언급되어 있다.
② [A]에서는 상대가 얻을 이익을 들어 상대를 종용하고 있고, [B]에서는 상대가 얻을 손해를 들어 상대를 만류하고 있다.
③ [A]에서는 자신의 권위를 내세워 입장을 고수하고 있고, [B]에서는 역사적 사실을 내세워 상대의 태도 변화를 요구하고 있다.
④ [A]에서는 상대의 처지에 공감하며 자신의 도움을 받을 것을 권유하고 있고, [B]에서는 자신의 처지에 좌절하여 상대의 의도를 왜곡하여 받아들이고 있다.
⑤ [A]에는 상대와의 인연을 부각하여 자신의 제안을 성사시키려는 의도가, [B]에는 상대와의 생각 차이를 드러내어 상대의 제안을 거절하려는 의도가 담겨 있다.

---

3. <보기>를 참고하여 윗글을 감상한 내용으로 적절하지 <u>않은</u> 것은? [3점]

　　　　　　　　　　＜보 기＞
　「이학사전」은 자발적으로 남자의 삶을 선택하고 사회적 성취를 통해 자아실현을 도모하는 주인공이 등장하는 여성영웅소설이다. 주인공은 주변으로부터 당대의 보편적 성 역할에 따를 것을 권유받으나 이를 거절하며 기존의 여성상에 대한 통념에 따를 것을 거부한다. 또한 여성임이 드러난 후에도 자신의 사회적 지위를 유지하려고 하는 등 여성에게 불평등했던 당대 현실에 대한 비판적 시각을 보여 주고 있다.

① 이공이 주인공에게 '여자의 도를 닦을 것'을 말하는 것에서, 당대의 보편적 성 역할에 따를 것을 권하고 있음을 알 수 있군.
② 주인공이 '공명을 일세에 누리'는 것을 소망해 '남복으로 갈아입고'자 하는 것에서, 자아실현을 위해 자발적으로 남자의 삶을 선택했음을 알 수 있군.
③ 주인공을 '이형도의 자식이라 하여 그 얼굴과 풍채를 사랑'한 것에서, 여성에게 불평등했던 당대 현실을 알 수 있군.
④ 주인공이 '사후에 묘'에 '대명 청주후 태학사'를 '새기기'를 원하는 것에서, 자신의 사회적 지위를 유지하고자 하는 소망을 확인할 수 있군.
⑤ 장연의 벗들이 '여자로서 저러할 줄을 누가' 알았겠냐고 말하는 것에서, 당대의 여성상에 대한 통념이 드러나 있군.

【4~7】 다음 글을 읽고 물음에 답하시오.

[앞부분의 줄거리] 중국 명나라 이익의 아들 대봉과 장 한림의 딸 애황은 장차 혼인을 약속한다. 이후 대봉은 죽을 위기에서 살아나 도술을 익혀 북방 흉노의 대군을 격퇴하고, 애황은 부모를 잃고 남장을 하여 살아가다가 과거에 급제하여 남방 선우의 군대를 격퇴한다. 다시 만난 대봉과 애황은 결혼하고, 공을 인정받아 초왕과 충렬왕후가 되지만 흉노의 대군과 선우의 군대가 재침입을 하게 된다.

"이 일을 어찌 하리오? 남북의 적병이 다시 일어났도다. 전일에 애황이 있었지만 지금은 깊은 규중에 들어갔으니 한쪽에는 대봉을 보내면 되겠지만 또 한쪽에는 누구로 하여금 막게 하리오? 짐이 덕이 없어 도적이 자주 일어나니 초왕 대봉이 성공하고 돌아오면 이번에는 천자의 자리를 대봉에게 전하리라."

이렇게 말하며 눈물을 흘리니, 여러 신하들이 간언을 올려 말하였다.

"천자가 눈물을 흘려 땅을 적시면 3년 동안 심한 가뭄이 든다고 합니다. 하니 과도히 슬퍼하지 마십시오. 즉시 초왕만 패초*하옵시면 왕후는 본래 충효를 겸비한 인재이니 가지 않으려 하지 않을 것입니다."

이에 황제가 즉시 패초하니 초왕이 전교를 보고 크게 놀랐으며 온 나라가 떠들썩하였다. 초왕이 즉시 태상왕에게 국사를 맡기고 용포를 벗고 월각 투구를 쓰고 용인갑을 입고 청룡도를 비스듬히 들고 오추마를 채찍질하여 그날 바로 황성에 도착하였다. 초왕이 계단 아래에 나아가 땅에 엎드리니, 황제가 초왕의 손을 잡고 양쪽에 장수를 다 보낼 수 없는 국가의 위태로움을 이야기하였다. 이에 초왕이 이렇게 말하였다.

"비록 남북의 강병이 억만이라 하더라도 폐하께서는 조금도 근심하지 마소서."

즉시 사자를 명하여 충렬왕후에게 사연을 전하였더니, 왕후가 사연을 보고 크게 놀라 화려한 옷을 벗고 갑주를 갖추어 입고 천사검을 들고 천리준총마를 타고 태상 태후 및 두 공주와 후궁에게 하직한 뒤, 천리마를 채찍질하여 황성으로 달려왔다. 황성에 도착하니 황제와 초왕이 성 밖에까지 나와 맞이하거늘 왕후가 말에서 내려 땅에 엎드려 아뢰었다.

"초왕 부부가 정성이 부족하여 외적이 자주 강성하는 게 아닌가 합니다."

황제가 그 충성스러움을 못내 칭찬하고 어떻게 적을 물리칠 것인지 방책을 물었더니 왕후가 아뢰었다.

[A] ┌ "폐하의 은덕이 오직 우리 초왕 부부에게 미쳤사온데, 불행 │ 하여 전장에서 죽은들 어찌 마다하겠습니까? 엎드려 바라 └ 건대 폐하께서는 근심하지 마옵소서."

이에 군병을 조발*하여 왕후를 대원수 대사마 대장군 겸 병마도총독 상장군에 봉하고 인끈과 절월을 주며 군중에 만약 태만한 자가 있거든 즉시 참수하라 하였다. 또 초왕은 대원수 겸 상장군을 봉하였다. 군사를 조발할 때 장 원수는 황성의 군대를 조발하고 이 원수는 초나라의 군대를 조발하여 각각 80만씩 거느리고 행군하여 대봉은 북방의 흉노를 치러 가고 애황은 남방의 선우를 치러 떠났다.

이때 애황은 잉태한 지 일곱 달이었다. 각자 말을 타고 남북으로 떠나면서 대봉이 애황의 손을 잡고 말하였다.

"원수가 잉태한 지 일곱 달이니, 복중에 품은 혈육 보전하기를 어찌 바랄 수 있으리오? ㉠부디 몸을 안보하소서. 무사히

돌아와 서로 다시 보기를 천만 바라노라."

이렇게 애틋한 정을 이기지 못하였는데, 애황이 다시 말하였다.

"원수는 첩을 걱정하지 마시고 대군을 거느리고 가 한 번 북을 쳐 도적을 깨뜨리고 빨리 돌아와 황상의 근심을 덜고 태후의 근심을 덜게 하소서."

말 위에 서로 잡았던 손을 놓고 이별한 뒤, 대봉은 북으로 향하고 애황은 남으로 향하여 행군하였다.

(중략)

원수가 백금 투구를 쓰고 흑운포를 입고 7척 천사검을 높이 들고 천리준총마를 타고 적진으로 달려들 때, 남주작과 북현무, 청룡과 백호군에게 호령하여 적진의 후군을 습격하여 무찌르게 하고 자신은 선봉장 골통을 맞아 싸웠다. 싸운 지 반 합이 채 못 되어 원수의 칼이 공중에서 번쩍 빛나더니 골통의 머리가 떨어졌다. 이어 좌충우돌하며 적진을 누비니, 오늘의 용맹이 전날의 용맹에 비해 배나 더하였다. 삼십여 합을 겨룬 끝에 무수히 많은 장수를 무찌르고 선우의 팔십만 대병을 몰아치니, 선우가 마침내 당해내지 못할 줄 알고 군사를 거느리고 달아나려 하였다. 이를 보고 장 원수가 적군을 여린 풀 베 듯하니, 군사의 주검이 산처럼 쌓였고 피가 흘러 내가 되어 겁내지 않는 이가 없었다. 적진 장졸들이 원수의 용맹을 보고 물결이 갈라지듯 흩어지자, 선우가 이를 보고 죽기를 각오하고 달아났다. 그러나 장 원수가 지르는 한 마디 고성 속에 검광이 번쩍하더니 선우의 몸이 뒤집히면서 말 아래 떨어져 죽고 말았다.

이에 장 원수가 선우의 목을 베어 함에 넣어 남만의 다섯 나라에 보내었다. 그러고는 여러 장수들에게 호령하여 남은 적진 장졸은 씨도 남기지 말고 다 죽이라 하고 백성을 진무*하였다.

이때 다섯 나라의 왕들이 선우의 목을 보고는 황금과 비단, 채단을 수레에 가득 싣고 항복의 문서를 올리며 죽여 달라고 사죄하였다. 장 원수가 다섯 나라의 왕을 잡아들여서는 그들의 죄를 낱낱이 밝힌 뒤 항서와 예단을 받았다. 이어 이렇게 말하였다.

[B] ┌ "이 뒤로 만일 반역의 마음을 둔다면 너희 다섯 나라의 인 │ 종을 모두 없앨 것이니 명심하라. 또 물러나 동지(冬至)에 └ 조공 보냄을 지체하지 말라."

이에 모두가 살려주기를 애걸하며 선우를 탓하고 머리를 조아리며 사례하고 돌아갔다.

드디어 장 원수가 군사를 수습하여 진문관에서 군사를 위로하며 쉬게 한 뒤, 예단을 싣고 차차 나아가 황성으로 올라왔다. 하양에 이르렀을 때 원수의 몸이 피곤하여 영채(營寨)를 세우고 쉬었는데, 갑자기 복통이 심하더니 혼미한 가운데 아이를 낳으니 활달한 기남자였다. 3일 몸조리한 뒤 말을 타지 못하여 수레를 타고 행군하였다.

– 작자 미상, 「이대봉전」 –

* 패초: 조선 시대에 임금이 신하를 부르던 일.
* 조발: 군사로 쓸 사람을 강제로 뽑아 모음.
* 진무: 안정시키고 어루만져 달램.

4. 윗글에 대한 설명으로 적절한 것은?

① 배경 묘사를 통해 인물 간의 갈등을 부각하고 있다.
② 초월적 공간을 통해 사건의 환상성을 강화하고 있다.
③ 서술자의 개입을 통해 비극적 결말을 암시하고 있다.
④ 잦은 장면 전환을 통해 사건을 속도감 있게 전개하고 있다.
⑤ 과장된 상황의 설정을 통해 해학적 분위기를 형성하고 있다.

5. [A]와 [B]를 이해한 내용으로 가장 적절한 것은?

① [A]에 드러난 인물의 결의가 실행되었음을 [B]에서 확인할 수 있다.
② [A]에 드러난 인물의 권위가 추락되었음을 [B]에서 확인할 수 있다.
③ [A]에서 인물이 예고한 사건이 일어나지 않았음을 [B]에서 확인할 수 있다.
④ [A]에서 시작된 인물의 내적 갈등이 해소되었음을 [B]에서 확인할 수 있다.
⑤ [A]에서 촉발된 인물들 간의 오해가 심화되고 있음을 [B]에서 확인할 수 있다.

6. <보기>를 참고하여 윗글을 감상한 내용으로 적절하지 <u>않은</u> 것은? [3점]

<보 기>
「이대봉전」은 개인적 가치보다 집단적 가치를 우선하며 군주에게 충성을 다하는 남녀 주인공을 통해 유교적 이념을 드러내고 있다. 남녀 주인공이 역할을 분담하여 협력하는 모습을 그린 점, 사회적 제약을 뛰어넘는 여성 영웅의 활약상을 부각한 점, 군주가 자신의 잘못을 인정하는 모습을 보인 점 등이 특징적이다.

① 이대봉이 황제의 부름에 지체 없이 응하는 모습을 통해 군주에게 충성하는 유교적 가치관을 확인할 수 있군.
② 황제가 여러 신하들의 간언에 따라 이대봉을 패초하는 모습을 통해 자신의 잘못을 인정하는 군주의 모습을 확인할 수 있군.
③ 장애황이 규중을 벗어나 전장에 대원수로 참여하여 활약하는 모습을 통해 사회적 제약을 뛰어넘는 여성 영웅의 면모를 확인할 수 있군.
④ 장애황이 잉태한 몸임에도 불구하고 전장에 선뜻 나서는 모습을 통해 개인적 가치보다 집단적 가치를 우선시하는 모습을 확인할 수 있군.
⑤ 장애황과 이대봉이 각각 남북의 적과 맞서 싸우러 떠나는 모습을 통해 남녀 주인공이 역할을 분담하여 협력하는 모습을 확인할 수 있군.

7. <보기>의 빈칸에 들어갈 말로 가장 적절한 것은?

<보 기>
㉠을 보니, 무사히 돌아오라고 대봉은 애황에게 (   )하고 있군.

① 경거망동(輕擧妄動)　　② 신신당부(申申當付)
③ 애걸복걸(哀乞伏乞)　　④ 이실직고(以實直告)
⑤ 횡설수설(橫說竪說)

【8~11】 다음 글을 읽고 물음에 답하시오.

호왕이 또한 계책을 생각하고 대장 겸한을 불러 말하기를,
"철기 일만을 거느리고 중국 도성에 들어가 성중을 엄살하면 응당 구완병을 청할 것이니 대성을 치운 후에 명제를 사로잡아 대군을 합세하여 대성을 없애리라."
하니 겸한이 군을 거느려 장안으로 가니라.
이때 원수가 적진을 대하여 진욕을 무수히 하되 호왕이 끝내 나오지 아니하거늘 원수 천자께 아뢰되,
"호왕이 소장의 살아남을 꺼려 접전치 아니하니 대군을 합세하여 짓밟고자 하나이다."
상이 말하기를,
㉠"호왕이 무슨 비계 있는가 싶으니 잠깐 기다리라."
할 차에 원문 밖에서 기별이 왔으되 무수한 오랑캐 장안을 범하여 사직이 조모*에 있다 하거늘 상이 놀라 원수를 불러 말하기를,
"이놈이 여러 날 나지 아니하매 고이하게 여겼더니 장안을 범하였도다. 이제 호왕을 당적할 장수 없으니 이제 경이 가서 사직을 받들고 동군을 구완하여 잔명을 보존케 하라."
하시니 원수 총망* 중에 하직하고 일진 명마를 거느려 장안을 향하니라.
이때에 호장 체탐이 호왕께 고하되, 대성이 장안에 갔다 하거늘 호왕이 크게 기뻐하여 철기 삼천을 거느려 그날 밤 삼경에 명진에 다다르니 일진이 고요하여 인마 다 잠을 들었는지라 고함하며 지쳐 엄살하니 명진이 불의에 난을 만나매 제장 군졸의 머리 추풍낙엽일네라 뉘 능히 당하리요?
이때 명진 천자가 중군에서 취침하여 계시다가 함성소리 천지진동하거늘 놀라 장 밖에 나와 보니 화광이 충천한 가운데 일원 대장이 크게 외쳐 말하기를,
"명제 어디 있느냐?"
하며 달려 들어오니 본즉 이는 곧 호왕이라.
상이 대경하여 제장을 부르니 제장 군졸이 다 흩어지고 없는지라 다만 삼장*을 겨우 찾아 일지병을 거느려 북문으로 달아나더니 날이 이미 밝으며 황강 강가에 다다르니 강촌 백성이 난을 피할 길이 없는지라.
상이 삼장을 돌아보아 가라사대,
"좌우에 태산 막혀 있고 앞에 황강이 있어 건널 길이 없고 호왕의 추병은 급하였으니 그 가운데 있어 어디로 가리요? 삼장은 힘을 다하여 뒤를 막으라."
하시니 삼장과 군사가 말 머리를 돌려 호적을 대하여 마음을 둘 곳이 없더니 호왕이 달려와 삼장과 군사를 다 죽이고 명제는 함정에 든 범이라 어찌 망극지 아니하리요? 명제 하늘을 우러러 통곡하여 말하기를,
"죽기는 서럽지 아니하되 사직이 오늘날 내게 와 망할 줄 알리요. 황천에 들어간들 태종 황제께 하면목으로 뵈오리요?"
하시고 슬피 울으실 새 호왕이 황제 탄 말을 찔러 거꾸러치니 상이 땅에 떨어지거늘 호왕이 창으로 상의 가슴을 겨누며 꾸짖어 말하기를,
"죽기를 서러워하거든 항서를 써 올리라."
상이 총망 중에 대답하되,
"지필이 없으니 무엇으로 항서를 쓰리요?"
호왕이 크게 소리하여 말하기를,
"목숨을 아낄진대 용포를 떼고 손가락을 깨물라."

하니
　"차마 아파 못할네라."
　소리 나는 줄 모르고 통곡하시니 용의 울음소리가 구천에 사무치는지라 하늘이 어찌 무심하리요?
　이때 원수 장안으로 가 호왕을 찾으니 호왕은 없고 겸한이 삼군을 거느려 왔거늘 원수 분노하여 겸한을 한칼에 베고 제군에게 하령하기를,
　"이제 호왕이 나를 치우고 우리 대군을 범하고자 함이니 나는 필마로 가서 대군을 급히 구완할 것이니 제군은 따라오라."
하고 달려가니 빠르기 풍우 같은지라.
　대진을 향하여 오더니 홀연 공중에서 외쳐 말하기를,
　"용부야, 대진으로 가지 말고 황강으로 가라. 지금 천자 강변에 꺼꾸러져 호왕의 창끝에 명이 다하게 되었으니 급히 구완하라."
하거늘 원수 황강으로 가며 분기충천하여 말하기를,
　"앞에 큰 강이 가렸으니 건널 길이 없는지라."
　때는 늦어 가고 분기는 울울하여 말더러 경계하여 말하기를,
　"네 비록 짐승이나 사람의 급함을 알지라. 물을 건네라."
하니 청총마 그 임자의 충성을 모르리요? 고개를 들고 청천을 우러러 한소리를 벽력같이 지르고 강을 건너뛰 이는 대성의 충심과 청총마 그 임자 아는 정을 하늘이 감동하사 건너게 함이라.
　그제야 멀리 바라보니 상이 강변에 넘어졌는지라 원수가 우레 같은 소리를 벽력같이 지르며,
　"호왕은 나의 임금을 해치 말라."
하는 소리 천지진동하니 호왕이 황겁하여 미처 회마치 못하여 청총마가 호왕의 탄 말을 물고 대성의 칠성검은 호왕의 머리를 베어 말 아래에 떨어지느니라. 원수가 호왕의 머리를 창끝에 꿰어 들고 말에서 내려 강변에 다다르니 천자 기절하여 누웠거늘 원수 엎드려 아뢰기를,
　"대성이 호왕을 죽이고 왔나이다."
　상이 혼미 중에 대성의 말을 들으시고 용안을 잠간 들어보니 과연 대성이 호왕의 머리를 들고 엎드렸거늘 혼미 중에 일어나 대성의 손을 잡고 꿈인가 생신가 분별치 못할네라.
　원수 여쭙기를,
　"소신이 이제 반적 호왕을 죽였사오니 옥체를 진정하옵소서."
　상이 정신을 차려 가라사대,
　"어느 사이에 호왕을 죽이고 짐의 잔명을 보전케 하였느냐? 돌아가 천하를 반분하리라."
　원수 천자를 모시고 본진에 돌아오니 상이 앙천통곡하기를,
　"나로 말미암아 아까운 장졸이 원혼이 되었으니 어찌 슬프지 아니하리요?"
　행군하여 대연을 배설하사 장졸을 상사하시고 좌우더러 일러 말하기를,
　"원수는 만고에 짝 없는 충신이라 일방 봉작*으로 그 공을 갚을 길이 없어 천하를 반분하고자 하나니 제신들은 어떠하뇨?"
　대성이 엎드려 아뢰기를,
　ⓛ"천하를 평정함이 폐하의 넓으신 덕이요 신의 공이 아니오매 천하를 반분하오면 일천지하에 두 천자 없사오니 소신으로 하여금 후세에 역명을 면케 하옵소서."
　　　　　　　　　　　　　　　　- 작자 미상, 「소대성전」 -

* 조모: 어떤 일이 곧 결판나거나 끝장날 상황.
* 총망: 매우 급하고 바쁘다.
* 삼장: 세 명의 장수.
* 봉작: 제후로 봉하고 관작을 줌.

8. 윗글에 대한 설명으로 가장 적절한 것은?
① 배경 묘사를 통해 해학적 분위기를 조성한다.
② 장면 전환을 통해 인물의 성격 변화를 드러낸다.
③ 상징적 소재를 활용하여 비극적 결말을 암시한다.
④ 서술자가 개입하여 인물이 처한 상황에 대해 논평한다.
⑤ 과거 사건과 현재 사건을 대비하여 갈등의 원인을 부각한다.

9. 윗글에 대한 이해로 적절하지 <u>않은</u> 것은?
① 호왕은 겸한이 군사를 거느리고 장안으로 가도록 지시했다.
② 천자는 장안을 범한 오랑캐를 물리치기 위해 대성을 보냈다.
③ 대성이 떠났다는 보고를 받은 호왕은 명진을 공격하였다.
④ 대성은 호왕에게 속았음을 장안에 도착하기 전에 알았다.
⑤ 본진으로 돌아온 천자는 장졸의 죽음을 안타까워하였다.

10. <보기>를 바탕으로 윗글을 감상한 내용으로 적절하지 <u>않은</u> 것은? [3점]

> ─── < 보 기 > ───
> 　이 작품에서 소대성은 호국의 침략으로 위기에 처한 명나라를 지켜내는 인물로 제시된다. 탁월한 무공을 바탕으로 천상계의 조력을 받아 위기를 해결하는 과정에서 드러나는 소대성의 영웅적 능력은 지배 계층의 무능과 대비를 이룬다.

① 호국의 침략으로 군사들이 희생되고 백성이 난을 겪는 상황에서 명나라가 위기에 처했음이 드러나고 있군.
② 호왕의 공격에 적절하게 대응하지 못하는 천자의 나약한 모습은 지배 계층의 무능함을 보여 주는 것이라 할 수 있군.
③ 공중에서 들리는 소리에 분기충천하는 소대성의 모습은 천상계의 질서를 극복하고자 하는 의지를 보여 주고 있군.
④ 항서를 요구받고 쓰러져 기절한 천자와 극적으로 천자를 구출하는 소대성이 대비되면서 소대성의 영웅적 면모가 부각되고 있군.
⑤ 명을 위협하는 오랑캐를 물리치고 호왕을 제압하는 모습에서 국가적 위기를 해결하는 소대성의 탁월한 능력이 나타나 있군.

11. ㉠과 ㉡을 비교하여 설명한 내용으로 가장 적절한 것은?
① ㉠은 실행으로 인한 결과를 우려하며, ㉡은 실행을 위한 방안을 요구하며 상대의 제안을 거부하고 있다.
② ㉠은 추측에 근거하여, ㉡은 군신 간의 도리를 내세워 상대의 제안을 수용하지 않고 있다.
③ ㉠은 자신의 공을 내세우며, ㉡은 상대에게 공을 돌리며 상대의 제안에 동의하고 있다.
④ ㉠은 단점을 중심으로, ㉡은 장점을 중심으로 상대의 제안을 구체화하고 있다.
⑤ ㉠은 유보적인 태도로, ㉡은 적극적인 태도로 상대의 제안을 수용하고 있다.

총 문항				문항	맞은 문항				문항
개별 문항	1	2	3	4	5	6	7	8	9	10
채점									
개별 문항	11	12	13	14	15	16	17	18	19	20
채점									

| 7분 | 2019학년도 11월 학평 39~42번 | ★★☆ | 정답 038쪽 |

【1~4】 다음 글을 읽고 물음에 답하시오.

[앞부분 줄거리] 권익중과 이 낭자는 혼인을 약속하였으나 조정의 세력가 옥낭목으로 인해 혼인이 좌절되고 이 낭자는 자결한다. 그 후 권익중은 권 승상의 권유로 위 낭자와 혼인하나 이 낭자를 잊지 못한다.

이 낭자는 죽어 천상에 올라가서 선녀가 되었다. 옥황상제께서 이 낭자를 보고,

"너는 인간 세상에서 배필을 만나지 못하고 원통히 죽었으니, 강남 악양루 죽림 속에 가 있으면 자연 네 배필 익중을 만날 것이다."

라 하시고, 또한 허수아비를 만들어 주시며

"이 허수아비의 이름은 우인이며, 자태와 얼굴은 익중과 같이 만들었노라."

라 하였다.

우인이 익중의 집을 찾아가니 승상과 부인이며 위 낭자가 익중인 줄 여겨 반겨하고 서촉 안부를 물으니, 우인이 대강 대답하고 진짜 익중이 오기를 기다렸다.

이때, 권생이 며칠을 돌아다니다가 집으로 돌아와 대문 안에 들어서니, 당상에 어떤 한 사람이 앉았다 일어났다 하며 화를 내는 것이었다. 익중이 이를 보고

[A] ┌"내가 서촉으로 갈 때에 저러한 귀신이 꿈에 현몽하여 '나는 금강산에 사는 헛개비라는 귀신이다. 비 오고 바람 부는 날이면 의탁할 곳이 없다. 내가 들으니 너의 집이 부자라 하니, 모월 모일에 너의 집을 찾아가서 너를 쫓아내고 내가 있으리라.' 하면서 오늘 대낮에 들어온다 하였거늘, 저 놈이 └그놈이로다."

라고 짐작하고 중문에 서서 부모를 불렀다. 승상은 부인을 붙들고 기가 막혀 묵묵히 말없이 앉아 있을 따름이라. 익중이 들어오니 난형난제(難兄難弟)되어 어느 것이 참 익중이며 어느 것이 거짓 익중인지 알기 어려웠다. 승상이

"자식이 아비만 못하다 하였으니 아비도 몰라보는구나."

라 하니, 부인이

"먼저 온 것이 참 익중이 분명하고 나중 온 것이 귀신이 분명하다."

하고는

"어젯밤에 여차여차한 꿈을 꾸었더니 과연 그대로이구나. 승상은 의심치 마소서."

하였다. 이어서 부인이 하인을 불러

"중문에 들어오는 귀신을 급히 둘러 내쫓아라."

라고 하였다.

이에 하인이 벙거지를 둘러쓰고 대문 밖에 쫓아 나가, 복숭아나무의 굵은 가지를 쪽 꺾어 손에 쥐고는 아래 종아리를 두드리며, 개떡을 이마 위에 철썩 붙이고 물밥을 등에 얹은 후, 익중이 당장의 곤욕과 매를 견디지 못할 정도로 산골 물이 콸콸 소리 내며 흘러가듯 두들겨 때렸다. 익중이 하는 수 없어 뛰쳐나와 마을 앞 수풀 속에 기대어 앉아서 생각해 보니, 이것이 꿈인가 생시인가 싶었다.

세상에 이런 허황한 일이 어디 있으리오? 이것이 다 가짜 익중 때문이나, 소진(蘇秦)과 장의(張儀)*의 구변으로도 밝힐 길

이 없었다. 다시 들어가 맞아 죽기를 결단하고 한번 진위를 분별해 보리라고 여기다가 돌이켜 생각하여,

'가짜로 들어온 귀신에게 두들겨 맞은 꼴로 변명도 쓸 때 없겠거니와, 이제 천하강산 두루 돌아 구경이나 다한 후에, 강남 명월 악양루를 구경하고 동정호에 빠져 죽으리라.'

하고는 일어나 길을 나섰다.

(중략)

익중은 화려한 꽃무늬 금관 모자에 꿈틀거리는 용무늬 새겨진 허리띠를 두르고, 낭자는 칠보단장 갖춘 후 녹의홍상을 입고서 육례를 치르니, 팔선녀들이 움직이며 작위하고 온갖 악기들로 풍악을 울렸다. 예를 마친 후에 여러 선관들이 익중의 손을 잡고,

"우리는 천상의 선관으로 상제에게 명을 받아 그대에게 예를 이루게 하노라."

하고는 이내 구름을 타고 행행이 사라졌다.

익중이 공중을 향하여 무수히 사례하고 돌아와 낭자와 함께 하룻밤 동침하니, 깊은 밤에 만단정회는 이루 말할 수 없더라. 익중이 사랑함을 이기지 못하여 낭자의 목을 훔쳐 안고 희희낙락하여

[B] ┌"바람아, 불어라. 비야, 오너라. 우리 둘이 만났으니 만고여한 풀어진다. 둘이 몸을 뭉치다 동정수에 떨어지거나 말거나 이런 사랑 또 있을까. 우리 둘이 만났으니 태산이 평지되고 하해가 육지가 되도록 살아 보세." └

하며 즐거운 시간을 보냈다.

계명성이 들리자 낭자가 일어나 앉아 촛불을 밝히고 약 세 봉지를 주며 말하기를,

"상제의 명령이 계명성이 들리거든 올라오라 하셨습니다. 천상옥황께서 허수아비를 보내었으니 이 약을 가져다가 한 봉을 대문 안에 떼어 보소서. 푸른 빛 연기가 일어나며 허수아비가 없어질 것입니다. 또 오 년이 지나 이곳에 와서 오늘 밤 복중에 들어 때가 찬 아이를 데려가옵소서. 이것이 다 우리가 전생에 지은 죄악이라. 서로 만나 해로할 날이 멀었으니 어찌하오리까?"

익중이 듣기를 다하고 크게 놀라

"오늘 낭자를 만나 죽어도 같이 죽고 살아도 같이 살자 하였더니 이것이 웬 말이오? 가지 마시오. 못 가오. 기약 없이 못 가나니, 만정의 회포 풀지 못하고 간다는 말이 웬 말이오?"

낭자가 다시 위로하여,

"낭군님은 지나치게 슬퍼하지 마시고 때를 기다리옵소서. 천명을 어이 거역하오리까?"

하며 이별주를 부어 들고 이별곡을 지었다.

– 작자 미상, 「권익중전」 –

* 소진과 장의: 전국시대의 인물로 언변과 설득력이 뛰어남.

1. 윗글의 서술 방식에 대한 설명으로 가장 적절한 것은?
① 인물 간의 대화를 통해 인물의 정서를 드러내고 있다.
② 다른 인물과의 대립을 통해 주인공의 업적을 드러내고 있다.
③ 구체적 시대 상황을 설정하여 내용의 사실성을 높이고 있다.
④ 동시에 일어난 두 사건을 교차하여 사건을 입체적으로 서술하고 있다.
⑤ 공간적 배경에 대한 묘사를 통해 앞으로 일어날 사건을 암시하고 있다.

2. 윗글에 대한 이해로 적절하지 <u>않은</u> 것은?
① 승상은 익중과 우인을 구별하는 데 어려움을 겪었다.
② 승상 부인은 자신의 꿈을 근거로 우인을 익중으로 믿었다.
③ 익중이 집으로 돌아왔을 때 익중은 화를 내는 우인을 보았다.
④ 익중은 우인의 정체를 밝히는 대신 유람 후에 죽기로 결심했다.
⑤ 위 낭자는 안부를 묻는 말에 대한 우인의 대답 때문에 우인을 반겼다.

3. [A]와 [B]에 대한 설명으로 가장 적절한 것은?
① [A]에서는 현실적 인물에 대한 연민을, [B]에서는 비현실적 인물에 대한 애정을 드러내고 있다.
② [A]에서는 상대방의 위세에 대한 두려움을, [B]에서는 자신의 처지에 대한 슬픔을 나타내고 있다.
③ [A]에서는 부정적 상황에 대한 인물의 추측을, [B]에서는 긍정적 상황에 대한 인물의 만족감을 드러내고 있다.
④ [A]에서는 실현 가능한 사건에 대한 인물의 믿음을, [B]에서는 실현 불가능한 사건에 대한 인물의 실망을 드러내고 있다.
⑤ [A]에서는 예상했던 사건에 대한 인물의 안도감을, [B]에서는 예상하지 못했던 사건에 대한 인물의 불안감을 드러내고 있다.

4. <보기>를 참고하여 윗글을 감상한 내용으로 적절하지 <u>않은</u> 것은?
[3점]

─〈 보 기 〉─

「권익중전」에는 진짜와 가짜가 다투는 '진가쟁주(眞假爭主)'가 나타난다. 천상계의 개입으로 발생하는 진가쟁주는 권익중과 가족 간의 갈등을 유발하고 권익중이 고난을 겪게 한다. 하지만 진가쟁주는 선녀가 된 이 낭자와 권익중이 만날 수 있는 계기를 제공해 주어 그 둘은 재회하게 된다.

① 옥황상제가 자태와 얼굴이 진짜 익중과 똑같은 가짜 익중을 만든 것을 보면 진가쟁주가 천상계의 개입으로 발생한다는 것을 알 수 있겠군.
② 하인이 진짜 익중을 당장의 곤욕과 매를 견디지 못할 정도로 때리는 것을 보면 진가쟁주가 익중에게 고난을 겪게 한다는 것을 알 수 있겠군.
③ 가짜 익중에 의해 집에서 쫓겨난 진짜 익중이 이 낭자를 만나서 육례를 치르는 것을 보면 진가쟁주가 익중과 이 낭자를 재회하게 한다는 것을 알 수 있겠군.
④ 승상의 부인이 가짜 익중을 진짜 익중으로 믿어 진짜 익중을 쫓아내라는 명령을 내리는 것을 보면 진가쟁주가 익중과 가족 간의 갈등을 유발한다는 것을 알 수 있겠군.
⑤ 이 낭자가 가짜 익중을 사라지게 만드는 방법을 진짜 익중에게 알려주면서 오 년 후 가짜 익중과의 만남을 예상하는 것을 보면 진가쟁주가 만남의 계기를 제공한다는 것을 알 수 있겠군.

【5~7】 다음 글을 읽고 물음에 답하시오.

장 선생 맏손자가 여쭈되
"우리 집 잔치를 벌이려 하오매 각처 손님을 청하려니와 만일 산중의 왕 백호산군(白虎山君)을 청치 아니하오면 후일에 필경 화가 될 듯하오니 어찌하오리까."
장 선생이 눈을 감고 오래 생각하다가 이르되
"백호산군은 힘만 믿고 사나워 친구를 모르고, 연전에 네 아비를 해하려고 급히 쫓아오니 네 아비가 뛰기를 잘 못하였던들 하마 죽을 뻔하였나니, 그러므로 내 집에 험한 기억이 있고, 또한 **산군**이 좌석에 참례하면 각처 손님이 필경 겁이 나고 두려워 잘 놀지 못할 것이니 **청치 아니함이 마땅하도다.**"
이때 이화도화 만발하고, 왜철쭉 두견화가 새로이 피고 각색 방초가 드리웠으니 만학천봉에 춘흥이 가득하여 경개절승(景槪絶勝)한지라. 주인 장 선생이 자리를 마련할 새 구름으로 차일 삼고 산세로 병풍 삼고 잔디로 포진하고, 장 선생은 갈건야복(葛巾野服)으로 손님을 기다리더니 동서남북 짐승 손님이 들어올 제, 뿔 긴 사슴이며, 요망한 토끼며, 열없는 승냥이며, 방정맞은 잔나비며, 요괴로운 여우며, 얼룽덜룽 두꺼비며, 까칠한 고슴도치며, 빛 좋은 오소리며, 만신이 미련한 두더지며, 어이없는 수달피 등이 앞서며 뒤서며 펄펄 뛰어 문이 메게 들어오니, 주인은 동쪽 계단에 읍하고 객은 서쪽 계단에 올라 상좌를 다투어 좌석의 차례를 결단치 못하여 분분 난잡하니 주인은 어찌할 줄을 몰랐다. 두꺼비는 원래 위엄이 없는지라 어수선하고 소란스러운 중에 아무 말도 못하고 목구멍을 벌떡이며 엉금엉금 기어 한 모퉁이에 엎드려 거동만 보더니, 그 중에 토끼란 놈이 깡충 뛰어 내달아 눈을 깜짝이며 말하되
"모든 손님은 훤화치 말고 내 말을 잠간 들어보소."
주인 노루 대답하되
"무슨 말씀이오니까."
토끼 왈
┌ "오늘 잔치에 조용히 좌를 정하여 예법을 정할 것이거늘
[A] 한갓 요란만 하고 무례하니, 아무리 우리 잔치인들 놀랍
└ 지 아니하랴."
노루란 놈이 턱을 끄덕이며 웃어 왈
"말씀이 가장 유리하니 원컨대 선생은 좋은 도리를 가르쳐 좌정케 하소서."
토끼 모든 손님을 돌아보며 가로되
"내 일찍 들으니 '조정은 벼슬이요 향당은 나이'라 하오니 부질없이 다투지 말고 **연치(年齒)를 차려 좌를 정하**소서."
노루가 허리를 수그리고 펄쩍 뛰어 내달아 왈
"내가 나이 많아 허리가 굽었노라. 상좌에 처함이 마땅하다."
하고, 암탉의 걸음으로 엉금엉금 기어 상좌에 앉으니, 여우란 놈이 생각하되, '저놈이 한갓 허리 굽은 것으로 나이 많은 체하고 상좌에 앉으니, **난들 어찌 무슨 간계로 나이 많은 체 못 하리오.**'하고 나룻을 쓰다듬으며 내달아 왈
"내 나이 많아서 나룻이 세었노라."
한대, 노루 답 왈
"네 나이 많다 하니 어느 갑자에 났는가. 호패를 올리라."

하니, 여우 답 왈

[B] "소년 시절에 호방하고 의협심이 있어 주색청루(酒色靑樓)에 다닐 적에 술이 대취하여 오다가, 대신 가시는 길을 건넜다 하여 호패를 떼여 이때까지 찾지 못하였거니와, 천지개벽한 후 처음에 황하수 치던 시절에 나더러 힘세다 하고 가래장부 되었으니 내 나이 많지 아니 하리오. 나는 이러하거니와 너는 어느 갑자에 났느냐."

노루 답 왈

"천지개벽하고 하늘에 별 박을 때에, 날더러 궁통(窮通)하다 하여 별자리를 분간하여 도수를 정하였으니 내 나이 많지 아니하리오."

하고 둘이 상좌를 다투거늘 두꺼비 곁에 엎드렸다가 생각하되, '저놈들이 서로 거짓말로 나이 많은 체하니 난들 거짓말 못 하리오.'하고 공연히 건넛산을 바라보고 슬피 눈물을 흘리거늘 여우 꾸짖어 왈

"저 흉간한 놈은 무슨 설움이 있기에 남의 잔치에 참례하여 상상치 못한 형상을 뵈느냐."

(중략)

또 여쭈되

"존장이 천지만물을 무불통지하오니, 글도 아시니이까."

두꺼비 왈

"미련한 짐승아. 글을 못 하면 어찌 천자 만고 역대를 이르며 음양지술을 어찌 알리오."

하거늘 여우 가로되

"존장은 문학도 거룩하니 풍월을 들으리이다."

두꺼비 **부채로 서안(書案)을** 치며 크게 읊어 왈

"대월강우입(待月江隅入)하니 고루석연부(高樓夕烟浮)라. 금일군회중(今日群會中)에 유오대장부(惟吾大丈夫)라."

읽기를 그치니 여우 왈

"존장의 문학이 심상치 아니하거니와, 실없이 묻잡느니 존장의 **껍질**이 어찌 우둘투둘하시나이까."

두꺼비 답 왈

"소년에 장안 팔십 명을 밤낮으로 데리고 지내다가, 남의 몸에서 옴이 올라 그리하도다."

여우 또 문 왈

"그리하면 **눈**은 왜 그리 노르시나이까."

"눈은 보은현감 갔을 때에 대추 찰떡과 고욤을 많이 먹었더니 열이 성하여 눈이 노르도다."

또 물어 왈

"그리하면 등이 굽고 **목정**이 움츠러졌으니 그는 어찌한 연고입니까."

두꺼비 답 왈

"평양감사로 갔을 때에 마침 중추 팔월이라 연광정에 놀고 여러 기생을 녹의홍상에 초립을 씌워 좌우에 앉히고, 육방 하인을 대하에 세우고 풍악을 갖추고 술에 대취하여 노닐다가, 술김에 정하에 떨어지며 곱사등이 되고 길던 목이 움츠러졌음에, 지금까지 한탄하되 후회막급이라. 술을 먹다가 종신(終身)을 잘못할 듯기로 지금은 밀밭 가에도 가지 않느니라. 이른바 소 잃고 외양간 고치는 격이라."

또 문 왈

"존장의 턱 밑이 왜 벌떡벌떡하시나이까."

두꺼비 답 왈

"너희 놈들이 어른을 몰라보고 말을 함부로 하기에 분을 참노라고 자연 그러하도다."

— 작자 미상, 「두껍전」 —

5. 윗글에 대한 이해로 적절하지 <u>않은</u> 것은?

① 주인은 토끼의 제안에 따라 동쪽에 있는 계단에 올랐다.
② 여우는 슬피 우는 두꺼비의 속마음을 의심하여 꾸짖었다.
③ 노루는 여우의 주장을 확인하기 위해 호패를 올리라고 하였다.
④ 장 선생의 아들은 백호산군에게 죽임을 당할 위기를 겪었다.
⑤ 노루는 허리가 굽었다는 이유를 들어 자신의 나이가 많음을 주장하였다.

6. [A]와 [B]의 말하기 방식에 대한 설명으로 적절한 것은?

① [A]는 상대를 설득하기 위해 고사를 인용하고 있으며, [B]는 상대의 주장을 반박하기 위해 자신의 경험을 언급하고 있다.
② [A]는 상황을 정리하기 위해 문제를 지적하고 있으며, [B]는 상황을 모면하기 위해 변명을 내세우고 있다.
③ [A]는 자신의 의도를 직접적으로 드러내고, [B]는 자신의 의도를 우회적으로 드러내고 있다.
④ [A]는 자신이 원하는 바를 부탁하고 있으며, [B]는 상대방 주장의 부당함을 언급하고 있다.
⑤ [A]는 자신의 권위를 내세우고 있으며, [B]는 상대의 권위를 깎아내리고 있다.

7. <보기>를 참고하여 윗글을 감상한 내용으로 적절하지 <u>않은</u> 것은? [3점]

— <보 기> —

「두껍전」은 등장인물들의 행태를 통해 조선 후기 사회의 단면을 풍자한 우화 소설이다. 조선 후기는 기존의 신분 제도에 따른 지배 질서가 약화되면서 새로운 질서가 대두되는 시기였다. 「두껍전」에서 중요한 관심사는 이전과 다른 질서에 의해 누가 상좌에 앉아야 하느냐이다. 이 질서에 따라 펼쳐지는 인물들의 행위는 풍자의 대상이 된다. 풍자는 상대에게 우위를 점하기 위해 외양을 우스꽝스럽게 표현하거나 속임수를 쓰는 등의 비윤리적인 모습으로, 또 한문구를 이용하여 유식한 체하는 모습으로도 드러난다.

① 장 선생이 '산군'을 '청치 아니함이 마땅하도다'라고 말하는 장면을 통해, 기존의 신분 질서가 약화된 사회의 모습을 드러내는군.
② 노루가 '연치를 차려 좌를 정하'자는 기준에 동조하는 모습을 통해, 기존의 신분 질서를 옹호하는 인물을 풍자하는군.
③ 여우가 '난들 어찌 무슨 간계로 나이 많은 체 못 하리오'라고 생각하며 언변 대결에 참여하는 장면을 통해, 비윤리적 행위로 목적을 이루고자 하는 부정적인 행태를 드러내는군.
④ 두꺼비가 '부채로 서안을 치며 크게 읊'으며 말하는 내용을 통해, 유식한 체하는 인물의 모습을 풍자하는군.
⑤ 여우가 두꺼비의 '껍질', '눈', '목정' 등에 대해 언급한 내용을 통해, 상대에게 우위를 점하고자 외양을 우스꽝스럽게 표현하는 모습을 풍자하는군.

【8~11】 다음 글을 읽고 물음에 답하시오.

[앞부분의 줄거리] 유백로는 조은하에게 백학선(백학이 그려진 부채)을 주며 결혼을 약속한다. 유백로는 조은하를 보호하기 위해 가달과의 전쟁에 원수로 출전하였으나, 간신 최국낭이 군량 보급을 끊어 적군에 사로잡힌다. 태양선생과 충복의 도움으로 유백로의 소식을 접한 조은하는 황제 앞에서 능력을 증명하고 정남대원수로 출전한다. 가달과 대결하던 중 조은하는 선녀가 알려 준 백학선의 사용 방법을 떠올린다.

원수가 말에서 내려 하늘에 절하고 주문을 외워 백학선을 사면으로 부치니 천지가 아득하고 뇌성벽력이 진동하며 무수한 신장(神將)이 내려와 도우니 저 가달이 아무리 용맹한들 어찌 당하리오? 두려워하여 일시에 말에서 내려 항복하니 원수가 가달과 마대영을 마루 아래 꿇리고 크게 꾸짖어,

"네가 유 원수를 모셔 와야 목숨을 용서하려니와, 그렇지 않은즉 군법을 시행하리라."

하니, 가달이 급히 마대영에게 명하여 유 원수를 모셔오라 하거늘 마대영이 급히 달려 유 원수 있는 곳에 나아가,

"원수는 저의 구함이 아니런들 벌써 위태하셨을 터이오니 저의 공을 잊지 마소서."

하고 수레에 싣고 몰아가거늘 원수가 아무런 줄 모르고 마루 아래 다다르니 한 소년 대장이 맞이하여,

"낭군이 대대 명가 자손으로 이렇듯 곤함은 모두 운명이라. 안심하여 개의치 마소서."

하거늘, 유 원수가 눈을 들어본즉 이는 평생에 전혀 알지 못한 사람이라. 손을 들어 칭찬하며,

"뉘신지는 모르거니와 뜻밖에 죽어 가는 사람을 살려 본국 귀신이 되게 하시니 [⑦]이오나, 이제 패한 장수가 되어 군부(君父)를 욕되게 하오니 무슨 면목으로 군부를 뵈오리오? 차라리 이곳에서 죽어 죄를 갚을까 하나이다."

원수가 재삼 위로하며,

"장수 되어 일승일패(一勝一敗)는 병가상사(兵家常事)*이오니 과히 번뇌치 마소서."

유 원수가 예를 갖추어 인사하더라. 가달과 마대영을 죄인이 타는 수레에 싣고 회군할 새 먼저 승전한 첩서*를 올리고 승전고를 울리며 행군하는데 유 원수가 부끄러워하는 기색이 가득한 것을 보고 조 원수가 묻기를,

"장군이 이제 사지(死地)를 벗어나 고국으로 돌아오시니 다행하거늘 어찌 이렇듯 수척하신지요?"

원수가 탄식하며,

"제가 불충불효한 죄를 짓고 돌아오니 무엇이 즐거우리이까? 원수가 이렇듯 걱정하시니 황공 불안하여이다."

조 원수가 짐짓 묻기를,

"들자온즉 원수가 일개 여자를 위하여 자원 출전하셨다 하오니 이 말이 옳으니이까?"

유 원수가 부끄러워하며 대답이 없거늘 조 원수가 또 묻기를,

[A]
"장군이 전에 길에서 일개 여자를 만나 백학선에 글을 써 주었더니 그 여자가 장성하여 백년을 기약하나 임자를 만나지 못하여 사면으로 찾아 서주에 이르러 장군의 비문을 보고 기절하여 죽었다 하오니 어찌 애석하지 않으리오?"

유 원수가 듣고서 비참하여 탄식하기를,

"제가 군부에게 욕을 끼치고 또 여자에게 원한을 쌓게 하였으니 내 차라리 죽어 모르고자 하나이다."

원수가 미소하고 백학선을 내어 부치거늘 유 원수가 이윽고 보다가 묻기를,

"원수는 그 부채를 어디서 얻었나이까?"

원수가 대답하기를,

"제 조부께서 상강현령으로 계실 때에 용왕의 현몽을 받고 얻으신 것이오니다."

유 원수가 다시 묻지 아니하고 내심 헤아리기를, '세상에 같은 부채가 있도다.'하고 재삼 보거늘 원수가 이를 보고 참지 못하여,

"장군이 정신이 가물거려 친히 쓴 글씨를 몰라보시는도다."

하고 부채를 유 원수 앞에 놓으니 유 원수가 비로소 조 소저인 줄 알고 비회를 이기지 못하여 나아가 그 손을 잡고

[B]
"이것이 꿈인지 생시인지 깨닫지 못하리로다. 나는 대장부로 불충불효를 범하고 몸이 죽을 곳에 들었으되 그대는 규중 여자로 출전입공(出戰立功)하고 죽은 사람을 살리니 가히 규중 호걸이로다."

하며 여취여광(如醉如狂)*하거늘 조 소저가 또한 슬픔과 기쁨이 교차하나 군중이라 말씀할 곳이 아니오, 황상이 기다리심을 생각하고 행군을 재촉하니라.

위수에 이르러 용신(龍神)께 제사하고 3만 군 혼백을 위로한 후 사당을 지어 사적(事績)*을 기록하고 농토를 나누어주고 철마다 제사를 받들고 장졸을 놓아 보내어 말하기를,

"돌아가 부모처자를 반기라."

하고 남은 군졸을 거느려 행하여 아미산에 이르러서 유 원수의 선산(先山)에 성묘하고 전날 주인과 이웃을 모아 옛일을 이르며 금은을 흩어주고 태양선생을 찾아 전날 베푼 덕택을 사례한 후 늙은 종 충복을 찾아 천금을 상사*한 후 서울로 향하니라.

조 원수가 표(表)를 올리기를,

"정남대원수 조은하는 돈수백배*하옵고 천자께 올리나니 신첩이 폐하의 특은을 입어 한 번 북을 울려 오랑캐를 소멸하옵고 유 원수를 구하오니 신첩의 외람하온 죄를 거의 갚을 듯하옵니다. 어전에 보고하올 일이 급하오나 조상 분묘를 수리하고 죄를 기다리겠나이다."

하였더라.

상이 다 읽으시고 칭찬하여,

"기특하도다. 조은하는 규중여자로 출전입공함은 고금에 희한한 일이로다."

하시고 최국낭은 허리를 베어 죽이라 하시며 그 가족을 귀양 보내라 하시었다.

－ 작자 미상, 「백학선전」 －

* 병가상사 : 전쟁에서 흔히 있는 일
* 첩서 : 보고하는 글
* 여취여광 : 이성을 잃은 상태를 비유적으로 이르는 말
* 사적 : 일의 실적이나 공적
* 상사 : 칭찬하여 상으로 물품을 내려 줌
* 돈수백배 : 머리가 땅에 닿도록 계속 절을 함

8. 윗글에 대한 설명으로 적절한 것만을 고른 것은?

> ㄱ. 서사의 진행 과정에 비현실적인 요소가 개입되어 있다.
> ㄴ. 꿈과 현실을 교차하여 사건을 입체적으로 구성하고 있다.
> ㄷ. 인물의 심리를 구체적인 외양 묘사를 통해 드러내고 있다.
> ㄹ. 공간의 이동에 따른 인물의 행적을 요약적으로 제시하고 있다.

① ㄱ, ㄴ   ② ㄱ, ㄷ   ③ ㄱ, ㄹ
④ ㄴ, ㄷ   ⑤ ㄷ, ㄹ

9. [A]와 [B]에 대해 이해한 내용으로 가장 적절한 것은?

① [A]는 상대의 잘못을 꾸짖고 있으며, [B]는 상대를 위로하고 있다.
② [A]는 상대의 속마음을 떠보고 있으며, [B]는 상대를 칭송하고 있다.
③ [A]는 상대의 처지를 걱정하고 있으며, [B]는 상대를 치하하고 있다.
④ [A]는 상대의 능력을 시험하고 있으며, [B]는 상대를 회유하고 있다.
⑤ [A]는 상대에 대한 서운함을 드러내고 있으며, [B]는 상대를 설득하고 있다.

10. <보기>를 바탕으로 윗글을 감상한 내용으로 적절하지 <u>않은</u> 것은? [3점]

> ─────< 보 기 >─────
> 「백학선전」은 결혼을 약속한 남녀 주인공이 고난을 이겨내고 재회하는 애정소설의 성격을 지닌다. 또한 남성 중심의 사회적 규범을 극복한 여자 주인공이 영웅적 면모를 보이는 여성영웅소설의 성격도 지닌다. 「백학선전」은 백학선이라는 소재에 다양한 서사적 기능을 부여함으로써 두 가지 성격을 유기적으로 구현했지만, 여자 주인공을 예외적인 존재로 그려 여성에 대한 사회적 인식을 변화시키지 못했다는 한계를 지니기도 한다.

① 조은하가 오랑캐를 물리친 것에서 영웅으로서의 모습을 확인할 수 있군.
② 황상의 말을 통해 조은하를 예외적인 존재로 여기고 있음을 확인할 수 있군.
③ 유백로와 조은하가 백년을 기약하고 헤어졌다가 다시 만났다는 점에서 애정소설의 성격을 지닌다고 할 수 있군.
④ 조은하가 공적을 세운 후 황상에게 죄를 기다린다고 한 점에서 남성 중심의 사회적 규범을 극복하였음을 알 수 있군.
⑤ 조은하가 위기를 극복하는 것과 유백로가 조은하를 알아보는 것에 기여한다는 점에서 백학선의 서사적 기능을 알 수 있군.

11. ㉮에 들어갈 말로 가장 적절한 것은?

① 백골난망(白骨難忘)   ② 사면초가(四面楚歌)
③ 어부지리(漁夫之利)   ④ 이심전심(以心傳心)
⑤ 적반하장(賊反荷杖)

총 문항					문항	맞은 문항				문항
개별 문항	1	2	3	4	5	6	7	8	9	10
채점										
개별 문항	11	12	13	14	15	16	17	18	19	20
채점										

IV

고 전 시 가

 고 전 시 가

📑 **출제 트렌드**

고전 시가도 고전 산문처럼 작품의 범위가 한정적인 편입니다. 그럼에도 문학 영역에서 수험생들이 가장 어려워하는 갈래가
바로 고전 시가일 것입니다. 그 이유는 어휘가 낯설어 해석이 어렵기 때문인데, 맞힌 문제라고 하더라도 뜻을 정확히 모르는
어휘가 있었다면 짚고 넘어가는 것이 좋습니다. 다행히도 강호한정, 연군지정, 이별과 그리움 등 주로 출제되는 주제가 정해져
있으므로 주제가 무엇인지 파악하면 내용을 어느 정도 가늠할 수 있습니다. 현대시와 마찬가지로 화자의 정서와 태도가 중요
하며, 표현상의 특징과 소재의 기능을 파악하는 문제가 자주 출제됩니다. 고전 시가의 여러 갈래 중에서도 특히 시조와 가사
의 출제 빈도가 높으니 주요 작품들은 완전하게 해석할 수 있을 만큼 공부해 두는 것이 좋습니다. 2021~2022학년도에는 고
전 시가 단독 지문은 출제되지 않았으며 이제는 주로 수필과 함께 묶여 갈래 복합 지문으로 출제되고 있습니다. 그렇다고 해
서 비중이 작아진 것은 아니므로 고전 시가 학습은 꾸준히 성실하게 할 필요가 있습니다.

시행	출제 지문	문제 수	난이도
2020학년도 11월 학평	정철, '속미인곡' / 임유후, '목동문답가'	4문제 출제	★★★
2020학년도 9월 학평	이휘일, '저곡전가팔곡' / 정훈, '용추유영가'	4문제 출제	★★☆
2019학년도 6월 학평	정약용, '고시' / 작자 미상, '시집살이 노래'	3문제 출제	★★☆

📑 **1등급 꿀팁**

하나 _ 고전 시가의 대표적인 주제에 맞는 작품들을 분석하자.
두울 _ 빈출 작품은 현대어 풀이를 외워 두자.
세엣 _ 낯선 고어의 뜻을 정확히 이해하고 넘어가는 습관을 들이자.
네엣 _ 화자의 정서와 태도는 운문 문학을 이해하는 데 기초가 된다는 점을 명심하자.
다섯 _ 고전 갈래가 주는 당대의 내용적, 형식적 특징을 미리 알아 두자.
여섯 _ 시 문학에서 사용되는 다양한 표현 방법들을 알아 두자.
일곱 _ 제목의 의미를 알아 둔다면 작품의 상황과 분위기를 감지할 수 있음을 기억하자.

다음 글을 읽고 물음에 답하시오.

(가)

　세상의 버린 몸이 시골에서 늙어 가니
　㉠바깥 일 내 모르고 하는 일 무엇인고
　이 중의 우국성심(憂國誠心)은 풍년을 원하노라　　<제1곡>

　농인이 와 이르되 봄 왔네 밭에 가세
　앞집의 쟁기 잡고 뒷집의 따비 내네
　두어라 내 집부터 하랴 남하니 더욱 좋다　　<제2곡>

　여름날 더운 적의 단 땅이 불이로다
　밭고랑 매자 하니 땀 흘러 땅에 떨어지네
　어사와 입립신고(粒粒辛苦)* 어느 분이 아실까　　<제3곡>

　가을에 곡식 보니 좋기도 좋을시고
　내 힘으로 이룬 것이 먹어도 맛이로다
　㉡이 밖에 천사만종(千駟萬鍾)*을 부러 무엇하리오
　　　　　　　　　　　　　　　　　　　　<제4곡>

　밤에는 새끼를 꼬고 저녁엔 띠풀을 베어
　초가집 잡아매고 농기(農器) 좀 손 보아라
　내년에 봄 온다 하거든 결의 종사* 하리라
　　　　　　　　　　　　　　　　　　　　<제5곡>
　　　　　　　　　　　　　　　－ 이휘일, 「저곡전가팔곡」 －

*입립신고 : 낟알 하나하나에 어린 수고로움.
*천사만종 : 많은 말이 끄는 수레, 높은 봉록.
*결의 종사 : 그 참에 바삐 일함.

(나)

　불어오는 봄바람이 봄볕을 부쳐내니
　지저귀는 새소리는 노래하는 소리이니
　곱디고운 수풀 꽃은 웃음을 머금었다
　이곳에 앉아보고 저곳에 앉아보니
　㉢골 안의 맑은 향기 지팡이에 묻었구나
　봄빛 반짝 흩어 날고 초목이 무성하니
　푸른빛은 그늘 되어 나무 아래 어리었고
　하늘의 빛난 구름 골짜기에 잠겼으니
　송정에서 긴 잠은 더위도 모르더라
　먼 하늘은 맑디맑고 기러기는 울어 예니
　양쪽 언덕 단풍 숲은 비단처럼 비치거늘
　㉣일대의 강 그림자 푸른 유리 되었구나
　국화를 잔에 띄워 무지개를 맞아 오니
　이 작은 즐거움은 세상모를 일이로다

　하늘 높이 부는 바람 고요하고 쓸쓸하여
　나뭇잎 다 진 후에 산계곡이 삭막하고
　섣달그믐 조화 부려 백설을 나리오니
　수많은 산봉우리가 경요굴이 되었거늘
　눈썹이 솟구치고 눈동자를 높이 뜨니
　끝없는 설경은 시의 제재가 되었으니
　세상 물정을 모르니 추위를 어이 알까
　　　　　　　　　　(중략)

　깨끗하고 맑은 바람 실컷 쏘인 후에
　대여섯 아이들과 노래하며 돌아오니
　옛사람 기상에 미칠까 못 미칠까
　옛일을 떠올리니 어제인 듯하다마는
　깨끗한 풍채를 꿈에서나 얻어 볼까
　옛사람 못 보거든 지금 사람 어이 알고
　이 몸이 늦게 나니 애통함도 쓸 데 없다
　산새와 산꽃을 내 **벗으로** 삼아두고
　경치를 만끽하며 **생긴 대로 노는 몸**이
　공명을 생각하며 빈천을 설워할까
　단사표음이 내 분이니 세월도 한가하네
　이 계곡 경치를 싫도록 거느리고
　백 년 세월을 노닐다가 마치리라
　㉤아이야 사립문 닫아라 세상 알까 하노라
　　　　　　　　　　　　　　　－ 정훈, 「용추유영가」 －

44. ㉠~㉤에 대한 설명으로 적절한 것은?

① ㉠: 의문형 어미를 사용하여 과거의 삶을 자책하는 마음을 드러내고 있다.

② ㉡: 설의적 표현을 사용하여 부정적 현실에 대한 화자의 안타까움을 강조하고 있다.

③ ㉢: 시각적 심상을 사용하여 성현의 삶을 지향하는 화자의 심리를 나타내고 있다.

④ ㉣: 비유적 표현을 사용하여 역동적인 자연의 모습을 강조하고 있다.

⑤ ㉤: 명령형 어미를 사용하여 세상과 단절하려는 화자의 의지를 드러내고 있다.

6분 | 2020학년도 11월 학평 42~45번 | ★★★ | 정답 041쪽

【1~4】 다음 글을 읽고 물음에 답하시오.

고전 시가에는 둘 이상의 인물이 서로의 의견을 교환하는 대화체로 구성된 작품들이 있다. 이들 작품 속에 나타나는 대화 양상은 임진왜란을 전후로 하여 차별성을 보이는데, 아래 작품들은 그 차별성을 확인할 수 있는 사례에 해당한다.

송강 정철은 1585년 당쟁으로 조정에서 물러나 창평에서 머물며 (가)를 지었다.

(가)

뎨가는 뎌각시 본듯도 흔뎌이고
천상 백옥경(白玉京)을 엇디흐야 이별흐고
㉠ 히다뎌 겨믄날의 눌을보라 가시는고
어와 네여이고 이 내 스셜 드러보오
내얼굴 이거동이 님괴얌즉* 흔가마는
엇딘디 날보시고 네로다 녀기실시
나도 님을미더 군쁘디 전혀업서
이리야* 교틱야 어즈러이 흐돗썬디
반기시는 눗비치 녜와엇디 다른신고
누어 싱각흐고 니러안자 혜여흐니
내몸의 지은죄 뫼그티 싸혀시니
하놀히라 원망흐며 사룸이라 허믈흐랴
셜워 플텨혜니 조믈의 타시로다
        (중략)
어와 허스로다 이님이 어딕간고
결의 니러안자 창을열고 브라보니
어엿븐 그림재 날조출 샌이로다
출하리 싀여디여* 낙월이나 되야이셔
님겨신 창안히 번드시 비최리라
㉡ **각시님 둘이야 크니와 구준비나 되쇼셔**

                        ─정철, 「속미인곡」─

* 괴얌즉: 사랑받음직.
* 이리야: 아양이며.
* 싀여디여: 죽어져서.

(가)는 작품 전체가 두 인물의 대화로 구성되어 있다고 볼 수 있다. 이들의 대화는 서로 대등한 비중으로 이루어지지 않고, 한 인물의 사설이 작품의 대부분을 차지하며 대화를 주도한다. 반면 다른 한 인물은 질문을 통해 상대방의 사설을 이끌어내거나, 상대방의 사설에 의견을 덧붙여 첨언을 하는 등 보조적 역할만을 담당한다. 이러한 대화체의 경우, 주도적 인물의 사설은 작자의식을 드러내고, 보조적 인물의 사설은 작자의식을 강조하는 기능을 한다. 그래서 작품의 대화는 어느 정도 통합된 주제로 나타나는데, 이러한 대화체를 '닫힌 대화체'라고 한다. ⓐ (가)에서 작자는 정치적 반대 세력에 의해 임금이 있는 조정을 떠난 상황에서 자신의 태도와 정서를 닫힌 대화체를 통해 드러내고 있다. 이를 통해 작자는 자신이 처한 상황에 대해 자책하고 나아가 이를 자신의 운명으로 받아들이고 있음을 확인할 수 있다. 또한 임금 곁에 머물 수 없는 상황에 대해 탄식하면서도 임금에 대한 변치 않는 충정을 드러내고 있음을 확인할 수 있다.

한편 임진왜란 이후에는 이전의 대화 양상과 다른 새로운 대화체가 등장하였는데, 1661년에 임유후가 지은 (나)를 그 예로 들 수 있다.

(나)

┌ 녹양방초(綠楊芳草) 안의 소 먹이난 아해들아
│ 인간영락(人間榮樂)*을 아난다 모라난다
│ **인생 백년이 풀끗에 이슬이라**
│ 삼만 육천일을 다사라도 초초(草草)커든*
│ 수단(修短)이 명(命)이어니 사생(死生)을 결(缺)할소냐
[A] **생애는 유한(有限)하되 사일(死日)은 무궁(無窮)하다**
│ 역려건곤(逆旅乾坤)*의 부유(蜉蝣)*가티 나왔다가
│ 공명(功名)도 못 일우고 초목(草木)가티 썩어디면
│ **공산백골(空山白骨)*이 긔 아니 늣거오냐***
│   (중략)
│ 입신양명(立身揚名)을 헴 밧고 더뎌두고
└ **연교(煙郊) 초야(草野)*의 소치기만 하나산다**

┌ 목동(牧童)이 대답하되
│ 어와 긔 뉘신고 우은 말삼 듯건디
│ 형용이 고고(枯槁)하니 초대부(楚大夫) 삼려(三閭)*신가
│ 잔혼(殘魂)이 영락(零落)하니 유학사(柳學士) 자후(子厚)*신가
│ 일모(日暮) 수죽(修竹)의 혼자 어득 셔 겨오셔
│ ㉢ **내 근심 더뎌 두고 남의 분별(分別) 하시는고**
│   (중략)
[B] 기산(箕山)*의 귀 씻기와 상류(上流)의 소 먹이기
│ ㉣ **즐겁고 즐거오믈 너해난 모라리라**
│ **내 노래** 한 곡조랄 불너든 드러보소
│ 장안(長安)을 도라보니 풍진(風塵)이 아득하다
│ ㉤ **부귀(富貴)는 부운(浮雲)이오 공명(功名)은 와각(蝸殼)*이라**
└ 이 퉁소 한 곡조의 행화촌(杏花村)*을 차자리라

                        ─임유후, 「목동문답가」─

* 인간영락: 인간 생활이 영화롭고 즐거움.
* 초초커든: 갖출 것을 다 갖추지 못하여 초라하거든.
* 역려건곤: 덧없고 허무한 세상.
* 부유: 하루살이.
* 공산백골: 아무것도 이루지 못하고 죽음에 이름을 비유하는 말.
* 늣거오냐: 마음에 북받칠까.
* 연교 초야: 시골 들판.
* 삼려: 굴원, 초나라 충신이었으나 참소로 쫓거나 비극적인 죽음을 맞이한 시인.
* 자후: 유종원, 당나라 개혁에 실패하고 지방 벼슬을 전전한 철학자.
* 기산: 요임금 때 소부와 허유가 공명을 피해 은거했다는 산.
* 와각: 알맹이가 비어 있는 달팽이 껍질.
* 행화촌: 안빈낙도의 이상향.

(나)는 (가)와 달리 '목동이 대답하되'를 중심으로 상호 대립적인 입장을 대표하는 두 인물의 의견이 [A]와 [B]로 대등하게 병치되어 있다. ⓑ [A]의 인물은 인생이 유한하여 허무한 것이라고 여긴다. 그렇기 때문에 부귀공명이나 입신양명과 같은 인간영락을 추구하는 삶이 가치 있다고 강조하며, 대화 상대의 삶의 방식에 대해 질책하고 있다. 이에 대해 [B]의 인물은 물음을 통한 상대방의 간섭에 대해 반문하고, 상대방의 삶의 방식을 조

롱하며 자신의 삶의 방식을 과시하기도 한다. 또한 상대방의 의견에 반박하며 자연에 의탁하여 사는 삶의 가치를 강조하고 있다. 이처럼 (나)에 나타난 대화는 독자적 인물들 사이의 긴장을 유지시키며 서로의 주장을 대등한 비중으로 대립시킨다. 그래서 작자의식이 어느 한쪽으로 치우쳐 드러나지 않는데, 이러한 대화체를 '열린 대화체'라고 한다.

1. ⓐ를 바탕으로 (가)를 감상한 내용으로 적절하지 <u>않은</u> 것은?
① '천상 백옥경을 엇디ㅎ야 이별ㅎ고'에는 임금이 있는 조정을 떠난 상황이 드러나 있군.
② '내얼굴 이거동이 님괴얌즉 혼가마는'에는 정치적 반대 세력에 의해 처하게 된 자신의 상황에 대한 자책이 드러나 있군.
③ '셜워 플텨혜니 조물의 타시로다'에는 자신의 상황을 운명으로 받아들이는 모습이 드러나 있군.
④ '어엿븐 그림재 날조촐 뿐이로다'에는 임금 곁에 머물 수 없는 상황에 대한 탄식이 드러나 있군.
⑤ '출하리 싀여디여 낙월이나 되야셔'에는 임금에 대한 변치 않는 충정이 드러나 있군.

2. ⓑ를 참고하여 [A]를 이해한 내용으로 적절하지 <u>않은</u> 것은?
① '소 먹이난 아해들아'와 같은 부름의 표현을 활용하여 대화의 상대를 밝히고 있다.
② '인생 백년이 풀끗에 이슬이라'와 같은 비유적 표현을 활용하여 인생의 허무함을 형상화하고 있다.
③ '생애는 유한하되 사일은 무궁하다'와 같은 대구의 표현을 활용하여 인간영락을 추구해야 하는 이유를 제시하고 있다.
④ '공산백골이 긔 아니 늣거오냐'와 같은 물음의 표현을 활용하여 공명을 추구하지 않은 삶의 결과를 보여주고 있다.
⑤ '연교 초야의 소치기만 하나산다'와 같은 반어적 표현을 활용하여 상대방의 삶의 방식에 대한 질책을 드러내고 있다.

3. '닫힌 대화체'와 '열린 대화체'의 대화 양상을 중심으로 ㉠ ~ ㉤에 대해 보인 학생의 반응으로 적절하지 <u>않은</u> 것은? [3점]
① ㉠에서는 보조적 인물의 질문을 통해, 주도적 인물의 사설을 이끌어내는 '닫힌 대화체'의 특징을 엿볼 수 있겠군.
② ㉡에서는 보조적 인물의 첨언을 통해, 주도적 인물의 사설에 담긴 작자의식을 강조하는 '닫힌 대화체'의 특징을 엿볼 수 있겠군.
③ ㉢에서는 상대방에 대한 반문을 통해, 독자적 인물들의 대화를 단일한 주제로 통합시키는 '열린 대화체'의 특징을 엿볼 수 있겠군.
④ ㉣에서는 상대방에 대한 조롱 섞인 과시를 통해, 독자적 인물들 사이의 긴장을 유지시키는 '열린 대화체'의 특징을 엿볼 수 있겠군.
⑤ ㉤에서는 상대방에 대한 반박을 통해, 독자적 인물들의 주장을 대등하게 대립시키는 '열린 대화체'의 특징을 엿볼 수 있겠군.

4. (가)의 [내 소셜]과 (나)의 [내 노래]에 대한 설명으로 가장 적절한 것은?
① '내 소셜'을 통해 자신이 한 일에 대한 성찰을, '내 노래'를 통해 자신이 한 일에 대한 후회를 드러내고 있다.
② '내 소셜'을 통해 자신의 문제를 극복하려는 의지를, '내 노래'를 통해 자신의 신세에 대한 한탄을 드러내고 있다.
③ '내 소셜'을 통해 자신이 현재 느끼고 있는 흥취를, '내 노래'를 통해 자신이 과거에 느꼈던 흥취를 드러내고 있다.
④ '내 소셜'을 통해 자신이 처한 상황의 변화를, '내 노래'를 통해 자신이 추구했던 삶의 방식의 변화를 드러내고 있다.
⑤ '내 소셜'을 통해 자신이 현재 상황에 처한 이유를, '내 노래'를 통해 자신이 현재의 삶을 선택한 이유를 드러내고 있다.

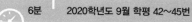
6분 2020학년도 9월 학평 42~45번 ★★☆ 정답 042쪽

【5~8】 다음 글을 읽고 물음에 답하시오.

(가)

세상의 버린 몸이 시골에서 늙어 가니
㉠ 바깥 일 내 모르고 하는 일 무엇인고
이 중의 우국성심(憂國誠心)은 풍년을 원하노라   <제1곡>

농인이 와 이르되 봄 왔네 밭에 가세
앞집의 쟁기 잡고 뒷집의 따비 내네
두어라 내 집부터 하랴 남하니 더욱 좋다   <제2곡>

여름날 더운 적의 단 땅이 불이로다
밭고랑 매자 하니 땀 흘러 땅에 떨어지네
어사와 입립신고(粒粒辛苦)* 어느 분이 아실까   <제3곡>

가을에 곡식 보니 좋기도 좋을시고
내 힘으로 이룬 것이 먹어도 맛이로다
㉡ 이 밖에 천사만종(千駟萬鍾)*을 부러 무엇하리오   <제4곡>

밤에는 새끼를 꼬고 저녁엔 띠풀을 베어
초가집 잡아매고 농기(農器) 좀 손 보아라
내년에 봄 온다 하거든 결의 종사* 하리라   <제5곡>
                        – 이휘일, 「저곡전가팔곡」 –

* 입립신고 : 낟알 하나하나에 어린 수고로움.
* 천사만종 : 많은 말이 끄는 수레, 높은 봉록.
* 결의 종사 : 그 참에 바삐 일함.

(나)

불어오는 봄바람이 봄볕을 부쳐내니
지저귀는 새소리는 노래하는 소리이니
곱디고운 수풀 꽃은 웃음을 머금었다
이곳에 앉아보고 저곳에 앉아보니
㉢ 골 안의 맑은 향기 지팡이에 묻었구나
봄빛 반짝 흩어 날고 초목이 무성하니
푸른빛은 그늘 되어 나무 아래 어리었고
하늘의 빛난 구름 골짜기에 잠겼으니
송정에서 긴 잠은 더위도 모르더라
먼 하늘은 맑디맑고 기러기는 울어 예니
양쪽 언덕 단풍 숲은 비단처럼 비치거늘
㉣ 일대의 강 그림자 푸른 유리 되었구나
국화를 잔에 띄워 무지개를 맞아 오니
이 작은 즐거움은 세상모를 일이로다
하늘 높이 부는 바람 고요하고 쓸쓸하여
나뭇잎 다 진 후에 산계곡이 삭막하고
섣달그믐 조화 부려 백설을 나리오니
수많은 산봉우리가 경요굴이 되었거늘
눈썹이 솟구치고 눈동자를 높이 뜨니
끝없는 설경은 시의 제재가 되었으니

세상 물정을 모르니 추위를 어이 알까
　　　　(중략)
깨끗하고 맑은 바람 실컷 쏘인 후에
대여섯 아이들과 노래하며 돌아오니
옛사람 기상에 미칠까 못 미칠까
옛일을 떠올리니 어제인 듯하다마는
깨끗한 풍채를 꿈에서나 얻어 볼까
옛사람 못 보거든 지금 사람 어이 알고
이 몸이 늦게 나니 애통함도 쓸 데 없다
산새와 산꽃을 내 **벗으로** 삼아두고
경치를 만끽하며 **생긴 대로 노는 몸이**
공명을 생각하며 빈천을 설워할까
단사표음이 내 분이니 세월도 한가하네
이 계곡 경치를 싫도록 거느리고
백 년 세월을 노닐다가 마치리라
ⓜ아이야 사립문 닫아라 세상 알까 하노라
　　　　　　　　　　　　－ 정훈, 「용추유영가」 －

5. (가)와 (나)의 공통점으로 가장 적절한 것은?

① 계절적 배경을 소재로 하여 시적 분위기를 조성하고 있다.
② 초월적 공간을 동경하며 부정적 현실을 극복하고 있다.
③ 인간과 자연을 대비하여 주제 의식을 부각하고 있다.
④ 과거를 회상하며 현실의 덧없음을 환기하고 있다.
⑤ 공간의 이동에 따라 내적 갈등이 고조되고 있다.

6. (가)를 이해한 내용으로 적절하지 <u>않은</u> 것은?

① <제1곡>은 '세상의 버린 몸'으로 '풍년'을 바라는 마음을 통해 정치 현실에 대한 미련을 드러낸다.
② <제2곡>은 '봄'이 오니 '밭'에 나가 서로 도와가며 일하는 모습을 통해 공동체적 삶의 태도를 드러낸다.
③ <제3곡>은 더운 여름에 '땀'을 흘려가며 '밭고랑'을 매는 모습을 통해 농사일의 고단함을 보여 준다.
④ <제4곡>은 '내 힘'으로 수확한 '곡식'에 대한 만족감을 통해 노동의 가치를 보여 준다.
⑤ <제5곡>은 '농기'를 수리하며 '봄'을 준비하는 모습을 통해 자연의 순환적 질서를 따르는 농촌의 생활을 보여 준다.

7. ㉠~㉤에 대한 설명으로 적절한 것은?

① ㉠: 의문형 어미를 사용하여 과거의 삶을 자책하는 마음을 드러내고 있다.
② ㉡: 설의적 표현을 사용하여 부정적 현실에 대한 화자의 안타까움을 강조하고 있다.
③ ㉢: 시각적 심상을 사용하여 성현의 삶을 지향하는 화자의 심리를 나타내고 있다.
④ ㉣: 비유적 표현을 사용하여 역동적인 자연의 모습을 강조하고 있다.
⑤ ㉤: 명령형 어미를 사용하여 세상과 단절하려는 화자의 의지를 드러내고 있다.

8. <보기>를 바탕으로 (나)를 감상한 내용으로 적절하지 <u>않은</u> 것은? [3점]

<보 기>
　정치·경제적으로 몰락한 향반계층에게 자연은 안빈낙도의 공간, 곧 자신의 신념을 실현할 수 있는 안식처였다. 이처럼 자연은 정신적 풍요로움을 주는 대상이었기 때문에 현실 소외에 대한 보상 공간으로서 의미가 있다고 할 수 있다.

① '이 작은 즐거움'은 '세상모를 일'이라며 자부하는 모습에는 화자에게 자연이 현실 소외에 대한 보상 공간으로서 의미가 있음이 나타나는군.
② '끝없는 설경'에서 느끼는 흥취를 '시'를 통해 표출해 내고자 하는 모습에는 자연을 정신적 풍요로움의 대상으로 여기는 화자의 인식이 나타나는군.
③ 자연을 '벗으로 삼'고 '생긴 대로 노는 몸'에는 정치·경제적으로 몰락하여 자연을 안식처로 여기며 살아가는 화자의 모습이 나타나는군.
④ '공명을 생각하'지 않고 '빈천을 설워'하지 않겠다는 모습에는 자연 속에서 자신의 신념을 지키며 살아가려는 화자의 태도가 드러나는군.
⑤ '단사표음'을 '내 분'으로 생각하니 '세월도 한가하'다고 느끼는 모습에는 삶의 단조로움을 느끼고 안빈낙도하려는 화자의 의지가 드러나는군.

[고2 국어 문학]

【9~11】 다음 글을 읽고 물음에 답하시오.

(가)

鷰子初來時	제비 한 마리 처음 날아와
喃喃語不休	지지배배 그 소리 그치지 않네
語意雖未明	말하는 뜻 분명히 알 수 없지만
似訴無家愁	집 없는 서러움을 호소하는 듯
榆槐老多穴	느릅나무 홰나무 묵어 구멍 많은데
何不此淹留	어찌하여 그곳에 깃들지 않니
燕子復喃喃	제비 다시 지저귀며
似與人語酬	사람에게 말하는 듯
榆穴鸛來啄	느릅나무 구멍은 황새가 쪼고
槐穴蛇來搜	홰나무 구멍은 뱀이 와서 뒤진다오

– 정약용, 「고시(古詩)」 –

(나)

형님 온다 형님 온다 분고개로 형님 온다
형님 마중 누가 갈까 형님 동생 내가 가지
형님 형님 사촌 형님 시집살이 어떱데까
이애 이애 그 말 마라 시집살이 개집살이
앞밭에는 당추(唐楸)* 심고 뒷밭에는 고추 심어
㉠고추 당추 맵다 해도 시집살이 더 맵더라
둥글둥글 수박 식기(食器) 밥 담기도 어렵더라
도리도리 도리소반(小盤)* 수저 놓기 더 어렵더라
㉡오 리(五里) 물을 길어다가 십 리(十里) 방아 찧어다가
아홉 솥에 불을 때고 열두 방에 자리 걷고
외나무다리 어렵대야 시아버지같이 어려우랴
나뭇잎이 푸르대야 시어머니보다 더 푸르랴
㉢시아버니 호랑새요 시어머니 꾸중새요
동세 하나 할림새요 시누 하나 뾰족새요
시아지비 뾰중새요 남편 하나 미련새요
자식 하난 우는 새요 나 하나만 썩는 샐세
귀먹어서 삼 년이요 눈 어두워 삼 년이요
말 못해서 삼 년이요 석 삼 년을 살고 나니
㉣배꽃 같던 요내 얼굴 호박꽃이 다 되었네
삼단 같던 요내 머리 비사리춤*이 다 되었네
백옥 같던 요내 손길 오리발이 다 되었네
열새 무명 반물치마* 눈물 씻기 다 젖었네
두 폭 붙이 행주치마 콧물 받기 다 젖었네
울었던가 말았던가 베갯머리 소(沼)* 이뤘네
㉤그것도 소(沼)라고 거위 한 쌍 오리 한 쌍
쌍쌍이 때 들어오네

– 작자 미상, 「시집살이 노래」 –

* 당추 : 고추의 한 종류
* 도리소반 : 둥글게 생긴 작은 밥상
* 비사리춤 : 싸리나무의 껍질
* 반물치마 : 짙은 남색 치마
* 소 : 작은 연못

9. (가)와 (나)의 공통점으로 가장 적절한 것은?

① 반어적인 표현을 사용하여 시적 정서를 부각하고 있다.
② 대화 형식을 활용하여 현실에 대한 인식을 드러내고 있다.
③ 시간의 흐름을 통해 깨달음에 이르는 과정을 제시하고 있다.
④ 감각적 이미지를 활용하여 자연의 아름다움을 드러내고 있다.
⑤ 자연물에 감정을 이입하여 대상에 대한 안타까움을 강조하고 있다.

10. ⓐ ~ ⓔ 중 (가)를 이해한 내용으로 적절하지 <u>않은</u> 것은?

> 오늘 수업 시간에 정약용의 「고시」가 조선 후기 지배층의 횡포와 피지배층의 고난을 드러낸 작품임을 배웠어. 이 작품에서 ⓐ'황새'와 '뱀'은 백성들을 괴롭히는 지배 세력을 상징하고, ⓑ'제비'는 지배 세력으로부터 착취당하는 백성들을 상징해. ⓒ피지배층의 고난은 삶의 터전마저 빼앗기는 절박한 상황으로 그려지고 있어. ⓓ그런 상황에서도 백성들은 현실에 굴하지 않는 꿋꿋한 모습을 보여. 이 작품을 통해 ⓔ작가는 당대의 부정적 현실을 우회적으로 고발하고 있어.

① ⓐ   ② ⓑ   ③ ⓒ   ④ ⓓ   ⑤ ⓔ

11. <보기>를 바탕으로 (나)를 감상한 내용으로 적절하지 <u>않은</u> 것은? [3점]

> < 보기 >
>
> 「시집살이 노래」는 고통스러운 시집살이를 하는 아녀자들의 생활을 진솔하게 표현한 민요이다. 이 작품 속 여인은 대하기 어려운 시집 식구와 과중한 가사 노동으로 인해 힘든 삶을 살고 있다. 이러한 삶 속에서 여인은 자신의 처지를 한탄하기도 하고, 체념하는 태도를 보이기도 한다.

① ㉠에서 '고추', '당추'와 비교하여 시집살이의 고통을 표현하고 있군.
② ㉡에서 '오 리'와 '십 리'를 활용하여 감당해야 할 노동이 과중함을 강조하고 있군.
③ ㉢에서 '호랑새'와 '꾸중새'를 활용하여 시아버지와 시어머니를 대하기 힘든 존재로 표현하고 있군.
④ ㉣에서 '배꽃'과 '호박꽃'을 대비하여 초라하게 변한 자신의 모습을 한탄하고 있군.
⑤ ㉤에서 '거위'와 '오리'에 빗대어 현실에 대응하지 못하고 체념하는 자신을 드러내고 있군.

총 문항				문항	맞은 문항				문항
개별 문항	1	2	3	4	5	6	7	8	9	10
채점									
개별 문항	11	12	13	14	15	16	17	18	19	20
채점									

| 6분 | 2018학년도 11월 학평 38~41번 | ★★★ | 정답 044쪽 |

【1~4】 다음 글을 읽고 물음에 답하시오.

(가)

[A]
뎨 가는 뎌 각시 본 듯도 ㅎ더이고.
텬샹(天上) 빅옥경(白玉京)을 엇디ㅎ야 니별(離別)ㅎ고,
히 다 뎌 져믄 날의 눌을 보라 가시는고.
어와 네여이고 내 스셜 드러 보오.
내 얼굴 이 거동이 님 괴얌 즉ㅎ가마는
엇딘디 날 보시고 네로다 녀기실ㅣ
나도 님을 미더 군뜨디 젼혀 업서
이리야 교틱야 어즈러이 구돗던디
반기시는 눗비치 녜와 엇디 다ㄹ신고.
누어 싱각ㅎ고 니러 안자 혜여ㅎ니
내 몸의 지은 죄 뫼ㄱ티 빠혀시니
하늘히라 원망ㅎ며 사름이라 허믈ㅎ랴
셜워 플텨 혜니 조믈(造物)의 타시로다.

<중략>

모쳠(茅簷) 춘 자리의 밤듕만 도라오니
반벽쳥등(半壁靑燈)은 눌 위ㅎ야 불갓는고.
오ㄹ며 느리며 헤쓰며 바니니
져근덧 역진(力盡)ㅎ야 풋줌을 잠간 드니
졍셩(精誠)이 지극ㅎ야 꿈의 님을 보니
옥(玉) ㄱ튼 얼굴이 반(半)이나마 늘그셰라.
무음의 머근 말숨 슬ㅋ장 숣쟈 ㅎ니
눈믈이 바라 나니 말인들 어이ㅎ며
졍(情)을 못다ㅎ야 목이조차 몌여ㅎ니
오뎐된 ⓐ계셩(鷄聲)의 줌은 엇디 ㅣ돗던고.
어와, 허ㅅ(虛事)로다. 이 님이 어딕 간고.
결의 니러 안자 창(窓)을 열고 브라보니
어엿븐 그림재 날 조츨 뿐이로다.
출하리 싀여디여 낙월(落月)이나 되야이셔
님 겨신 창(窓) 안히 번드시 비최리라.
각시님 둘이야ㅋ니와 구즌 비나 되쇼셔.

– 정철, 「속미인곡」 –

(나)

[B]
봄은 오고 또 오고 플은 플으고 또 플으니
나도 이 봄 오고 이 플 프르기 ㄱ티
어느날 고향(故鄕)의 도라가 노모(老母)쯰 뵈오려뇨. <1수>

친년(親年)*은 칠십오(七十五) ㅣ오 영로(嶺路)*는 수천리
(數千里)오
도라갈 기약(期約)은 가도록 아득ㅎ다.
아마도 줌 업슨 즁야(中夜)의 눈믈 계워 셜웨라. <2수>

ⓑ기럭이 아니 느니 편지(片紙)를 뉘 젼(傳)ㅎ리
시름이 ㄱ득ㅎ니 꿈인들 이룰손가
매일(每日)의 노친(老親) 얼굴이 눈의 삼삼(森森)ㅎ야라. <6수>

동산(東山)을 올라 보니 고국(故國)도 멀셔이고
태행(太行)이 어드메오 구룸이 머흐레라.
갈스록 애일촌심(愛日寸心)*이 여림심연(如臨深淵)* ㅎ여라. <7수>

내 죄(罪)를 아옵거니 유찬(流竄)이 박벌(薄罰)*이라
지처(至處) 성은(聖恩)을 어이 ㅎ야 갑스올고
노친(老親)도 플텨 혜시고 하 그리 마오쇼셔. <10수>

하늘이 놉흐시나 느즌 듸를 드르시닉
일월(日月)이 갓가오샤 하토(下土)의 비최시닉
아므라타 우리 모자지정(母子至情)을 슬피실 제 업스오랴. <11수>

– 이담명, 「사노친곡」 –

*친년: 어머님 연세.
*영로: 고갯길.
*애일촌심: 부모님을 모실 시간이 흐르는 것을 안타까워하는 마음.
*여림심연: 깊은 못 가에 있는 듯 조심스러움.
*유찬이 박벌: 죄가 너무 커서 귀양 보내는 일이 오히려 가벼운 처벌임.

1. [A]와 [B]에 대한 설명으로 가장 적절한 것은?
① [A]와 달리 [B]는 직유법을 사용하여 대상의 속성을 드러내고 있다.
② [B]와 달리 [A]는 대구법을 사용하여 운율을 형성하고 있다.
③ [A]와 [B]는 모두 설의적 표현을 사용하여 의미를 강조하고 있다.
④ [A]와 [B]는 모두 의성어를 활용하여 대상의 생동감을 드러내고 있다.
⑤ [A]와 [B]는 모두 의인법을 활용하여 대상을 친근하게 드러내고 있다.

2. <보기>를 바탕으로 (가)와 (나)를 감상한 내용으로 적절하지 않은 것은? [3점]

< 보 기 >
정쟁(政爭)으로 인한 낙향이나 유배는 많은 문학 작품 창작의 계기가 되었다. 이러한 작품에 드러난 그리움과 원망의 정서는 충과 효를 적극적으로 실현할 수 없는 작가의 처지에서 기인한다. 그리움은 이별의 슬픔, 임금에 대한 연모와 감사, 가족에 대한 염려 등으로 표출되며 이 과정에서 우의적 형상화가 나타나기도 한다. 또한 원망은 정치적 반대 세력에 대한 울분, 자신을 잊은 임금에 대한 서운함, 죄를 지은 자신에 대한 자책 등으로 드러난다.

① (가)는 임금을 떠난 작가의 처지를 '님'을 잃은 여인의 모습으로 설정함으로써 군신 관계를 우의적으로 형상화하여 드러내고 있군.
② (나)는 '노모'와의 거리감을 '영로는 수천리'로 나타내어 작가가 유배지에서 느끼는 가족과의 이별의 슬픔을 드러내고 있군.
③ (가)는 '내 몸의 지은 죄'를 생각하며 자신의 잘못을 탓하는 모습을, (나)는 '유찬이 박벌'이라며 자신이 지은 죄를 인정하는 모습을 드러내고 있군.
④ (가)는 '셜워 플텨 혜'는 모습에서 임금에 대한 서운함을, (나)는 '구룸'이 험한 모습에서 정치적 반대 세력에 대한 울분을 드러내고 있군.
⑤ (가)는 죽어서 '낙월'이 되고 싶어하는 모습을 통해 임금에 대한 연모를, (나)는 '성은'을 생각하는 모습을 통해 임금에 대한 감사를 드러내고 있군.

3. (나)에 대해 이해한 내용으로 적절하지 <u>않은</u> 것은?

① <1수>의 '봄은 오고 또 오'는 것에서 <2수>의 '도라갈 기약'이 실현될 것이라는 화자의 확신이 드러나는군.

② <2수>의 '즁야'에 '줌'을 이루지 못하고 흘리는 '눈물'을 통해 화자의 시름이 드러나는군.

③ <2수>의 '친년은 칠십오'라는 것을 떠올리는 모습과 <7수>의 '갈수록 애일촌심'을 느끼는 모습에서 화자의 근심이 드러나는군.

④ <6수>의 '매일' '노친 얼굴'을 떠올리는 모습과 <7수>의 '동산을 올라' '고국'을 바라보는 행위에는 화자의 간절함이 드러나는군.

⑤ <11수>의 '모자지정을 슬피실' 때가 있으리라고 생각하는 것에서 화자의 기대감이 드러나는군.

4. ⓐ와 ⓑ의 공통점으로 가장 적절한 것은?

① 화자의 소망을 실현시켜 주는 소재이다.

② 화자의 감정이 이입되어 있는 소재이다.

③ 화자가 추구하는 이상향을 드러내는 소재이다.

④ 자연에 대한 화자의 경외감을 보여주는 소재이다.

⑤ 화자가 처한 현실 상황을 깨닫게 하는 소재이다.

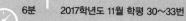

6분 │ 2017학년도 11월 학평 30~33번 │ ★★☆ │ 정답 046쪽

【5~8】 다음 글을 읽고 물음에 답하시오.

(가)

가사(歌辭)는 두 마디씩 짝을 이루는 율문의 구조만 갖추면 내용은 무엇이든지 노래할 수 있었던 양식이다. 시조의 형식이 간결한 것에 비해 가사는 복잡한 체험을 두루 표현할 수 있을 만큼 길어질 수 있었다. 그래서 시조를 길이가 짧다는 의미에서 '단가(短歌)'라고 부르던 것과 구별하여 가사는 '장가(長歌)'라고도 불렀다. 조선 시대의 가사는 보통 15세기부터 16세기까지의 전기 가사와 17세기부터 19세기 전반까지의 후기 가사로 구분된다.

전기 가사는 대체로 사대부들에 의해 지어졌다. 관직에 있지 않은 사대부들은 자연에 묻혀 지내면서 자연에 대한 흥취나 자신들이 중요시 여기던 가치관을 가사를 통해 드러냈다. 그 구체적인 모습으로 안빈낙도(安貧樂道)를 표방하기도 했으며, 이러한 경향이 '강호시가(江湖詩歌)'라는 한 유형을 형성하기도 하였다. 강호시가는 강호의 삶을 표방하기 위해 자연의 아름다움을 강조하고, 자연에서 느끼는 일체감을 드러냈다. 여기서 자연이라는 공간은 속세와의 대비에서 그 의미가 구체화된다.

그런데 임진왜란을 경계로 하는 17세기 무렵부터의 후기 가사에 오면 몇 가지 변화가 생긴다. 작자층의 확대, 제재의 변화, 대상을 보는 시각의 다변화, 표현 방식의 다양화 등이 그것인데 이런 변화는 서로 밀접한 관계 속에서 형성된 것들이었다. 사대부로 제한되었던 가사의 작자층이 확대되자 다양한 관심사가 가사 작품으로 형상화되었고, 각각의 삶이 다른 만큼 대상을 바라보는 시각도 변화하게 되었다. 이러한 현상은 경건한 태도로 사물을 바라보고 형상화하던 데에서 나아가 풍자적이고 희화적인 방식으로 사물을 바라보고 표현하는 작품을 등장하게 하였고, 서민의 삶의 어려움이나 그들의 바람을 드러내는 작품을 등장하게 하기도 하였다. 또한 후기 가사는 체험한 일을 구체적으로 형상화하는 것을 중시하고, 이념적인 삶보다 현실의 문제를 가사의 제재로 전면에 내세우게 되었는데, 이러한 변화는 조선 전기와 후기의 사회를 구분해 주는 특징이기도 하다.

(나)

엇그제 겨울 지나 새봄이 도라오니

도화행화(桃花杏花)는 석양리(夕陽裏)예 퓌여 잇고

녹양방초(綠楊芳草)는 **세우** 중(細雨中)에 프르도다

칼로 몰아 낸가 붓으로 그려 낸가

조화신공(造化神功)이 물물(物物)마다 헌스롭다

수풀에 우는 새는 춘기(春氣)를 뭇내 계워

소리마다 교태(嬌態)로다

물아일체(物我一體)어니 흥(興)이이 다룰소냐

시비(柴扉)예 거러 보고 정자(亭子)애 안자 보니

소요음영(逍遙吟詠)*ᄒ야 산일(山日)이 적적(寂寂)ᄒ듸

한중진미(閑中眞味)를 알 니 업시 호재로다

(중략)

송간 세로(松間細路)에 두견화(杜鵑花)를 부치 들고

봉두(峰頭)에 급피 올나 구름 소긔 안자 보니

천촌만락(千村萬落)이 곳곳이 버러 잇ᄂ

연하일휘(煙霞日輝)*ᄂ 금수(錦繡)를 재폇ᄂ 듯

엇그제 검은 들이 봄빗도 유여(有餘)홀샤

공명(功名)도 날 쯰우고 부귀(富貴)도 날 쯰우니
청풍명월(淸風明月) 외(外)예 엇던 벗이 잇스올고
단표누항(簞瓢陋巷)에 훗튼 혜음 아니 ᄒᆞᄂᆡ
아모타 백년행락(百年行樂)이 이만ᄒᆞᆫ들 엇지ᄒᆞ리
　　　　　　　　　　　　　　－ 정극인, 「상춘곡」 －

* 소요음영: 자유롭게 이리저리 슬슬 거닐며 나지막이 시를 읊조림.
* 연하일휘: 안개와 노을과 빛나는 햇살이라는 뜻으로, 아름다운 자연
　경치를 비유적으로 이르는 말.

(다)

조상 덕에 ᄒᆞ는 일이 읍중(邑中) 구실 첫재로다
드러ᄀᆞ면 **좌수별감**(座首別監)* 나ᄀᆞ셔는 풍헌감관(風憲監官)
[A] 유사장의(有司掌儀)*에 그치면 체면 보와 사양터니
애슬프다 내 시절의 원수인(怨讐人)의 모해(謀害)로서
군ᄉᆞ 강졍(降定)* 되단 말ᄀᆞ 내 ᄒᆞᆫ 몸이 허러 나니
좌우젼후 일ᄀᆞ 친쳑 ᄎᆞᆾ ᄎᆞᆼ군(充軍)* 되고고야
[B] 제사 받들 이늬 몸은 홀일업시 미와 잇고
시름 업슨 친족들은 자취업시 도망하고
여러 스름 모든 신역(身役)* 내 ᄒᆞᆫ 몸의 모두 무니
ᄒᆞᆫ 몸 신역 삼냥오전(三兩五錢) 돈피(獤皮)* 두 장 의법이라
열두 스름 업는 구실 합쳐 보면 사십육냥(四十六兩)
해마다 맞쳐 무니 석숭(石崇)*인들 당홀소냐
[C] 약간 농ᄉᆞ 젼폐ᄒᆞ고 치삼(採蔘)*ᄒᆞ려 입산(入山)ᄒᆞ여
허항영(虛項嶺)* 보퇴산(寶泰山)을 돌고 돌아 ᄎᆞᄌᆞ보니
인삼싹은 전혀 업고 오갈피잎 날 속인다
홀일업시 공반(空返)ᄒᆞ여 팔구월 고추바람
[D] 안고 도라 **입순**(入山)ᄒᆞ여 돈피 사냥 하려 ᄒᆞ고
빅두순(白頭山) 등의 지고 강 아래로 나려 가셔
싸리 껏거 누듸 치고 잎갈나무 모닥불 놓고
ᄒᆞᄂᆞ님게 축수ᄒᆞ며 산신(山神)님게 발원ᄒᆞ여
물치츌*을 갓춰 꽂고 스망*일기 원ᄒᆞ되
늬 경성이 부족ᄒᆞᆫ지 스망실이 아니 붓늬
뷘손으로 도라서니 삼지연(三池淵)이 잘 춤이라
입동(立冬) 지난 삼일(三日) 후에 밤새 **눈**이 사뭇 오니
다섯 자 깊이 벌써 너머 사오보(四五步)를 못 옴길늬
[E] 식량 다하고 옷 얇으니 압회 근심 다 떨치고
목숨 슐려 욕심ᄒᆞ여 죽기 살기 길을 허여
인가쳐를 ᄎᆞᄌᆞ오니 검천(劍川) 거리 첫목이라
첫닭 소리 이윽ᄒᆞ고 인가 적적 흔잠일네
집을 ᄎᆞᄌᆞ 드러가니 혼비빅순 반주검이
말 못하고 너머지니 더운 구들 아랫목의
송장갓치 누엇다가 정신을 차리고
두 발 끗흘 구버보니 열 ᄀᆞ락이 간 듸 업늬
　　　　　　　　　　　　－ 작자 미상, 「갑민가」 －

* 좌수별감: 향청의 우두머리와 그에 버금가는 자리에 있는 사람.
* 유사장의: 사무를 맡아보는 사람과 예식에 관한 일을 하는 사람.
* 군ᄉᆞ 강졍: 군사의 계급으로 강등됨.
* ᄎᆞᆼ군: 모자란 군역을 채움.
* 신역: 몸으로 치르는 노역.
* 돈피: 담비 종류 동물의 모피를 통틀어 이르는 말.
* 석숭: 중국 진나라 때의 부자 이름.
* 치삼: 인삼을 캠.
* 허항영: 함남 혜산군과 함북 무산군 사이에 있는 고개.
* 물치츌: 물과 채와 줄.
* 스망: 장사에서 이익을 많이 얻는 운수.

5. (가)를 이해한 내용으로 적절하지 <u>않은</u> 것은?
① 가사는 복잡한 내용을 두루 표현할 수 있는 양식이다.
② 가사는 길이가 늘어나는 것이 자유로운 시가 갈래이다.
③ 전기 가사와 후기 가사는 임진왜란을 기준으로 구분된다.
④ 가사는 두 마디씩 짝을 이룬다는 의미에서 장가라고도 불린다.
⑤ 가사의 작자층이 확대된 것과 표현 방식이 다양해진 것은 서로
　관련이 있다.

6. (가)를 바탕으로 (나)와 (다)를 이해한 것으로 적절하지 <u>않은</u>
것은? [3점]
① (나)의 화자는 자연 속에서 지내면서 '도화행화'를 감상의 대상으
　로 여기지만, (다)의 화자는 경제적 어려움에 처한 가운데 '인삼
　싹'을 생존을 위한 대상으로 여기고 있군.
② (나)의 '세우'는 봄을 맞이한 화자의 흥취를 돋우어 주는 역할을
　하지만, (다)의 '눈'은 서민으로서 화자가 겪는 삶의 고통을 심화
　하는 역할을 하는군.
③ (나)는 화자가 '봉두'에 올라서 바라본 자연의 아름다움을 형상화
　하고 있지만, (다)는 화자가 '입순'하여 체험한 일을 구체적으로
　형상화하고 있군.
④ (나)의 '공명'은 자연과 대비되는 속세에 대한 화자의 부정적 태도
　를 드러내지만, (다)의 '좌수별감'은 사대부들의 경건한 삶의 자세
　에 대한 화자의 풍자적 태도를 드러내는군.
⑤ (나)는 '단표누항'에 만족하는 화자의 모습을 통해 그의 가치관을
　보여 주지만, (다)는 화자가 '뷘손'의 상황에서 겪는 고난을 통해
　화자에게 닥친 현실의 문제를 보여 주는군.

7. (나), (다)의 표현상의 공통점으로 가장 적절한 것은?
① 설의적 표현을 통해 화자의 정서를 강조하고 있다.
② 계절적 배경을 통해 애상적 분위기를 환기하고 있다.
③ 대화의 형식을 통해 대상과의 친밀감을 드러내고 있다.
④ 대상을 의인화하여 대상의 긍정적 속성을 부각하고 있다.
⑤ 의성어를 사용하여 시적 상황을 생생하게 묘사하고 있다.

8. <보기>를 바탕으로 (다)의 [A] ~ [E]에 대해 이해한 내용으로
적절하지 <u>않은</u> 것은?

⟨ 보 기 ⟩
　<갑민가>의 '갑민'은 함경도 갑산의 백성이라는 뜻인데, 갑산
은 변방이자 오지라는 특성 때문에 유배지로 유명한 지역이다. 이
작품처럼 특정 지역을 배경으로 하는 작품은 독자에게 사실감을
부여하는데, 그 지역에서 행하는 민속을 드러내어 사실감을 높이
기도 한다. 한편 이 작품이 창작된 시기에는 신분의 이동이 많이
발생하였고, 세금을 내지 못하는 사람이 있으면 그 친족에게 세금
을 대신 물리는 족징(族徵)의 폐해가 심각했는데, 이 작품에는 이
러한 시대상이 잘 반영되어 있다.

① [A]: 갑민의 처지가 바뀌게 된 원인이 제시되어 있군.
② [B]: 갑민이 족징을 당하게 되는 과정이 드러나 있군.
③ [C]: 실제 지명을 언급하여 작품의 사실성을 높이고 있군.
④ [D]: 갑산 지역에서 돈피 사냥에 앞서 행하던 민속을 짐작할 수 있군.
⑤ [E]: 갑민이 유배를 가는 길에서 겪은 시련을 엿볼 수 있군.

[9~12] 다음 글을 읽고 물음에 답하시오.

(가)

　조선시대 시조 문학의 주된 향유 계층은 사대부들이었다. 그들은 '사(士)'로서 심성을 수양하고 '대부(大夫)'로서 관직에 나아가 정치 현실에 참여하는 것을 이상으로 여겼다. 세속적 현실 속에서 나라와 백성을 위한 이념을 추구하면서 동시에 심성을 닦을 수 있는 자연을 동경했던 것이다. 이러한 의식의 양면성에 기반을 두고 시조 문학은 크게 강호가류(江湖歌類)와 오륜가류(五倫歌類)의 두 가지 경향으로 발전하게 되었다.

[A]
　강호가류는 자연 속에서 한가롭게 지내는 삶을 노래한 것으로, 시조 가운데 작품 수가 가장 많다. 강호가류가 크게 성행한 시기는 사화와 당쟁이 끊이질 않았던 16~17세기였다. 세상이 어지러워지자 정치적 이상을 실천하기 어려웠던 사대부들은 정치 현실을 떠나 자연으로 회귀하였다. 이때 사대부들이 지향했던 자연은 세속적 이익과 동떨어진 검소하고 청빈한 삶의 공간이자 안빈낙도(安貧樂道)의 공간이었다. 그 속에서 사대부들은 강호가류를 통해 자연과 인간의 이상적 조화를 추구하며 자신의 심성을 닦는 수기(修己)에 힘썼다.

[B]
　한편, 오륜가류는 백성들에게 유교적 덕목인 오륜을 실생활 속에서 실천할 것을 권장하려는 목적으로 창작한 시조이다. 사대부들이 관직에 나아가면 남을 다스리는 치인(治人)을 위해 최선을 다했고, 그 방편으로 오륜가류를 즐겨 지었던 것이다. 오륜가류는 쉬운 일상어를 활용하여 백성들이 일상생활에서 마땅히 행하거나 행하지 말아야 할 것들을 명령이나 청유 등의 어조로 노래하였다. 이처럼 오륜가류는 유교적 덕목인 인륜을 실천함으로써 인간과 인간이 이상적 조화를 이루고, 이를 통해 천하가 평화로운 상태까지 나아가는 것을 주요 내용으로 하였다.

　이처럼 사대부들의 시조는 심성 수양과 백성의 교화라는 두 가지 주제로 나타난다. 이는 사대부들이 재도지기(載道之器), 즉 문학을 도(道)를 싣는 수단으로 보는 효용론적 문학관에 바탕을 두었기 때문이다. 이때 도(道)란 수기의 도와 치인의 도라는 두 가지 의미를 지니는데, 강호가류의 시조는 수기의 도를, 오륜가류의 시조는 치인의 도를 표현한 것이라 할 수 있다.

(나)

산수간(山水間) 바위 아래 띠집을 짓노라 하니
그 모른 남들은 웃는다 한다마는
어리고 햐암*의 뜻에는 내 분(分)인가 하노라
<제1수>

보리밥 풋나물을 알맞게 먹은 후에
바위 끝 물가에 슬카지 노니노라
그 남은 여남은 일이야 부럴* 줄이 있으랴
<제2수>

누고셔 삼공(三公)*도곤 낫다 하더니 만승(萬乘)*이 이만하랴
이제로 혜어든 소부 허유(巢父許由)*가 약돗더라*
아마도 임천한흥(林泉閑興)을 비길 곳이 없어라
<제4수>

강산이 좋다 한들 내 분(分)으로 누었느냐
임금 은혜를 이제 더욱 아노이다
아무리 갚고자 하여도 하올 일이 없어라
<제6수>

－ 윤선도, 「만흥(漫興)」 －

* 햐암 : 시골에 사는 견문이 좁고 어리석은 사람.
* 부럴 : 부러워할.
* 삼공 : 삼정승.
* 만승 : 천자(天子).
* 소부, 허유 : 요임금 때 세상을 등지고 살던 인물들.
* 약돗더라 : 약았더라.

(다)

㉠님금과 백성 사이 하늘과 땅이로되
나의 셜운 일을 다 알려고 하시거든
우린들 살진 미나리를 혼자 엇디 머그리
<제2수>

어버이 사라신 제 셤길 일란 다하여라
다나간 후(後)면 애닯다 엇디하리
㉡평생(平生)애 고텨 못할 일이 이뿐인가 하노라
<제4수>

남으로 삼긴 중의 벗같이 유신(有信)하랴
㉢나의 왼* 일을 다 닐오려 하노매라
이 몸이 벗님 아니면 사람 되미 쉬울가
<제10수>

㉣비록 못 니버도 남의 옷을 앗디 마라
비록 못 먹어도 남의 밥을 비디 마라
㉤한적곳* 때 시른* 후면 고텨 씻기 어려우리
<제14수>

－ 정철, 「훈민가(訓民歌)」 －

* 왼 : 그른. 잘못된.
* 한적곳 : 한 번이라도.
* 때 시른 : 때가 묻은.

9. (가)를 이해한 내용으로 가장 적절한 것은?

① 사대부들은 강호가류를 통해 인간과 자연의 이상적 조화를 지향했다.
② 사대부들은 강호가류보다 오륜가류의 창작에 더욱 힘쓰는 모습을 보였다.
③ 사대부들은 치인보다 수기를 더 중요한 덕목으로 여기며 시조를 창작했다.
④ 사대부들은 오륜가류와 달리 효용론적 문학관에 바탕을 두고 강호가류를 창작했다.
⑤ 사대부들은 사화와 당쟁으로 어지러운 정치 현실을 벗어나기 위해 오륜가류를 창작했다.

10. [A]와 <보기>를 참고하여 (나)를 이해한 내용으로 적절하지 않은 것은? [3점]

> ─────────< 보 기 >─────────
> 전남 해남에는 고산 윤선도의 흔적들이 곳곳에 남아 있다. 그중에서도 금쇄동은 윤선도가 오랜 유배 생활을 끝내고 돌아와 은거했던 공간이다. 그는 혼탁한 정치 현실을 떠나 그곳에서 십여 년간 자연을 즐기며 생활하였다. 하지만 그 가운데도 군신의 도리를 잊지 않았다. 「만흥(漫興)」은 이러한 윤선도의 삶이 담겨 있는 작품이다.

① '띠집'은 유배 생활을 끝내고 오랫동안 은거하며 지냈던 삶의 공간으로 볼 수 있군.

② '보리밥 풋나물'은 자연 속에서 검소하면서도 청빈한 삶을 추구했음을 짐작하게 하는 소재이군.

③ '부럴 줄이 있으랴'에는 어지러운 세상을 떠나 자연 속에서의 삶에 만족하는 태도가 잘 드러나 있군.

④ '비길 곳이 없어라'에는 당시의 정치 현실이 어느 때보다 혼탁하다는 인식이 반영되어 있군.

⑤ '임금 은혜를 이제 더욱 아노이다'에서는 자연에 머물면서도 군신의 도리를 잊지 않고 있는 모습을 엿볼 수 있군.

11. [B]를 바탕으로 ㉠~㉤을 설명한 내용으로 적절하지 않은 것은?

① ㉠: 백성의 도리를 언급하기 위해 신분 차이를 밝히고 있다.

② ㉡: 백성들에게 효를 실천할 것을 권장하고 있다.

③ ㉢: 인륜을 실천하는 모습을 벗의 행위로 보여주고 있다.

④ ㉣: 일상생활에서 행하지 말아야 할 것을 강조하고 있다.

⑤ ㉤: 이상적 상황을 제시하며 치인의 도를 드러내고 있다.

12. (나)와 (다)에 대한 설명으로 적절하지 않은 것은?

① (나)의 <제1수>에는 '남들'과 '하암'을 대조하여 화자의 지향하는 바를 드러내었군.

② (나)의 <제4수>에는 '소부 허유'와 관련된 고사를 활용해 화자가 추구하는 삶을 제시하였군.

③ (다)의 <제2수>에는 '혼자 엇디 머그리'라는 명령의 어조로 교화의 의도를 드러내었군.

④ (다)의 <제4수>에는 '디나간 후면'이라고 상황을 가정하여 말하고자 하는 바를 강조하였군.

⑤ (다)의 <제14수>에는 '비록 ~ 마라'를 반복하여 전달하고자 하는 바를 효과적으로 표현하였군.

총 문항					문항	맞은 문항				문항
개별 문항	1	2	3	4	5	6	7	8	9	10
채점										
개별 문항	11	12	13	14	15	16	17	18	19	20
채점										

갈래복합

• 고2 국어 문학 •

V 갈래 복합

📌 출제 트렌드

갈래 복합 지문은 한 지문당 4~5문제씩 출제되며 지문의 길이도 긴 편이므로 문학 영역에서 차지하는 비중이 꽤 큽니다. 또한 2021학년도부터는 매 시험마다 빠지지 않고 출제되는 필수이자 기본 유형으로 자리 잡았습니다. 고전 시가와 수필이 복합된 경우를 가장 흔하게 볼 수 있고, 종종 현대시와 고전 시가, 소설과 희곡 또는 시나리오가 함께 출제되기도 합니다. 서로 다른 갈래의 작품을 한 지문으로 엮었다는 것은 곧 작품들에 공통적인 요소가 있음을 의미합니다. 이때 글의 표현 방법이나 내용 전개 방식이 공통점이 되는 경우가 많고, 작품의 주제 의식에 공통점이 있는 경우도 있습니다. 그리고 이를 묻는 문제는 반드시 출제됩니다. 갈래 복합 지문은 문제를 풀기 전부터 어려울 것이라 생각해서 겁을 먹는 경향이 있는데, 앞서 단일 갈래에 대한 학습을 충분히 했기 때문에 복합 갈래라고 해서 특별히 더 어려울 것이라고 생각하지 않아도 됩니다.

시행	출제 지문	문제 수	난이도
2022학년도 11월 학평	이긍익, '죽창곡' / 홍우원, '노마설'	4문제 출제	★★☆
2022학년도 9월 학평	백광홍, '관서별곡' / 임춘, '동행기'	4문제 출제	★★★
2022학년도 6월 학평	이색, '부벽루' / 김득연, '산중잡곡' / 박지원, '능양시집서'	5문제 출제	★★★
2022학년도 3월 학평	우탁, '한 손에 막대 잡고~' / 작자 미상, '임이 오마 하거늘~' / 김상용, '백리금파에서'	4문제 출제	★★☆

📌 1등급 꿀팁

하나 _ 수필은 핵심 소재와 글쓴이의 생각을 파악하자.

두울 _ 시는 기본적으로 화자의 정서와 태도를 중심으로 생각하자.

세엣 _ 소설은 기본적으로 등장인물들의 관계, 갈등과 사건을 중심으로 생각하자.

네엣 _ 희곡과 시나리오는 무대 혹은 상영 장면의 연출을 전제하는 문학임을 명심하자.

다섯 _ 각 작품을 공통적으로 아우르는 주제와 분위기를 캐치하자.

여섯 _ 한 지문에만 해당하는 문제는 그 지문을 읽은 직후에 푸는 방법을 활용하여 시간을 단축하자.

일곱 _ 다양한 갈래의 작품을 함께 엮어 이해하는 종합적 사고력을 기르자.

다음 글을 읽고 물음에 답하시오.

(나)

와룡산(臥龍山) 나린 아래 반무당(半畝塘)*을 새로 여니
티끌 없는 거울에 산영(山影)이 잠겼구나
이 내의 경영(經營)하는 뜻은 그를 보려 하노라
<제1수>

도원(桃源)이 있다 하여도 예 듣고 못 봤더니
홍하(紅霞)*이 만동(滿洞)하니 이 진짓 거기로다
이 몸이 또 어떠하뇨 ⓐ무릉인(武陵人)인가 하노라
<제14수>

내 빈천(貧賤)을 보내려 한들 이 빈천 뉘게 가며
남의 부귀(富貴) 오라고 한들 저 부귀 내게 오랴
보내지도 청하지도 말오 내 분대로 하리라
<제20수>

다만 한 간 초옥(草屋)에 세간도 많기도 많구나
나하고 책하고 벼루 붓은 무슨 일인고
이 초옥 이 세간 가지고 아니 즐기고 어찌하리
<제34수>

어와 벗님네야 모두 모두 죄 오시니
이 산정(山亭)이 늙은이 오늘날 더 즐겁다
비록 임심노흑(林深路黑)*하나 마나 자주 자주 오소서
<제48수>
– 김득연, 「산중잡곡(山中雜曲)」 –

* 반무당 : 조그만 연못.
* 홍하 : 해 주위에 보이는 붉은 노을.
* 임심노흑 : 숲이 우거져 햇볕이 들지 않아 길이 어둑어둑함.

(다)

달관한 사람에게는 괴이한 것이 없으나 ⓑ속인(俗人)들에게는 의심스러운 것이 많다. 이른바 '본 것이 적으면 괴이하게 여기는 것이 많다.'는 것이다. 그러나 어찌 달관한 사람이라 해서 사물들을 일일이 찾아 눈으로 직접 보았겠는가. 한 가지를 들으면 열 가지를 눈앞에 그려보고, 열 가지를 보면 백 가지를 마음속으로 상상해 보았을 뿐이다. 천만 가지 괴기한 것들이란 도리어 사물에 잠시 붙은 것이고, 자기 자신과는 아무런 상관이 없는 것이다. 따라서 마음이 한가롭게 여유가 있으며, 사물에 응수함이 무궁무진하다.

반면 본 것이 적은 자는 해오라기를 기준으로 까마귀가 검다고 비웃고, 오리를 기준으로 학의 다리가 길다고 위태롭다고 여긴다. 그 사물 자체는 본디 괴이할 것이 없는데 저 혼자 화를 내고, 한 가지 일이라도 제 생각과 같지 않으면 만물을 모조리 모함하려 든다.

아! 저 까마귀를 보라. 그 깃털보다 더 검은 것이 없건만, 홀연 옅은 황금빛이 번지기도 하고 다시 연한 녹색을 발하기도 한다. 해가 비치면 자주색이 튀어 올라, 눈에 어른거리다가 비취색으로 바뀐다. 그렇다면 내가 그 새를 푸른 까마귀라 불러도 될 것이고, 붉은 까마귀라 불러도 될 것이다. 그 새에게는 본래 일정한 색이 없는데도, 내가 눈으로 먼저 그 색깔을 정한 것이다. 어찌 단지 눈으로만 정했으리오. 보지도 않고서 먼저 마음속으로 정해 버린 것이다.

아! 까마귀를 검은색에 가두어 두는 것만으로 충분하거늘, 다시 까마귀를 기준으로 이 세상의 모든 색을 가두어 두려는구나. 까마귀가 과연 검기는 하지만, 앞서 말한 푸른색과 붉은색이 까마귀의 검은색 중에 들어 있는 빛인 줄 누가 또 알겠는가. 검은색을 일러 어둡다고 하는 것은 비단 까마귀만 알지 못하는 것이 아니라 검은색이 무엇인지조차도 모르는 것이다. 왜냐하면 물은 검기 때문에 사물을 비출 수가 있고, 옻칠도 검기 때문에 능히 거울이 될 수 있기 때문이다. 이런 까닭에 색이 있는 것치고 빛이 있지 않은 것이 없으며, 형체가 있는 것치고 맵시가 있지 않은 것이 없다.

(중략)

세상에는 달관한 사람은 적고 속인들만 많으니, 내가 입을 다물고 말하지 않는 것이 좋을 것이다. 그럼에도 쉬지 않고 말을 하게 되는 것은 무슨 까닭인가? 아, 연암 노인이 연상각(烟湘閣)에서 쓰노라.
– 박지원, 「능양시집서(菱洋詩集序)」 –

25. ⓐ와 ⓑ를 비교하여 이해한 것으로 가장 적절한 것은?

① ⓐ는 화자에게 과거에 대한 후회를, ⓑ는 글쓴이에게 미래에 대한 기대를 유발한다.

② ⓐ는 화자가 누리는 삶에 대한 자부심을, ⓑ는 글쓴이가 경계하는 삶의 태도를 드러낸다.

③ ⓐ는 화자에게 삶에 대한 인식의 전환을, ⓑ는 글쓴이에게 구체적 행동의 변화를 가져온다.

④ ⓐ는 화자가 동경하는 세계에 대한 예찬을, ⓑ는 글쓴이가 지향하는 세계에 대한 체념을 드러낸다.

⑤ ⓐ는 화자가 인식한 현실과 이상의 괴리감을, ⓑ는 글쓴이가 발견한 사물에 대한 경외감을 드러낸다.

【1~4】 다음 글을 읽고 물음에 답하시오.

(가)

죽창(竹窓)의 병(病)이 깁고 포금(布衾)이 냉낙(冷落)ᄒ대*
돌미나리 흔줌으로 석찬(夕饌)을 ᄒ쟈터니
상 위에 그저 노코 님 싱각 ᄒᄂ 뜻은
아리ᄯ온 님의 거동(擧動) 친(親) ᄒ적 업건마는
불관(不關)ᄒ* 이 내 몸이 님을 조차 삼기오니
월노(月老)의 노(繩)*흘 민가 연분(緣分)도 하 중(重)ᄒ고
조믈(造物)이 새오던가 박명(薄命)*ᄒ도 그지업다
(중략)
이팔(二八) 방년(芳年)이 손쏩아 다ᄃ르니
십니(十里) 벽도화(碧桃花)의 구름이 머흔 속의
내 소식 님 모르고 ㉠님의 집 나 모를 제
세스(世事)의 마(魔)히 고하* 홍안(紅顔)이 복(福)이 업셔
하룻밤 놀난 우레 풍우(風雨)조차 섯거치니
뜰알픠 심근 규화(葵花) 못피여 시들거다
흔 고기 흐린 물이 왼 못을 더러인다
형극(荊棘)의 ᄯᅥ딘 불이 난혜총(蘭蕙叢)의 븟터오니*
내 얼골 고온 줄을 님이 엇디 알으시고
화공(畫工)의 붓긋ᄒ로 그려 내여 울닐 손가
연년(延年)의 가곡(歌曲)으로 씌여다가 도도올가
대가티 고든 졀(節)은 님이 더욱 모르려든
— 이긍익, 「죽창곡(竹窓曲)」 —

*포금이 냉낙ᄒ대: 이부자리가 차가운데.
*불관혼: 관계없는.
*월노의 노: 남녀의 인연을 맺어 주는 끈.
*박명: 복이 없고 팔자가 사나움.
*세스의 마히 고하: 세상일을 방해하는 장애물이 생겨.
*형극의 ᄯᅥ딘 불이 난혜총의 븟터오니: 가시덤불에 떨어진 불이 난초와 혜초 무더기에 붙으니.

(나)

숭정(崇禎) 9년 4월에, 주인이 노비 운(雲)을 시켜 마구간 바닥에 매어 엎드려 있는 말을 끌어 내오게 하고, 말에게 이르기를,
"안타깝구나, 말아. 너의 나이도 이제 많아졌고 힘도 쇠하여졌구나. 장차 너를 빨리 달리게 한즉 네가 달릴 수 없음을 알며, 장차 너를 뛰게 한즉 네가 그럴 수 없음을 안다. 내가 너에게 수레를 매어 매우 멀고 험한 길을 넘게 한즉 너는 넘어질 것이며, 내가 너에게 무거운 짐을 싣고 풀이 우거진 먼 길을 건너게 하면 너는 곧 죽을 것이다. 말이여, 장차 너를 어디에 쓰겠느냐? 너를 백정에게 주어 뼈와 살을 바르게 할까? 나는 너에게 차마 그럴 수는 없다. 장차 너를 성 안의 저자거리에 가서 팔더라도 사람들이 너에게서 무엇을 얻겠느냐? 안타깝다 말아. 나는 이제 너의 재갈을 벗기고 굴레를 풀어 놓아 네가 가고자 하는 곳을 너에게 맡길 것이니, 가거라. 나는 너에게서 취하여 쓸 것이 없구나."
라고 하니, 말은 이에 귀를 쫑그리고 듣는 것처럼 하고, 머리를 쳐들고 하소연하는 듯하며 몸을 웅크리고 오랫동안 있으나 입으로 말을 할 수는 없는 것이었다. 그러나 그의 대답을 추측컨대,

"슬프구나, 주인의 말씀이 이처럼 정성스러울까. 그러나 주인 역시 어진 사람은 아니다. 옛날 나의 나이가 아직 어려 힘이 왕성할 때, 하루에 백 리를 달렸으나 가는 것에 힘이 없지 아니하였고, 한 번 짐을 실음에 몇 석을 실었으나 나의 힘이 강하지 않은 것이 아니었다. 그리고 주인은 가난하였는데, 생각하건대 내가 아는 바로는, 쑥으로 사방의 벽을 쳤고, 쓸쓸하게 텅 빈집에는 동이에 한 말의 조를 쌓아둠이 없었고, 광주리에는 한 자의 피륙도 저장함이 없었다.
마누라는 야위어 굶주림에 울고 여러 아이들은 밥을 찾으나, 아침에는 된 죽 저녁에는 묽은 죽을 구걸하듯 빌어서 끼니를 이어갔다. 그 당시에 나는 진실로 힘을 다하여 동서로 오가고, 오직 주인의 목숨만을 생각하며 남북으로 오갔으니, 오직 주인의 목숨을 위해 멀리는 몇 천리 가까이는 몇 십 몇 백리를 짐을 싣고 달리며 짐을 싣고 뛰며 옮기기에 일찍이 감히 하루라도 편히 살지 못했으니, 나의 수고로움은 컸다고 말할 수 있을 것이다. ㉡주인집의 여러 식구의 목숨이 나로 인해 완전할 수 있었으며, 나로 말미암아 길 위에서 굶어 죽은 시체로 도랑에 빠지지 않게 되지 않았는가.
(중략)
슬프다. 내가 비록 늙었으나 오히려 좋은 밥을 먹을 수 있고, 주인이 나를 길러 줄 뜻을 더해 길러줌에 마음을 쓴다면, 경치 좋은 곳에서 나이나 세면서 한가로이 세월을 보내는 것은 기대하지 않더라도, 동쪽 교외의 무성한 풀이 내 배고픔을 달래기에 충분하며, 단 샘물은 기대하지 않더라도 남쪽 산골짜기의 맑은 물이면 나의 목마름을 풀기에 충분합니다. 쌓인 피로를 쉬고 고달픔에서 깨어나게 할 수 있으며, 흔들거리거나 넘어지지 않게 하고 피곤함에서 소생할 수 있게 하며, 힘을 헤아려 짐을 맡기고, 재주를 헤아려 일을 시키면 비록 늙더라도 오히려 능히 빠르게 떨치면서 길게 울어 주인을 위해 채찍질을 당하면서 쓰임에 대비하고 남은 목숨을 마치는 것이 나의 큰 행복입니다. 버림받는 것으로 마칠 뿐이라면 나는 곧 발굽으로 눈서리를 밟고 털로는 찬바람을 막으며 풀을 먹고 물을 마시며 애오라지 스스로 기르며 나의 천명을 완전히 한다면 도리어 나의 참된 천성에 거슬리는 것이니, 나에게 어찌 아픔이겠습니까? 감히 말씀드립니다."
주인이 이에 실의(失意)하여 탄식하며 이르기를,
"이것은 나의 잘못이로다. 말에게 무슨 죄가 있는가? 옛날에 제(齊)나라 환공(桓公)이 가다가 길을 잃었는데, 관자(管子)가 늙은 말을 풀어놓고 따라가기를 청했으니, 관자만이 오직 늙은 말을 버리지 않고 사용한 것이다. 이러한 까닭으로 능히 그 임금을 도와 천하를 제패한 것이다. 이로 말미암아 보건대 늙은 말을 어찌 소홀히 할 수 있겠는가?"
하면서, 이어 노비 운(雲)에게 명하여 이르기를,
"잘 먹이고 다만 너의 손에 욕 당함이 없도록 하라."
라고 했다.
— 홍우원, 「노마설(老馬說)」 —

1. (가)와 (나)의 공통점으로 가장 적절한 것은?
① 역설적 표현을 통해 주제의 의미를 부각하고 있다.
② 명암의 대비를 통해 대상의 특성을 나타내고 있다.
③ 공간의 이동에 따라 심리 변화의 양상을 드러내고 있다.
④ 음성 상징어를 사용하여 생동감 있게 상황을 제시하고 있다.
⑤ 의문형 어미를 사용하여 전달하고자 하는 내용을 강조하고 있다.

2. <보기>를 바탕으로 (가)를 이해한 내용으로 적절하지 <u>않은</u> 것은? [3점]

> ─────〈 보 기 〉─────
> 이 작품에는 타인의 잘못으로 인해 유배 생활을 하는 작가의 상황이 임을 그리워하는 여성 화자의 모습으로 형상화되어 있다. 화자는 자신이 처한 부정적 상황의 원인을 임이나 자기 자신에게서 찾지 않고 외부의 탓으로 돌리고 있으며, 임과 함께하지 못하는 안타까움과 임에 대한 변치 않는 마음을 노래하고 있다.

① '병이 깁고'와 '돌미나리 흔줌으로 석찬을 ᄒ쟈터니'를 통해 부정적 상황에 놓인 화자의 처지를 알 수 있겠군.
② '님의 거동 친 흔적 업건마는'과 '이 내 몸이 님을 조차 삼기오니'를 통해 화자가 타인의 잘못으로 현재 상황에 처하게 됐음을 알 수 있겠군.
③ '조믈이 새오던가'와 '세수의 마히 고하'를 통해 화자가 처한 상황의 원인을 외부의 탓으로 돌리고 있음을 알 수 있겠군.
④ '뜰알픽 심근 규화 못피여 시들거다'를 통해 임과 함께하지 못하는 화자의 안타까운 마음을 형상화했음을 알 수 있겠군.
⑤ '대가티 고든 졀은 님이 더욱 모르려든'을 통해 임에 대한 화자의 변치 않는 마음을 알 수 있겠군.

3. ㉠과 ㉡에 대한 설명으로 가장 적절한 것은?
① ㉠은 '나'와 '님'의 관계가 소원함을 드러내는 소재이고, ㉡은 '말'과 '주인'의 관계가 밀접했음을 드러내는 소재이다.
② ㉠은 '나'와 '님'의 역할이 바뀌었음을 드러내는 소재이고, ㉡은 '말'과 '주인'의 역할이 확정되었음을 드러내는 소재이다.
③ ㉠은 '나'와 '님'의 갈등이 해소되었음을 드러내는 소재이고, ㉡은 '말'과 '주인'의 갈등이 심화되었음을 드러내는 소재이다.
④ ㉠은 '나'와 '님'의 상황이 변화되었음을 드러내는 소재이고, ㉡은 '말'과 '주인'의 상황이 유지되고 있음을 드러내는 소재이다.
⑤ ㉠은 '나'와 '님'의 현실 인식이 긍정적임을 드러내는 소재이고, ㉡은 '말'과 '주인'의 현실 인식이 부정적임을 드러내는 소재이다.

4. <보기>는 (나)에 나타난 대화를 구조화한 것이다. 이에 대한 이해로 적절하지 <u>않은</u> 것은?

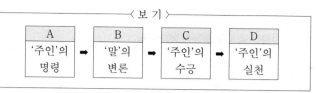

A	B	C	D
'주인'의 명령	'말'의 변론	'주인'의 수긍	'주인'의 실천

① A에서 '주인'은 '말'의 현재 상태를 근거로 '말'이 더 이상 쓸모가 없다고 판단하고 있다.
② B에서 '말'은 과거 행적을 나열하여 자신의 능력이 변하지 않았음을 근거로 A에서 '주인'이 내린 처분이 부당함을 주장하고 있다.
③ B에서 '말'은 자신을 기르고 쓸 수 있는 구체적인 방안을 제시하며 '주인'을 설득하고 있다.
④ C에서 '주인'은 늙은 말도 쓰임이 있다는 내용의 고사를 인용하여 '말'에 대한 자신의 생각이 잘못되었음을 밝히고 있다.
⑤ D에서 '주인'은 A에서 '말'에게 내린 자신의 처분을 번복하여 노비에게 '말'을 잘 보살필 것을 당부하고 있다.

【5~8】 다음 글을 읽고 물음에 답하시오.

(가)

㉠관서(關西) 명승지(名勝地)에 왕명(王命)으로 보내시매
행장을 꾸리니 칼 하나뿐이로다.
연조문(延詔門) 나가서 모화고개 넘어드니
임지로 가고픈 마음에 고향을 생각하랴.
벽제(碧蹄)에 말 갈아 임진(臨津)에 배 건너 천수원(天壽院)
돌아드니
개성(開成)은 망국(亡國)이라 만월대(滿月臺)도 보기 싫다.
황주(黃州)는 전쟁터라 가시덤불 우거졌도다.
㉡석양이 지거늘 채찍으로 재촉해 구현원을 넘어드니
생양관(生陽館) 기슭에 버들까지 푸르다.
재송정(裁松亭) 돌아들어 대동강 바라보니
십 리의 물빛과 안개 속 버들가지는 위아래에 엉기었다.
춘풍이 야단스러워 화선(畫船)*을 비껴 보니
녹의홍상 비껴 앉아 가냘픈 손으로 거문고 짚으며
붉은 입술과 흰 이로 채련곡을 부르니
신선이 연잎 배 타고 옥빛 강으로 내려오는 듯.
㉢슬프다, 나랏일 신경 쓰이지만 풍경에 어찌하리.
연광정(練光亭) 돌아들어 부벽루(浮碧樓)에 올라가니
능라도(綾羅島) 꽃다운 풀과 금수산(錦繡山) 안개 속 꽃은
봄빛을 자랑한다.
㉣천 년 평양(平壤)의 태평문물은 어제인 듯하다마는
풍월루(風月樓)에 꿈 깨어 칠성문(七星門) 돌아드니
단출한 무관 차림에 객흥(客興)* 어떠하냐.
누대도 많고 강과 산도 많건마는
백상루(百祥樓)에 올라앉아 청천강 바라보니
세 갈래 물줄기는 장하기도 끝이 없다.
하물며 결승정(決勝亭) 내려와 철옹성(鐵甕城) 돌아드니
구름에 닿은 성곽은 백 리에 벌여 있고
여러 겹 산등성이는 사면에 뻗어 있네.
사방의 군사 진영(陣營)과 웅장한 경관이 팔도에 으뜸이로다.
㉤동산에 배꽃 피고 진달래꽃 못다 진 때　┐
진영에 일이 없어 산수를 보려고　　　　　│
약산동대(藥山東臺)*에 술을 싣고 올라가니　│
눈 아래 구름 낀 하늘이 끝이 없구나.　　　│
백두산 내린 물이 향로봉 감돌아　　　　　├ [A]
천 리를 비껴 흘러 대(臺) 앞으로 지나가니　│
굽이굽이 늙은 용이 꼬리 치며 바다로 흐르는 듯.│
형승(形勝)도 끝이 없다, 풍경인들 아니 보랴.　┘

- 백광홍, 「관서별곡」 -

* 화선: 주연(酒宴)을 베풀 때에 쓰던 배.
* 객흥: 여행에서 느끼는 나그네의 흥취.
* 약산동대: 평안북도 영변군 약산에 있는 천연의 대(臺), 관서 팔경의 하나.

(나)

세상에서 산수를 얘기하는 사람들이 강동(江東) 지방을 가장 좋은 곳이라 하는데 나는 그렇게 믿지 아니하였다. 내 생각으로는, "하늘이 물(物)을 창조할 때에 어디는 좋게 어디는 나쁘게 하려는 마음이 본시부터 없었을 터이니, 어찌하여 한 쪽 지역에만 후하게 했겠는가." 하였었다. 그러다가 남쪽 지방으로

다니면서 경치가 빼어난 곳은 모조리 찾아다니며 실컷 보았다. 그리고 천하의 좋은 경치라는 것이 아마 이 이상 더 나은 곳은 없으리라고 생각하였다.

그런데 그곳을 떠나 동쪽으로 갔더니, 명주(溟州)로부터 원주(原州) 일대 풍토가 특별히 달라지는데 산은 높고 물은 더욱 맑았다. 일천 봉우리와 일만 골짜기는 서로 빼어남을 경쟁하는 듯하였다. 백성들이 그 사이에 거주하면서 비탈에서 밭을 갈고 위태롭게 거두어들이니, 완연히 특별한 세계가 따로 이루어진 듯하여, 과거에 다니며 보던 곳은 마땅히 여기에 비하여 모두 모자라고 꿀려 감히 겨룰 수가 없었다. 그리고 나서야 태초에 천지를 창조할 때에 순수하고 웅장한 기운이 홀로 어리어서 이곳이 된 줄을 알게 되었다.

[B]　죽령(竹嶺)에서 20여 리를 가면 당진(唐津)이라는 물이 있다. 아래에는 자갈이 많은데 모양이 모두 둥글고 반질반질하며 푸른 빛이 난다. 빛은 투명하여 물이 푸르게 보이며 잔잔하여 소리가 나지 아니하고, 물고기 수백 마리가 돌 사이에서 장난을 하고 있다. 좌우편은 모두 어마어마하게 깎아 세운 듯 산이 솟아서 만 길이나 될 듯한데 붉은 바탕에 푸른 채색을 올린 것처럼 보인다. 벼랑과 골짜기의 모양은 요철 같아 움푹하기도 하고 불룩하기도 하여 두둑 같기도 하고 굴 같기도 하다. 기이한 화초, 아름다운 대나무가 엇갈리게 자라서 그림자가 물밑에 거꾸로 비친다.

이러한 것은 그 대략만을 적었을 뿐이요, 그 기묘하고 수려한 점은 무어라 형언할 수가 없다. 마침내 끊어진 벼랑 어귀에서 말에서 내려 석벽(石壁)이 있던 자리에서 배를 띄웠다. 배 안에서 사람이 말을 하면 산골짜기는 모두 메아리를 친다. 곧 휘파람을 불며 노래를 부르고 스스로 만족스럽게 놀면서 하루 종일 돌아설 줄을 모르고 있었다. 어두운 저녁빛이 먼 데서부터 스며들었다. 그곳이 너무 싸늘하여 오래 머무를 수가 없기에 시(詩) 한 편을 읊어서 거기에 써놓고 그곳을 떠났다.

　푸른 물 출렁출렁 쪽빛과 같은데
　물결에 비친 푸른 절벽은 험한 바위가 거꾸로 서 있는 듯
　만리 길 정처없이 동으로 가는 나그네는
　홀로 돛대 한 폭을 가을 바람에 달고 가네

내가 동쪽으로 가면서부터 수레바퀴와 말발굽을 끌고 다닌 곳이 많았으나, 여기보다 경치가 더 좋은 곳은 없었다. 만일 서울 부근에 가까이 있었다면, 놀기 좋아하는 귀족들은 반드시 하루에 천 냥씩이라도 값을 올려 가면서 다투어 사들일 것이다. 다만 먼 지역에 떨어져 있기 때문에 오는 사람이 적고 간혹 사냥꾼이나 어부가 여기를 지나지만 별로 거들떠보지도 않는다. 이것은 반드시 하늘이 장차 여기를 숨겨 두었다가 우리 같이 궁하고 근심 있는 사람을 기다린 것일 듯하다.

명주(溟州)의 남쪽 재를 넘어서 북으로 해변에 이르니, 조그마한 성(城)이 있는데 동산(洞山)이라 한다. 민가가 사는 촌락은 쓸쓸하고 매우 궁벽하였다. 그 성에 올라서 바라보니 어스름 저녁빛이 어둑어둑하여지는데, 길 옆에 고기잡이하는 집에는 등불이 가물거렸다. 사람으로 하여금 고향을 그리워하게 하며 고장을 떠난 서글픔에 쓸쓸한 감상이 일어나서 슬픔을 자아내게 하였다.

- 임춘, 「동행기」 -

5. ㉠~㉤에 대한 이해로 적절하지 <u>않은</u> 것은?

① ㉠: 자신이 맡은 직분이 왕명에 의한 것임을 언급하며 공적인 임무를 수행하기 위해 여정을 떠나는 상황을 나타내고 있다.

② ㉡: 시간적 배경과 화자의 행동을 제시하여 여정을 서두르는 모습을 드러내고 있다.

③ ㉢: 물음의 형식을 활용하여 왕명을 따르는 것과 자연을 즐기는 것 사이의 내적 갈등을 드러내고 있다.

④ ㉣: 풍경을 과장되게 묘사하며 자신의 지난 삶에 대한 회한을 드러내고 있다.

⑤ ㉤: 계절적 배경을 나타내는 자연물을 언급한 후 경치를 즐길 수 있는 이유를 드러내고 있다.

6. (나)에 대한 설명으로 가장 적절한 것은?

① '산수'를 말하는 사람들의 말을 믿지 않음에도 불구하고 '강동 지방'을 여행하게 된 이유를 제시하고 있다.

② '남쪽 지방'의 경치를 '강동 지방'에 비해 구체적으로 소개하며 '남쪽 지방'의 경치에 대한 만족감을 진술하고 있다.

③ 과거에 자신이 다니며 보던 곳과 비교하여 '일천 봉우리와 일만 골짜기'의 풍경에 대한 감흥을 드러내고 있다.

④ 더 이상 경치를 볼 수 없는 이유를 제시하며 '석벽이 있던 자리'로 배를 타고 떠나야 하는 아쉬움을 드러내고 있다.

⑤ '서울 부근'의 경치를 언급하며 '놀기 좋아하는 귀족들'과의 갈등이 여행을 통해 해소되길 바라는 마음을 드러내고 있다.

7. [A]와 [B]를 비교한 내용으로 가장 적절한 것은?

① [A]와 [B]는 모두 자연의 광활함과 대비되는 인간의 유한성을 나타내고 있다.

② [A]와 [B]는 모두 자연물에 감정을 이입하여 자연 속에서 느끼는 흥겨움을 나타내고 있다.

③ [A]에서는 자연의 모습을 관조하고 있고, [B]에서는 자연을 통해 자신의 모습을 반성하고 있다.

④ [A]는 동적인 자연물의 모습을, [B]는 정적인 자연물의 모습을 다른 대상에 빗대어 드러내고 있다.

⑤ [A]는 지상에서 하늘로, [B]는 원경에서 근경으로 시선을 이동하며 다채로운 자연의 모습을 보여 주고 있다.

8. <보기>를 참고하여 (가)와 (나)를 감상한 내용으로 적절하지 <u>않은</u> 것은? [3점]

<보 기>

다양한 공간을 비교적 긴 시간 동안 여행한 경험을 다루고 있는 사대부들의 기행 문학에서 각각의 장면은 여정이나 경치를 제시하는 경(景)과 경치에서 촉발된 흥취나 안타까움 등의 주관적 정서인 정(情), 그리고 경치에 대한 품평이나 자연 현상에 대한 해석과 같이 작가가 펼치는 평가나 주장이 논리적으로 드러나는 의(議)의 반복을 통해 단절되지 않고 유기적으로 연결된다. 이때 작가의 여행 경험을 효과적으로 드러내기 위해 특정한 장소와 관련된 '정'을 상세히 제시하거나 '정'과 '의'를 생략하기도 한다.

① (가)에서 '벽제'와 '임진', '천수원'을 언급할 때 '정'과 '의'를 생략하고 '경'만 제시한 것은 화자의 여행 경험을 속도감 있게 드러내기 위한 것이겠군.

② (가)의 '청천강'을 바라보며 '장하기도 끝이 없다'라고 말하는 모습에서 여행 과정에서 화자가 마주한 '경'과 이에 대한 '정'이 연결되고 있음을 확인할 수 있겠군.

③ (나)의 '시 한 편'에 담긴 정서는 아름다운 경치를 자랑하는 '당진'을 많은 사람들에게 소개할 수 없는 현실에 대한 안타까움을 드러내는 '정'에 해당하는 것이겠군.

④ (나)의 글쓴이가 강동 지방에 대해 자신과 같은 사람들을 위해 '하늘이 장차 여기를 숨겨' 둔 곳이라 말하는 것은 뛰어난 경치를 예찬하는 '의'에 해당하는 것이겠군.

⑤ (나)의 '조그마한 성'에서 바라본 풍경은 글쓴이로 하여금 고향에 대한 그리움과 쓸쓸한 감상을 야기한다는 점에서 '정'을 유발하는 '경'에 해당하는 것이겠군.

【9~13】 다음 글을 읽고 물음에 답하시오.

(가)

昨過永明寺	어제 영명사를 지나다가
暫登浮碧樓*	잠시 부벽루*에 올랐네
城空月一片	**텅 빈 성**엔 조각달 떠 있고
石老雲千秋	천년의 **구름** 아래 바위는 늙었네
麟馬去不返	**기린마**는 떠나간 뒤 돌아오지 않으니
天孫何處遊	**천손**은 지금 어느 곳에서 노니는가
長嘯倚風磴	**돌다리**에 기대어 길게 **휘파람** 부노라
山靑江自流	**산**은 오늘도 푸르고 **강**은 절로 흐르네

– 이색, 「부벽루(浮碧樓)」 –

* 부벽루: 고구려의 수도였던 평양에 있는 누각.
* 기린마: 고구려 동명왕이 타고 하늘로 올라갔다고 전해지는 상상의 말.
* 천손: 고구려의 시조인 동명왕을 가리킴.

(나)

와룡산(臥龍山) 나린 아래 반무당(半畝塘)*을 새로 여니
티끌 없는 거울에 산영(山影)이 잠겼구나
이 내의 경영(經營)하는 뜻은 그를 보려 하노라
<제1수>

도원(桃源)이 있다 하여도 예 듣고 못 봤더니
홍하(紅霞)*이 만동(滿洞)하니 이 진짓 거기로다
이 몸이 또 어떠하뇨 ⓐ무릉인(武陵人)인가 하노라
<제14수>

내 빈천(貧賤)을 보내려 한들 이 빈천 뉘게 가며
남의 부귀(富貴) 오라고 한들 저 부귀 내게 오랴
보내지도 청하지도 말오 내 분대로 하리라
<제20수>

다만 **한 간 초옥(草屋)**에 세간도 많기도 많구나
나하고 **책**하고 **벼루 붓**은 무슨 일인고
이 초옥 이 세간 가지고 아니 즐기고 어찌하리
<제34수>

어와 벗님네야 모두 모두 죄 오시니
이 산정(山亭)이 **늙은이** 오늘날 더 즐겁다
비록 임심노흑(林深路黑)*하나 마나 자주 자주 오소서
<제48수>

– 김득연, 「산중잡곡(山中雜曲)」 –

* 반무당: 조그만 연못.
* 홍하: 해 주위에 보이는 붉은 노을.
* 임심노흑: 숲이 우거져 햇볕이 들지 않아 길이 어둑어둑함.

(다)

달관한 사람에게는 괴이한 것이 없으나 ⓑ속인(俗人)들에게는 의심스러운 것이 많다. 이른바 '본 것이 적으면 괴이하게 여기는 것이 많다.'는 것이다. 그러나 어찌 달관한 사람이라 해서 사물들을 일일이 찾아 눈으로 직접 보았겠는가. 한 가지를 들으면 열 가지를 눈앞에 그려보고, 열 가지를 보면 백 가지를 마음속으로 상상해 보았을 뿐이다. 천만 가지 괴기한 것들이란 도리어 사물

에 잠시 붙은 것이고, 자기 자신과는 아무런 상관이 없는 것이다. 따라서 마음이 한가롭게 여유가 있으며, 사물에 응수함이 무궁무진하다.

반면 본 것이 적은 자는 해오라기를 기준으로 까마귀가 검다고 비웃고, 오리를 기준으로 학의 다리가 길다고 위태롭다고 여긴다. 그 사물 자체는 본디 괴이할 것이 없는데 저 혼자 화를 내고, **한 가지 일이라도 제 생각과 같지 않으면 만물을 모조리 모함하려 든다.**

아! 저 까마귀를 보라. 그 깃털보다 더 검은 것이 없건만, 홀연 옅은 황금빛이 번지기도 하고 다시 연한 녹색을 발하기도 한다. 해가 비치면 자주색이 튀어 올라, 눈에 어른거리다가 비취색으로 바뀐다. 그렇다면 내가 그 새를 **푸른 까마귀**라 불러도 될 것이고, **붉은 까마귀**라 불러도 될 것이다. 그 새에게는 본래 **일정한 색이 없는데도**, 내가 **눈**으로 먼저 그 색깔을 정한 것이다. 어찌 단지 눈으로만 정했으리오. 보지도 않고서 먼저 **마음속으로** 정해 버린 것이다.

아! 까마귀를 검은색에 가두어 두는 것만으로 충분하거늘, 다시 까마귀를 기준으로 이 세상의 모든 색을 가두어 두려는구나. 까마귀가 과연 검기는 하지만, 앞서 말한 푸른색과 붉은색이 까마귀의 검은색 중에 들어 있는 빛인 줄 누가 또 알겠는가. **검은색을 일러 어둡다고 하는 것**은 비단 까마귀만 알지 못하는 것이 아니라 검은색이 무엇인지조차도 모르는 것이다. 왜냐하면 **물**은 검기 때문에 사물을 비출 수가 있고, 옻칠도 검기 때문에 능히 거울이 될 수 있기 때문이다. 이런 까닭에 색이 있는 것치고 빛이 있지 않은 것이 없으며, 형체가 있는 것치고 맵시가 있지 않은 것이 없다.

(중략)

세상에는 **달관한 사람**은 적고 속인들만 많으니, 내가 **입을 다물고 말하지 않는 것**이 좋을 것이다. 그럼에도 **쉬지 않고 말을 하게 되는 것**은 무슨 까닭인가? 아, 연암 노인이 연상각(烟湘閣)에서 쓰노라.

– 박지원, 「능양시집서(菱洋詩集序)」 –

9. (가)의 표현상의 특징에 대한 설명으로 가장 적절한 것은?

① 문답 구조를 활용하여 시적 의미를 드러내고 있다.
② 명령형 어조를 활용하여 시적 긴장감을 높이고 있다.
③ 반어적인 표현을 활용하여 시적 상황을 구체화하고 있다.
④ 색채어의 대비를 통해 시적 대상을 생생하게 드러내고 있다.
⑤ 세월의 흐름을 시각적으로 형상화하여 시적 분위기를 조성하고 있다.

10. (나)에 대한 설명으로 적절하지 <u>않은</u> 것은?

① <제1수>: 화자는 대상이 지닌 속성을 활용하여 자신이 지향하는 가치를 드러내고 있다.
② <제14수>: 화자는 아름다운 경치에서 이상 세계의 면모를 발견하고 있다.
③ <제20수>: 화자는 세속적 가치에 집착하지 않고 자신의 분수를 지키려 하고 있다.
④ <제34수>: 화자는 자신이 소유한 것을 쓰며 즐기는 삶을 부정적으로 인식하고 있다.
⑤ <제48수>: 화자는 자신이 거처하는 곳에 사람들이 자주 오기를 희망하고 있다.

11. <보기>를 바탕으로 (가)와 (나)를 감상한 것으로 적절하지 않은 것은? [3점]

─── < 보 기 > ───

문학 작품 속 공간은 단순한 배경을 넘어 현실에 대한 인식을 드러내는 장치로 사용되기도 한다. (가)에서 부벽루는 자연과 인간사를 대비하는 퇴락한 공간으로, 역사적 전환기를 맞는 지식인이 역사의 유한함에 대해 무상감을 느끼는 장소이다. (나)에서 산중은 화자가 만족감을 누리는 공간으로, 자연 속에서 삶을 즐기며 늙어가는 장소이다.

① (가)의 '텅 빈 성'에서 인간 역사의 유한함을 느낀 화자는 '구름'과 '바위'를 바라보며 감회에 젖어 있군.
② (가)의 '돌다리'에서 '휘파람'을 부는 화자는 역사적 전환기의 지식인인 '천손'을 떠올리며 쓸쓸함을 느끼고 있군.
③ (가)의 '산'과 '강'의 변함없는 모습은 퇴락한 역사적 공간과 대비되어 화자가 느끼는 무상감을 더욱 부각하고 있군.
④ (나)의 '한 간 초옥'에서 화자는 '책', '벼루 붓'과 함께하는 생활에 만족감을 느끼고 있군.
⑤ (나)의 '산정'에 있는 화자는 스스로를 '늙은이'라 칭하며 자연 속에서 삶을 즐기고 있음을 드러내고 있군.

13. ⓐ와 ⓑ를 비교하여 이해한 것으로 가장 적절한 것은?

① ⓐ는 화자에게 과거에 대한 후회를, ⓑ는 글쓴이에게 미래에 대한 기대를 유발한다.
② ⓐ는 화자가 누리는 삶에 대한 자부심을, ⓑ는 글쓴이가 경계하는 삶의 태도를 드러낸다.
③ ⓐ는 화자에게 삶에 대한 인식의 전환을, ⓑ는 글쓴이에게 구체적 행동의 변화를 가져온다.
④ ⓐ는 화자가 동경하는 세계에 대한 예찬을, ⓑ는 글쓴이가 지향하는 세계에 대한 체념을 드러낸다.
⑤ ⓐ는 화자가 인식한 현실과 이상의 괴리감을, ⓑ는 글쓴이가 발견한 사물에 대한 경외감을 드러낸다.

12. <보기>를 바탕으로 (다)를 감상한 것으로 적절하지 않은 것은?

─── < 보 기 > ───

글쓴이는 고정 관념에 사로잡혀 사물의 다양한 현상을 제대로 살피지 못하는 태도를 비판하고 있다. 대상의 외양에 얽매이지 않고 본질적 속성을 파악해야 대상의 참모습을 인식하고 있다고 본 것이다. 이를 통해 관습적인 태도에서 벗어나 열린 사고를 지향하는 글쓴이의 통찰을 드러내고 있다.

① 자기 생각과 '한 가지 일'이라도 다르면 '만물'을 모함하려는 것은 다양성을 인정하지 못하는 태도로 볼 수 있겠군.
② 까마귀를 '푸른 까마귀'나 '붉은 까마귀'로 부르는 것이 모두 옳다고 여기는 것은 대상의 참모습을 파악하려는 태도로 볼 수 있겠군.
③ 까마귀의 '일정한 색이 없'다는 인식은 '눈'으로 정한 대상의 외양보다는 '마음속'으로 정한 본질적 속성에 주목해야 함을 강조한 것으로 볼 수 있겠군.
④ '검은색을 일러 어둡다고 하는 것'은 '물'과 '옻칠'에서 사물을 비출 수 있다는 속성을 발견하지 못하고 관습적인 태도에 머물러 있는 모습으로 볼 수 있겠군.
⑤ '달관한 사람'이 적은 현실에서 '입을 다물'기보다 '쉬지 않고 말을 하'는 것은 사물의 본질을 파악하지 못한 어리석은 사람을 깨우치려는 의도로 볼 수 있겠군.

총 문항				문항	맞은 문항				문항
개별 문항	1	2	3	4	5	6	7	8	9	10
채점										
개별 문항	11	12	13	14	15	16	17	18	19	20
채점										

7분 | 2022학년도 3월 학평 16~19번 | ★★☆ | 정답 052쪽

【1~4】 다음 글을 읽고 물음에 답하시오.

(가)

한 손에 막대 잡고 또 한 손에 가시 쥐고
늙는 길 가시로 막고 오는 백발 막대로 치려터니
백발이 제 먼저 알고 지름길로 오더라.

　　　　　　　　　　　　　　　　　- 우탁 -

(나)

임이 오마 하거늘 저녁밥을 일찍 지어 먹고
중문(中門) 나서 대문(大門) 나가 지방 위에 올라가 앉아
손을 이마에 대고 오는가 가는가 건넌 산 바라보니 거머희뜩*
서 있거늘 저것이 임이로구나. 버선을 벗어 품에 품고 신 벗어
손에 쥐고 곰비임비* 임비곰비 천방지방* 지방천방 진 데 마른
데를 가리지 말고 워렁퉁탕 건너가서 정(情)엣말 하려 하고
곁눈으로 흘깃 보니 작년 칠월 사흗날 껍질 벗긴 주추리 삼대*
가 살뜰히도 날 속였구나.
모처라 ㉠밤이기에 망정이지 행여나 낮이런들 남 웃길 뻔하
였어라.

　　　　　　　　　　　　　　　　　- 작자 미상 -

* 거머희뜩: 검은빛과 흰빛이 뒤섞인 모양.
* 곰비임비: 거듭거듭 앞뒤로 계속하여.
* 천방지방: 몹시 급하게 허둥대는 모양.
* 삼대: 삼[麻]의 줄기.

(다)

고개를 넘어, 산허리를 돌아내렸다. 산 밑이 바로 들, 들은
그저 논뿐의 연속이다. 두렁풀을 말끔히 깎았다. 논배미마다
수북수북 담긴 벼가 연하여 백리금파(百里金波)*를 이루었다.
여기저기 논들을 돌아다니는 더벅머리 떼가 있다. '우여, 우
여' 소리를 친다. 혹 '꽝꽝' 석유통을 두드리기도 한다. 참새들
을 쫓는 것이다.
참새들은 자리를 못 붙여 한다. 우선 내 옆에 있는 더벅머리
떼가 '우여' 소리를 쳤다. 참새 떼가 와르르 날아갔다. 천 마리
는 될 것 같다. 날아간 참새들은 원을 그리며 저편 논배미에
앉아 본다. 저편 애놈들은 날아 앉은 새 떼를 보았다. 깨어져
라 하고 석유통을 두들긴다. 일제히,
"우여!"
소리를 친다. 이 아우성을 질타할 만한 담력이 참새의 작은
심장에 있을 수가 없다. 참새들은 앉기가 무섭게 다시 **피곤한
나래**를 쳐야 한다. 어디를 가도 '우여 우여'가 있다. '꽝꽝'이
있다. 참새들은 쌀알 하나 넘겨 보지 못하고 **흑사병 같은** '우
여, 우여', '꽝꽝' 속을 헤매는 비운아들이다. 사실 애놈들도 **고
달플 것이다.**
나와 내 당나귀는 이 광경을 한참 바라보고 있다.
나는 나귀 등에서 짐을 내려놓고 그 속에서 오뚝이 하나를
냈다.
"얘들아, 너들 이리 와 이것 좀 봐라."
하고, 나는 '오뚝이'를 내 들고 애놈들을 불렀다.
애놈들이 모여들었다.

"얘들아, 이놈의 대가리를 요렇게 꼭 누르고 있으면 요 모양
으로 누운 채 있단 말이다. 그렇지만 한 번 이놈을 쑥 놓기
만 하면 요것 봐라, 요렇게 발딱 일어선단 말이야."
나는 두서너 번 오뚝이를 눕혔다 일으켰다 하였다.
"이것을 너들에게 줄 테다. 한데 **씨름들을 해라.** 씨름에 이
긴 사람에게 이것을 상으로 주마."
애놈들은 날래 수줍음을 버리지 못한다. 어찌어찌 두 놈을
붙여 놓았다. 한 놈이 아낭기*에 걸려 떨어졌다. 관중은 그동
안에 열이 올랐다. 허리띠를 고쳐 매고 자원하는 놈이 있다.
사오 승부가 끝났다. 아직 하지 못한 애놈들은 주먹을 쥐고 제
차례 오기를 기다렸다. 승부를 좋아하는 **저급한 정열**은 인류의
맹장 같은 운명이다.
결국 마지막 한 놈이 이겼다. 나는 씨름의 폐회를 선언하고
우승자에게 오뚝이를 주었다. 참새들은 그동안에 배가 불렀을
것이다.
이리하여, 나는 천석꾼이의 벼 두 되를 횡령하고 재산의 칠
전 가량을 손(損)하였다. 천 마리의 참새들은 ㉡오늘 밤 오래
간만에 배부른 꿈을 꿀 것이다.

　　　　　　　　　　　　　　- 김상용, 「백리금파에서」 -

* 백리금파: 백 리에 걸친 금빛 물결.
* 아낭기: 씨름 기술인 '안다리 걸기'의 평안도 사투리.

1. (가)~(다)에 대한 설명으로 가장 적절한 것은?

① (가)는 추상적 관념을 구체적 대상으로 표현하여 부조리한
사회 현실을 고발하고 있다.
② (나)는 대구의 방식을 활용하여 시적 대상이 갖고 있는 긍정
적인 속성을 예찬하고 있다.
③ (다)는 특정 대상과 대화를 주고받는 방식을 통해 지나온 삶
을 성찰하고 있다.
④ (가)와 (나)는 화자의 공간 이동에 따른 정서 변화의 추이를
중심으로 시상을 전개하고 있다.
⑤ (나)와 (다)는 음성 상징어를 활용하여 작중 상황을 생동감
있게 나타내고 있다.

2. ㉠, ㉡에 대한 이해로 가장 적절한 것은?

① ㉠은 임을 만나게 된 설렘을, ㉡은 수확을 끝낸 희열을 느끼
는 시간이다.
② ㉠은 부재하는 임에 대한 원망을, ㉡은 공동체에 대한 소속
감을 느끼는 시간이다.
③ ㉠은 자신의 행동에 대한 자부심을, ㉡은 자신의 행동에 대
한 자괴감을 느끼는 시간이다.
④ ㉠은 내적 갈등에서 벗어난 평온함을, ㉡은 내적 갈등으로
인한 괴로움을 느끼는 시간이다.
⑤ ㉠은 자신의 행동이 감추어진 것에 대한 안도감을, ㉡은 자
신이 행동한 결과에 대한 만족감을 느끼는 시간이다.

3. (다)의 글쓴이에 대한 이해로 적절하지 <u>않은</u> 것은?

① '피곤한 나래'를 통해 아이들의 훼방으로 인해 앉을 자리를 찾아 헤매며 힘겨워하는 참새들의 모습을 표현하고 있다.

② '흑사병 같'다는 것을 통해 참새를 내쫓는 소리가 참새들에게는 위협이 되고 있음을 표현하고 있다.

③ '애놈들도 고달플 것이다'에서 쌀알 하나 못 먹게 참새를 쫓아야 하는 더벅머리 떼의 처지를 측은하게 바라보고 있다.

④ '씨름들을 해라'라 하며 상으로 내건 오뚝이를 통해 고난을 딛고 일어서는 의지의 중요성을 아이들에게 강조하고 있다.

⑤ '저급한 정열'이라 표현한 것에서 인간의 본능적인 승부욕에 대한 부정적인 인식을 보여 주고 있다.

4. <보기>를 바탕으로 (가)~(다)를 감상한 내용으로 적절하지 <u>않은</u> 것은? [3점]

> ─────── < 보 기 > ───────
>
> 해학은 제시된 사건이나 상황이 주는 메시지를 평가하고, 그것이 웃음으로 이어지는 과정을 포괄하는 인지적 경험이라 할 수 있다. 해학을 유발하는 요소에는 상황적 요소와 언어적 요소가 있다. 상황적 요소는 상황의 반전, 상황의 부조화, 상황의 전이 등을 통해, 언어적 요소는 과장과 회화화, 재치 있는 표현을 통해 웃음을 머금게 하는 것을 말한다.

① (가)에서 거스를 수 없는 '백발'을 '가시'와 '막대'로 막으려는 상황이 부조화를 이루며 웃음이 유발된다고 할 수 있겠군.

② (나)에서 '임'으로 확신했던 것이 '주추리 삼대'로 밝혀지며 상황이 반전되는 것에서 웃음이 유발된다고 할 수 있겠군.

③ (다)에서 아이들이 '참새'를 쫓는 것에 관심을 두던 상황이 '오뚝이'를 쟁취하기 위한 씨름에 몰두하는 상황으로 전이되며 웃음이 유발된다고 할 수 있겠군.

④ (가)에서 늙음이 오히려 빠르게 다가온다는 것을 '지름길로 오더라'로, (다)에서 '참새'에게 쌀알을 배불리 먹게 해 준 일을 '벼 두 되를 횡령'한 것으로 재치 있게 표현한 것에서 웃음이 유발된다고 할 수 있겠군.

⑤ (나)에서 임을 만나기 위해 '버선'과 '신'을 신지 않고 허둥대는 모습을, (다)에서 '우승자'가 오뚝이를 상으로 받고 기뻐하는 모습을 과장하여 회화화한 것에서 웃음이 유발된다고 할 수 있겠군.

【5~8】 다음 글을 읽고 물음에 답하시오.

(가)

늙고 병들고 게으른 이 성품이
세정(世情)도 모르고 인사(人事)에 우활*하여
㉠공명부귀(功名富貴)도 구하기에 재주 없어
㉡빈천기한(貧賤飢寒)을 일생(一生)에 겪어 있어
낙천지명(樂天知命)*을 예 잠깐 들었더니
<u>산수</u>(山水)에 벽*이 있어 우연(偶然)히 들어오니
득상(得喪)도 모르거든 **영욕(榮辱)**을 어이 알며
시비(是非)를 못 듣거니 **출척(黜陟)***을 어이 알까
　　　　　　(중략)
이끼 낀 바위에 **기대어 앉아 보며**
그늘진 송근(松根)을 **베고도 누워 보며**
한담(閑談)을 못다 그쳐 산일(山日)이 빗겨시니
심승(尋僧)을 언제 할고 채약(採藥)이 저물거다
그도 번거로워 떨치고 걸어 올라
두 눈을 치켜뜨고 만 리를 돌아보니
외로운 따오기는 오며 가며 다니거든
망망속물(茫茫俗物)*은 안중(眼中)에 티끌이로다
부귀공명 잊었거니 어조(魚鳥)나 날 대하랴
㉢낚시터에 내려 앉아 백구(白鷗)를 벗을 삼고
㉣술동이를 기울여 취토록 혼자 먹고
흥진(興盡)을 기약하여 석양(夕陽)을 보낸 후에
강문(江門)에 달이 올라 수천(水天)이 일색인 제
만강풍류(滿江風流)를 한 배 위에 **실어 오니**
표연천지(飄然天地)*에 **걸린 것이 무엇이랴**
㉤두어라 이렁성그러 종로(終老)*한들 어이하리
　　　　　　　　　　　　　 - 조우인, 「매호별곡」 -

* 우활: 사리에 어둡고 세상 물정을 잘 모름.
* 낙천지명: 하늘의 뜻에 순응하여 자기 처지에 만족함을 가리킴.
* 벽: 무엇을 치우치게 즐기는 굳어진 성질이나 버릇.
* 출척: 나아가고 물러나는 것. '출'은 좌천시키거나 내쫓는 것이고, '척'은 승진시키거나 등용하는 것.
* 망망속물: 아득한 속세.
* 표연천지: 아득한 천지.
* 종로: 늙어 죽음.

(나)

　㉥내가 기국원(杞菊園)을 가꾼 지 10여 년에 이름난 풀과 아름다운 나무들을 대략 갖추었다. 우거져 거칠고 어지럽게 섞여 있는 범상한 나무들은 일체 기국원에서 물리친 지가 오래 되었다. 그런데 바로 원(園)의 동쪽 평탄한 곳 아래에 한 나무가 살고 있었는데, 그 뿌리는 굽어 서리서리 얽히고, 그 가지는 무성하고 더부룩하니 빽빽한데, 베어내도 다시 무성해지고, 호미로 매어도 없어지지 않더니 몇 년 되지 않아 무성해졌다. 가서 살펴보니 대개 일컫는 참죽나무와 비슷했는데, '가죽나무'라고 부르는 것이었다. 나는 마음속으로 기뻐하고 또 느낀 바가 있어 ㉦원(園)을 가꾸는 하인에게 자르지 말라고 하고, 흙을 북돋워 주고 그 가운데를 성기게 하고 곁으로 널려 퍼지게 했더니, 울창해지고 무성해졌으며 짙게 그늘을 이루었다. 마침내 그 밑에 대를 쌓았는데, 거닐기에는 충분하지 않고 어루만지며 즐기자니 어루만지기에도 부족하나, 시를 낮게 읊조렸다. 늘상 나는 거기에서 머무르며 그곳에 있지 않은 날이 거의 없었다.

ⓐ객이 있어 지나가다가 웃으면서 말하기를,
"내가 당신이 기거하는 곳을 보았는데, 동산의 이름은 기국(杞菊)으로 짓고, 집은 '오동(梧)'으로 이름 짓고, 마을은 '소나무(松)'로 이름 지었다. 대나무가 가리고 있으며 매화가 있어 향기가 나고, 또 그다음으로 작은 길을 복숭아와 오얏나무로 채웠으니, 온갖 향기를 간직하고 있는 곳이다. 저 가죽나무라는 것은 악목(惡木)이다. 처음에는 싫어하는 사람들의 도끼에 베어짐도 부족한데, 도리어 사랑하고 길러 영화와 꾸밈을 받게 하고, 더불어 뭇 향기로운 나무들과 나란히 있게 하였다. 이것은 어리석고 못난 사람이 외람되이 군자들이 모인 대열에 나란히 한 것과 같으니, 이것은 군자가 부끄럽게 여기는 바가 됨을 돌아보지 않는 것이 큰 것 아닌가. 주부자(朱夫子)*가 말하기를, '한 그릇 속에 향내와 악취가 섞이면 향기의 깨끗함을 구하기는 어렵다.'고 했으니, ⓒ그대는 어찌 더러움과 고상함을 섞음에서 취하고자 하는가?"
라고 하니 ⓑ나 또한 응답하여 말하기를,
"그렇지! 그대의 말이 참으로 옳다. …(중략)… 또 대저 가죽나무의 삶은 또한 우연이 아닌 것은 처음에는 나의 어리석음을 스스로 헤아리지 못하고 망령되이 당세에서 쓰임에 뜻이 있어, ⓓ문득 얕은 재주와 기능(技能)으로 벼슬아치의 뜰에서 구하고자 시도하기를 여러 해였다. 그러나 퇴락한 물건은 팔리지 않고, 어긋나 맞지 않으니, 소용이 없음을 확실하게 알아 게으름을 피우며 쉬고 있었다. 이때에 이르러 가죽나무가 홀연 내 정원에서 자라나니, 이것이 곧 내가 가죽나무에서 구하는 것이 아닌가. 가죽나무는 거의 나의 삶을 위한 것이고, 이것에 또 내가 느낀 바가 깊었다. 또한 물건은 재목이 되기도 하고 재앙이 되기도 하는 것이다. 소나무와 잣나무는 재목이 되니 대들보라는 것은 그것을 벤 것이고, 의(椅)나무와 오동나무는 재목이 되니 거문고라는 것은 그것에서 취한 것이다. 오직 가죽나무만은 재목이 못 됨으로 쓰임이 없고, 쓰임이 없으므로 자재(自在)하여 비와 이슬을 배불리 먹고 바람과 서리를 실컷 먹으며 이에 하늘이 준 수명을 다한다. 나 역시 다행히 세상에 쓰임이 없으므로 내 분수에 편안히 내 천성을 다한다. 벼슬도 나를 얽어맬 수 없고 형벌도 나에게 더해질 수 없다. ⓔ한가롭고 여유 있게 놀다가 늙어서 또한 숲과 풀 사이에 죽을 것이니, 이것이 쓰여짐 없는 것의 귀한 바이고 물건과 내가 같이 즐기는 것이다. 그대는 이것을 원망하니 또한 다르지 않는가."
라고 했더니, 객은 고개를 끄덕끄덕 하면서 가버렸다.
— 어유봉, 「양저설(養樗說)」 —

* 주부자: 남송의 대유학자 주희(朱熹)를 높여 부른 말.

5. ㉠ ~ ㉡에 대한 이해로 적절하지 <u>않은</u> 것은?
① ㉠에는 자신의 능력에 대한 인식이, ㉢에는 타인의 행동에 대한 인식이 나타난다.
② ㉡에는 가난한 삶의 모습이, ㉣에는 벼슬을 구하고자 했던 삶의 모습이 나타난다.
③ ㉢에는 자연과 조화를 이루려는 태도가, ㉥에는 자연물을 가꾸며 살아가는 태도가 나타난다.
④ ㉤에는 자연에서 즐기는 흥취가, ㉦에는 자연물을 아끼는 마음이 나타난다.
⑤ ㉧에는 현재의 삶이 지속되기를 바라는 심정이, ㉨에는 현재의 삶에서 벗어나고 싶은 심정이 나타난다.

6. <보기>를 바탕으로 (가)를 감상한 내용으로 적절하지 <u>않은</u> 것은? [3점]

───〈 보 기 〉───
「매호별곡」은 자연을 벗하며 한가로이 살아가는 모습을 노래한 사대부 가사이다. 화자는 자신이 이익이나 공명과 같은 세상사에 밝지 않다고 생각하며 분수를 지키는 삶을 살고자 자연에 은거하고 있다. 속세를 떠나 마음껏 자연을 누리며 풍류를 즐기는 화자의 모습, 자연 속에서 바라본 속세에 대한 화자의 인식 등이 다양한 표현 방법을 통해 생생하게 드러나고 있다.

① 세상 물정에 어두운 스스로에 대한 인식을, '영욕을 어이 알며'와 '출척을 어이 알까'와 같은 반복과 변주를 통해 드러냈군.
② 속세를 떠나 한가롭게 살아가는 모습을, '기대어 앉아 보며'와 '베고도 누워 보며'와 같은 행동 묘사를 통해 드러냈군.
③ 속세가 자연에서 멀지 않은 곳에 있다는 인식을, '망망속물'을 '안중에 티끌'에 비유하여 드러냈군.
④ 자연 속에서 운치 있게 즐기는 상황을, '만강풍류'를 '실어 오니'와 같은 추상적 관념의 구체화를 통해 드러냈군.
⑤ 거침없이 자연을 누리는 상황을, '걸린 것이 무엇이랴'라는 설의적 표현으로 드러냈군.

7. ⓐ와 ⓑ에 대한 설명으로 가장 적절한 것은?
① ⓐ는 ⓑ의 의견에 끝내 동의하지 않고 항의한다.
② ⓐ는 ⓑ에게 역사적 인물의 말을 인용하여 자신의 의견을 강조한다.
③ ⓑ는 ⓐ에게 자신의 기구한 사연을 말하며 도움을 요청한다.
④ ⓑ는 ⓐ의 주장에 명분이 없음을 지적하고 불쾌함을 나타낸다.
⑤ ⓑ는 ⓐ에게 대상을 보는 자신의 관점을 설명하고 상황의 급박함을 드러낸다.

8. (가)의 산수와 (나)의 정원에 대한 설명으로 가장 적절한 것은?
① '산수'는 지향하는 삶의 모습이 실현된 공간이고, '정원'은 지향해야 할 삶의 모습을 깨닫게 된 공간이다.
② '산수'는 궁핍한 생활을 해결하고자 노력하는 공간이고, '정원'은 궁핍한 생활에 대해 한탄하는 공간이다.
③ '산수'는 현실에서의 고뇌가 이어지는 괴로운 공간이고, '정원'은 현실과 이상의 조화가 실현된 평화로운 공간이다.
④ '산수'는 자연 속에서도 현실로의 복귀를 염원하는 공간이고, '정원'은 자연 속에서도 현실에 대한 미련을 표출하는 공간이다.
⑤ '산수'는 세속적 삶에서의 불만을 해소하려는 의지가 드러난 공간이고, '정원'은 세속적 가치를 추구하려는 의지가 드러난 공간이다.

【9~12】다음 글을 읽고 물음에 답하시오.

(가)

이런들 어떠하며 져런들 어떠하랴
초야우생*이 이러타 어떠하랴
흐믈며 천석고황*을 고쳐 무엇하랴　<언지 제1수>

연하로 집을 삼고 풍월로 벗을 삼아
태평성대에 병으로 늘거가뇌
이중에 브라는 일은 허물이나 업고쟈　<언지 제2수>

㉠순풍*이 죽다 ᄒ니 진실로 거즛말이
인성이 어지다 ᄒ니 진실로 올흔말이
천하에 허다영재(許多英才)를 속여 말솜홀가　<언지 제3수>

고인*도 날 못 보고 나도 고인 못 뵈
고인을 못 봐도 가던 길 앞에 잇니
가던 길 앞에 잇거든 아니 가고 엇절고　<언학 제3수>

당시에 가던 길흘 몃 히롤 버려 두고
어듸 가 다니다가 이제야 도라온고
이제야 도라오나니 다른 데 ᄆᆞ음 마로리　<언학 제4수>

우부(愚夫)도 알며 ᄒ거니 그 아니 쉬온가
성인(聖人)도 못다 ᄒ시니 그 아니 어려온가
쉽거나 어렵거나 즁에 늙는 줄을 몰래라　<언학 제6수>

　　　　　　　　　－ 이황, 「도산십이곡」 －

＊초야우생 : 시골에 묻혀 사는 자신을 낮추어 이르는 말.
＊천석고황 : 자연의 아름다운 경치를 몹시 사랑하고 즐기는 성질이나 버릇.
＊순풍 : 순박한 풍속.
＊고인 : 옛사람. 여기서는 공자, 맹자, 주자와 같은 성현을 이름.

(나)

두 평쯤이나 될까 말까 한 좁은 감방 안에서 7, 8명의 식구가, 때로는 십여 명이 넘는 인구가 똥통과 동거 생활을 하면서 뒤를 볼 때에는 그래도 뒤지*가 필요하였다.

그러므로 경찰서에서는 이 불가피한 청구에 응하기 위하여 뒤지를 공급하고 있었다. 원래 뒤지감의 종이를 따로 만들어 한 움큼씩 묶어서 파는 것이 있었지만 이 당시에는 전쟁 중의 일본이 경제적 파탄에 직면하고 있었으므로 뒤지조차 구하기 어려웠다.

그리하여 일반으로 신문지나 읽어 넘긴 잡지 같은 것을 썰어서 뒤지로 쓰고 있는 형편이었다. 감방 안에서 이러한 뒤지의 공급을 받으면 이것은 도서관에서 책을 대하듯이 귀중한 읽을거리였다. 그런데 경찰서나 형무소에서는 구속되어 있는 사람이 바깥세상의 소식을 아는 것을 지극히 꺼리고 있어서 신문지 조각 같은 것은 좀처럼 들여 주지를 않았다. 만일 우리 동지들의 가족 중에서 음식물의 차입을 할 적에 신문지로 싸개지를 삼은 것이 있으면 대개는 난로에 넣어서 태워 버리는 것이 보통이었다. 그래도 혹시 신문지가 남아 있고 그것을 뒤지로 쓰겠다고 청구하면 읽을거리가 없어지도록 잘게 썰어서 넣어 준다. 그리하여 대개는 한 장이나 두 장밖에는 더 주지 않는다.

그러면 뒤를 보기 전에 이 신문지 쪽을 한 줄 한 자도 빼놓지 않고 읽는다. 뒤지를 받고서 왜 뒤를 안 보느냐고 따지는 일도 있기 때문에 똥통 위에 올라앉아서 그것을 읽어 버리는 일도 있었다.

이러한 재료는 같은 감방에 있는 동지들도 읽어 보기를 열심으로 바라고 있기 때문에 차마 혼자만 보고 없앨 수는 없었다. 그리하여 무슨 꾀를 부리고 무슨 방법을 쓰든지 간에 신문 조각을 돌려 가며 윤독하기로 하는 것이었다. 이것을 읽되 어엿이 펼쳐 놓고 보는 것이 아니라 손바닥 안에 감추어질 만큼 접어서 간수의 눈을 피해 가며 몰래 읽어 내려가는 것이었다. 그러나 신문지 같은 것은 천재일우의 좋은 기회를 얻어야만 볼 수 있는 노릇이요, 보통 경우에는 왜정 당시 경찰계의 유일한 기관지로서 ‘경무휘보’란 것이 있었다. 그리하여 경찰서에는 이 묵은 잡지의 재고품이 상당히 풍부한 듯하여 이것으로 우리들에게 뒤지를 공급하고 있었다.

이 잡지는 주로 경찰 행정에 필요한 지식이나 참고 사항을 재료로 하여 편집한 것인데, 그중에는 혹 취미 기사도 있고 일본 사람으로서 양행한 기행문 같은 것도 있었다.

어쨌든 우리는 문초를 받는 일 외에는 열흘이 하루같이 아무것도 하는 일 없이 팔짱을 끼고 부라질을 하며 온종일 앉아 있으므로 그 무료하기란 견주어 말할 데가 없었다.

그런데 이러한 글발이 있는 종잇조각이라도 얻어 읽는 경우에는 한결 지루한 시간이 쉽사리 지나는 것만 같았다. 더욱이 문초를 전부 마치고 그저 구속만 되어 있는 동안은 진정 세월이 더딘 것이 지루하여 견딜 수가 없었다.

그리하여 우리는 어떻게 하든지 이 ‘경무휘보’의 잡지 쪽을 많이 입수하도록 갖은 노력을 다 기울이었다.

우선 뒤를 자주 보기로 하였다. 설사가 나니까 한 장만으로 부족하니 석 장 넉 장씩 달라고 하였다. 가다가는 뒤지를 얻기 위하여 헛뒤를 보는 일도 있었다. 이렇게 하여 다 각각 얻은 뒤지를 서로 돌려 가며 보는 것이었다.

그러나 이렇게 들여 주는 뒤지만으로는 진정 갈급질*이 나서 못 견딜 지경이었다. 그리하여 다량으로 뒤지를 입수하기에 청소꾼을 이용하는 일이 많았다. 젊은 사람이 청소하러 나가서 마치 담배를 훔쳐 들이듯이 뒤지를 걸터듬어서 감방으로 들여 주곤 하였다. 이와 같이 도둑글을 읽다가 들켜서 뒤지를 빼앗기는 일도 있었고 뺨을 맞는 일도 한두 번이 아니었다. 그러나 이와 같이 봉변을 당하고도 그래도 또 잡지 쪽 읽기를 단념하지 못하였다. 이로써 미루어 보면 ㉡사람이 하고 싶어 하는 의욕은 벌을 받거나 모욕을 당하는 것만으로 깨끗이 청산하여 버리지 못하는 것이 역시 인간인가 싶었다. 이런 것도 인력으로 좌우할 수 없는 본능의 소치인 듯하였다. 그 진정한 경지는 실지로 당하여 보지 않고서는 이해하기 어려울 것이다.

　　　　　　　　　－ 이희승, 「뒤지가 진적*」 －

＊뒤지 : 똥을 누고 밑을 씻어 내는 종이.
＊갈급질 : 부족하여 몹시 바라는 짓.
＊진적 : 진귀한 책.

9. (가)와 (나)를 이해한 내용으로 가장 적절한 것은?

① (가)와 (나) 모두 자신의 곁에 없는 사람을 그리워하는 심정이 나타나 있다.

② (가)와 (나) 모두 다른 사람이 처한 문제 상황을 해결해 주려는 자세가 나타나 있다.

③ (가)와 (나) 모두 주변 사물에 가졌던 부정적 인식이 긍정적으로 바뀌게 된 계기가 나타나 있다.

④ (가)에는 자신의 삶을 성찰하는 모습이, (나)에는 자신의 욕구를 충족하기 위한 모습이 나타나 있다.

⑤ (가)에는 역사적 인물에 대한 비판적 태도가, (나)에는 현실 상황에 대한 수용적 태도가 나타나 있다.

10. <보기>를 활용하여 (가)를 감상한 내용으로 적절하지 <u>않은</u> 것은? [3점]

> ─────────< 보 기 >─────────
> 「도산십이곡」은 <언지> 여섯 수와 <언학> 여섯 수로 이루어진 연시조로서, 창작 의도를 밝힌 발문(跋文)이 함께 전해진다. <언지>에는 자연 속에 살며 인간의 선한 본성을 회복하기를 바라는 뜻이, <언학>에는 선한 본성 회복을 위해 학문에 힘쓰겠다는 의지가 나타나 있다. 또한 발문에는 이황이 이 작품을 우리말로 지어 제자들이 노래로 부르며 향유하게 하여, 지향할 만한 삶의 방식과 바람직한 가치를 마음에 새기게 하려는 교육적 의도를 가지고 있었음이 드러나 있다.

① <언지>에 나타난 뜻을 참고할 때, '연하'와 '풍월'을 가까이하며 '허물'이 없기를 바라는 것은 자연 속에 살며 선한 본성을 회복하기를 바라는 것으로 볼 수 있겠군.

② <언학>에 나타난 의지를 참고할 때, 다른 것에 'ᄆᆞᄋᆞᆷ'을 두지 않으려는 것은 학문에 열중하겠다는 것으로 볼 수 있겠군.

③ 발문의 내용을 참고할 때, '천석고황'을 고치지 않으려는 것은 이황이 제자들에게 지향할 만한 삶의 방식이라고 말하고자 한 것으로 볼 수 있겠군.

④ 발문의 내용을 참고할 때, '고인'이 '가던 길'을 가려는 것은 제자들이 마음에 새길 만큼 바람직한 가치라고 이황이 생각한 것으로 볼 수 있겠군.

⑤ 발문의 내용을 참고할 때, '우부'와 '성인'을 구분하는 것은 제자들에게 성인을 본받아야 함을 보여 주려는 이황의 교육적 의도가 반영된 것으로 볼 수 있겠군.

11. ㉠, ㉡에 대한 설명으로 가장 적절한 것은?

① ㉠은 대조적인 어휘를 사용하여 자신의 판단을 드러내고 있다.

② ㉠은 다른 사람의 말을 인용하여 자신이 주변 사람에게 준 영향을 강조하고 있다.

③ ㉡은 우회적인 표현을 사용하여 자신의 깨달음을 드러내고 있다.

④ ㉡은 유사한 형태의 구절을 반복하여 상황이 나아지리라는 기대를 드러내고 있다.

⑤ ㉠과 ㉡은 모두 말을 건네는 방식을 사용하여 상대와의 유대를 강화하고 있다.

12. <보기>를 바탕으로 (나)를 감상한 내용으로 적절하지 <u>않은</u> 것은?

> ─────────< 보 기 >─────────
> 이희승은 일제 강점기에 우리말을 연구하고 보급한 조선어학회에서 활동한 지식인으로, 조선어학회가 민족주의 단체라는 이유로 검거되어 투옥 생활을 하였다. (나)에는 글을 읽는 것이 일상적이었던 사람들인 글쓴이와 조선어학회 동지들이 투옥 생활 중에도 읽을거리를 얻기 위해 노력하며 글을 읽으려는 의지를 보이는 모습이 나타나 있다. 이를 통해 글을 읽는 것을 포기하지 않으려는 글쓴이의 면모가 드러난다.

① '뒤지'를 '귀중한 읽을거리'로 대하는 것에서, 일제 강점기 투옥 생활에서 읽을거리를 접하기가 쉽지 않았던 글쓴이의 처지를 알 수 있군.

② '이것으로 우리들에게 뒤지를 공급하'는 것에서, 글쓴이와 조선어학회 동지들이 읽을거리를 얻기 위해 노력한 결과를 알 수 있군.

③ '한결 지루한 시간이 쉽사리 지나는 것만 같다'고 여기는 것에서, 글을 읽는 것이 일상적이었던 글쓴이와 조선어학회 동지들이 글을 읽을 때 느끼는 만족감을 확인할 수 있군.

④ '다 각각 얻은 뒤지를 서로 돌려 가며 보는 것'에서, 글을 읽으려는 의지를 보이는 글쓴이와 조선어학회 동지들의 모습을 엿볼 수 있군.

⑤ '이런 것도 인력으로 좌우할 수 없는 본능의 소치'라고 생각하는 것에서, 현실적 어려움이 있더라도 글을 읽는 것을 포기하지 않으려는 글쓴이의 면모를 엿볼 수 있군.

총 문항				문항	맞은 문항				문항
개별 문항	1	2	3	4	5	6	7	8	9	10
채점										
개별 문항	11	12	13	14	15	16	17	18	19	20
채점										

【1~4】 다음 글을 읽고 물음에 답하시오.

(가)

공명(功名)도 잊었노라 부귀(富貴)도 잊었노라
세상(世上) 번우한* 일 다 주어 잊었노라
내 몸을 내마저 잊으니 남이 아니 잊으랴   <2수>

질가마 좋이 씻고 바위 아래 샘물 길어
팥죽 달게 쑤고 저리지* 끄어 내니
세상에 이 두 맛이야 남이 알까 하노라   <5수>

어화 저 ⓐ백구(白鷗)야 무슨 수고 하느냐
갈 숲으로 서성이며 고기 엿보기 하는구나
나같이 군마음 없이 잠만 들면 어떠리   <6수>

대 막대 너를 보니 유신(有信)하고 반갑고야
내 아이 적에 너를 타고 다니더니
이제란 창(窓)뒤에 섰다가 날 뒤 세우고 다녀라   <11수>

– 김광욱, 「율리유곡(栗里遺曲)」 –

* 번우한 : 괴로워 근심스러운.
* 저리지 : 겉절이.

(나)

한산(寒山) 어른 송계신보(宋季愼甫)가 나와는 사촌이 된다. 내가 일찍이 그 집에 가보니, 뒤로는 감악산을 등지고 앞으로는 큰 들을 임하여 초막집을 한 채 얽어 한가히 휴식하는 곳으로 삼았었다. 그 당명(堂名)이 무어냐고 물었더니, 주인이 말하기를,
"내가 '취한(就閑)*'이라 이름하려고 하는데, 미처 써 붙이지 못했다."
고 하였다. 내가 말하기를,
"한(閑)은 본디 이 당(堂)이 소유한 것이거니와, 우리 형은 나이 70세가 넘어 하얀 수염에 붉은 얼굴로 여기에서 즐기며 바깥 세상에 바랄 것이 없으니, 어찌 아무 도와주는 것 없이 **충분히 그 운취**를 누릴 수가 있겠습니까. 내가 보건대, 당 한편에 애완(愛玩)*하여 심어놓은 것들이 있으니, 바로 대[竹]와 국화[菊]와 진송(秦松)과 노송(魯松)과 동백(冬柏)이요, 게다가 빙 둘러 사방의 산에는 또 창송(蒼松)이 만여 그루나 있으니, 이 여섯 가지는 모두 세한(歲寒)의 절개가 있어 더위와 추위에도 지조를 변치 않는 것들입니다. 우리 형께서는 늙을수록 건장하여 신기(神氣)가 쇠하지 않았는데도, 사방에 다니는 것을 싫어하고 이곳에 은거하여, 여기에서 노래하고 여기에서 춤추고 여기에서 마시고 취하고 자고 먹고 하니, 이 여섯 가지를 얻어서 벗으로 삼는다면 그 **취미나 기상**이 또한 서로 가깝지 않겠습니까.
우리 형께서는 또 세상 변천과 세상 물정을 많이 겪고 보

았습니다. 그런데 가만히 보면, 세상의 교우(交友) 관계가 처음에는 견고했다가 나중에는 틈이 생기어, 득세한 자에게는 열렬히 따르고 실세한 자에게는 그지없이 냉담하며, 떵떵거리는 자리에는 서로 나가고 **적막한 자리**에는 서로 기피하는 것이 **세태의 풍조**입니다. 그런데 이 여섯 가지는 이런 가운데 생장하면서도 능히 풍상(風霜)을 겪고 우로(雨露)를 머금어 이제까지 울울창창하여서 앉고 눕고 기거하고 근심하고 즐거워하는 것을 처음부터 끝까지 항상 주인과 함께하고 있으니, 차라리 저것을 버리고 이것을 취하여 세상의 격정을 피해서 자신의 **천진(天眞)*을 온전히 지키는 것**이 낫지 않겠습니까. 이 당에는 실로 이 여섯 가지가 있고 옹(翁)께서 그 가운데에 처하시니, 어찌 'ⓑ육우(六友)'라 이름하는 것이 좋지 않겠습니까. 그 한(閑)은 바로 여기에 있는 것입니다."
하니, 주인이 그렇게 하겠다고 승낙하고 인하여 나에게 그 기문(記文)을 써 달라고 부탁하였다.

– 윤휴, 「육우당기(六友堂記)」 –

* 취한 : 한가로움을 취함.
* 애완 : 물품 따위를 좋아하여 가까이 두고 즐김.
* 천진 : 세파에 젖지 않은 자연 그대로의 참됨.

1. (가)와 (나)의 공통점으로 가장 적절한 것은?

① 연쇄법을 사용하여 대상을 긴밀하게 연결하고 있다.
② 설의적 표현을 활용하여 주제 의식을 강조하고 있다.
③ 역설적 표현을 사용하여 사물의 의미를 부각하고 있다.
④ 원경에서 근경으로 시선을 이동하여 계절감을 드러내고 있다.
⑤ 의인화된 대상에게 말을 건네는 방식으로 정서를 드러내고 있다.

2. (가)에 대한 설명으로 적절하지 않은 것은?

① <2수> : 화자는 '공명'과 '부귀'에 거리를 두는 욕심 없는 삶을 지향하고 있다.
② <2수> : 화자는 '남'으로부터 소외된 자신의 존재에 대한 안타까움을 드러내고 있다.
③ <5수> : 화자는 '팥죽'과 '저리지'를 통해 소박한 삶에 대한 만족감을 드러내고 있다.
④ <11수> : 화자는 '유신'하다고 여기는 대상에 대한 친밀감을 표현하고 있다.
⑤ <11수> : 화자는 '대 막대'의 쓰임이 달라진 상황을 통해 세월의 흐름을 인식하고 있다.

[고2 국어 문학]

3. ⓐ와 ⓑ를 이해한 내용으로 가장 적절한 것은?

① ⓐ는 화자가 비판적으로 바라보는, ⓑ는 글쓴이가 예찬하는 대상이다.

② ⓐ는 화자의 그리움을, ⓑ는 글쓴이의 외로움을 불러일으키는 대상이다.

③ ⓐ는 화자가 함께 어울리고 싶어 하는, ⓑ는 글쓴이가 본받고 싶어 하는 대상이다.

④ ⓐ는 화자의 처지와 대비되는, ⓑ는 글쓴이의 부정적 현실을 드러내는 대상이다.

⑤ ⓐ는 화자의 상실감을 부각하는, ⓑ는 글쓴이의 기대감을 고조시키는 대상이다.

4. <보기>를 바탕으로 (나)를 감상한 내용으로 적절하지 <u>않은</u> 것은? [3점]

─────< 보 기 >─────
이 작품에서 글쓴이는 한(閑)을 추구하는 사촌 형에게 새로운 당명을 권하며 바람직한 삶의 자세에 대한 생각을 밝히고 있다. 글쓴이는 권력의 성쇠에 따라 변하는 세상을 비판적으로 바라보고 있다. 그리고 자연과 벗하며 지조와 신의를 지켜 진정한 한(閑)의 의미를 실현하는 자세가 중요함을 강조하고 있다.

① 글쓴이는 사촌 형이 자연과 벗하며 '충분히 그 운취'를 누리기를 바라고 있군.

② 글쓴이는 사촌 형이 '취미나 기상'에 어울리는 존재와 함께할 것을 바라며 새로운 당명을 권하고 있군.

③ 글쓴이는 세상 사람들이 기피하는 '적막한 자리'라도 만족하는 것이 진정한 한(閑)에 가까워지는 길이라고 여기고 있군.

④ 글쓴이는 상황에 따라 변하는 '세태의 풍조'와 달리 변치 않는 지조와 신의 있는 삶의 중요성을 강조하고 있군.

⑤ 글쓴이는 '천진을 온전히 지키는 것'을 바람직한 삶의 자세라고 여기고 있군.

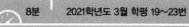
【5~9】 다음 글을 읽고 물음에 답하시오.

인간은 각자 정해진 운명이 있고, 초월적인 힘에 밀려 자신의 의지나 노력으로도 그것을 바꿀 수 없는 삶이 있다고 믿는 가치관을 ⓐ운명론적 세계관이라고 한다. 시에서 화자는 각기 다양한 시적 상황에 처하며, 처한 상황에 따라 저마다 다른 생각과 행동을 보여 준다. 이는 개인의 고유한 삶의 가치관과 관련이 있는데, 그중에서도 특히 화자가 운명론적 세계관에 따라 자신의 생각을 내면화하고 그에 따라 행동하는 모습을 보이는 작품을 종종 발견할 수 있다. 아래의 두 작품에는 운명론적 세계관이 나타나 있지만, 각각의 화자가 현재 자신의 삶을 운명으로 받아들이는 태도에는 미묘한 차이가 있다.

(가)

ㄱ오늘 저녁 이 좁다란 방의 흰 바람벽에
어쩐지 쓸쓸한 것만이 오고 간다
이 흰 바람벽에
희미한 십오촉(十五燭) 전등이 지치운 불빛을 내어던지고 [A]
때글은 다 낡은 무명샤쯔가 어두운 그림자를 쉬이고
그리고 또 달디단 따끈한 감주나 한잔 먹고 싶다고 생각하는 내 가지가지 외로운 생각이 헤메인다

그런데 이것은 또 어인 일인가
이 흰 바람벽에
내 가난한 늙은 어머니가 있다
내 가난한 늙은 어머니가 [B]
이렇게 시퍼러둥둥하니 추운 날인데 차디찬 물에 손은 담그고 무이며 배추를 씻고 있다

또 내 사랑하는 사람이 있다
내 사랑하는 어여쁜 사람이
어늬 먼 앞대 조용한 개포가의 나즈막한 집에서 [C]
그의 지아비와 마조 앉어 대구국을 끓여놓고 저녁을 먹는다
벌써 어린것도 생겨서 옆에 끼고 저녁을 먹는다

그런데 또 이즈막하야 어늬 사이엔가
이 흰 바람벽엔
내 쓸쓸한 얼굴을 쳐다보며
이러한 글자들이 지나간다
— 나는 이 세상에서 가난하고 외롭고 높고 쓸쓸하니 [D]
살어가도록 태어났다
그리고 이 세상을 살어가는데
내 가슴은 너무도 많이 뜨거운 것으로 호젓한 것으로
사랑으로 슬픔으로 가득 찬다

그리고 이번에는 나를 위로하는 듯이 나를 울력*하는 듯이
눈질을 하며 주먹질을 하며 이런 글자들이 지나간다
— 하늘이 이 세상을 내일 적에 그가 가장 귀해하고 사랑하는 것들은 모두 가난하고 외롭고 높고 쓸쓸하니 그리고 언제나 넘치는 사랑과 슬픔 속에 살도록 만드신 것이다 [E]
초생달과 바구지꽃과 짝새와 당나귀가 그러하듯이
그리고 또 '프랑시쓰 쨈'과 '도연명(陶淵明)'과 '라이넬 마리아 릴케'가 그러하듯이

— 백석, 「흰 바람벽이 있어」 —

＊올력 : 힘으로 몰아붙임.

(나)
　　하늘이 만드시길 일정 고루 하련마는
　　어찌된 인생이 이토록 피로운고
　　삼순구식(三旬九食)을 얻거나 못 얻거나
　　십년에 갓 한번 쓰거나 못 쓰거나
　　안표누공(顏瓢屢空)＊인들 나같이 비었으며
　　원헌간난(原憲艱難)인들 나같이 심했을까
　　ⓛ 봄날이 더디 흘러 뻐꾸기가 보채거늘
　　동편 이웃에 따비 얻고 서편 이웃에 호미 얻고
　　집 안에 들어가 씨앗을 마련하니
　　올벼씨 한 말은 반 넘어 쥐 먹었고
　　기장 피 조 팥은 서너 되 심었거늘
　　한아한 식구 이리하여 어이 살리
　　이봐 아이들아 아무려나 힘써 일하라
　　죽 쑨 물 상전 먹고 건더기 건져 종을 주니
　　눈 위에 바늘 것고 코로 휘파람 분다
　　올벼는 한 발 뜯고 조 팥은 다 묵히니
　　싸리피 바랑이는 나기도 싫지 않던가
　　나라빚과 이자는 무엇으로 장만하며
　　부역과 세금은 어찌하여 차려낼꼬
　　이리저리 생각해도 견딜 가능성이 전혀 없다
　　장초(萇楚)의 무지(無知)를 부러워하나 어찌하리
　　　　　　　　　　　　　　　(중략)
　　세시 절기 명절 제사는 무엇으로 해 올리며
　　친척들과 손님들은 어이하야 접대할꼬
　　이 얼굴 지녀 있어 어려운 일 많고 많다
　　이 원수 궁귀(窮鬼)＊를 어이하야 여의려뇨
　　술에 음식 갖추고 이름 불러 전송(餞送)하여
　　좋은 날 좋은 때에 사방(四方)으로 가라 하니
　　추추분분(啾啾憤憤)하야 화를 내어 이른 말이
　　어려서 지금까지 희로우락(喜怒憂樂)을 너와 함께 하여
　　죽거나 살거나 여읠 줄이 없었거늘
　　어디 가 뉘 말 듣고 가라 하야 이르느뇨
　　타이르듯 꾸짖는 듯 온 가지로 공혁(恐嚇)＊커늘
　　돌이켜 생각하니 네 말도 다 옳도다
　　무정한 세상은 다 나를 버리거늘
　　네 혼자 신의 있어 나를 아니 버리거든
　　억지로 피하여 잔꾀로 여읠려냐
　　하늘이 만든 이 내 궁(窮)을 설마한들 어이하리
　　빈천(貧賤)도 내 분(分)이어니 설워 무엇하리
　　　　　　　　　　　　－ 정훈, 「탄궁가(嘆窮歌)」－

＊안표누공 : 공자의 제자인 안회의 가난함.
＊궁귀 : 가난 귀신.
＊공혁 : 을러대며 꾸짖음.

5. (가)와 (나)의 공통점으로 가장 적절한 것은?

① 수미상관의 기법을 활용하여 리듬감을 조성하고 있다.
② 특정 공간의 대비를 통해 역동적 분위기를 형성하고 있다.
③ 명령적 어조를 사용하여 화자의 강한 의지를 표출하고 있다.
④ 유사한 문장 구조의 반복을 통해 시적 상황을 부각하고 있다.
⑤ 촉각적 심상을 사용하여 사물의 정적인 모습을 강조하고 있다.

6. (가)의 [A]～[E]에 대한 설명으로 적절하지 <u>않은</u> 것은?

① [A]에서는 외부의 사물을 응시하던 화자의 시선이 내면으로 이어지고 있다.
② [B], [C]에서는 [A]의 '흰 바람벽'을 보는 상황이 이어지면서, 떠오르는 생각들이 제시되고 있다.
③ [B], [C]에 나타난 소외된 사람들에 대한 연민이 [D]에서 자기 연민으로 전환되고 있다.
④ [D]에서 지나가는 글자들에 내재된 자기 긍정의 정서가 [E]에서 강화되고 있다.
⑤ [E]에서는 [D]에 나타난 애상적 정서에 침잠하지 않으려는 심리적 태도가 드러나 있다.

7. <보기>를 바탕으로 (나)를 이해한 내용으로 적절하지 <u>않은</u> 것은?

＜ 보 기 ＞
　「탄궁가」는 경제적으로 몰락한 사대부가 자신이 처한 궁핍한 현실에 대해 한탄하는 가사이다. 이 작품에는 가난으로 인해 사대부로서의 도리를 지키지 못하는 형편과 극심한 궁핍으로 인해 사대부임에도 불구하고 종에 대한 권위를 내세울 수 없는 상황이 드러나 있다. 이와 함께 경제적인 무능력으로 인해 가난에서 벗어나지 못하고 이를 수용할 수밖에 없는 처지 등이 잘 나타나 있다.

① '죽 쑨 물 상전 먹고 건더기 건져 종을 주니'에서 농사일로 종의 눈치를 보는 몰락한 사대부의 처지를 엿볼 수 있군.
② '세시 절기 명절 제사는 무엇으로 해 올리며'에서 사대부로서의 도리를 다하지 못하는 현실에 대한 한탄을 엿볼 수 있군.
③ '이 원수 궁귀를 어이하야 여의려뇨'에서 가난한 상황을 미리 대비하지 못한 무능함에서 오는 자괴감을 엿볼 수 있군.
④ '무정한 세상은 다 나를 버리거늘'에서 힘겨운 경제적 상황을 타개해 나갈 수 없는 비관적 현실을 엿볼 수 있군.
⑤ '빈천도 내 분이어니 설워 무엇하리'에서 궁핍한 현실을 체념적으로 수용하는 태도를 엿볼 수 있군.

8. ㉠과 ㉡에 대한 설명으로 가장 적절한 것은?

① ㉠은 화자의 내적 성찰이 이루어지는 시간이고, ㉡은 화자의 절망감이 심화되는 시간이다.

② ㉠은 화자가 과거의 고통을 상기하는 시간이고, ㉡은 화자가 행복했던 경험을 떠올리는 시간이다.

③ ㉠은 화자가 시간의 단절감을 경험하는 시간이고, ㉡은 화자가 계절의 순환 질서를 받아들이는 시간이다.

④ ㉠은 화자가 고향에 대한 추억을 떠올리는 시간이고, ㉡은 화자가 고향 사람들의 인정을 느끼는 시간이다.

⑤ ㉠은 화자가 가족에 대해 애틋함을 느끼는 시간이고, ㉡은 화자가 가족에 대해 상실감을 느끼는 시간이다.

9. ⓐ의 관점에서 (가), (나)를 감상한 내용으로 적절하지 <u>않은</u> 것은? [3점]

① (가)와 (나)의 화자는 모두 운명을 결정짓는 초월적인 존재가 있다고 전제하고 있다.

② (가)의 화자는 (나)의 화자와 달리 외로움도 자신이 받아들이는 운명의 대상으로 여기고 있다.

③ (나)의 화자는 (가)의 화자와 달리 사람들의 운명은 고르게 타고나야 한다고 인식하고 있다.

④ (가)는 이상과 현실의 괴리감이, (나)는 과거와 현재의 괴리감이 화자가 운명을 인식하는 계기가 되고 있다.

⑤ (가)의 화자는 타인과의 동질감에서 운명적인 삶에 대한 위안을, (나)의 화자는 타인과의 비교에서 절망을 느끼고 있다.

총 문항					문항	맞은 문항				문항
개별 문항	1	2	3	4	5	6	7	8	9	10
채점										
개별 문항	11	12	13	14	15	16	17	18	19	20
채점										

8분 | 2020학년도 6월 학평 21~25번 | ★☆☆ | 정답 058쪽

[1~5] 다음 글을 읽고 물음에 답하시오.

(가)

청풍(淸風)을 좋이 여겨 창을 아니 닫았노라.
명월(明月)을 좋이 여겨 잠을 아니 들었노라.
옛사람 이 두 가지 두고 어디 혼자 갔노.

<제1수>

내라서 누구라 하여 작녹(爵祿)*을 맘에 둘꼬.
조그만 띠집을 시내 위에 이룬 바
어젯밤 손수 닫은 문을 늦도록 닫혔소.

<제2수>

상 위에 책을 놓고 아래 신을 내어라.
이봐 아해야, 날 볼 이 그 뉘고.
알게라, 어제 맞춘 므지술* 맛보러 왔나보다.

<제3수>

두고 또 두고 저 욕심 그지없다.
나는 ⓐ내 집에 내 세간을 살펴보니
우습다 낚싯대 하나 외에 거칠 것이 전혀 없어라.

<제4수>

산아 너는 어이 한결같이 높았으며
물아 너는 어찌 날마다 흐르느냐.
처간(處間)*에 인지(仁智)한 군자는 못내 즐겨 하노라.

<제5수>

오두미(五斗米)* 위하여 홍진(紅塵)*의 나지 마라.
바람 비 어지러워 칼 톱이 무서워라.
나중에 슬코 뉘우치나 기구다 기로다단(岐路多端)* 하여라.

<제6수>

— 이정, 「풍계육가(楓溪六歌)」 —

* 작녹: 벼슬과 녹봉.
* 므지술: 의미가 불분명하나 맥락상 '묻어둔 술'로 보임.
* 처간: 초야, 궁벽한 시골.
* 오두미: 얼마 안 되는 봉급을 비유하는 말.
* 홍진: 번거롭고 속된 세상을 비유적으로 이르는 말.
* 기로다단: 갈림길의 갈래나 가닥이 많음.

(나)

ⓑ내가 사는 집은 높이가 한 길이 못 되고, 너비는 아홉 자가 못 된다. 인사를 하려고 하면 갓이 천장에 닿고, 잠을 자려고 하면 무릎을 구부려야 한다. 한여름에 햇볕이 내리쬐면 창문이 뜨겁게 달아오른다. 그래서 둘러친 담장 밑에 박을 10여 개 심었더니, 넝쿨이 자라 집을 가려 주었다. 그러자 우거진 그늘 때문에 모기와 파리 떼들이 어두운 곳에서 서식하고, 뱀들이 서늘한 곳에 웅크리고 있었다. 어두운 밤에 자주 일어나 등촉을 들고 마당을 살펴보았다. 가만히 있으면 가려움 때문에 긁느라 지치고, 이리저리 움직이면 쏘아 대는 것이 두렵다. 이를 걱정하고 신경

쓰느라 병이 생겼으니, ㉠소갈증이 심해지고 가슴도 막힌 듯 답답했다. 찾아오는 손님에게 이러한 사정을 자세히 말하곤 했다.

서울에서 온 어떤 나그네가 내 말을 듣고 위로를 하였다. 그리고 자신이 예전에 몸소 겪었던 일을 말해 주었다.

"저는 어려서 집이 가난하여 장사를 했습지요. 영남 땅의 나루터, 정자, 역정(驛亭), 여관 그리고 궁벽한 고을의 작은 주막들에 이르기까지 제 발길이 닿지 않는 곳이 없었답니다. 무더운 여름철에 여행객과 나그네들이 한곳에 모이게 된답니다. 수령과 보좌 관원이 먼저 내실을 차지한 채 서늘하게 지내고, 바람 부는 결채와 시원한 평상은 아전과 역졸(役卒)들이 차지하지요. 오직 뜨거운 구들과 뜨뜻한 침상에는 벽을 뚫고 관솔불이 비쳐 들고 대자리를 깔아 빈대를 쫓아내는 곳만이 남게 되지요. ㉡그곳만은 어느 누구도 다투지 않으며, 우리네 같은 사람들이 이틀 밤을 묵고 지내는 곳이랍니다.

(중략)

그런데 여관집의 노비를 보면 이와 다릅지요. 때가 잔뜩 낀 지저분한 얼굴을 하고 부지런히 소나 말처럼 분주히 오가며 일을 하지요. 지나다니는 사람들에게 빌붙어 아침저녁을 해결하니, 버려진 음식도 달게 먹는답니다. 그 사람은 취하여 배부르면 눕자마자 잠이 들지요. 우리네들이 예전에 견디지 못하는 것을 그 사람은 편안하게 여기니, 마치 쌀쌀한 날씨 속에 선선한 방에서 잠자듯 한답니다. 그의 모습을 살펴보면 옷은 다 해지고 여기저기 꿰매었지만 살결은 튼실하고, 특별한 재앙을 겪지 않고 천수를 누리고 있지요.

이것은 다른 이유 때문이 아니랍니다. 그 사람은 자기가 사는 곳을 여관으로 생각하며, ㉢지금의 삶을 본래 정해진 운명이라고 여깁니다. 온갖 걱정과 근심으로 자기 마음을 상하게 하는 일도 없고, 끙끙거리며 탄식하느라 기운을 허하게 하는 일도 없지요. 그래서 재앙을 특별히 겪지 않고 천수를 누릴 사람이랍니다.

또 이런 말도 있습지요. 지금 이 세상은 살아 있는 사람을 봉양하고 죽은 사람을 장사 지내는 여관 같은 곳입니다. 그리고 이 여관은 하룻밤이나 이틀을 묵고 가는 곳입니다. ㉣지금 그대는 이러한 여관에 몸을 기탁해 사는데다가, 다시 또 멀리 떠나와 궁벽한 골짜기에 몸을 숨기고 있습니다. 이것은 여관 중의 여관에 머물고 있는 셈이지요.

[A] 저 여관집의 노비는 일자무식한 사람입니다. 다만 그는 여관을 여관으로 여기면서, 음식도 잘 먹고 하루하루를 지내니, 추위와 더위도 그를 해치지 못하고 질병도 해를 입히지 못한답니다. 그런데 그대는 도를 지키고 운명에 순종하며, 소박하고 솔직한 태도로 행하는 분입니다. 그런데 여관 중의 여관에서 지내면서도 여관을 여관으로 생각하지 않으십니다. 자기 스스로 화를 돋우고 들볶아 원기를 손상시키니, 병이 생겨 거의 죽을 지경에 이르렀습니다. 그대가 배우기를 바라는 것은 옛날 성현의 말씀인데도, 오히려 여관집의 노비가 하는 것처럼도 하지 못하는구려."

㉤이에 그 말을 서술하여 벽에 적고 '포화옥*'기'라 하였다.

— 이학규, 「포화옥기(匏花屋記)」 —

* 포화옥: 박 넝쿨로 둘러싸인 집.

1. (가)와 (나)의 공통점으로 가장 적절한 것은?

① 반어적 표현을 통해 현실 비판 의식을 부각하고 있다.
② 대조적인 방식으로 추구하는 삶의 모습을 드러내고 있다.
③ 고사를 활용하여 현재의 삶에 대한 반성을 드러내고 있다.
④ 계절감을 나타낸 어휘를 통해 상황을 생생하게 드러내고 있다.
⑤ 역설적 표현을 사용하여 현재 상황을 극복하려는 의지를 나타내고 있다.

2. <보기>를 바탕으로 (가)를 감상한 내용으로 적절하지 <u>않은</u> 것은? [3점]

> ─── < 보 기 > ───
> (가)는 자연 속에 은거하며 풍류를 즐기는 처사(處士)의 삶을 형상화하고 있다. 화자는 속세를 벗어나 자연을 예찬하며 자연과의 합일을 도모하는 한편, 벼슬길의 위험함을 인식하며 세속적 삶을 멀리하려는 뜻을 드러내고 있다.

① <제1수>에서 '명월'이 좋아 '잠'을 자지 않는 행위를 통해 자연 친화적인 삶의 모습을 보여 주고 있군.
② <제2수>에서 '작녹'을 마음에 두지 않고 '문'을 늦도록 닫아 두는 것은 세속적 삶을 멀리하려는 태도라 하겠군.
③ <제4수>에서 '그지없다'고 한 '욕심'은 자연과의 합일을 지속하려는 마음을 가리키겠군.
④ <제5수>에서 '산'과 '물'을 청자로 설정하여 자연물의 변함 없는 모습을 예찬하고 있군.
⑤ <제6수>에서 '홍진'과 거리를 두며 '칼 톱'이 무섭다고 한 것은 벼슬길의 위험성을 인식했기 때문이겠군.

3. ⓐ와 ⓑ를 이해한 내용으로 가장 적절한 것은?

① 모두 소망과 관련되는 공간이지만, ⓐ는 좌절되는 공간, ⓑ는 성취되는 공간이다.
② 모두 이상적인 공간이지만, ⓐ는 실현 가능성이 있는 공간, ⓑ는 실현 불가능한 공간이다.
③ 모두 실제 삶의 공간이지만, ⓐ는 만족감을 느끼는 공간, ⓑ는 열악함을 느끼는 공간이다.
④ 모두 현실과 갈등하는 공간이지만, ⓐ는 갈등이 심화되는 공간, ⓑ는 갈등이 해소되는 공간이다.
⑤ 모두 회상의 공간이지만, ⓐ는 자신의 삶에 대한 회상, ⓑ는 타인의 삶에 대한 회상이 이루어지는 공간이다.

4. [A]의 말하기 방식으로 가장 적절한 것은?

① 지향하는 바와 다르게 행동하고 있음을 지적하며 상대방을 비판하고 있다.
② 자신이 처한 어려움을 구체적으로 드러내어 상대방의 감정에 호소하고 있다.
③ 상대방의 말의 허점을 논리적으로 반박하면서 자신의 지식을 과시하고 있다.
④ 상대방이 가진 능력을 인정하면서 상대방이 이루어낸 성과를 치하하고 있다.
⑤ 상대방의 말에 거짓으로 동조하는 척하면서 상대방을 안심시키려 하고 있다.

5. <보기>를 참고하여 ㉠ ~ ㉤을 이해한 내용으로 적절하지 <u>않은</u> 것은?

> ─── < 보 기 > ───
> (나)는 작가인 이학규가 신유박해에 연루되어 유배되었을 때 창작된 작품이다. 이 작품은 나그네가 들려주는 이야기를 통해 작가가 깨달은 바를 드러낸 글이다. 나그네는 자신의 직접 경험, 여관집 노비를 관찰한 모습 등을 바탕으로 작가에게 교훈을 전해 준다.

① ㉠ : 작가가 얻은 병의 구체적인 증상을 언급하여 유배 생활의 어려움을 드러내고 있다.
② ㉡ : 나그네가 자신의 직접 경험을 바탕으로 이야기하고 있음을 알 수 있다.
③ ㉢ : 여관집의 노비는 현실을 받아들이고 운명에 순응하는 삶의 태도를 보여 주고 있다.
④ ㉣ : 작가의 처지가 조금씩 개선되리라는 것을 일깨우려는 나그네의 의도가 담겨 있다.
⑤ ㉤ : 나그네의 이야기를 통해 얻은 교훈을 작가가 오래 간직하고자 했음을 알 수 있다.

【6~9】 다음 글을 읽고 물음에 답하시오.

(가)

푸른 담쟁이 헤치고 독락당(獨樂堂)을 지어 내니
그윽한 경치는 견줄 데 전혀 없네.
㉠ 수많은 긴 대나무 시내 따라 둘러 있고
만 권의 서책은 네 벽에 쌓였으니
왼쪽엔 안회 증삼, 오른쪽엔 자유 자하*.
서책을 벗 삼으며 시 읊기를 일삼아
한가로운 가운데 깨우친 것을 혼자서 즐기도다.
독락, 이 이름 뜻에 맞는 줄 그 누가 알리
사마온공 독락원이 아무리 좋다 한들
그 속의 참 즐거움 이 독락에 견줄쏘냐.
진경을 다 못 찾아 양진암(養眞庵)에 돌아들어
바람 쐬며 바라보니 내 뜻도 뚜렷하다.
퇴계 이황 자필이 참인 줄 알겠노라.
관어대(觀魚臺) 내려오니 펼친 듯한 반석에 자취가 보이는 듯.
손수 심은 장송은 옛 빛을 띠었으니
변함없는 경치가 그 더욱 반갑구나.
㉡ 상쾌하고 맑은 기운 난초 향기에 든 듯하네.
몇몇 옛 자취 보며 문득 생각하니
우뚝한 낭떠러지는 바위 병풍 절로 되어
용면의 솜씨로 그린 듯이 벌여 있고
깊고 맑은 못에 천광운영*이 어리어 잠겼으니
광풍제월*이 부는 듯 비치는 듯.
연비어약*을 말없는 벗으로 삼아
독서에 골몰하여 성현의 일 도모하시도다.
맑은 시내 비껴 건너 낚시터도 뚜렷하네.
㉢ 묻노라, 갈매기들아. 옛일을 아느냐.
엄자릉이 어느 해에 한나라로 갔단 말인가*.
이끼 긴 낚시터에 저녁연기 잠겼어라.

— 박인로, 「독락당」—

* 안회, 증삼, 자유, 자하 : 공자의 제자들.
* 천광운영 : 하늘빛과 구름 그림자.
* 광풍제월 : 비가 갠 뒤의 맑게 부는 바람과 밝은 달.
* 연비어약 : 솔개가 날고 물고기가 뛴다는 뜻으로, 온갖 동물이 생을 즐김을 이르는 말.
* 엄자릉이 ~ 갔단 말인가 : 중국 후한의 엄광이 광무제가 내린 벼슬을 거부하고 자연에 은거하였다는 고사를 이름.

(나)

'방우산장(放牛山莊)'은 내가 거처하고 있는 이른바 '나의 집'에다 스스로 붙인 집 이름이다.
㉣ 집이란 물건은 고루거각이든 용슬소옥이든지* 본디 일정한 자리에 있는 것이요, 떼메고 돌아다닐 수 없는 것이매 집 이름도 특칭의 고유명사가 아닐 수 없으나 나의 방우산장은 원래 특정한 장소, 일정한 건물 하나에만 명명한 것이 아니고 보니 육척 수신 장구를 담아서 내가 그 안에 잠자고 일하며 먹고 생각하는 터전은 다 방우산장이라 부를 수밖에 없다. 산장이라 했으니 산 속에 있어야만 붙일 수 있는 이름이로되 십리 둘레에 일점 산 없는 곳이 없고 보니 나의 방우산장은 심산에 있거나 시항에 있거나를 가리지 않고 일여한 산장이다. 이는 내가 본디 산에서 나고 또 장차 산으로 돌아갈 자이기 때문이다.

기르는 한 마리 소야 있든지 없든지 방우*라 부르는 것은 내 소, 남의 소를 가릴 것 없이 설핏한 저녁 햇살 아래 내가 올라타고 풀피리를 희롱할 한 마리 소만 있으면 그 소가 지금 어디에 가 있든지 내가 아랑곳 할 것이 없기 때문이다.

집은 떠다니지 못하지만 사람은 떠돌게 마련이다. **방우산장의 이름에 값할 집**은 열 손을 넘어 꼽게 된다. 어떤 때는 따뜻한 친구의 집이 내 산장이 되었고 어떤 때는 차운 여관의 일실이 내 산장이 되기도 하였다. 그나 그뿐인가. 피난 종군의 즈음에는 야숙의 담요 한 장이 내 산장이 되기도 하였다. 이러고 보면 취와*의 경우에는 저 억조 성좌를 장식한 무변한 창공이 그대로 나의 산장이 될 법도 하지 않은가. 실상은 나를 바로 나이게 하는 **내 영혼이 깃들인 곳집**, 이 나의 육신이 구극에는 나의 산장이기도 하다.

방우산장에는 아직 한 장의 현판도 없다. 불행하게도 한 장의 현판을 걸었던들 방우산장은 이미 나의 집이 아니게 되었을 것이요, 나의 형터리도 없는 집 이름은 몇 번이든 바뀌었을지도 모른다. 그러므로 ㉤ 두려운 일은 곧 뒷날 내 죽은 뒤 어느 사람이 있어 나의 마음을 가장 잘 알아 주노라는 제 정성으로 방우산장이란 묘전을 내 무덤에다 세워 줄까 저어함이다.

그때는 이미 나의 방우산장은 이 지상에서는 소멸되고 저 지하의 한 이름 모를 나무뿌리에 새겨져 있을 것이다. 땅 위에 남겨 놓고 간 '영혼의 새'가 깃들이는 곳 – 그 무성한 숲의 어느 한 가지가 방우산장이 될 것이다.

— 조지훈, 「방우산장기」 —

* 고루거각이든 용슬소옥이든지 : '높고 크게 지은 집'이든 '겨우 무릎이나 움직일 수 있는 몹시 좁고 작은 집'이든지.
* 방우 : 소를 놓아줌. 불교에서는 사람의 마음을 소[牛]에 빗대어 이를 찾아[심우(尋牛)] 기르는 것[목우(牧牛)]을 수행의 관건으로 보는데, 이에 대해 '방우'가 곧 '목우'임을 내세우는 것은 불교에 근거하면서도 어디에도 구속당하지 않는 자유정신을 드러낸 것으로 볼 수 있음.
* 취와 : 술에 취하여 누움.

6. (가)에 대한 설명으로 가장 적절한 것은?

① 영탄적 어조를 사용하여 예찬적 태도를 드러내고 있다.
② 자연의 불변성에 주목하여 인간사의 한계를 부각하고 있다.
③ 현실의 모순을 언급하며 과거 회귀적 지향을 나타내고 있다.
④ 치밀한 관찰에 근거하여 다양한 삶의 모습을 제시하고 있다.
⑤ 역사적 사례를 제시하며 상황 극복의 의지를 드러내고 있다.

7. ㉠ ~ ㉤에 대한 설명으로 적절하지 않은 것은?

① ㉠ : 공간의 외부와 내부에 대한 진술을 나란히 제시하여 화자가 받은 인상을 개괄적으로 표현하고 있다.
② ㉡ : 감각적 심상과 비유를 결합하여 주변 경관을 효과적으로 표현하고 있다.
③ ㉢ : 자연물에 인격을 부여하여 질문을 던짐으로써 이어질 내용을 이끌어내고 있다.
④ ㉣ : 대조적 표현을 활용하여 대상에 대한 일반적인 생각을 드러내고 있다.
⑤ ㉤ : 가정을 통해 소망이 생전에 실현되지 못할 가능성에 대한 우려를 드러내고 있다.

※ 〈보기〉를 참고하여 8번과 9번의 두 물음에 답하시오.

> ─── < 보 기 > ───
> (가)는 회재 이언적이 거처하던 독락당 및 후학 양성의 뜻을 드러낸 양진암 등을 다룬 박인로의 가사이다. 이 작품의 공간은 학문 수양의 공간과 그 주변의 자연 공간을 아우르고 있다. 화자는 이언적이 명명한 것으로 전해지는 이들 공간을 둘러보면서 그 명칭의 의미와 관련지어 자신의 소회를 드러낸다. 이처럼 공간의 명칭과 그 의미를 중심으로 사고하는 방식은 (나)에서도 중요한 기반을 이루고 있다.

8. (가)와 (나)를 이해한 내용으로 적절하지 <u>않은</u> 것은? [3점]

① (가)에서 '깨우친 것을 혼자서 즐기'는 행위는 '독락당'이라는 명칭의 의미와 연결되면서 학문을 목적으로 하는 공간의 성격을 부각하고 있다.
② (가)에서 '내 뜻도 뚜렷하다'는 진술은 '양진암'에 대한 것으로, 화자는 후학 양성에 뜻을 두었던 이언적에 대한 공감을 표현하고 있다.
③ (가)에서 '연비어약을 말없는 벗으로 삼아 / 독서에 골몰'한다는 표현은 '관어대'와 관련된 것으로, '성현의 일'을 이루지 못한 화자의 반성적 태도를 드러내고 있다.
④ (나)에서 '내가 본디 산에서 나고 또 장차 산으로 돌아갈 자이기 때문이다'는 '산장'이라는 명칭의 근거와 함께 '나'가 귀의하고자 하는 공간의 성격을 나타내고 있다.
⑤ (나)에서 '방우산장의 이름에 값할 집'은 궁극적으로 '내 영혼이 깃들인 곳집'과 연결되면서, 공간의 명칭이 정신적 지향의 표상임을 암시하고 있다.

9. '공간'과 '명칭'의 관계를 중심으로 (가)와 (나)를 설명한 내용으로 가장 적절한 것은?

① (가)에는 시간의 흐름에 따라 공간의 명칭이 변화하는 과정이 제시되고 있다.
② (나)에는 명칭이 지시하는 공간이 하나의 물리적 실체에만 국한되지 않는다는 인식이 나타나 있다.
③ (가)와 (나)의 공간은 명명 과정에서 다수의 인정을 받는 단계를 거쳐 왔다.
④ (가)와 달리 (나)에서는 공간의 외양과 명명의 근거가 긴밀하게 연결되고 있다.
⑤ (나)와 달리 (가)에서는 공간에 대한 작가의 경험이 명칭 지정의 기준으로 작용하고 있다.

총 문항					문항	맞은 문항				문항
개별 문항	1	2	3	4	5	6	7	8	9	10
채점										
개별 문항	11	12	13	14	15	16	17	18	19	20
채점										

[고2 국어 문학]

8분　2019학년도 11월 학평 31~35번　★★☆　정답 060쪽

【1~5】 다음 글을 읽고 물음에 답하시오.

(가)

니 됴흔 수령(守令)들 너흐느니* 백성(百姓)이요
톱 됴흔 변장(邊將)들 허위느니 군사(軍士)로다
재화(財貨)로 성(城)을 쓰니 만장(萬丈)을 뉘 너모며
고혈(膏血)로 히지 푸니 천척(千尺)을 뉘 건너료
기라연(綺羅筵) 금수장(錦繡帳)*의 추월춘풍(秋月春風) 수이 간다
히도 길것마는 병촉유(秉燭遊)* 긔 엇덜고
주인(主人) 줌든 집의 문(門)은 어이 여럿느뇨
도적(盜賊)이 엿보거든 개는 어이 즛잣는고
대양(大洋)을 브라보니 바다히 여위엿다
술이 씌더냐 병기(兵器)를 뉘 가디료
감사(監司)가 병사(兵使)가 목부사(牧府使) 만호(萬戶) 첨사(僉使)
산림(山林)이 빈화던가* 수이곰 드러갈샤
어릴샤 김수(金晬)야 뷘 성(城)을 뉘 딕희료
우울샤 신립(申砬)아 배수진(背水陣)은 므스일고
양령(兩嶺)을 놉다호랴 한강(漢江)을 깁다 호랴
인모(人謀) 불장(不臧)호니* 하늘히라 엇디호료
하나 한 백관(百官)도 수 치올 뿐이랏다
㉠일석(一夕)에 분찬(奔竄)*호니 이 시름 뉘 맛들고
　　　　　　　　　(중략)

질풍(疾風)이 아니 블면 경초(勁草)*룰 뉘 아더뇨
도홍(桃紅) 이백(李白)홀제* 버들조처 프르더니
일진(一陣) 서풍(西風)에 낙엽성(落葉聲) 쑨이로다
김해(金垓) 정의번(鄭宜藩) 유종개(柳宗介) 장사진(張士珍)*아
죽느니 만커니와 이 죽엄 한(恨)티 마라
김해성이 물허지니 진주성을 뉘 지킈료
뇌남(雷南)* 장사(壯士)들이 ㉡일석(一夕)에 어듸 간고
녹빈(綠蘋)을 안듀 삼고 청수(淸水)룰 잔의 브어
충혼(忠魂) 의백(義魄)을 어듸 가 부르려는가
조종(祖宗) 구강(舊疆)*애 도적(盜賊)이 님재 도여*
뫼마다 죽기거니 골마다 더듬거니
원혈(冤血)*이 흘러나려 평육(平陸)이 성강(成江)호니
건곤(乾坤)도 빈자올샤 피(避)홀 듸 젼혀 업다
　　　　　　　　　– 최현, 「용사음(龍蛇吟)」 –

*너흐느니: 짓씹느니.
*기라연 금수장: 호화로운 잔치.
*병촉유: 밤에 촛불을 밝혀 놓고 놀이를 즐김.
*빈화던가: 비었던가.
*인모 불장호니: 사람으로서 할 수 있는 도리를 다하지 않으니. 여기서의 사람은 지배층을 의미한다고 볼 수 있음.
*분찬: 달아나 숨음.
*경초: 억센 풀. 백성을 의미함.
*도홍 이백홀제: 꽃이 피는 봄. 태평스런 시절을 의미함.
*김해 정의번 유종개 장사진: 임진왜란 때의 의병장.
*뇌남: 우리나라 최남단.
*조종 구강: 조상의 영토.
*님재 도여: 임자 되어.
*원혈: 원통한 피.

(나)

　목민관(牧民官)이 백성을 위해 있는 것인가, 백성이 목민관을 위해 사는 것인가? 백성은 곡식과 쌀, 삼과 생사(生絲)를 생산하여 목민관을 섬기고, 거마(車馬)와 하인을 내어 목민관을 보내고 맞이하며, 자신의 고혈(膏血)과 골수를 다 짜내어 목민관을 살찌우니, 백성은 목민관을 위해 사는 것인가? 아니다. 그렇지 않다. 목민관이 백성을 위해 있는 것이다.

　㉢태초의 아득한 옛날에 백성만 있었을 뿐이니, 무슨 목민관이 있었겠는가. 백성들이 즐비하게 모여 살면서 어떤 한 사람이 이웃과 다투어 잘잘못을 가리지 못하였는데 공평한 말을 잘하는 어르신에게 가서 이 문제를 바로잡았다. 사방 이웃들이 모두 감복해서 이 어르신을 추대하여 함께 높여 이정(里正)이라고 이름하였다. 그러더니 여러 마을의 백성들이 마을에서 다투어 잘잘못을 가리지 못한 문제를 가지고 준수하고 학식이 많은 어르신에게 가서 바로잡았다. 여러 마을이 모두 감복해서 이 어르신을 추대하여 함께 높여 당정(黨正)이라 이름하였다.

　여러 당(黨)의 백성들이 당에서 싸워 잘잘못을 가리지 못한 문제를 가지고 어질고 덕이 있는 어르신에게 나아가 바로잡았다. 여러 당이 모두 감복하여 주장(州長)이라 이름하였다. 그러더니 여러 주(州)의 주장이 한 사람을 추대하여 장(長)으로 삼아 국군(國君)이라 이름하고, 여러 나라의 국군이 한 사람을 추대하여 장으로 삼아 방백(方伯)이라 이름하고, 사방의 방백이 한 사람을 추대하여 우두머리로 삼고 그를 황왕(皇王)이라 이름하였다. 황왕의 근본은 이정에서 시작되었으니, 목민관은 백성을 위해 있는 것이다.

　㉣이때를 당해서 이정은 백성들의 바람에 따라 법을 제정하여 당정에게 올리고, 당정은 백성들의 바람에 따라 법을 제정하여 주장에게 올리고, 주장은 국군에게 올리고, 국군은 황왕에게 올렸다. 이 때문에 ⓐ그 법은 모두 백성들을 편하게 하는 것이었다.

　그런데 후세에는 한 사람이 스스로 나서서 황제가 되어 자기 아들과 아우 및 가까이 모시는 자와 하인들을 모두 봉하여 제후로 삼고, 제후는 자기의 사인(私人)들을 뽑아 주장으로 삼고, 주장은 자기의 사인들을 뽑아 당정과 이정으로 삼았다. 이에 황제는 자기 욕심대로 법을 제정하여 제후에게 내려 주고, 제후는 자기 욕망대로 법을 제정하여 주장에게 내려 주고, 주장은 당정에게 내려 주고, 당정은 이정에게 내려 주었다. 이 때문에 ⓑ그 법은 모두 임금을 높이고 백성을 낮추며, 아랫사람의 재물을 깎아 내어 윗사람에게 보태 주는 것이 되었다. 그리하여 한결같이 백성들은 목민관을 위해 사는 것처럼 된 것이다.

　㉤지금의 수령은 옛날의 제후나 마찬가지이다. 그들을 받들어 모시는 궁실과 거마, 제공되는 의복과 음식, 좌우에서 모시는 여인이나 내시, 노복들까지 임금에 맞먹는 정도이다. 그들의 권능이 사람을 기쁘게도 하고 그들의 형벌과 위엄이 사람을 두렵게도 할 수 있다. 그리하여 거만하게 스스로 높이고 태연하게 스스로 즐겨 자신이 목민관이라는 사실을 잊고 있다.

　한 사람이 싸우다가 이 문제를 가지고 그에게 가서 바로잡아 달라고 하면 얼굴을 찡그리고 "어찌 이렇게 시끄럽게 구는가?"라고 하고, 한 사람이 굶어 죽기라도 하면 "제 스스로 죽은 것일 뿐이다."라고 한다. 곡식과 쌀, 베와 비단을 생산하여 섬기지 않으면 매질하고 곤장을 쳐서 피가 흐르는 것을 보고 나서야 그친다. 날마다 돈을 계산하고 장부를 작성하는가 하면, 돈과 베를 거둬들여 전택(田宅)을 마련하고 권세가나 재상에게 뇌물

을 보내 훗날의 이익을 도모한다. 그러므로 "백성이 목민관을 위해 있다."라고 말하는 것이니, 어찌 바른 이치이겠는가. 목민관은 백성을 위해 있는 것이다.

　　　　　　　　　　　　　　　　　　　－ 정약용, 「원목(原牧)」 －

1. (가)와 (나)의 공통점으로 가장 적절한 것은?
① 대조의 방식을 사용하여 주제의 의미를 부각하고 있다.
② 활유의 방식을 사용하여 관념적 대상을 묘사하고 있다.
③ 풍자적 표현을 활용하여 주제의 양면성을 드러내고 있다.
④ 연쇄의 방식을 사용하여 상황의 심각성을 표현하고 있다.
⑤ 역설적 표현을 활용하여 세태의 혼란함을 강조하고 있다.

2. <보기>를 바탕으로 (가)를 감상한 내용으로 적절하지 않은 것은?

　　　　　　　　　　　〈 보 기 〉
　「용사음」은 임진왜란을 배경으로 전쟁의 참상과 의병의 모습을 보여주고 있다. 일본이 조선을 침략했을 때 백성들은 자신들을 외면한 지배층에 대해 분노하며 의병으로 참전하였다. 이 작품에서는 이러한 의병들의 충성스러운 희생이 부각됨으로써 백성들의 강인함이 형상화되었다.

① '하나 한 백관도 수 치올 뿐이랏다'를 통해 일본에 대한 의병들의 분노를 짐작할 수 있겠군.
② '질풍이 아니 블면 경초롤 뉘 아더뇨'를 통해 임진왜란에서 드러난 백성들의 강인함을 짐작할 수 있겠군.
③ '충혼 의백을 어듸 가 부르려는가'를 통해 의병들의 충성스러운 희생을 짐작할 수 있겠군.
④ '조종 구강애 도적이 님재 도여'를 통해 일본이 조선을 침략한 상황을 짐작할 수 있겠군.
⑤ '원혈이 흘러나려 평육이 성강ᄒᆞ니'를 통해 임진왜란에 의해 벌어진 참상을 짐작할 수 있겠군.

3. <보기>를 바탕으로 (가)와 (나)를 이해한 내용으로 적절하지 않은 것은? [3점]

　　　　　　　　　　　〈 보 기 〉
　조선 후기 관리들 중에는, 백성을 위해 일해야 하며 그들을 보호해야 하는 공적 책무를 망각한 경우가 많았다. 이러한 관리들은 백성을 수탈하며 탐욕스러움을 드러내거나 백성을 가혹하게 대할 뿐만 아니라, 방탕하게 향락에 빠지기도 하였다. 백성에 대한 관리로서의 본분을 다하지 않는 무책임함과 현실 문제를 해결하지 못하는 무능력함은 백성의 빈곤과 국가의 혼란을 초래했다.

① (가)의 '니 됴흔 수령들 너흐ᄂᆞ니 백성이요'와 (나)의 목민관이 백성을 '매질하고 곤장을 쳐서 피가 흐르는 것'을 본다는 것에서 백성에 대한 관리들의 가혹함을 엿볼 수 있다.
② (가)의 '재화로 성을 ᄡᆞ니 만장을 뉘 너모며'와 (나)에서 목민관이 '돈과 베를 거둬들여 전택을 마련'한다고 한 것에서 백성들을 수탈하는 관리들의 탐욕스러움을 엿볼 수 있다.
③ (가)의 '인모 불장ᄒᆞ니 하늘히라 엇디ᄒᆞ료'와 (나)의 목민관이 '굶어 죽'은 '한 사람'에 대해 '제 스스로 죽은 것'이라고 말한 것에서 백성에 대한 관리들의 무책임함을 엿볼 수 있다.
④ (가)의 '히도 길것마는 병촉유 긔 엇덜고'에서는 관리들의 방탕함을, (나)의 목민관이 '자신이 목민관이라는 사실을 잊'었다는 것에서는 자신들의 본분을 망각했음을 엿볼 수 있다.
⑤ (가)의 '죽ᄂᆞ니 만커니와 이 죽엄 한티 마라'에서는 관리들이 초래한 백성의 빈곤함을, (나)의 목민관이 '형벌과 위엄'으로 백성을 '두렵게' 한다고 한 것에서는 관리들의 무능력함을 엿볼 수 있다.

4. ㉠ ~ ㉤에 대한 이해로 가장 적절한 것은?
① ㉠과 달리 ㉢에는 현실의 혼란스러운 상황을 피하고자 하는 행위가 드러난다.
② ㉠과 달리 ㉣에는 사회적으로 바람직한 가치를 추구하는 행위가 드러난다.
③ ㉠과 달리 ㉤에는 개인의 안위만을 고려하는 이기적인 행위가 드러난다.
④ ㉡과 달리 ㉢에는 피지배자가 지배자의 자리에 오르기 위해 투쟁하는 행위가 드러난다.
⑤ ㉡과 달리 ㉤에는 피지배자가 원하는 바를 충족시켜 문제를 해결하는 행위가 드러난다.

5. ⓐ와 ⓑ를 비교한 내용으로 가장 적절한 것은?
① ⓐ는 백성의 바람이 반영된 편안한 삶이라는, ⓑ는 목민관을 위한 백성의 삶이라는 결과를 낳았다.
② ⓐ는 백성의 결핍이 충족되는 삶이라는, ⓑ는 목민관이 백성의 염원을 지지하는 삶이라는 결과를 낳았다.
③ ⓐ는 백성의 번민이 거듭되는 삶이라는, ⓑ는 목민관의 요구가 영향을 미친 백성의 삶이라는 결과를 낳았다.
④ ⓐ는 백성의 의무가 강요되는 삶이라는, ⓑ는 목민관에 의해 권리가 보장되는 백성의 삶이라는 결과를 낳았다.
⑤ ⓐ는 백성의 욕망이 좌절되는 삶이라는, ⓑ는 목민관에 의해 백성의 소망이 이루어지는 삶이라는 결과를 낳았다.

【6~10】 다음 글을 읽고 물음에 답하시오.

(가)

　살아 있는 것은 흔들리면서
　튼튼한 줄기를 얻고
　잎은 흔들려서 스스로
　살아 있는 몸인 것을 증명한다.

　ⓐ 바람은 오늘도 분다.
　수만의 잎은 제각기
　몸을 엮는 하루를 가고
　들판의 슬픔 하나 들판의 고독 하나 ──────
　들판의 고통 하나도　　　　　　　　　　　　[A]
　다른 곳에서 바람에 쏠리며
　자기를 헤집고 있다.

　피하지 마라
　빈 들에 가서 깨닫는 그것
　우리가 늘 흔들리고 있음을.
　　　　　　　 － 오규원, 「살아 있는 것은 흔들리면서 － 순례 11」 －

(나)

　㉠너에게로 가지 않으려고 미친 듯 걸었던
　그 무수한 길도
　실은 네게로 향한 것이었다

　까마득한 밤길을 혼자 걸어갈 때에도
　내 응시에 날아간 별은
　네 머리 위에서 반짝였을 것이고
　내 한숨과 입김에 꽃들은 ──────
　네게로 몸을 기울여 흔들렸을 것이다　　　[B]

　㉡사랑에서 치욕으로,
　다시 치욕에서 사랑으로,
　하루에도 몇 번씩 네게로 드리웠던 두레박

　그러나 매양 퍼 올린 것은
　수만 갈래의 길이었을 따름이다

　은하수의 한 별이 또 하나의 별을 찾아가는
　그 수만의 길을 나는 걷고 있는 것이다

　나의 생애는
　모든 지름길을 돌아서
　㉢네게로 난 단 하나의 에움길*이었다
　　　　　　　 － 나희덕, 「푸른 밤」 －

*에움길 : 굽은 길. 또는 에워서 돌아가는 길.

(다)

　잡거니 밀거니 놉픈 뫼히 올라가니

　구롬은 키니와 안개는 므스 일고
　산천이 어둡거니 일월을 엇디 보며
　지척을 모르거든 쳔 리를 브라보랴
　출하리 믈ㄱ의 가 빈 길히나 보랴 ㅎ니
　ⓑ브람이야 믈결이야 어둥졍* 된뎌이고
　샤공은 어듸 가고 븬 비만 걸렷눈고
　강텬(江天)의 혼자 셔셔 디눈 히를 구버보니　[C]
　님다히 쇼식(消息)이 더옥 아득ㅎ뎌이고
　모쳠(茅簷)* 춘 자리의 밤듕만 도라오니 ──────
　반벽쳥등(半壁靑燈)은 눌 위ㅎ야 불갓눈고　　[D]
　오르며 누리며 헤쓰며* 바자니니*
　져근덧 녁진(力盡)ㅎ야 픗줌을 잠간 드니
　졍셩(精誠)이 지극ㅎ야 꿈의 님을 보니
　옥(玉) ㄱ튼 얼굴이 반(半)이 나마 늘거셰라
　무음의 머근 말숨 슬ㄹ장 숣쟈 ㅎ니
　눈믈이 바라 나니 말숨인들 어이ㅎ며
　졍(情)을 못다 ㅎ야 목이조차 몌여ㅎ니
　오뎐된* 계셩(鷄聲)의 줌은 엇디 씨돗던고 ──────
　어와 허亽(虛事)로다 이 님이 어듸 간고　　　[E]
　결의 니러 안자 창(窓)을 열고 브라보니
　ⓒ어엿븐 그림재 날 조출 뿐이로다
　ⓓ출하리 싀여디여* 낙월(落月)이나 되야 이셔
　님 겨신 창(窓) 안히 번드시 비최리라
　　　　　　　　　 － 정철, 「속미인곡(續美人曲)」 －

*어둥졍 : 어수선하게.　　　*모쳠 : 초가집.
*헤쓰며 : 헤매며.　　　　　*바자니니 : 방황하니.
*오뎐된 : 방정맞은.　　　　*싀여디여 : 죽어서.

---

6. (가)~(다)에 대한 설명으로 가장 적절한 것은?

① (가), (나)는 현실 자각을 통해 미래에 대한 기대를 담고 있다.
② (가), (다)는 자연물의 속성을 통해 주제를 강화하고 있다.
③ (나), (다)는 부정적 상황을 긍정적인 시선으로 받아들이고 있다.
④ (가)~(다)는 모두 부재하는 대상에 대한 연민을 표출하고 있다.
⑤ (가)~(다)는 모두 대립적 상황 제시를 통해 포용과 조화를 강조하고 있다.

---

7. <보기>는 (가)를 읽고 쓴 비평문의 일부이다. ㉮~㉲ 중 (가)를 통해 알 수 있는 내용으로 적절하지 않은 것은?

──── <보 기> ────

　우리는 문득 "왜 나만 이렇게 힘들지?"라는 의문을 품을 때가 있다. 이 작품은 이에 대한 답을 준다. ㉮살아 있는 모든 생명체는 시련과 고통을 마주하게 된다. ㉯각각 상황에 따라 차이가 있을 뿐 누구도 피해 갈 수 없다. 그러나 ㉰이것은 우리가 살아 있음을 증명하는 건강한 자극이다. 이를 통해 ㉱나와 주변을 한 번 더 돌아보고 함께 세상으로 나아갈 수 있다. 시련과 고통은 피하지 말아야 한다. 아니 ㉲오히려 빈 들에서 바람을 온전히 느낄 수 있듯 내가 살아 있음을 확인해야 한다.

① ㉮　　② ㉯　　③ ㉰　　④ ㉱　　⑤ ㉲

8. ⓐ와 ⓑ에 대한 이해로 가장 적절한 것은?

① ⓐ, ⓑ는 모두 인간의 강인함을 인식하게 한다.
② ⓐ, ⓑ는 모두 경외심을 느끼게 하는 대상이다.
③ ⓐ는 받아들여야 하는, ⓑ는 벗어나고 싶은 상황이다.
④ ⓐ는 화합의 이미지가, ⓑ는 고독의 이미지가 드러난다.
⑤ ⓐ는 상황에 대한 만족감을, ⓑ는 상황에 대한 안타까움을 준다.

9. <보기>를 참고하여 ㉠~㉤을 감상한 내용으로 적절하지 않은 것은? [3점]

─── <보 기> ───

선생님 : 우리 삶에서 수많은 형태로 반복되는 만남과 헤어짐
은 문학 작품에서 다양하게 형상화되고 있습니다. (나)의
화자는 다가온 인연 때문에 한때는 갈등하며 방황하기도
했지만 결국 거부할 수 없는 운명을 받아들이고 있습니다.
(다)에서는 헤어짐이 있지만 그것은 하나의 과정일 뿐, 화
자는 온갖 어려움을 참고 견디며 이별을 거부합니다. 소중
한 인연을 영원히 지켜내기 위해 죽음도 마다하지 않으며
운명적인 만남을 이어 가려 합니다.

① ㉠에서는 운명적인 인연을 애써 거부하며 방황했던 화자를
발견할 수 있군.
② ㉡에서는 인연의 굴레를 벗어나지 못하던 화자의 내적 갈등
을 알 수 있군.
③ ㉢에서는 거부할 수 없는 운명임을 깨닫고 인정하는 화자의
모습을 볼 수 있군.
④ ㉣에서는 소중한 인연을 지켜내기 위해 어려움을 참고 견디
겠다는 화자의 의지를 확인할 수 있군.
⑤ ㉤에서는 죽음도 마다하지 않으며 운명적인 만남을 이어가고
싶은 화자의 소망을 확인할 수 있군.

10. [A]~[E]에 대한 설명으로 적절하지 않은 것은?

① [A] : 유사한 시구의 반복을 통해 화자의 정서를 드러낸다.
② [B] : 비유를 통해 화자가 한 대상만을 지향했음을 보여준다.
③ [C] : 객관적 상관물을 통해 화자의 쓸쓸하고 외로운 처지를
강조한다.
④ [D] : 화자의 처지와 대비되는 소재를 통해 화자의 인식 변
화를 부각한다.
⑤ [E] : 청각적 심상을 통해 화자가 꿈에서 깨게 된 원인을 드
러낸다.

총 문항				문항	맞은 문항				문항
개별 문항	1	2	3	4	5	6	7	8	9	10
채점										
개별 문항	11	12	13	14	15	16	17	18	19	20
채점										

8분 | 2019학년도 6월 학평 20~24번 | ★★☆ | 정답 063쪽

【1~5】 다음 글을 읽고 물음에 답하시오.

(가)

[앞부분의 줄거리] 동림산업은 제복을 제정하려고 준비위원회를 통해 사원들의 의견을 듣기로 한다. 사원들은 반대하지만 준비위원회는 일방적으로 제복 제정을 결정하고, 회사는 재단사를 불러 사원들의 치수를 재며 제복 도입을 강행한다.

"거기 있을 줄 알았지. 나야, 장이야. 우기환이도 같이 있나?"
전화를 받자마자 장상태가 낮고 빠른 말씨로 지껄여왔다.
"즉각 들어와 줘야겠어. 과장이 잔뜩 뿔따구가 나갖구 방금 사장실로 들어갔어."
"재단사들은 다 철수했나?"
"아직 다른 사무실을 돌고 있어. 그 친구들이 철수하기 전에 자네가 들어와야 일이 무사해질 것 같애."
"지금은 들어가고 싶잖아. 친구가 찾아와서 잠깐 외출했다고 그래."
"재는 거야 상관없잖아. ㉠입고 안 입는 건 그 후의 일인데 뭘 그래."
민도식은 일방적으로 전화를 끊어버렸다. 한참 만에 민 선생을 찾는 전화가 다시 왔다.
"과장일세. 자네들이 지금 취하고 있는 행동이 어떤 결과를 부르는지 알고나 그러나?"
수화기에서 대뜸 불호령이 떨어졌다.
"자네들이 이번 일에 비협조적이란 걸 알고 있어. 뒷전으로 돌면서 불평이나 터뜨리고 다니는 걸 내가 모를 줄 아나?"
과장은 계속해서 닦아세웠다.
"이 전화 끝나자마자 사장실로 가봐! 나하곤 이미 용무가 끝났어!"
사장은 전혀 화가 난 얼굴이 아니었다. 조심스럽게 들어와서 맞은편 소파에 앉는 두 사원을 응접세트 너머로 지그시 바라보고 있었다.
"자네들이 의복에 관해서 일가견을 가졌다는 소문인데, 어디 그 견해 좀 듣세."

(중략)

"자네들이 이러지 않아도 난 지금 복잡한 일이 많은 사람이야. 우 군이 K직물을 동경하는 그 심정은 나도 알아. 하지만 앞으로 가까운 장래에 다른 사람들이 자네들을 동경하도록 만들기 위해서는 나도 노력하고 자네들도 적극 협조해야 되잖겠나. 그동안을 못 참아서 협조할 수 없다면 별 수 없지. ㉡이런 일엔 누군가 한 사람쯤 희생이 따른다는 사실을 각오해야 돼."
"무슨 뜻인지 알겠습니다. 제가 희생이 되죠. 피고용자한테도 권리는 있습니다. 들어올 때는 제 맘대로 못 들어오지만 나갈 때는 제 맘대로 나갈 수 있으니까요."
우기환이가 분연히 소파에서 일어나 빠른 걸음으로 도어를 향해 갔다. 순식간의 일이었다. 사장실을 나서는 우기환이와 엇갈려 웬 사내가 잽싸게 뛰어들었다. 다방에서 두 번 본 적이 있는 생산부의 잡역부 권 씨였다. 사장실로 들어서기 무섭게 권 씨는 민도식을 향해 눈자위를 하얗게 부릅떠 보였다. 우기환의 돌연한 행동에 초벌 놀랐던 도식은 권 씨의 험악한 표정에 재벌 놀라면서 엉거주춤 궁둥이를 들었다. 빨리 자리를 비켜달라는 권 씨의 무언의 협박이 빗발치고 있었다.
"㉢죄송해요, 사장님. 한사코 안 된다는데두 부득부득 우기면서 이 사람이……"
뒤쫓아 들어온 여비서를 손짓으로 내보낸 다음 사장이 말했다.
"어서 오게, 권 군."
자기보다 더 사정이 절박한 사람을 위해서 민도식은 사장실에서 물러나지 않을 수 없었다.
"잘 생각해서 스스로 결정을 내리도록 하게."
도어가 채 닫히기 전에 사장의 껄껄한 목소리가 도식의 등 뒤에 따라붙었다.

"장 선생 집에 전화 걸었더니 부인이 받데요. 새로 맞춘 유니폼 입구 아침 일찍 출근했다구요."
아내의 바가지 긁는 소리로 창업 기념일의 아침은 시작되었다. 체육대회가 열리는 제1공장까지 가자면 다른 날보다 더 일찍 나서야 되는데도 여전히 뭉그적거리고만 있는 남편 곁에서 아내는 시종 근심스런 눈초리를 거두지 않았다. 제복 때문에 총각 사원 하나가 사표를 던졌다는 소문을 아내는 믿지 않았다. 사표를 제출한 게 아니라 강제로 모가지가 잘린 거라고 굳게 믿고 있었다.
"까짓것 난 필요 없어. 거기 아니면 밥 빌어먹을 데 없는 줄 알아? 세상엔 아직도 유니폼 안 입는 회사가 수두룩하단 말야!"
거듭되는 재촉에 이렇게 큰소리로 대거리는 했지만 결국 민도식은 뒤늦게나마 집을 나서고 말았다.
시내를 멀리 벗어나서 교외에 널찍하게 자리 잡은 제1공장 앞에 당도했을 때는 벌써 개회식이 시작된 뒤였다. 공장 정문 철책 너머로 검정 곤색 일색의 운동장을 넘어다보는 순간 민도식은 갑자기 숨이 턱 막혀 옴을 느꼈다.

– 윤흥길, 「날개 또는 수갑」 –

(나)

S# 29. 현의 집

현을 끌고 오는 고 영감. 끌려오며 무어라고 잘못했다고 비는 현. 마당에 나뭇가지를 말리던 현 모 의아해 일어난다.
고 영감: (들어서며 대뜸) 너 야 앞에서 똑똑히 말하거라. 현이 애비가 왜 죽었느냐?
현 모: 무슨 말씀이신지 전……
고 영감: 그게 훌륭한 죽음여? 그래서 철없는 자식헌티도 애비처럼 죽으라구 부추기는 거여?
현 모: 아버님 고정하시고……
고 영감: 그 따위로 자식을 키우려거든 당장 오늘이라도 현인 내가 데려가서 키울란다.
현: 싫어. (할아버지 손을 탁 뿌리치고 밖으로 뛰어나간다.)
현 모: …… 제가 잘못했습니다. 허지만 현이 아버지 죽음을 못난 죽음이라고는 말어 주세요.
고 영감: (조금 누그러지며) 지금 세상에 똑똑한 놈 잘 되는 것 없어. 남이야 뭐라던 그저 죽어지내는 게 젤 보존하는

거여……. 너도 명심허고 애를 그렇게 키워.

(중략)

S# 36. 교정

현이 가방 들고 나온다. 문득 멈춘다. 학교 직원실 건물 쪽에서 한 떼의 학생. 창백한 얼굴, 도수 높은 근시 안경의 M 선생을 고등계 형사 두 명이 연행해 가고 있다. 학생들이 수군거린다.

E*: 어떻게 된 거야?

E: 모종의 독서회를 열었고, 학생들에게 독립 사상을 주입시킨 혐의래.

태연히 냉소마저 머금고 지나치는 M 선생. 현과도 시선이 마주친다. 이상하게 흠칫 뒤로 물러서는 현.

M 선생: 공부를 잘해라.

지나치며 한마디 한다. 착잡한 시선으로 뒷모습 바라보는 현. 다시 교문을 향해 걸어 나가는데. "어이, 현아." 저쪽 나무 그늘 아래 또 한 떼 웅성대던 학생들 중에 연호가 부른다.

현: 연호, 너 안 갈래?

연호: 잠깐 와 봐.

그쪽으로 가는 현. 그쪽의 학생들 얼굴이 왠지 긴장해 있다. 그들 현을 자세히 본다. 약간 굳어지는 현.

민영: (나서며) 현은 우리의 뜻을 알 거다.

현: (어리둥절) 무슨 뜻?

민영: 현의 아버지는 삼일 혁명 당시 훌륭한 죽음을 하셨으니까…….

현: (흠칫. 무슨 뜻인지 안다.) …….

민영: …… 아침에도 오 학년 학생 둘이 끌려갔어……. 또 끌려 갈 거야……. 하지만 우리는 중단할 수 없어.

현: (주저) …….

민영: 잡혀간 철웅이 아버님이 주재소로 끌려가 매를 맞고 돌아와서 돌아가셨대……. ㉣너의 아버진 우리의 우상이야. 너도 우리와 뜻을 같이해 주어.

현: (입술이 탄다.) …….

연호: (두둔하며) 현은 말 안 해도 우리의 뜻을 알아.

현: (당황) 아니 그보다…….

민영: 그보다 뭐야?

현: ……. 우리가 비밀 운동이나 조직한다구 무어가 달라질까?

민영: 뭐?

현: 글쎄……. 우리들 힘이나 잡혀간 M 선생님의 힘으로 뭐가 거대한 것이 달라질까 말이야…….

민영: (발끈) 그렇다고 우리는 언제까지나 수동적이어야만 하니.

현: (우물쭈물) 글쎄……. 난 당장 해야 할 숙제나 시험만 해도 과중해서…….

일순 굳어지는 야릇한 공기.

현: 미안해…….

돌아서 간다. 등 뒤에서 들리는 소리.

민영: 비겁한 자식. (움찔 멈춰 서는 현.)

연호: (변명하며) 아냐. ㉤현이는 홀어머니 때문에 가볍게 움직일 수 없어.

　　　　　　　　　　　　　　 ― 선우휘 원작, 이은성·윤삼육 각색, 「불꽃」 ―

*E: 효과음(effect). 화면에 삽입된 음향

---

1. (가)와 (나)의 공통점으로 가장 적절한 것은?

① 인물 간의 대화를 통해 사건의 긴장감을 조성하고 있다.
② 새로운 인물이 등장하여 갈등 해소의 계기를 마련하고 있다.
③ 과거 장면을 통해 인물의 성격이 변화한 원인을 드러내고 있다.
④ 공간적 배경을 사실적으로 묘사하여 시대 상황을 구체화하고 있다.
⑤ 동시에 일어난 사건을 나란히 배치하여 서사 진행을 지연시키고 있다.

2. <보기>를 바탕으로 (가)와 (나)를 이해한 것으로 적절하지 <u>않은</u> 것은? [3점]

─────< 보 기 >─────

소설과 시나리오에서 세계에 대응하는 자아의 양상은 다양하고 복합적이다. ⓐ세계의 횡포에 좌절하거나 순응하는 자아도 있고, ⓑ쉽사리 세계에 굴복당하지 않으려는 자아도 있다. 한편 위의 두 자아가 한 인물 내에서 충돌하는 경우도 있다.

① (가)의 '아내'가 장 선생은 '유니폼 입'고 '일쩍 출근했다'며 재촉하는 것은 ⓐ, (나)의 '현 모'가 남편의 죽음을 '못난 죽음이라고는 말'이라며 뜻을 굽히지 않는 것은 ⓑ의 양상으로 볼 수 있군.
② (가)의 '장상태'가 '즉각 들어오'라며 과장이 '방금 사장실로 들어갔다'고 전화한 것과 (나)의 '고 영감'이 '죽어지내는 게 절 보존하는 거'라 여기는 것은 모두 ⓐ의 양상으로 볼 수 있군.
③ (가)의 '우기환'이 '나갈 때는 제 맘대로 나갈 수 있으니까요.'라며 일어난 것과 (나)의 '민영'이 '언제까지나 수동적이어야만 하니.'라며 반문한 것은 모두 ⓑ의 양상으로 볼 수 있군.
④ (가)의 '민도식'이 '세상엔 아직도 유니폼 안 입는 회사가 수두룩하다'며 대거리하면서도 집을 나서 체육대회 장소로 가는 것은 ⓐ와 ⓑ가 공존하는 양상으로 볼 수 있군.
⑤ (나)의 '현'이 '우리들 힘'으로 '뭐가 거대한 것이 달라질까'라고 하면서 '미안하'다는 말을 남기고 돌아서는 것은 ⓐ에서 ⓑ로 전환되는 양상으로 볼 수 있군.

3. <보기>는 (나)의 S# 36에 해당하는 원작 소설 부분이다. 이 부분을 시나리오로 각색하는 과정에서 고려했을 사항으로 적절하지 <u>않은</u> 것은?

─────< 보 기 >─────

들려오는 사건의 내용은 M 선생이 주최하여 몇 명의 학생이 불온한 독서회를 열었고, 모종 과격한 행동까지 꾀했다는 것이었다. 현은 어느 땐가 R한테서 그런 권유를 받은 일이 있었으나 당장 해야 할 숙제나 시험만 해도 자기에겐 과중하다고 거절했던 일을 생각했다. 끌려간 M 선생은 학생들의 은근한 여론 속에서 하나의 우상이 되고 말았다. 더욱 옥중에서 쪽지를 보내 학생들을 격려했다는 소문은 어쩔 수 없는 흥분의 도가니를 이루게 했다.

① 연행되는 M 선생과 현이 마주치는 장면을 삽입한다.
② M 선생이 우상이 되어가는 과정을 대사로 제시한다.
③ M 선생이 연행되는 이유는 효과음을 사용해 드러낸다.
④ M 선생이 옥중에서 보낸 쪽지와 관련된 내용은 생략한다.
⑤ 권유를 받은 현이 당황해하는 모습을 지시문으로 추가한다.

4. (가)에 대해 <학습 활동>을 수행한 내용으로 가장 적절한 것은?

<학습 활동>

이 작품의 제목은, 중심 소재인 '옷'이 가지는 상반된 의미를 통해 주제 의식을 상징적으로 드러내고 있다. '민도식'이 한 아래의 말을 참고하여 제목의 의미를 이해해 보자.

"옷에는 보호 기능과 표현 기능이 있다고 들었습니다. 우리가 옷에서 바랄 수 있는 건 그 두 가지 기능만으로 충분하다고 믿고 있습니다. 제복으로 사원들 간에 일체감을 조성해서 회사를 더욱 더 발전시키겠다고 그러시지만 제 생각엔 그렇게 해서 얻어지는 단결력보다는 제복에 눌려서 개성이 위축되고 단결력에 밀려서 자유로운 창의력이 퇴보되는 데서 오는 손실이 더 클 것 같습니다."

① 옷이 조직원을 단결시킬 때는 '날개'이지만, 조직원의 자유를 억압할 때는 '수갑'이겠군.

② 옷이 개성을 표출하게 할 때는 '날개'이지만, 창의력을 퇴보시킬 때는 '수갑'이겠군.

③ 옷이 새로운 기능을 할 때는 '날개'이지만, 기존의 기능을 할 때는 '수갑'이겠군.

④ 옷이 조직을 발전시킬 때는 '날개'이지만, 조직을 일체화할 때는 '수갑'이겠군.

⑤ 옷이 표현 수단일 때는 '날개'이지만, 보호 수단일 때는 '수갑'이겠군.

5. ㉠~㉤에 대한 설명으로 적절하지 <u>않은</u> 것은?

① ㉠: 착용 여부를 선택할 수 있도록 도와줄 것을 약속하며 회유하고 있다.

② ㉡: 제복 제정에 반대하는 사람에게 불이익이 있을 것이라고 압박하고 있다.

③ ㉢: 사장을 반드시 만나고자 하는 권 씨를 제지하기에는 역부족이었다고 해명하고 있다.

④ ㉣: 현을 설득하기 위해 현의 아버지에 대한 자신의 생각을 드러내고 있다.

⑤ ㉤: 현의 가족 상황을 고려하여 그의 입장을 대변하고 있다.

7분   2019학년도 3월 학평 42~45번   ★★★   정답 065쪽

【6~9】 다음 글을 읽고 물음에 답하시오.

(가)

[A]
황매 시절 떠난 이별 만학단풍 늦었으니
상사일념 무한사는 저도 나를 그리려니
굳은 언약 깊은 정을 낸들 어이 잊었을까
인간의 일이 많고 조물이 시기런지
삼하삼추 지나가고 낙목한천 또 되었네
운산이 멀었으니 소식인들 쉬울손가
대인난* 긴 한숨의 눈물은 몇 때런고
흉중*의 불이 나니 구회간장 다 타 간다
인간의 물로 못 끄는 불이라 없건마는
㉠ 내 가슴 태우는 불은 물로도 어이 못 끄는고

자네 사정 내가 알고 내 사정 자네 아니
㉡ 세우사창 저문 날과 소소상풍 송안성*의
상사몽 놀라 깨여 맥맥히 생각하니
방춘화류 좋은 시절 강루사찰 경개* 좋아
[B]
일부일 월부월*의 운우지락 협흡*할 제
청산녹수 증인 두고 차생백년 서로 맹세
못 보아도 병이 되고 더디 와도 성화로세
오는 글발 가는 사연 자자획획 다정터니
엇지타 한 별리가 역여조기* 어려워라

– 이세보, 「상사별곡」 –

* 대인난: 약속한 시간에 오지 않는 사람을 기다리는 안타까움과 괴로움.
* 흉중: 마음속.
* 송안성: 기러기 울음소리.
* 경개: 경치.
* 일부일 월부월: 날마다 달마다.
* 협흡: 화목하게 사귐.
* 역여조기: 그리는 정이 간절함.

(나)

한라산이 시력 범위 안에 들어와 서기는 실상 추자도에서도 훨석 이전이었겠는데 새벽에 추자도를 지내 놓고 한숨 실컷 자고 나서도 날이 새인 후에야 ㉢ 해면 우에 덩그렇게 선연히 허우대도 끔찍이도 크게 나타나는 것이 아닙니까! 눈물이 절로 솟도록 반갑지 않으오리까. 한눈에 정이 들어 즉시 몸을 맡기도록 믿음직스러운 가슴과 팔을 벌리는 산이외다. 동방화촉에 초야를 새우올 제 바로 모신 님이 수줍고 부끄럽고 아직 설어 겨울 뿐일러니 그 님의 그 얼굴 그 모습이사 동창이 아주 희자 솟는 해를 품은 듯 와락 사랑홉게 뵈입는 신부와 같이 나는 이날 아침에 평생 그리던 산을 바로 모시었습니다. 이즈음 슬프지도 않은 그늘이 마음에 나려앉아 좀처럼 눈물을 흘린 일이 없었기에 인제는 나의 심정의 표피가 호두 껍질같이 오롯이 굳어지고 말았는가 하고 남저지* 청춘을 아주 단념하였던 것이 제주도 어구 가까이 온 이날 이른 아침에 불현듯 다시 살아나는 것이 아니오리까. 동행인 영랑과 현구도 푸른 언덕까지 헤엄쳐 오르려는 물새처럼이나 설레고 푸덕거리는 것이요 좋아라 그러는 것이겠지마는 갑판 위로 뛰어 돌아다니며 소년처럼 회살대는 것이요, 빽빽거리는 것이었습니다. ㉣ 산이 얼마나 장엄하고도 너그럽고 초연하고도 다정한 것이며 준열하고도 지극히 아름다운 것이 아니오리까. 우리의 모륙(母陸)이 이다지도 절승*한 도선(徒船)을 달고 엄연히 대륙에 기항*하였던 것을 새삼스럽게 감탄하지 않을 수 없었습니다.

해면에는 아직도 야색(夜色)이 개이지는 않았는지 물결이 개운한 아침 얼굴을 보이지 않았건만 ⓜ 한라산 이마는 아름풋한 자줏빛이며 엷은 보랏빛으로 물들은 것이 더욱 거룩해 보이지 않습니까. 필연코 바다 저쪽의 아침 해를 미리 맞음인가 하였으니 허리에 밤 잔 구름을 두르고도 그리고도 그 우에 다시 헌출히 솟아오릅니다. 배가 제주 성내 앞 축항 안으로 들어가자 큼직한 목선이 선부들을 데불고 마중을 나온 것이었습니다. 갑자기 소나기 한줄금을 맞으며 우리는 목선에로 옮겨 타고 성내로 상륙하였습니다. 흙은 검고 돌은 얽었는데 돌이 흙보다 더 많은 곳이었습니다. 그러고도 사람의 자색은 희고도 아름답지 않습니까. 소나기 한줄금은 금시에 개이고 멀리도 밤을 새워 와서 맞은 햇살이 해협 일면에 부챗살 펴듯 하였습니다.
  — 정지용, 「다도해기 5 - 일편낙토」 —

*남저지 : 나머지.
*절승 : 아주 뛰어나게 좋은 경치.
*기항 : 항해중인 배가 목적지가 아닌 항구에 잠시 들르는 것.

6. (가)와 (나)의 공통점으로 가장 적절한 것은?

① 운명을 수용하는 순응적 자세가 확인된다.
② 현재의 삶에 대한 반성적 태도가 부각된다.
③ 내용 전개 과정에서 시간의 흐름이 포착된다.
④ 인간과 자연의 대비를 통해 주제 의식이 표출된다.
⑤ 상실의 경험을 극복하려는 의지적 자세가 나타난다.

7. ㉠ ~ ⓜ에 대한 설명으로 적절하지 <u>않은</u> 것은?

① ㉠ : 구체적 현상에 빗대어 애절한 마음을 형상화하고 있다.
② ㉡ : 자연물을 활용하여 애상적 분위기를 자아내고 있다.
③ ㉢ : 영탄적 표현을 통해 대상을 접한 감동을 드러내고 있다.
④ ㉣ : 대상에 동적인 속성을 부여하여 외양의 다채로움을 강조하고 있다.
⑤ ⓜ : 색채어를 사용하여 대상이 주는 인상을 시각적으로 형상화하고 있다.

8. <보기>를 바탕으로 (가)를 이해한 내용으로 적절하지 <u>않은</u> 것은? [3점]

— < 보 기 > —
(가)는 두 명의 화자가 각자 자신의 사연을 차례로 말하는 것으로 볼 수 있으며, 이는 [A]와 [B]로 구분된다.

① [A]의 '황매 시절 떠난 이별'과 [B]의 '엇지타 한 별리'에서 두 화자의 처지를 확인할 수 있다.
② [A]의 '저도 나를 그리려니'와 [B]의 '자네 사정 내가 알고 내 사정 자네 아니'를 통해 두 화자가 서로를 그리워하고 있음을 알 수 있다.
③ [A]의 '굳은 언약 깊은 정'과 [B]의 '차생백년 서로 맹세'에서 두 화자가 임과의 사랑에 대해 지녔을 기대감을 떠올릴 수 있다.
④ [A]의 화자는 '소식'이 전달되기 어려운 상황에 대한 안타까움을, [B]의 화자는 '오는 글발'이 끊긴 상황에 대한 안타까움을 표출하고 있다.
⑤ [A]의 '흉중의 불'과 [B]의 '병'은 두 화자가 상사로 인해 느끼는 괴로움을 의미하고 있다.

9. <보기>는 (나)를 읽고 학생이 쓴 감상문의 일부이다. 적절하지 <u>않은</u> 것은?

— < 보 기 > —
이 글은 제주도를 여행한 작가의 체험을 담고 있다. ⓐ굳었던 청춘의 감성이 한라산을 보고 다시 살아나는 것을 느꼈다는 작가의 표현이 흥미로웠고, ⓑ작가와 동행했던 인물들이 아이처럼 갑판 위를 뛰어 다니는 모습을 표현한 부분에서는 여행의 즐거움을 느낄 수 있었다. 특히 제주도의 풍광을 서술하면서 ⓒ아침 무렵 구름 위로 솟아오른 한라산의 모습을 묘사한 부분이나, ⓓ제주도의 토질과 사람들에 대해 언급한 부분이 기억에 남는다. 그리고 ⓔ작가가 변덕스러운 날씨로 인해 제주도의 아름다움을 제대로 감상하지 못해 아쉬워하는 부분에서는 나도 안타까움을 느꼈다.

① ⓐ   ② ⓑ   ③ ⓒ   ④ ⓓ   ⑤ ⓔ

총 문항					문항		맞은 문항				문항
개별 문항	1	2	3	4	5	6	7	8	9	10	
채점											
개별 문항	11	12	13	14	15	16	17	18	19	20	
채점											

[고2 국어 문학]

【1~4】 (가)는 자원봉사 동아리 학생들의 토의이고, (나)는 토의에 참여한 학생이 작성한 제안서의 초고이다. 물음에 답하시오.

(가)

학생 1: 지난 시간에 어르신들을 위해 '자서전 쓰기' 봉사 활동을 하기로 하면서 관련된 자료를 조사해 오자고 했는데 자료는 다들 준비해 왔지? 지금부터 준비해 온 자료를 공유하고 구체적인 활동 계획을 세워 보자.

학생 2: 나는 신문 기사를 찾아봤어. 우리 동네 인근 지역에서 학생들이 어르신들의 삶을 자서전으로 써 드리는 활동을 한 사례가 있더라. 이 활동에 참여한 어르신께서 자신의 인생이 담긴 책을 갖게 되었다는 사실도 뜻깊었지만, 책을 만드는 과정에서 학생들과 함께한 시간도 소중했다고 말씀하신 것이 인상 깊었어.

학생 3: 그렇구나. 어르신께서 자서전을 갖게 되는 것만큼이나 학생들과 함께 한 시간을 소중하게 생각하신다니 우리도 열심히 해 보자. 나는 우리 지역 어르신들이 주로 이용하시는 시설들에 대해 알아봤는데, 복지관 이용률이 가장 높았어. 우리도 거기에서 봉사 활동을 하면 어때? **[A]**

학생 2: 그래, 좋은 생각이야.

학생 1: 그러면 장소는 우리 지역 복지관으로 결정하고 지금부터는 어떻게 활동을 진행하면 좋을지 구체적으로 계획을 세워 보자.

학생 2: 먼저 함께 활동할 어르신들을 모집해야 하잖아. 홍보 포스터를 복지관 알림판에 게시하자. 그리고 복지관에서 일주일 정도 활동 안내문을 배부하면서 참가 신청을 받으면 어떨까?

학생 3: 아주 좋은 생각이야. 우선, 참가를 희망하시는 어르신을 세 번 정도 뵙고 살아오신 이야기를 들으면서 녹음하자. 그 내용을 글로 옮겨서 자서전을 만드는 것은 어때? **[B]**

학생 2: 그런데 자서전 분량이나 녹음 과정을 생각하면 다섯 번 정도는 뵙는 게 좋겠어. 그리고 자서전이 완성되면 어르신의 가족분들도 모시고 다 함께 출판 기념회를 진행하면 더 의미가 있을 것 같아.

학생 1: 좋은 의견들 고마워. 그러면 홍보 포스터를 보고 참여 의사를 밝히신 어르신을 대상으로 자서전을 만들어 드리고 출판 기념회를 하자는 거지? 그런데 이 활동은 복지관의 도움이 필요하니 도움을 요청하는 제안서를 작성해야 할 것 같아. 제안서에 어떤 내용을 담으면 좋을지 이야기해 보자.

학생 3: 제안서에는 지금까지 우리가 의논한 활동 계획을 담고 봉사 활동의 의미를 덧붙이는 것이 좋을 것 같아.

학생 2: 봉사 활동의 의미는 신문 기사에서 봤던 것처럼 우리 세대와 어르신 세대가 소통하고 공감할 수 있는 기회가 될 수 있다는 점에 대해 강조하는 내용이었으면 좋겠어.

학생 1: 그럼, 제안서 작성을 위해 역할을 나눠 보자. 제안서 초고는 내가 작성할게. 너희들은 제안서에 추가할 만한 내용을 더 찾아 주면 좋겠어. 다음 시간에는 초고를 함께 살펴보고 수정해서 제안서를 완성해 보는 것으로 하고 오늘은 이만 마칠게.

학생 2, 3: 그래, 좋아.

(나)

　안녕하세요? 저희는 ○○고등학교 자원봉사 동아리입니다. 저희 동아리에서는 봉사 활동으로 우리 지역의 어르신들에게 자서전을 써 드리는 활동을 계획하고 있습니다. 그러나 저희의 힘만으로는 부족한 점이 많아 이렇게 복지관에 도움을 요청하게 되었습니다.

　오늘날 지역 사회에서는 다양한 문제가 나타나고 있습니다. 특히 세대 간 문화 단절 현상은 우리 지역에서도 우려하는 문제 중 하나입니다. 올해 우리 학교에서 실시한 설문 조사에서도 세대 간 문화 교류 기회가 부족하여 세대 간 갈등이 걱정된다는 의견이 많았습니다. ㉠세대 간의 갈등 외에도 우리 학교에서는 선후배 간의 갈등도 문제가 되고 있습니다. 그래서 저희는 이러한 문제를 해결하기 위한 작은 실천으로 어르신들의 삶을 자서전으로 써 드리는 봉사 활동을 계획했습니다.

　먼저, 홍보 포스터를 만들어 복지관 알림판에 게시하고, 복지관에서 일주일 정도 활동 안내문을 배부하면서 참가 신청을 받으려고 합니다. 이후에 어르신을 5회 정도 뵙고, 어르신이 들려주시는 이야기를 녹음한 뒤 글로 옮겨 자서전을 완성할 계획입니다. 그리고 자서전이 ㉡완성되어지면 출판 기념회도 진행하려고 합니다. 이런 활동들을 원활하게 진행하기 위해서는 저희가 복지관에서 어르신들을 만나 홍보 활동이나 녹음을 할 수 있는 장소의 지원이 필요합니다. ㉢그러나 자서전 출판 기념회 개최를 위한 지원도 요청드립니다.

　위와 같이 복지관에서 봉사 활동을 도와주신다면, 어르신들은 인생을 담은 자서전뿐 아니라 학생들과 소통하고 공감하는 소중한 시간도 얻을 수 있으실 것입니다. 또한 저희가 찾은 연구 자료에 따르면 자서전 쓰기를 통해 어르신들이 인생을 ㉣돌이켜 회고하며 과거의 감정을 정화하는 것이 자존감 회복에 도움이 된다고 합니다. 이런 점에서 이번 봉사 활동의 의미는 더욱 크다고 할 수 있습니다.

　바쁘신 중에도 끝까지 읽어 주셔서 감사합니다. ㉤지역 주민에게 긍정적인 영향과 복지관의 발전을 추구할 수 있도록 복지관에서 저희의 요청을 들어주시기를 다시 한번 부탁드립니다.

1. (가)의 '학생 1'의 역할에 대한 이해로 적절하지 <u>않은</u> 것은?

① 지난 활동을 언급하며 토의 참여자들의 준비 상황을 확인하고 있다.
② 토의 참여자들에게 논의할 내용을 안내하며 토의를 시작하고 있다.
③ 토의 참여자의 의견을 들은 후 보충 설명을 요청하고 있다.
④ 토의 내용을 확인하며 추가로 논의해야 할 사항을 제시하고 있다.
⑤ 토의 참여자들의 역할을 제안하며 토의를 마무리하고 있다.

2. [A]와 [B]에 대한 설명으로 가장 적절한 것은?

① [A]의 '학생 3'과 달리 [B]의 '학생 2'는 상대의 말을 재진술하면서 상대의 의견에 동의하고 있다.

② [A]의 '학생 3'과 달리 [B]의 '학생 2'는 상대가 제안한 내용에 대해 근거를 들어 수정 의견을 제시하고 있다.

③ [B]의 '학생 2'와 달리 [A]의 '학생 3'은 상대가 제시한 내용을 반박하며 자신이 제시했던 의견을 보완하고 있다.

④ [A]와 [B]의 '학생 2'는 모두 구체적인 사례를 들어 자신의 제안이 실현 가능함을 드러내고 있다.

⑤ [A]와 [B]의 '학생 3'은 모두 권위자의 말을 인용하여 자신의 의견을 뒷받침하고 있다.

3. 다음은 (가)를 반영하여 (나)를 작성하기 위한 작문 계획이다. (나)에 반영된 내용으로 적절하지 않은 것은? [3점]

> **1문단**
> ○ 복지관에 글을 쓰게 된 이유를 제시해야겠어.
>
> **2문단**
> ○ 토의에서 언급되지 않았던 사회적 문제를 바탕으로 봉사 활동을 계획한 취지를 제시해야겠어. ·················· ①
>
> **3문단**
> ○ 토의에서 언급한 봉사 활동 계획을, 진행 순서에 따라 제시해야겠어. ·················· ②
> ○ 토의에서 언급한 요청 사항을 열거하며 이를 수용할 경우 복지관의 운영에도 도움이 될 것임을 제시해야겠어. ··········· ③
>
> **4문단**
> ○ 토의에서 언급한 봉사 활동의 의미를 활용하여 요청 사항이 수용되었을 때 기대되는 효과를 제시해야겠어. ················· ④
> ○ 토의에서 언급되지 않았던 연구 결과를 바탕으로 봉사 활동의 긍정적 의미를 제시해야겠어. ·················· ⑤
>
> **5문단**
> ○ 요청을 들어주기를 부탁하며 마무리해야겠어.

4. ㉠ ~ ㉤을 고쳐 쓰기 위한 의견으로 적절하지 않은 것은?

① ㉠: 글의 흐름에 어긋나는 문장이므로 삭제해야겠어.

② ㉡: 피동 표현이 불필요하게 중복되었으므로 '완성되면'으로 고쳐야겠어.

③ ㉢: 문장의 연결이 어색하므로 '그러므로'로 고쳐야겠어.

④ ㉣: 의미상 중복된 표현이므로 '돌이켜'를 삭제해야겠어.

⑤ ㉤: 문장의 호응 관계가 부적절하므로 '지역 주민에게 긍정적인 영향을 미치고 복지관의 발전을 추구할'로 고쳐야겠어.

5. <보기>의 ⓐ와 ⓑ에 해당하는 음운 변동이 모두 일어나는 것은?

> ─── <보 기> ───
> '팥빵'은 _____ ⓐ _____ 이/가 일어나서 [판빵]으로 발음되고,
> '많던'은 _____ ⓑ _____ 이/가 일어나서 [만턴]으로 발음된다.

① 낯설고   ② 놓더라   ③ 맞는지

④ 먹히는   ⑤ 애틋한

6. ㉠ ~ ㉤에 해당하는 예로 적절하지 않은 것은?

> 다음은 <한글 맞춤법>의 '부록'에서 설명하고 있는 '쉼표(,)'의 대표적인 쓰임들이다.
> ○ 같은 자격의 어구를 열거할 때 그 사이에 쓴다. ··· ㉠
> ○ 문장의 연결 관계를 분명히 하고자 할 때 절과 절 사이에 쓴다. ··········· ㉡
> ○ 같은 말이 되풀이되는 것을 피하기 위하여 일정한 부분을 줄여서 열거할 때 쓴다. ··········· ㉢
> ○ 부르거나 대답하는 말 뒤에 쓴다. ··········· ㉣
> ○ 문장 중간에 끼어든 어구의 앞뒤에 쓴다. ········· ㉤

① ㉠: 근면, 검소, 협동은 우리 겨레의 미덕이다.

② ㉡: 저 친구, 저러다가 큰일 한번 내겠어.

③ ㉢: 여름에는 바다에서, 겨울에는 산에서 휴가를 즐겼다.

④ ㉣: 네, 지금 가겠습니다.

⑤ ㉤: 나는, 솔직히 말하면, 그 말이 별로 탐탁지 않아.

7. <보기>를 참고할 때, ⓐ의 예로 적절하지 않은 것은?

> ─── <보 기> ───
> **학 생**: 선생님, '잊혀진 계절'과 '잊힌 계절'의 차이점이 뭔가요?
> **선생님**: '잊혀진'은 피동 표현을 두 번 겹쳐 쓴 ⓐ이중 피동 표현이야. 피동 접미사 '-이-', '-히-', '-리-', '-기-'와 '-아/어지다'를 같이 쓰는 경우가 많이 있어. '잊혀진'의 경우 기본형 '잊다'의 어근 '잊-'에 피동 접미사 '-히-'만 붙어도 피동의 의미를 드러낼 수 있는데, '-어지다'까지 불필요하게 붙여 쓰고 있는 거지.

① 안개에 <u>가려진</u> 풍경이 서서히 드러났다.

② 칠판에 <u>쓰여진</u> 글씨가 잘 보이지 않는다.

③ 예쁜 그릇에 <u>담겨진</u> 음식이 먹음직스럽다.

④ 아이는 살짝 <u>열려진</u> 문틈에 바짝 다가섰다.

⑤ 스크린을 통해 <u>보여진</u> 그 풍경은 아름다웠다.

국내외 사정으로 경기가 불안정할 때에 정부와 중앙은행은 경기 안정 정책을 펼친다. 정부는 정부 지출과 조세 등을 조절하는 재정정책을, 중앙은행은 통화량과 이자율을 조정하는 통화정책을 활용한다. 이 정책들은 경기 상황에 따라 달리 활용된다. 경기가 좋지 않을 때에는 총수요*를 증가시키기 위해 정부 지출을 늘리거나 조세를 감면하는 확장적 재정정책이나 통화량을 늘리고 이자율을 낮추는 확장적 통화정책이 활용된다. 또 경기 과열이 우려될 때에는 정부 지출을 줄이거나 세금을 올리는 긴축적 재정정책이나 통화량을 줄이고 이자율을 올리는 긴축적 통화정책이 활용된다. 이러한 정책들의 효과 여부에 대해서는 이견들이 존재하는데 대표적으로 '통화주의'와 '케인스주의'를 들 수 있다. 두 학파의 입장 차이를 확장적 정책을 중심으로 살펴보자.

먼저 정부의 시장 개입을 최소화해야 한다고 보는 통화주의는 화폐 수요가 소득 증가에 민감하게 반응한다고 주장했다. 여기서 화폐란 물건을 교환하기 위한 수단을 말하고, 화폐 수요는 특정한 시점에 사람들이 보유하고 싶어 하는 화폐의 총액을 의미한다. 통화주의에서는 화폐 수요의 변화에 따라 이자율 변화가 크게 나타나고 이자율이 투자 수요에 미치는 영향도 크다고 보았다. 따라서 불경기에 정부 지출을 증가시키는 재정정책을 펼치면 국민 소득이 증가함에 따라 화폐 수요가 크게 증가하고 이에 영향을 받아 이자율이 매우 높게 상승한다고 보았다. 더불어 이자율에 크게 영향을 받는 투자 수요는 높아진 이자율로 인해 예상된 투자 수요보다 급격히 감소하면서 경기를 호전시키지 못한다고 보았다. 이 때문에 확장적 재정정책의 효과가 기대보다 낮을 것이라 주장했다. 결국 불황기에는 정부 주도의 재정정책보다는 중앙은행의 통화정책을 통해 통화량을 늘리고 이자율을 낮추는 방식을 택하면 재정정책과 달리 투자 수요가 증가하여 경기를 부양시킬 수 있다고 본 것이다.

반면에 경기 안정을 위해 정부의 적극적인 개입이 필요하다고 보는 케인스주의는 화폐를 교환 수단으로만 보지 않고 이자율과 역의 관계를 가지는 투기적 화폐 수요가 존재한다고 보았다. 투기적 화폐 수요는 통화량이 늘어나도 소비하지 않고 더 높은 이익을 얻기 위해 화폐를 소유하고자 하는 수요이다. 따라서 통화정책을 통해 통화량을 늘리고 이자율을 낮추면 투기적 화폐 수요가 늘어나 화폐가 시중에 돌지 않기 때문에 투자 수요가 거의 증가하지 않는다고 본 것이다. 즉 케인스주의는 실제로 사람들이 화폐를 거래 등에 얼마나 자주 사용하였는지가 소득의 변화보다 화폐 수요에 크게 영향을 미친다고 본 것이다. 그래서 케인스주의는 확장적 재정정책을 시행하여 정부 지출이 증가하면 국민 소득은 증가하지만, 소득의 변화가 화폐 수요에 미치는 영향이 작기 때문에 화폐 수요도 작게 증가할 것이라 보았다. 이에 따라 이자율도 낮게 상승하기 때문에 투자 수요가 예상된 것보다 작게 감소할 것이라 보았던 것이다.

또한 확장적 재정정책의 효과는 ㉠승수 효과와 ㉡구축 효과가 나타나는 정도에 따라 달리 볼 수 있다. 승수 효과란 정부의 재정 지출이 그것의 몇 배나 되는 국민 소득의 증가로 이어지면서 소비와 투자가 촉진되는 것을 의미한다. 케인스주의는 이러한 승수 효과를 통해 경기 부양이 가능하다고

보았다. 한편 승수 효과가 발생하기 위해서는 케인스주의가 주장한 바와 같이 정부 지출을 늘렸을 때 이자율의 변화가 거의 없어 투자 수요가 예상 투자 수요보다 크게 감소하지 않아야 한다. 그런데 정부가 재정정책을 펼치기 위해 재정 적자를 감수하고 국가가 일종의 차용 증서인 국채를 발행해 시중의 돈을 빌리게 되는 경우가 많다. 국채 발행으로 시중의 돈이 정부로 흘러 들어가면 이자율이 오르고 이에 대한 부담으로 가계나 기업들의 소비나 투자 수요가 감소되는 상황이 발생하게 된다. 결국 세금으로 충당하기 어려운 재정정책을 펼치기 위해 국채를 활용하는 과정에서 이자율이 ㉮올라가고 이로 인해 민간의 소비나 투자를 줄어들게 하는 구축 효과가 발생하게 된다는 것이다. 통화주의에서는 구축 효과에 의해 승수 효과가 감쇄되어 확장적 재정정책의 효과가 기대보다 줄어들 것이라고 본 것이다.

이처럼 경기를 안정화시키기 위해 특정한 정책의 긍정적 효과만을 고려하여 정책을 시행하게 될 경우 예상치 못한 문제들이 발생하여 기대했던 경기 안정을 가져오지 못할 수 있다. 경제학자들은 재정정책과 통화정책의 의의를 인정하면서, 이 정책들을 적절하게 활용한다면 경기 안정이라는 목적을 달성하는 데에 중요한 열쇠가 될 수 있을 것이라 보았다.

*총수요: 국내에서 생산된 재화와 서비스에 대해 모든 경제 주체들이 일정 기간 동안 구입하고자 하는 것.

8. 윗글을 통해 해결할 수 있는 질문으로 적절하지 <u>않은</u> 것은?
① 정부의 재정 적자를 해소하는 방법은 무엇인가?
② 확장적 정책과 긴축적 정책의 시행 시기는 언제인가?
③ 투기적 화폐 수요가 투자 수요에 미치는 영향은 무엇인가?
④ 정부의 지출 증가가 국민 소득에 미치는 영향은 무엇인가?
⑤ 정부와 중앙은행이 각각 활용하는 경기 안정 정책은 무엇인가?

9. ㉠과 ㉡에 대한 설명으로 적절하지 <u>않은</u> 것은?
① ㉠은 정부의 재정 지출에 비해 더 큰 소득의 증가가 나타나는 현상에 대한 설명이다.
② ㉡은 세금으로 충당하기 어려운 정부 지출을 위해 시중의 돈이 줄어드는 상황에서 나타나는 것이다.
③ ㉠과 달리 ㉡은 정부 지출이 정부의 의도만큼 효과를 거두지 못할 것이라는 주장의 근거가 된다.
④ ㉡과 달리 ㉠은 정부가 재정 지출을 늘릴 경우 투자 수요가 줄어들 것이라는 주장의 근거가 된다.
⑤ ㉠과 ㉡은 모두 정부 지출을 확대했을 때 발생할 수 있는 결과들에 대해 분석한 것이다.

10. 윗글을 바탕으로 할 때, <보기>의 A~D에 들어갈 말을 바르게 짝지은 것은?

<보 기>

　국내 사정으로 경기가 (A)되어 정부가 긴축적 재정정책을 사용하면 시중 통화량이 (B)하고, 이에 따라 이자율이 변동한다. 이러한 정책을 통해 경기가 안정되었지만 대외 경제 상황에 의해 경기 (C)이/가 우려된다면, 중앙은행의 경우 통화량을 줄이고 이자율을 (D) 경기 안정을 도모할 수 있다.

	A	B	C	D
①	과열	감소	과열	올려
②	과열	증가	침체	내려
③	과열	감소	침체	올려
④	침체	감소	침체	올려
⑤	침체	증가	과열	내려

11. <보기>는 '확장적 재정정책'에 대한 '통화주의'와 '케인스주의'의 주장을 그래프로 나타낸 것이다. 윗글을 바탕으로 <보기>에 대해 이해한 내용으로 가장 적절한 것은? [3점]

<보 기>

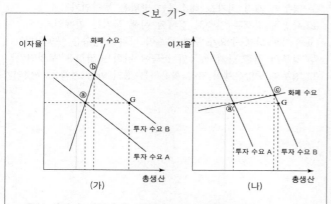

※ⓐ는 확장적 재정정책 활용 이전의 상태를, ⓑ와 ⓒ는 확장적 재정정책 활용 이후의 결과를 나타낸 것이다.
※G는 이자율의 변화를 고려하지 않고 정부 지출을 통해 총생산이 증가될 것으로 예상된 지점을 가정한 것이다.
※총생산의 증가는 소득이 증가한 것이라 가정한다.

---

① (가)는 (나)에 비해 정부 지출에 따른 화폐 수요의 변화가 투자 수요에 미치는 영향이 더 큰 것으로 보아, (가)는 '케인스주의'의 그래프이겠군.
② (가)는 (나)에 비해 화폐 수요의 변화에 따른 이자율의 변화가 작은 것으로 보아, (가)는 '통화주의'의 그래프이겠군.
③ (나)는 (가)에 비해 이자율에 따른 투자 수요 곡선의 기울기가 완만한 것으로 보아, (나)는 '통화주의'의 그래프이겠군.
④ (나)는 (가)에 비해 국민 소득 변화에 따른 화폐 수요의 변화가 작은 것으로 보아, (나)는 '케인스주의'의 그래프이겠군.
⑤ (나)는 (가)에 비해 정책 활용 결과에서 도출된 총생산 값이 예상된 총생산보다 많이 감소한 것으로 보아, (나)는 '케인스주의'의 그래프이겠군.

12. 문맥상 의미가 ㉮와 가장 가까운 것은?

① 서울에 <u>올라가는</u> 대로 편지를 보내겠습니다.
② 압력이 지나치게 <u>올라가면</u> 폭발 위험이 있다.
③ 그는 높은 곳에 <u>올라가</u> 종이비행기를 날렸다.
④ 강의 상류로 <u>올라가면</u> 아름다운 풍경이 펼쳐진다.
⑤ 담임 선생님의 응원에 학생들의 사기가 <u>올라갔다</u>.

총 문항			문항	맞은 문항			문항
개별 문항	1	2	3	4	5	6	7	8	9	10
채점										
개별 문항	11	12	13	14	15	16	17	18	19	20
채점										

B I G
E V E N T
1 + 3 ↙

씨뮬 교재를 구매하신 모든 분들께
고1, 2, 3 한국사 · 사회탐구 · 과학탐구 과목
중에서 학년에 상관없이 원하는 3과목의
최신 모의고사(과목별 4~12회 구성)
PDF 파일을 메일로 보내 드립니다.

참 여 방 법

❶ 설문지를 작성하고, "Big Event 1+3"
한국사 · 사회탐구 · 과학탐구 교재 목록에서
교재번호와 과목명을 확인한 후
'Big Event 1+3 교재 신청란'에 정확히 기입합니다.

❷ 설문지 부분을 핸드폰(또는 디지털 카메라)으로 찍어서
골드교육 홈페이지(www.goldedu.co.kr)
커뮤니티 → "1+3 이벤트" 게시판에 올리시면 됩니다.

❸ "Big Event 1+3"은 3과목까지 신청할 수 있으며,
여러 과목을 신청하면 임의대로 3과목을 선정하여
보내 드립니다.

★ 2023년 시행 모의고사를
신청하면 출간 일정상 2024년
2월부터 보내 드리오니 이용에
착오 없으시기 바랍니다.
그리고 이 책의 1+3 이벤트 유효
기간은 발행일로부터 3년입니다.

★ 개인 정보는 이벤트 목적
외에는 사용하지 않으며 이벤트
마감 이후 폐기함을 알려드립니다.

←

"Big Event 1+3" 한국사 · 사회탐구 · 과학탐구 교재 목록

1. 2022년 시행 모의고사 : 신청하시면 확인 후 바로 보내드리고 있습니다.

학년	과목(영역)	횟수	PDF 제공 교재
고1	한국사	4회	11-1 한국사
고2	한국사	4회	11-2 한국사
	사회탐구	4회	11-3 생활과 윤리, 11-4 윤리와 사상, 11-5 한국지리, 11-6 세계지리, 11-7 동아시아사, 11-8 세계사, 11-9 정치와 법, 11-10 경제, 11-11 사회 · 문화
	과학탐구	4회	11-12 물리학 I , 11-13 화학 I , 11-14 생명과학 I , 11-15 지구과학 I
고3	한국사	12회	11-16 한국사
	사회탐구	12회	11-17 생활과 윤리, 11-18 윤리와 사상, 11-19 한국지리, 11-20 세계지리, 11-21 동아시아사, 11-22 세계사, 11-23 법과 정치, 11-24 경제, 11-25 사회 · 문화
	과학탐구	12회	11-26 물리학 I , 11-27 화학 I , 11-28 생명과학 I , 11-29 지구과학 I
		11회	11-30 물리학 II , 11-31 화학 II , 11-32 생명과학 II , 11-33 지구과학 II

2. 2023년 시행 모의고사 : 2024년 2월부터 보내드릴 예정입니다.

학년	과목(영역)	횟수	PDF 제공 교재
고1	한국사	4회	12-1 한국사
고2	한국사	4회	12-2 한국사
	사회탐구	4회	12-3 생활과 윤리, 12-4 윤리와 사상, 12-5 한국지리, 12-6 세계지리, 12-7 동아시아사, 12-8 세계사, 12-9 정치와 법, 12-10 경제, 12-11 사회 · 문화
	과학탐구	4회	12-12 물리학 I , 12-13 화학 I , 12-14 생명과학 I , 12-15 지구과학 I
고3	한국사	11회	12-16 한국사
	사회탐구	11회	12-17 생활과윤리, 12-18 윤리와 사상, 12-19 한국지리, 12-20 세계지리, 12-21 동아시아사, 12-22 세계사, 12-23 법과 정치, 12-24 경제, 12-25 사회 · 문화
	과학탐구	11회	12-26 물리학 I , 12-27 화학 I , 12-28 생명과학 I , 12-29 지구과학 I
		10회	12-30 물리학 II , 12-31 화학 II , 12-32 생명과학 II , 12-33 지구과학 II

※ 과목별 수록 회차는 사정상 변경될 수 있습니다.

(주)골드교육 씨뮬 교재를 이용해 주셔서 감사합니다.
더 좋은 교재를 만들기 위해 독자 여러분의 의견을 귀담아 듣고자 합니다.

1. 이 책을 구입하게 된 동기는 무엇입니까?
① 학교/학원 교재   ② 선생님이 추천해 주셔서   ③ 선배나 친구들이 추천해서
④ 직접 서점에서 보고   ⑤ 광고나 입소문을 들어서   ⑥ 기타(   )

2. 이 책의 전반적인 부분에 대한 질문입니다.
• 문제의 분량 : 많다☐ 알맞다☐ 적다☐   • 해설의 분량 : 많다☐ 적당하다☐ 부족하다☐
• 책의 크기 : 크다☐ 적당하다☐ 작다☐   • 이용 편의성 : 편하다☐ 보통이다☐ 불편하다☐
• 책의 가격 : 비싸다☐ 적당하다☐ 싸다☐   • 책의 만족도 : 만족☐ 보통☐ 불만족☐

3. 이 책에서 좋았던 점은 무엇입니까? (복수 응답 가능)
① 24일 학습 체계   ② 출제 트렌드 & 1등급 꿀팁   ③ 대표 기출 문제 풀이
④ 지문의 난이도, 소요 시간 안내   ⑤ 채점 박스   ⑥ 정답 및 해설
⑦ 내신 대비 서브노트   ⑧ 기타(   )

4. 내가 구매한 씨뮬 교재에 대한 독자서평을 작성해 주세요.
   베스트 독자서평으로 채택되면 다음 씨뮬 교재에 수록해 드립니다.

Big Event 1+3 교재 신청란   〈유형⁺ 씨뮬 고2 국어 문학〉

이름	이벤트 신청은 위의 표를 보고 교재번호와 과목명을 빈칸에 정확히 적어 주시기 바랍니다. (교재번호 11-5, 과목명 한국지리)	
	교재번호	과목명
신청 과목 1		
신청 과목 2		
신청 과목 3		

믿을 수 있는 기출문제로 실전 연습하여
출제 경향과 유형을 파악하라!

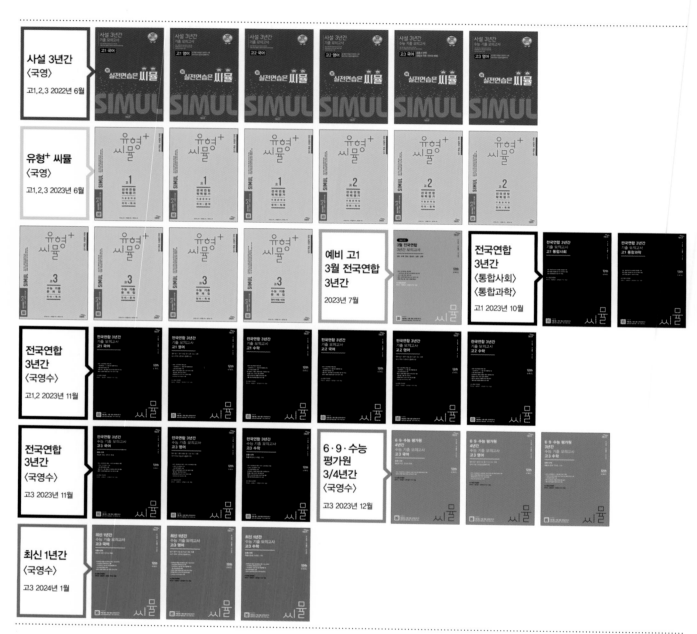

	사설 3년간 〈국영〉 고1,2,3 2022년 6월
	유형+ 씨뮬 〈국영〉 고1,2,3 2023년 6월
	예비 고1 3월 전국연합 3년간 2023년 7월 · 전국연합 3년간 〈통합사회〉〈통합과학〉 고1 2023년 10월
	전국연합 3년간 〈국영수〉 고1,2 2023년 11월
	전국연합 3년간 〈국영수〉 고3 2023년 11월 · 6·9·수능 평가원 3/4년간 〈국영수〉 고3 2023년 12월
	최신 1년간 〈국영수〉 고3 2024년 1월

2024 씨뮬 시리즈
대한민국 No 1. 내신 / 학평, 수능 대비 문제집

국어	영어	수학	전과목 / 통합사회·과학
· 유형+ 씨뮬 고1 국어 독서 · 유형+ 씨뮬 고1 국어 문학 · 유형+ 씨뮬 고2 국어 독서 · 유형+ 씨뮬 고2 국어 문학 · 유형+ 씨뮬 고3 국어 독서 · 유형+ 씨뮬 고3 국어 문학 · 전국연합 3년간 고1 국어 · 전국연합 3년간 고2 국어 · 전국연합 3년간 고3 국어 · 사설 3년간 고1 국어 · 사설 3년간 고2 국어 · 사설 3년간 고3 국어 · 6·9·수능 4년간 고3 국어 · 최신 1년간 고3 국어	· 유형+ 씨뮬 고1 영어 독해 · 유형+ 씨뮬 고2 영어 독해 · 유형+ 씨뮬 고3 영어 독해 · 유형+ 씨뮬 고3 영어 어법·어휘 · 전국연합 3년간 고1 영어 · 전국연합 3년간 고2 영어 · 전국연합 3년간 고3 영어 · 사설 3년간 고1 영어 · 사설 3년간 고2 영어 · 사설 3년간 고3 영어 · 6·9·수능 4년간 고3 영어 · 최신 1년간 고3 영어	· 전국연합 3년간 고1 수학 · 전국연합 3년간 고2 수학 · 전국연합 3년간 고3 수학 · 6·9·수능 3년간 고3 수학 · 최신 1년간 고3 수학	· 예비고1 3월 학력평가 · 전국연합 3년간 고1 통합사회 · 전국연합 3년간 고1 통합과학

씨뮬 풀고 자동 채점 성적분석까지
◎STUDY SENSE 온라인 성적분석 서비스

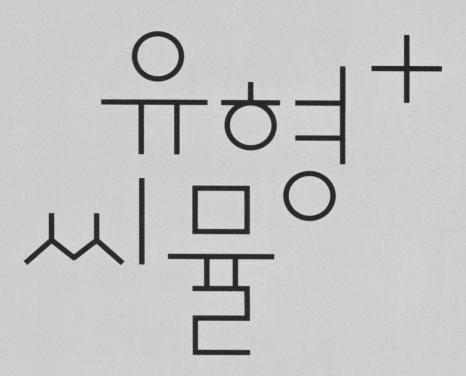

정답 및 해설

단기 특강, 24일의 기적!

유형+씨물

고 **2**

전국연합
학력평가

기 출 문 제 집

국 어 - 문 학

정 답 및 해 설

독자 여러분의 애정 어린 충고로

씨뮬은 해마다
새롭게 완성되어 갑니다!

실제 크기의 시험지와 OMR 카드를 제공해 주어서 실제 시험을 보는 것 같아 실제 시험에서 떨리지 않았고 문제에 대한 해설이 친절히 서술되어 있어 어려운 문제도 혼자만의 노력으로 이해할 수 있었어요. 역시 씨뮬!
➤➤➤ 황*현

모의고사가 모아져 있는 책 중 씨뮬이 정말 최고예요. 특히 영어는 듣기 연습용 받아쓰기도 있어서 많은 도움이 되었습니다. 감사합니다.
➤➤➤ 조*빈

회차별 영단어 핸드북뿐 아니라 책 마지막 부분에 있는 수능 필수 영숙어 파트가 도움이 많이 되었다. 수능에서뿐만 아니라 내신 시험에도 나오는 표현들이 많아 유용했다.
➤➤➤ 김*희

모의고사를 대비하기 위해 구매하였습니다. 다른 문제집들은 실제 모의고사 시험지처럼 되어 있지 않아서 긴장감이 많이 떨어지는데, 씨뮬은 실제 시험지처럼 되어 있고 OMR 카드도 있어서 모의고사 대비하기 아주 좋아요!
➤➤➤ 김*연

씨뮬 교재가 실제 모의고사 종이 크기이다 보니 실제 시험을 치는 듯한 느낌이 들어 더 집중이 잘 되는 것 같다. 해설도 꼼꼼하게 되어 있어 내가 어디서 해석이 안 되는지 바로 찾을 수 있어서 좋았다.
➤➤➤ 김*진

국어에 자신감이 없어서 시작했는데 해설이 꼼꼼하고 추가적인 작품이나 문법이 수록돼 있어서 더 깊이 있게 공부할 수 있었어요.
➤➤➤ 배*진

이 책을 구매했던 이유들 중 하나인, 실전과 비슷한 종이 재질 덕분에 더욱 실감나게 학습할 수 있었습니다. 그리고 맨 뒤에 부착되어 있는 OMR 카드로 체킹 실수를 줄이는 연습도 되었습니다. 꼼꼼한 해설지와 문제 풀이로 공부하면서 그 외에 실전 감각 또한 함양할 수 있는 씨뮬 모의고사입니다!
➤➤➤ 권*희

백분위 95~96을 왔다갔다했어요. 수학 실력을 늘리기 위해 책을 구매해 풀어 본 후 높은 점수를 받게 되었습니다.
➤➤➤ 정*현

모의고사 볼 때처럼 큰 종이로 되어 있어 더 몰입감 있게 집중할 수 있었던 것 같습니다. 또 해설도 자세하고 고난도 문제와 등급컷도 알려 주어 좋았습니다!
➤➤➤ 서*준

어느 정도 실력이 쌓이고 나면 모의고사로 실전 대비 훈련을 하며 실력을 굳혀 나가야 되죠. 그리고 그 연습 방법으로는 '씨뮬'이라는 교재가 정말 완벽한 것 같아요. 여러분들에게 '씨뮬' 적극 추천합니다.
➤➤➤ 백*민

내신에서 학평까지 실전 연습은
씨뮬 기출 하나로 충분하다

전국연합학력평가 3년간 모의고사   (11th 국영수 고1~3)

01 실제 시험 그대로 실전 감각 익히기

02 핵심을 짚어주는 명쾌한 해설

03 오답 노트 & OMR 카드

04 같은 작가 다른 작품(국어), 기출문법[구문] 모아보기(영어),
준 킬러 문항 연습(수학)

05 [12th] 전국연합 3년간 수학 교재의 중요 문항에 동영상 강의 제공 예정

DAY 01 >>>>

1 ③   2 ③   3 ④   4 ④   5 ②
6 ④   7 ①   8 ③   9 ①   10 ④
11 ③

DAY 02 >>>>

1 ①   2 ①   3 ③   4 ①   5 ②
6 ⑤   7 ①   8 ⑤   9 ②   10 ④
11 ①   12 ④

DAY 03 >>>>

1 ①   2 ③   3 ①   4 ③   5 ②
6 ④   7 ⑤   8 ④   9 ①   10 ④

DAY 04 >>>>

1 ②   2 ②   3 ③   4 ②   5 ②
6 ⑤   7 ①   8 ⑤   9 ④   10 ③

DAY 05 >>>>

1 ①   2 ①   3 ⑤   4 ③   5 ③
6 ②   7 ②   8 ④   9 ③   10 ②
11 ①   12 ⑤

DAY 06 >>>>

1 ④   2 ④   3 ⑤   4 ①   5 ④
6 ⑤   7 ②   8 ③   9 ③

DAY 07 >>>>

1 ①   2 ⑤   3 ③   4 ⑤   5 ④
6 ②   7 ①   8 ④   9 ①   10 ③

DAY 08 >>>>

1 ③   2 ⑤   3 ⑤   4 ②   5 ④
6 ⑤   7 ⑤   8 ④   9 ④   10 ②

DAY 09 >>>>

1 ①   2 ④   3 ⑤   4 ①   5 ④
6 ③   7 ②   8 ④   9 ①

DAY 10 >>>>

1 ①   2 ②   3 ③   4 ②   5 ④
6 ④   7 ⑤   8 ②   9 ④   10 ④

DAY 11 >>>>

1 ③   2 ②   3 ②   4 ④   5 ②
6 ④   7 ⑤   8 ①   9 ①   10 ①
11 ③   12 ①

DAY 12 >>>>

1 ②   2 ④   3 ①   4 ④   5 ③
6 ④   7 ②   8 ②   9 ③   10 ⑤
11 ④

DAY 13 >>>>

1 ②   2 ⑤   3 ②   4 ①   5 ⑤
6 ④   7 ④   8 ④   9 ③   10 ②
11 ①   12 ①

DAY 14 >>>>

1 ②   2 ⑤   3 ③   4 ④   5 ①
6 ②   7 ②   8 ④   9 ④   10 ③
11 ②

DAY 15 >>>>

1 ①   2 ⑤   3 ③   4 ⑤   5 ①
6 ②   7 ②   8 ③   9 ②   10 ④
11 ①

DAY 16 >>>>

1 ②   2 ⑤   3 ③   4 ⑤   5 ①
6 ①   7 ⑤   8 ⑤   9 ②   10 ④
11 ⑤

DAY 17 >>>>

1 ③   2 ④   3 ①   4 ⑤   5 ④
6 ④   7 ①   8 ⑤   9 ①   10 ④
11 ⑤   12 ③

DAY 18 >>>>

1 ⑤   2 ②   3 ①   4 ②   5 ④
6 ③   7 ④   8 ③   9 ①   10 ④
11 ②   12 ③   13 ②

DAY 19 >>>>

1 ⑤   2 ⑤   3 ④   4 ⑤   5 ⑤
6 ③   7 ②   8 ①   9 ④   10 ⑤
11 ①   12 ②

DAY 20 >>>>

1 ②   2 ②   3 ①   4 ③   5 ④
6 ③   7 ③   8 ①   9 ④

DAY 21 >>>>

1 ②   2 ③   3 ③   4 ①   5 ④
6 ①   7 ⑤   8 ③   9 ②

DAY 22 >>>>

1 ①   2 ①   3 ⑤   4 ②   5 ①
6 ②   7 ④   8 ③   9 ④   10 ④

DAY 23 >>>>

1 ①   2 ⑤   3 ②   4 ②   5 ①
6 ③   7 ④   8 ②   9 ⑤

DAY 24 >>>>

1 ③   2 ②   3 ③   4 ③   5 ⑤
6 ②   7 ①   8 ④   9 ④   10 ①
11 ④   12 ②

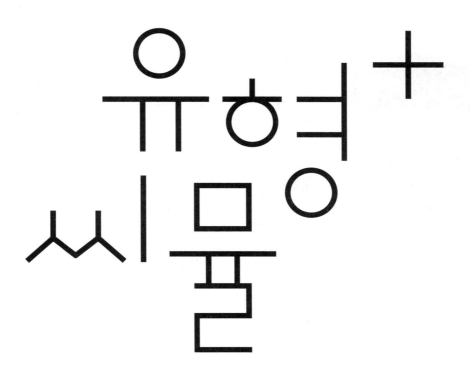

단기 특강, 24일의 기적!

정답 및 해설

고2 국어 문학

CONTENTS

현대 소설

Day 01
본문 004쪽

1. ③	2. ③	3. ④	4. ④	5. ②
6. ④	7. ①	8. ③	9. ①	10. ④
11. ③				

【1~4】 염상섭, '효풍'

작품해설

'효풍'은 해방된 조국의 새로운 진로를 모색해야 할 책임을 진 젊은 세대들의 사랑과 정치적 지향을 문제 삼고 있는 작품이다. 외견상으로는 연애소설의 형태를 취하고 있지만 단순한 연애소설의 범주를 벗어나, 해방 이후 젊은 세대들의 새로운 국가관이 어떻게 모색되어야 하는가를 형상화하고 있다. 작품에서 그것은 남주인공 병직이 혜란과 화순을 놓고 갈등하는 모습을 통해 상징적으로 그려지고 있는데, 이는 주인공의 이념적인 선택을 삼각관계의 구도 속에 녹여 넣은 것으로 볼 수 있다. 작품에서 이들의 사랑을 가로막는 적대 세력은 두 가지로 볼 수 있는데, 하나는 일제의 식민 통치 기간 동안 친일 행각을 통해 부와 권력을 축적한 모리배들이 가하는 현실적인 압력이며, 다른 하나는 그러한 현실의 정치 상황을 조장하거나 이용하면서 좌·우익의 분열을 꾀하고 새로운 식민 통치 세력으로 부상하고자 하는 미국 및 미군정청의 정치적 영향력이다.

- **갈래** : 장편 소설
- **성격** : 상징적, 현실 비판적
- **배경** : 해방 이후 혼란한 정국
- **주제** : 해방된 조국의 새로운 진로를 모색해야 할 책임

1. ③ 서술상의 특징 파악하기

① 서술자가 장면에 따라 달라지고 있지 않으므로 적절하지 않다.
② 외부 이야기와 내부 이야기로 나누어져 서술되고 있지 않으므로 적절하지 않다.
❸ 이야기 밖의 서술자가 등장인물이 특정한 말과 행동을 하는 이유를 '그러나 영감은 처음부터 안하무인인 그 태도가 아니꼬웁게 보여서 말대꾸도 아니 해 준다.', '마주 앉았던 청년은 노인네들 객담만 언제까지 듣고 있을 수 없어서 ~ 자기의 용건을 꺼낸다.' 등과 같이 설명하고 있다.
④ 서술자가 특정 인물의 시선으로 사건을 관찰하여 전달하고 있지 않으므로 적절하지 않다.
⑤ 서술자가 등장인물로 설정되어 있지 않으므로 적절하지 않다.

2. ③ 공간의 의미 파악하기

❸ ㉠ '빈대떡집'은 김관식이 자신과 처지가 비슷한 남원으로부터 빈대떡집에 앉아 있는 것이 가엾어 보인다는 동정을 받는 공간이고, ㉡ '서재'는 김관식이 부지런히 정치 현실에서 활동한다는 면에서 자신과 상반된 처지인 박종렬로부터 정치 운동에 참여하라는 제안을 받는 공간이다.

3. ④ 인물의 심리 파악하기

① ⓐ에는 제일선에서 지도를 해 줘야 할 사람이라고 상대를 긍정적으로 평가하는 말을 담아, 상대가 정치에 참여하기를 설득하고자 하는 의도가 담겨 있다.
② ⓑ에 이어지는 '노인네들 객담만 언제까지 듣고 있을 수 없어서 ~ 자기의 용건을 꺼낸다.'를 보면, ⓑ에는 상대를 정치에 참여하도록 설득하겠다는 방문 목적을 달성하기 위해 이 목적과 무관해 보이는 화제를 상대의 정치 참여와 관련된 화제로 전환하려는 의도가 담겨 있다.
③ ⓒ에 이어지는 '이 영감의 말이 ~ 불쾌하건마는 지긋이 참았다.'를 보면, ⓒ에는 상대에게 면박을 당한 것에 대한 불쾌감을 누르고 자신이 시작하려는 사업이 신통치 않은 것일 거라는 상대의 생각을 반박하려는 심리가 담겨 있다.
❹ ⓓ에 이어지는 '정 못하겠거든 고문으로라도 이름을 걸어 달라는 것이다.'를 보면, ⓓ에는 자신의 제안에 대한 상대의 반응을 본 뒤 처음보다 기대 수준을 낮추어 수정 제안을 해야겠다는 심리가 담겨 있다. 따라서 상대에게 더 많은 것을 기대할 수 있다는 심리가 담겨 있다는 설명은 적절하지 않다.
⑤ ⓔ에서는 실제 사회 현실과 거리를 두고 방 안에 머무르겠다는 상대의 생각과 동일한 생각을 '삼천만이 모두' 가진다는 경우를 가정하여, 그와 같은 가치관이 잘못된 것이라고 비판하고 있다.

4. ④ 외적 준거에 따라 작품 감상하기

① 남원이 '신진 작가로 이름을 날리'던 지식인이었지만 '붓대를 던지'고 빈대떡집의 주인이 되어 '지짐을 부치'고 있는 것은, 인물이 기존의 삶의 방식을 바꾼 모습이라고 할 수 있다.
② 김관식은 '한 칸 방'의 안을 '선경'으로, 밖을 '쓰레기통'으로 비유하여 방 밖의 현실이 부정적이기 때문에 현실과 구별되는 공간인 방 안에 머물고 싶다는 뜻을 드러내고 있다. 이를 통해 인물이 세상과 거리를 두고 의도적으로 은둔자적 삶을 사는 이유를 확인할 수 있다.
③ 박종렬과 청년이 'UN단도 오기 전'인 이른 시기에 '××당 성북지구분회' 조직을 위해 분주하게 움직이며 세력 확장을 꾀하고 있는 것은, 인물들이 사회 변화에 기민하게 대응하는 면모라고 할 수 있다.
❹ 김관식이 '나 같은 사람'은 '정당'에 참여하는 것이 '당치 않'다고 하며 거부한 것은 정당에 입후보하라는 상대의 제안에 대한 거부의 뜻을 표한 것이다. 이를 초라한 자신의 처지에 자괴감을 느낀 것이라고 보는 것은 적절하지 않다.
⑤ 박종렬이 김관식에게 정당에 참여할 것을 권한 뒤 '정치 운동하는 사람'이 따로 있냐고 말하며 정치 참여를 '또 권해' 보는 것은, 자신의 이익을 위해 세력을 규합하려는 의도에 의한 것이라고 할 수 있다.

【5~8】 조세희, '잘못은 신에게도 있다'

작품해설

'잘못은 신에게도 있다'는 12편으로 이루어진 연작 소설 '난장이가 쏘아올린 작은 공'(1978) 중 한 작품이다. 난장이 일가의 삶을 통해 가난한 소외계층과 공장 노동자들의 삶의 조건과 모습을 파헤치고 있다. 또한 이 작품에서는 화려한 도시의 재개발 뒤에 숨겨진 빈민의 아픔 등을 폭로함으로써 1970년대 사회의 가장 핵심적인 문제였던 노동 현실과 자본주의 사회의 구조적 모순을 적나라하게 폭로하고 있다. 간결한 문체로 서술되고 있으며 추악한 현실과 아름다운 동화를 대비시킴으로써 사회적 모순을 선명하게 부각시키는 효과를 얻고 있다. 또한 소설적 긴장과 환상적 공간의 창조를 위해 우화적, 은유적 수법도 동원하고 있는데, 이는 유신 체제의 검열의 눈을 피하려는 목적도 있었다고 한다.

- **갈래** : 연작소설, 단편소설
- **배경** : 1970년대 노동 문제가 제기되던 시절, 은강 공장
- **시점** : 1인칭 주인공 시점
- **주제** : 억압받는 노동자의 비참한 삶과 이에 대한 저항
- **특징**
  - 개인적인 경험과 사회적인 문제가 복합적으로 제시됨.
  - 비현실적 세계와 현실적 세계를 연결함.
  - 시간적으로 거리가 먼 사건들이 시계가 구별되지 않은 채 서술됨.
  - 다른 갈래의 형식을 삽입함.

5. ② 작품의 내용 이해하기

① 열심히 일하고도 인간다운 생활을 할 권리를 잃었다고 생각하던 아버지는 말년의 자기 시대에 대해 앙심을 품고 있었다.
❷ '아버지가 당신의 입으로 난장이라고 한 말을 나는 그래서 꼭 한 번 들었다.'를 통해 아버지가 '나'에게 자신이 난장이라고 말한 적이 한 번밖에 없음을 알 수 있다.
③ 어머니는 영희에게 했던 것처럼 영이에게도 여자가 가져야 할 가족과 가정에 대한 전통적 의무가 어떤 것인지에 대해 이야기하고 싶어 했다.
④ '나'는 아버지를 난장이라고 놀린 아이와 관련된 일로 아버지가 밖에 나가지 못하도록 하여서 사흘 동안 밖에 나가 놀 수 없었다.
⑤ 영희는 큰오빠인 '나'에게는 잘못이 없으며, 아버지를 난장이라고 놀려댄 '그 아이'에게 잘못이 있다고 말했다.

6. ④ 작품의 내용 이해하기

① ⓐ는 아버지가 난장이로 태어나 어린 시절부터 고생스럽게 살아왔음을 드러내고 있다.
② ⓑ는 아버지가 열심히 일하며 살았음에도 불구하고 충분한 영양을 섭취해 본 적이 없을 만큼 인간답지 못한 생활을 했던 난장이 가족의 처절한 삶을 보여 주고 있다.
③ ⓒ는 아버지가 꿈꾼 세상에서 지나친 부를 축적한

집에서 벌을 받게 되는 사람들의 모습을 보여 준다.
❹ ⓓ는 근로자는 어쩌다 하나의 잘못을 하지만 사용자는 매일 열 조항의 법을 어기고 있다며 근로자와 사용자가 법을 어긴 횟수를 비교하고 있는데, 이를 통해 근로자가 아니라 사용자에게 더 큰 잘못이 있음을 드러내고 있다.
❺ ⓔ는 은강 전체가 저기압권에 들어가 숨을 쉬기가 어렵다는 표현을 통해, 배경이 되는 공간의 분위기와 그곳에서 인물이 느끼고 있는 압박감을 드러내고 있다.

---

7. ① 인물의 심리 및 태도 파악하기

❶ 아버지가 꿈꾼 세상은 사람들이 사랑을 지키면서 살아가고, 만약 사랑을 갖지 않은 사람이 있다면 법을 제정해 벌을 주는 것이었다. 그러나 '나(㉠)'는 아버지가 꿈꾸는 세상을 이루기 위해서는 법률을 제정하는 대신 교육의 수단을 이용해 누구나 고귀한 사랑을 갖도록 하는 것이 바람직하다는 생각을 했다. 이후 '나(㉡)'는 아버지가 옳았음을 깨닫고 아버지의 생각을 따르기로 한다. 따라서 ㉠과 ㉡이 바라는 세상의 공통점은 사랑을 기반으로 한다는 것을 알 수 있다.

---

8. ③ 외적 준거에 따른 작품 감상하기

① 〈보기〉에서 이 작품은 단어나 구절 등을 반복하기도 한다고 하였는데, '아버지가 꿈꾼 세상'의 모습과 '아버지가 그린 세상'의 모습을 나타낸 부분에서 '지나친 부의 축적을 사랑의 상실로 공인하고', '사랑으로 일하고 사랑으로 자식을 키운다. ~ 사랑으로 바람을 불러 작은 미나리아재비 꽃줄기에까지 머물게 한다.'라는 내용이 반복되고 있음을 확인할 수 있다. 이는 인물이 바라는 이상적인 사회의 모습을 강조하기 위한 것으로 볼 수 있다.
② 〈보기〉에서 이 작품은 다른 갈래의 형식을 삽입하기도 한다고 하였는데, 근로자와 사용자의 대화 장면과 우리 가족의 대화 장면을 극의 형식으로 서술하여 작품의 주제 의식을 효과적으로 전달하고 있다.
❸ 아버지는 고달픈 현실 안에서 '달에 가서 천문대 일을 보겠다'는 꿈을 꾸었지만 이루지 못하고 돌아가셨고, 교육을 통해 '누구나 고귀한 사랑을 갖도록 한다'는 '나'의 꿈도 희망 사항일 뿐 이룰 수 없었다. 따라서 이상 세계가 현실에서 실현된 것으로 볼 수 없다.
④ 〈보기〉에서 이 작품은 서로 다른 공간에서 벌어지는 두 사건이 유사한 장면으로 연결되기도 한다고 하였는데, '애들을 내보내면 안 돼요.'라는 사용자의 말과 '영수를 당분간 내보내지 말아요.'라는 아버지의 말을 연결한 장면에서 확인할 수 있다.
⑤ 〈보기〉에서 이 작품에서는 시간적으로 거리가 먼 사건들이 하나의 단락 안에서 명확히 구분되지 않고 시제가 구별되지 않은 채 서술되기도 한다고 하였다. 작품에서 어머니가 보리쌀을 씻다 부엌으로 들어가는 장면은 '나'가 어릴 적 방죽에서 낚시질을 한 후 집에 돌아온 날의 사건과, '나'가 어른이 된 후 밤늦게 집에 돌아온 날의 사건 사이에 명확한 시간 구분 없이 삽입되어 있다. 이러한 서술 방식은 독자들의 이해를 지연시킬 수 있다.

【9~11】 김애란, '노찬성과 에반'

작품해설

어린 소년 노찬성은 할머니와 단둘이 지내다가 휴게소에 버려져 있던 개를 데려와 '에반'이라고 이름 짓고 함께 살아가게 된다. 찬성은 아픈 에반을 위해 전단지 아르바이트로 안락사 비용 십만 원을 모은다. 그러나 휴대 전화를 갖게 되면서 점차 에반과 보내는 시간이 줄어들게 되고, 어렵게 모은 돈을 에반이 아닌 자신을 위해 쓰게 되면서 찬성의 감정 변화를 보여 주고 있다.
- **갈래**: 단편 소설, 성장 소설
- **제재**: 소년과 개
- **주제**: 책임의 의미를 배워가는 소년의 성장
- **특징**:
  - 전지적 작가 시점에서 찬성의 내면 심리를 진솔하게 서술함.
  - 찬성이 처한 상황과 현실이 아파트 놀이터와 스마트폰으로 상징됨.
  - 노찬성이라는 소년의 이름과 변신을 뜻하는 에반이라는 개의 이름에서 상징성이 나타남.
  - 비상금에서 찬성이 원하는 삶이 드러남.
  - 할머니와 찬성의 갈등과 소통의 부재가 드러남.
  - 비극적 상황에 대해서 해설하지 않고 간접 제시함.

---

9. ① 서술상의 특징 파악하기

❶ 찬성은 아픈 에반을 동물 병원에 데려가고 싶은 마음을 표현하지만 할머니는 반감을 표시하며 이를 들어주지 않는다. 즉 두 인물의 대화에서 갈등의 양상이 드러남을 알 수 있다.
② 두 사건을 나란히 배치하여 이야기의 흐름을 지연시키고 있지 않다.
③ 공간적 배경을 묘사하여 시대적 상황을 구체화하고 있는 부분은 확인할 수 없다.
④ 3인칭 전지적 작가 시점으로 서술되고 있는 이야기로, 서술자를 교체하고 있지 않다.
⑤ 과거와 현재를 교차하여 서술하고 있지 않다.

---

10. ④ 세부 내용 이해하기

① ㉠ 이후 대화에서 찬성이 에반의 상태에 관해 이야기하는 것으로 보아, 찬성이 할머니에게 할 이야기가 있어서 할머니의 뒤를 졸졸 쫓아다녔다는 것을 알 수 있다.
② ㉡에서 에반이 찬성을 물려고 했다는 말을 듣고 상체를 들어 찬성을 보는 할머니의 모습에서, 할머니가 찬성을 염려하고 있음을 알 수 있다.
③ ㉢에서 할머니에게 전에 없이 큰소리를 내며 감정을 드러낸 찬성을 통해, 찬성에게 에반은 특별한 의미를 가진 존재임을 알 수 있다.
❹ ㉣에서 상중이라 주말까지 쉰다는 말이 생각났지만 괜히 한번 병원 전화번호를 눌러 본 찬성의 행동을 볼 때, 동물 병원이 쉰다는 사실을 모르고 전화를 걸었다는 진술은 적절하지 않다.
⑤ ㉤ 이후에 액정 보호 필름을 붙인 휴대 전화가 새것처럼 보이고 모서리 쪽 상처도 눈에 덜 띄는 것 같다고

한 내용을 통해, 찬성이 휴대 전화의 상처 난 부분이 잘 가려졌는지 확인하려고 살펴본 것임을 알 수 있다.

---

11. ③ 외적 준거를 통해 감상하기

① 에반이 좋아하는 공놀이를 즐기는 찬성의 모습에서 에반과 찬성의 교감과 친밀감이 드러난다.
② 아픈 에반을 염려하며 병원에 데려가고자 하는 모습은 찬성이 에반에 대한 책임감을 느끼고 있음을 드러낸다.
❸ 땅에 떨어진 휴대 전화를 살피던 찬성의 눈동자가 흔들린 것은 휴대 전화에 실금이 갔기 때문이지, 휴대 전화를 갖고 싶어 한 자신에게 실망감을 느낀 것으로 볼 수 없다.
④ 에반을 병원에 데려가기 위해 힘들게 전단지 아르바이트를 하여 모은 돈으로 휴대 전화의 보호 필름을 사는 것은, 찬성이 에반의 보호자로서의 역할에 점차 소홀해지고 있음을 드러내는 것이다.
⑤ 액세서리 용품 진열대의 물건을 구경하며 에반이 '사흘 정도는' '기다려 주지 않을까'하고 생각하는 것은, 찬성이 에반을 위해 모은 돈으로 보호 필름을 사는 자신의 행동을 합리화하고 있음을 드러내는 것이다.

Day 02

1. ①   2. ①   3. ③   4. ①   5. ②
6. ⑤   7. ①   8. ⑤   9. ②   10. ④
11. ①   12. ④

【1~4】김주영, '고기잡이는 갈대를 꺾지 않는다'

■ 작품해설

1950년대를 배경으로 한 소년의 성장과 가난한 시골 마을 사람들의 삶의 모습, 부조리한 사회상을 그린 성장 소설이다. 아버지가 부재했던 '나'의 가족은 어머니가 품을 팔아 생계를 유지하며 지냈고, '나'는 마을 사람들과 인연을 맺고 혼란과 이별을 겪으며 성장한다. 제시된 장면에는 '나'가 다락에 얽힌 어머니의 은밀한 행동의 이유를 알게 된 후, '나'와 아우가 다락에 있는 곡식을 지켜야 한다는 책임감을 함께 느끼며 성장하는 모습이 나타나 있다.

■ **성격** : 회상적, 향토적
■ **배경** : 1950년대 가난한 시골 마을(농촌)
■ **등장인물**
 – **'나'** : 어머니의 행동과 다락에 대해 의문과 호기심을 느끼다가, 다락문이 개방된 이후 어머니의 곡식을 세 사람의 곡식으로 여기게 됨.
 – **어머니** : 가난 속에서 억척스러운 태도로 곡식을 모으고 생계를 이어 가려 함.
 – **동생** : 형과 모든 것을 함께하려는 어린아이. 다락이 열려 있게 된 후 다락을 지켜야 한다는 생각을 하게 됨.
■ **구성**
 – **발단·전개** : '나'는 한 통의 편지에 동봉된 '나'의 고향 마을 사진을 보고 그곳에서 보낸 어린 시절을 회상한다. 남편 없이 두 자식을 키워야 했던 어머니는 품앗이로 생계를 꾸렸고 '나'와 아우는 마을에서 놀며 어머니를 기다렸다.
 – **위기** : '나'는 담임 선생님께 이발소 주인에게 쪽지를 건네 달라는 부탁을 받지만 건네주지 못하는데, 다음 날 이발소 주인이 빨갱이로 지목되어 경찰에 끌려간다. '나'는 술도가의 일꾼인 삼손에게 부탁해 이발소 문을 따 자신이 매료되었던 수채화를 가져오고, 그 일로 삼손과 '나'의 어머니가 경찰에 잡혀 가 고초를 겪는다.
 – **절정** : 삼손은 경찰서에서 나온 뒤 이전과 다른 사람이 되어 지내다 마을을 떠나고 마을 사람들은 그의 빈자리를 느낀다. '나'와 아우는 그 외에도 여러 주변 사람들과 이별을 겪게 된다.
 – **결말** : 자신들을 버린 아버지에 대한 의문을 간직한 채 살아온 아우는 군 복무 중에 북쪽에 가겠다며 바다에서 헤엄을 치다가 유해가 되어 돌아온다.
■ **주제** : 궁금했던 유년 시절에 대한 회상과 성장

■ 어휘풀이

 • **가녘** : 둘레나 끝에 해당되는 부분.
 • **범접(犯接)** : 함부로 가까이 범하여 접촉함.
 • **목도(目睹)** : 눈으로 직접 봄.
 • **고초(苦楚)** : 괴로움과 어려움을 아울러 이르는 말.
 • **관행(慣行)** : 오래전부터 해 오는 대로 함. 또는 관례에 따라서 함.

 • **직성(直星)** : 타고난 성질이나 성미.
 • **한길** : 사람이나 차가 많이 다니는 넓은 길.
 • **고샅길** : 시골 마을의 좁은 골목길. 또는 골목 사이.
 • **앙탈** : 생떼를 쓰고 고집을 부리거나 불평을 늘어놓는 짓.

1. ①   서술상 특징 파악하기

❶ 이 글의 서술자인 '나'는 어린 시절 다락에서 곡식이 가득 채워진 지독을 발견한 사건과 그 후의 변화를 전달하고 있다. '나'를 중심으로 사건이 전개되고 있으므로 서술자 '나'가 주인공으로 자신이 경험한 사건을 전달하고 있음을 알 수 있으며, '그때처럼 어머니를 미워했던 적은 없었다.', '어머니가 우리들의 자존심을 부추기고 나온 결정적인 사건이 있었다.' 등에서 회상을 통한 서술임을 확인할 수 있다.
② [중략 부분 줄거리] 이전에는 '나'가 다락에서 곡식이 채워진 지독을 발견한 사건이, [중략 부분 줄거리] 이후에는 '그날 밤' 이후 달라진 어머니의 행동과 그에 대한 '나'와 아우의 반응이 나타나 있다. 따라서 반복되는 사건이 나타난다고 볼 수는 없다.
③ '나'가 다락에서 지독을 발견한 장면과 '그날 밤' 이후 어머니의 행동, '어느 날' '나'와 아우가 함께 한길로 나가려 아우가 집을 지키겠다고 말하는 장면이 나타나 있을 뿐 장면이 빈번하게 전환되고 있다고 볼 수는 없다.
④ 시간의 흐름에 따라 발생한 사건을 제시하고 있을 뿐 동시에 발생한 사건을 병치하고 있지는 않다.
⑤ 다락이나 집 등 공간적 배경에 대한 묘사는 구체적으로 나타나지 않으며, 따라서 공간적 배경에 대한 묘사를 통해 미래의 일을 암시하고 있다고 볼 수 없다.

2. ①   세부 내용 이해하기

❶ '나'는 다락에서 지독에 곡식이 가득 채워진 것을 발견하고 소스라친 뒤, '이 많은 곡식을 다락 위에다 채워 두고도 우리 세 식구는 속절없이 배를 주려 왔던 것'에 대해 '어머니 스스로 파 놓고 있는 함정의 모순'을 어떻게 이해해야 할지 모르겠다고 생각한다. 즉 '함정의 모순'은 어머니가 가족을 위해 곡식을 모았으면서도 그 존재를 숨겨 가족을 굶주리게 한 것을 의미한다.
② '나'는 다락 속에서 어머니의 은밀한 움직임의 명분이 있을 만한 물건들을 찾아볼 수 없었다고 하다가 지독을 발견하고 해답을 얻게 된다. 따라서 명분이 있을 만한 물건들이 없었음에도 어머니가 다락을 소중하게 여겼다는 것이 함정의 모순이라는 것은 적절하지 않다.
③ 다락에 채워 놓은 자물쇠가 도난의 위험을 근본적으로 막을 수 없다는 것은 어머니가 스스로 파 놓은 함정의 모순과 관계가 없다.
④ '나'는 지독에 곡식이 가득 채워져 있었던 사실에 '함정의 모순'을 느끼고 있으므로, 쌀이 아닌 보리쌀로만 채워진 지독을 발견한 것이 '함정의 모순'이라는 것은 적절하지 않다.
⑤ 지독에 채워 놓은 곡식에서는 특유의 비릿한 누린내가 났지만, 이것은 함정의 모순과 관계가 없다.

3. ③   인물의 심리와 태도 이해하기

① '나'는 지독에 채워져 있는 곡식 위에 찍힌 어머니의

'다섯 손가락의 형용이 너무나 선명한 손도장'을 보고 '어머니가 곡식을 다루는 꼼꼼한 경계심'과 '단 한 톨의 손상인들 결코 용납하지 않겠다는 어머니의 섬찟한 의지'를 느꼈다고 한 것에서 알 수 있다.
② [중략 부분 줄거리] 이후의 내용에서 어머니는 '나'와 아우에게 다락 출입을 허용하지 않았음을 알 수 있다. 따라서 아우가 뛰어와 다급한 말소리로 엄마가 온다고 말한 것에는 다락의 출입을 어머니에게 들킬까 봐 염려하는 마음이 담겨 있음을 알 수 있다.
③ '아우의 반란'은 '나'와 아우가 모든 시간을 짝이 되어 보내던 관행을 깨고, "집 비워 두고 우리 둘 다 나가면 안 된다."라고 한 것이다. 즉 아우가 관행을 깨려 한 것이지 '나'가 관행을 깨뜨리려 한 것에 아우가 불만을 표현한 것은 아니다.
④ '나'와 아우는 한길에 있을 아이들을 찾아서 길을 나서다가, 지독이 있는 다락문이 채워져 있지 않고, 어머니가 열쇠를 지니고 있는지도 의문이어서 둘이 함께 집을 비우는 것에 꺼림칙함을 느낀다. 따라서 어머니가 열쇠를 지니고 있는지 의문인 것은 아이들과 함께 놀고 싶은 생각에 제동이 걸리는 이유 중 하나로 작용하고 있음을 알 수 있다.
⑤ 혼자서라도 집을 지키고 있겠느냐는 '나'의 말에, 아우가 고개를 주억거리며 "희야 혼자 갔다 오느라."라고 하자, '나'는 자신과 늘 붙어 있으려던 아우의 언행에 대견함과 놀라움을 느끼고 있다.

4. ①   외적 준거를 바탕으로 작품 감상하기

❶ '나'는 '그날 밤' 이후 어머니가 고미다락의 문을 채우지 않은 것을 뒤늦게 발견하고 '채워진 다락에 대해서 가졌던 강렬한 호기심보다 더욱 강렬하게 다락의 일에 빨려 들었'는데, '그렇다 해서 다락에 대한 원천적인 호기심이 희석되진 않았'고 다만 '호기심의 방향이 바뀌어진 셈이었다'고 하였다. 따라서 '그날 밤' 이후 다락에 대한 '나'의 원천적 호기심이 모두 희석되었다는 것은 적절하지 않다.
② '그날 밤' 이전에는 '다락에 대해서는 각별한 경계심을 갖고' 다락의 문을 채워 두기를 게을리하지 않던 어머니가, '그날 밤' 이후로는 '고미다락의 문을 채우지 않았다'는 것에서, ⒜에서의 어머니의 경계심이 ⒝에서는 느슨해졌음을 알 수 있다.
③ ⒜의 '나'가 다락에서 발견한 지독에 채워진 곡식 위에 찍힌 선명한 손도장은, 곡식에 대한 어머니의 애착을 보여 준다. 그런데 '다락문이 개방된 이후로 그것은 우리 세 사람 모두의 것'이 되었다고 한 것을 통해 ⒝에서 '나'와 아우도 곡식에 대한 애착을 지니게 되었음을 알 수 있다.
④ ⒜에서 어머니가 '각별한 경계심을 갖고' 다락의 문을 채워 두기를 게을리하지 않았던 것은 다락에 있는 곡식을 지켜야 한다는 책임감을 짊어지고 있었기 때문이다. ⒝는 다락문이 개방되어 다락의 곡식이 '우리 세 사람 모두의 것'이 된 상태로, 이때 '나'와 아우가 다락문이 열려 있는 상태에서 함께 집을 비우는 것은 곤란하다고 생각하는 것은 다락에 대한 책임감이 '나'와 아우에게도 부여되고 있음을 보여 준다.
⑤ '그날 밤' 이후 '옛날과 다른 점이 있다면, 우리가 바라보는 앞에서 그곳을 출입하기 시작했다'는 것에서, ⒜에서 다락에 몰래 출입했던 어머니가 ⒝에서는 '나'와 아우가 보는 앞에서도 다락에 출입했음을 알 수 있다.

【5~8】 김원우, '아득한 나날'

작품해설

1980년대를 배경으로 현실적 삶을 살아가는 중산층 인물의 모습을 사실적으로 그린 소설이다. 1990년대를 앞둔 시점에서 기자였던 '그'가 해고당한 80년대 초부터 현재까지를 회상하는 방식으로 내용을 전개하고 있다. 당시의 부정적인 사회 현실을 사실적으로 드러내면서 그와 거리를 둔 인물들의 삶의 모습을 형상화하고, 원칙과 상식이 통하는 사회에 대한 바람을 보여 주고 있다.

- **성격** : 사실적, 현실 비판적
- **배경** : 1980년대
- **등장인물**
  - '나' : 서술자. '그'의 아내로 현실적 삶을 추구하며 '그'의 삶을 지켜봄.
  - '그' : 방송국 기자로, 기자로서의 사명감이 없는 현실을 비판적으로 바라봄. 해고 이후 돈을 벌기 위해 직장 생활을 하며 무력감과 허탈감을 드러냄.
- **구성**
  - 발단 : 1990년대를 앞둔 시점, '나'는 남편과 청문회를 보다 지난 10년을 돌아본다.
  - 전개 : 방송국 기자인 남편은 갑자기 해직 통고를 받는다. 그는 1979년의 12.12 사태와 1980년 5월의 두 번의 역사적인 밤을 관계없는 사람처럼 보낸 뒤 자신의 직업에 모멸감을 느꼈고, 직장에서의 입지가 좁아졌다.
  - 위기 : '나'는 남편의 해직 이후 생활에 대한 불안을 느낀다. 그는 여러 직장을 거친 끝에 광고 회사에 취직해 안정적인 직장 생활을 하고 '나' 또한 번역 아르바이트를 하며 안정적인 생활을 꾸려 나간다.
  - 절정 : 88 올림픽을 한 해 앞둔 시점에 돈 버는 일에 치이는 월급쟁이로 살아가는 그는 무력감과 허탈감을 드러내고, 독재 정권에 저항하는 시위가 거세진다.
  - 결말 : 6.29 민주화 선언 이후 그는 방송사로부터 복직하라는 이야기를 듣고 기자의 자리로 돌아간다.
- **주제** : 부정적 현실에 거리를 둔 중산층의 삶의 모습

5. ② 서술상의 특징 파악하기

① [A]에는 내적 독백을 통해 남편의 실직을 알리지 않으려는 서술자의 판단이 나타나 있다고 볼 수 있다. 그러나 [B]에 풍자적 서술이나 서술 대상의 행위에 대한 비판은 나타나 있지 않다.

❷ [A]의 '이웃 사람들, 예컨대 ~ 얼버무릴 심산이었다.'에는 예상되는 행위의 나열이 나타나 있고, '그 실직 소식에 ~ 초라하게 만들 것이었다.'와 '도와주지도 않을 ~ 동정은 무조건 받기 싫었다.'에는 '그(남편)의 실직 소식을 전했을 때 돌아올 반응에 대한 서술자 '나'의 심리가 제시되고 있다. 또한 [B]에서는 서술자 '나'의 관점에서 서술 대상인 '그'에 대해 '갑자기 만사에 흥미를 잃어버린 것이었다.', '그가 세상살이와 인간관계에 분별력이 있으리라고 믿었다.'와 같은 주관적인 판단을 드러내고 있다.

③ [A]에 시간의 흐름에 따라 변화된 생각은 나타나 있지 않

으며, [B]에서 공간적 배경에 대한 묘사는 찾을 수 없다.

④ [A]에 반복되는 사건은 나타나지 않으며, [B]에 인물 간의 대화와 서술 대상과의 갈등은 나타나지 않는다.

⑤ [A]에서는 과거 사건이 나타나지 않으므로 과거와 현재 사건을 대비하고 있다고 볼 수 없으며, [B]에서는 '그'의 상태에 대해 서술하며 '그'에 대한 이해와 믿음을 드러내고 있으므로 과거의 사건을 나열하며 서술 대상에 대한 적대적 감정을 강조하고 있다고 볼 수 없다.

6. ⑤ 인물의 심리 파악하기

① '그'는 '자신의 직업에 대한 어떤 모멸감을 느꼈'는데, '자신의 생업에 대한 주저, 회의, 나아가서 모멸은 취재 현장에서마다 맞닥뜨리곤 했던 터'라고 한 것으로 보아, ⊙의 '기자로서 마땅히 갖추고 있어야 할 본분을 불신하게 되었다.'라는 것에는 기자로서 당연히 해야 할 일을 하지 못한 것에 대한 모멸감이 내재되어 있다고 볼 수 있다.

② '기계적인 일련의 직무 수행'에 대해 ⓒ과 같이 '이 시답잖은 것들아', '사기를 치려면 ~ 감쪽같이 속아 넘어갈 만한 사기를 치라'고 고함을 지르고 싶었다는 것에는, 의식 없이 기계적으로 주어진 일을 수행하는 것에 대한 분노가 남겨 있다고 볼 수 있다.

③ '먹물들은 위기가 닥치면 더 비겁'하고, '모든 먹물들은 ~ 총 앞에서만 와들와들 떠는 과민성 체질의 까막눈'이므로 ⓒ의 '이미 먹물도 뭣도 아니'라는 것에는 부당한 권력 앞에서 비겁한 모습을 보이는 것에 대한 멸시가 드러난다고 볼 수 있다.

④ '나'는 '우리가 이제 지나온 날을 더듬어 보며 앞으로 살날을 헤아려 보는' '관조기'에 들었다고 생각하며 '조금 쓸쓸'해졌다고 했으므로, ⓔ에는 '나'의 쓸쓸함이 담겨 있다고 볼 수 있다.

❺ ⓜ은 '노인네보다 먼저 죽으면 안 되는데 말이야.'라는 갑작스럽고도 엉뚱하게 제시된 남편의 진지한 말에 대한 '나'의 반응으로, 뒤이어 '안 죽어요. 죽긴 누가 죽어요?'라고 말한 것으로 보아 의심이 내재되어 있다고 볼 수 없다.

왜 많이 틀렸을까?

이 작품의 경우, 지문 내용 파악이 쉽지 않아 인물의 심리를 파악하는 데 다소 어려움을 겪었을 듯해. ⊙, ⓔ과 같이 해당 구절이나 전후 맥락에서 심리가 드러난 경우에는 어렵지 않게 파악할 수 있었을 텐데, 나머지는 전후 맥락을 통해 심리를 파악해야 하는 한편 관련된 어휘들도 조금 어려워서 헷갈렸을 거야. 이처럼 구절에 나타난 심리를 묻는 문제는 해당 구절만 살펴볼 것이 아니라 전체적인 인물의 상황을 바탕으로 구절 전후에 나타난 표현 등에 유의해서 선택지의 적절성을 판단해 보도록 하자.

7. ① 소재의 의미 파악하기

❶ '다들 너무 편하니 나사가 풀린 거예요.', '나사를 좀 조여 보세요. 당신은 지금 너무 편하고 걱정이 없어서 이런저런 잔걱정이 많은 거예요.'라고 한 것은 아내인 '나'이므로 적절하지 않다.

② '나'가 '당신은 악이 없어졌어요.'라고 하자 남편인 '그'가 '언제는 내가 악이 있었나?', '사람이 악만으로 어떻게 살아.', '내가 편하다고? 웃고 있네.'라고 말하고 있다. 이를 통해 '악'과 관련하여 편한 삶을 바라보는 '나'와 '그'의 관점에 차이가 있음을 알 수 있다.

③ '그'가 '일 년쯤 어디 낯선 데 가서 고생이나 실컷 했

으면 좀 살 것 같애.'라고 말하자 '나'는 '다들 너무 편하니 나사가 풀린 거예요.'라고 말하고 있다. 즉, '나'는 '그'가 고생이나 실컷 해 보고 싶다고 말하는 것이 현재 너무 편해 나사가 풀린 것이라고 이해하고 있는 것이다.

④ '그'가 '언제는 내가 악이 있었나?', '사람이 악만으로 어떻게 살아, 무쇠처럼 살았어.'라고 말하자, '나'는 '궤변 늘어놓지 마시고 나사를 좀 조여 보세요.'라고 말하고 있다. 즉, '나'는 '그'가 '악'에 대해 궤변을 늘어놓고 있다며 나사를 조여 보라고 말하고 있는 것이다.

⑤ '해직 기자 중에는 옳은 직장을 못 구해 전전긍긍하는 사람도 있다면서요?'라는 '나'의 말에 '그'는 '그 친구들은 악이 살아 있을 테니 이런 무력감 같은 것도 모를 거야.'라고 말하고 있다. 즉, '그'는 직장을 못 구했지만 악이 살아 있을 친구들과 달리, 무력감을 느끼고 있는 것이다.

8. ⑤ 외적 준거에 따라 작품 감상하기

① 동료들이 '다들 사태를 훤히 알고 있으면서도 눈만 껌벅거리고, "다 그런 거지 뭐"라는 유행가 가사만을 읊조리는' 냉소주의자의 모습을 보이는 것에서, 〈보기〉에서 언급한 현실 세계 문제를 외면하며 살아가는 인물들의 부도덕함을 엿볼 수 있다.

② '그를 따'랐던 후배 기자가 '나까지 안 찍히려면 적당한 핑계를 하나 만들어 놔야지'라고 말하며 '그'를 피하려는 모습에서, 〈보기〉에서 언급한 삶에 매몰된 채 속물적 사고로 인해 신의를 저버리는 모습을 확인할 수 있다.

③ 기자인 '그'는 자신이 속해 있는 방송국을 '괴물의 화면을 만드는 괴물의 집단'으로 여기고, '이놈의 동네에서는' '기자로서의 사명감'이 없어진 지 오래이며, 따라서 다들 '기계'이며 '로봇'일 뿐이라고 한다. 이는 〈보기〉에서 언급한 현실적 삶을 살아가는 모습을 반성적으로 인식하는 태도로 볼 수 있다.

④ '그'는 '정신없이 바쁘게 살아오며 '진기가 다 빠'져버린 상태인데, '그'가 지쳐 있는 상황에서 허탈감과 회의를 느끼는 것에 대해 '각성의 계기'이며 '축복'이라고 여기는 '나'의 모습에는 〈보기〉에서 언급한 평범한 삶의 의미를 찾아 일상을 회복하는 것에 대한 기대가 담겨 있다고 볼 수 있다.

❺ '나'의 말을 '교과서 같은 소'라고 여기며 남들이 '무슨 욕을 하'더라도 '열심히 살아'야겠다는 '그'의 태도는 〈보기〉에서 언급한 원칙과 상식이 통하는 사회를 살아가려는 모습이라고 볼 수 있다. 따라서 '그'의 모습에서 원칙과 상식이 통하는 사회를 부정하는 태도를 알 수 있다는 것은 적절하지 않다.

어휘풀이

- **매몰되다(埋沒—)** 보이지 아니하게 파묻히다.
- **속물적(俗物的)** 교양이 없거나 식견이 좁고 세속적인 일에만 신경을 쓰는 것

왜 많이 틀렸을까?

이 문제는 39번과 마찬가지로 지문의 내용 파악이 쉽지 않아 어렵게 느껴졌던 듯해. 하지만 문제에서 요구하는 대로 〈보기〉를 참고하여 작품의 내용에 접근하면 오히려 이해에 도움이 되었을 거야. 〈보기〉의 내용과 지문의 내용이 대응되고 있으므로, 대응 관계가 적절한지, 즉, 선택지에 제시한 지문의 내용에서 〈보기〉의 내용을 확인할 수 있는지 또는 〈보기〉의 해설 내용과 관련 있는 부분이 선택지에서 언급한 부분이 맞는지를 확인하는 방식으로 접근해 보면 돼.

【9~12】 양귀자, '모순'

지문해설

'나'의 심리 상태를 구체적으로 서술하며 인생의 모순을 둘러싼 자기 내면의 복잡한 심리 상태를 드러내고 있다. '나'는 '나'를 둘러싼 인물들과 일련의 경험을 통해 인생이란 아무리 탐구해도 실수를 되풀이할 수밖에 없다는 것을 깨닫게 된다. 특히 이모와 어머니의 삶을 통해 완벽하게 행복한 삶이나 완전히 불행하기만 한 삶은 없다는 것을 깨닫고, 결국 자신이 어떤 종류의 불행과 행복을 택할 것인지를 결정해야 한다는 판단에 이른다. 일 년 동안 '나는 나영규와 김장우 사이에서 어떤 사람을 선택해야 할지 고민한 끝에 자신이 더 사랑한다고 느끼는 김장우 대신 이모의 삶이 떠오르는 나영규를 선택한다.

- **갈래** : 장편소설
- **시점** : 1인칭 주인공 시점
- **주제** : 행복과 불행이 교차하는 인생의 모순
- **특징**
  - 1인칭 서술자의 독백을 통해 내면 심리를 생생하게 드러냄.
  - 여러 인물들의 삶을 통해 인생의 모순을 구체적으로 형상화함.
  - 인물들의 대비되는 삶을 통해 주제 의식을 강조함.
  - 세상의 모순을 통해 인생의 본질에 대한 이해를 유도함.

9. ② 서술상의 특징 파악하기

① 이 글은 1인칭 주인공 시점에서 나의 진술을 통해 인물의 변화된 심리를 드러내고 있다.
❷ 내적 독백을 통해 '나'의 심리 상태를 구체적으로 서술하여 인생의 모순을 둘러싼 자기 내면의 복잡한 심리 상태를 드러내고 있다.
③ 인물은 독백적 진술을 통해 자신의 생각을 정리하고 있다. 의식의 흐름 기법은 무의식적으로 떠오르는 생각들을 다듬지 않고 인물의 자각되지 않았던 무의식적 욕망을 서술하는 방법이다.
④ 의문과 추측의 진술을 통해 다른 인물에 대한 반감을 드러냈다고 볼 수 없다.
⑤ 과거와 현재의 교차 서술을 통해 인물 간 갈등 양상을 드러내는 장면은 확인할 수 없다.

참고자료

◆ 의식의 흐름

심리주의 소설의 창작 기법인 '의식의 흐름'은 소설 속 인물의 파편적이고 무질서하며 잡다한 의식 세계를 자유로운 연상작용을 통해 가감없이 그려내는 방법을 말한다. 그러나 이것은 하나의 문학적 방법이지, 실제 의식의 흐름 자체는 아니다. '의식의 흐름' 수법을 사용하는 소설은 외적 사건보다 인간의 내적 실존과 내면세계의 실체에 관심을 집중한다. 내적 독백(interior monologue)은 '의식의 흐름'의 다른 명칭이자, '의식의 흐름'을 나타내기 위한 수법으로 이해되기도 한다. '의식의 흐름'을 개발한 심리주의 소설은 인간을 '심리적 존재'로 파악한다. 심리주의 소설에서 인간의 행동은 그의 심리적 동기를 설명하는 증거로 활용되며, 인상, 회상, 기억, 반성, 사색과 같은 심적 경험이 소설의 주된 내용

을 이루게 된다. 우리 문학에서 '의식의 흐름' 수법을 선구적으로 형상화한 작가는 이 상이다. 이 상의 「오감도」 연작과 「거울」 등의 시와 「날개」, 「종생기」 등의 소설에는 복잡하고 기묘한 의식의 파편들이 인간의 내면세계를 축약한 암호처럼 펼쳐져 있다. 오상원은 한국전쟁을 배경으로 한 소설 「유예」에서 총살을 당하는 병사의 의식의 흐름을 치밀하게 서술하고 있다.

10. ④ 인물의 심리 이해하기

① ㉠의 서술을 통해 김장우가 가족으로 인해 어려움에 처한 것처럼 '나'도 그러한 고통이 있음을 보여 준다.
② ㉡을 통해 아버지가 집을 떠나기 전에 함께했던 추억을 떠올리며 아버지에 대해 '나'가 애틋함을 갖고 있음을 드러내고 있다.
③ ㉢을 통해 아버지의 병세가 호전되지 않을 것이라고 '나'는 부정적으로 전망을 하고 있다.
❹ 나영규와의 결혼을 결심한 '나'는 스스로 김장우와의 결별을 선택한다. 자신의 결정에 책임지기 위해 그 상황을 '잘 견디'고 있는 '나'는 김장우의 상태를 의도적으로 궁금해하지 않는다. 따라서 ㉣에서 '나'의 태도를 소극적으로 보는 것은 적절하지 않다.
⑤ '일 년쯤 전'에 '나'는 인생은 탐구하면서 살아야 하는 것이라고 생각했지만 '일 년쯤'이 지난 지금에와서는 인생은 '살아가면서 탐구하는 것'이라고 자신의 말을 수정하게 된다. ㉤에서'나'는 인생이란 것이 아무리 탐구해도 실수를 되풀이할 수밖에 없다는 깨달음을 보여 주고 있다.

11. ① 인물의 행동 특성 파악하기

❶ '나'의 어머니는 궁지에 몰리는 마지막 순간에는 버릇처럼 책을 떠올리는 사람이라고 회상하며 과거 아버지를 위해 '의학 책'을 읽었고, 현재는 재판을 기다리는 동생 진모를 위해 '형법 책'을 읽고 있다. 미래에는 세상과 맞서기 위해 어떤 '난해한 분야의 책'들을 계속 읽게 될지 알 수 없다고 서술하고 있다. 이를 통해 '어머니의 독서'는 자신과 가족이 당면한 문제를 해결하기 위한 적극적인 행위임을 알 수 있다.

12. ④ 외적 준거를 통해 작품 감상하기

① 아버지의 병간호와 경제적인 부담 문제로 어머니의 나날은 긴장으로 채워졌지만 '더욱 바빠졌고 나날이 생기를 더'하는 모습을 통해, '불행의 이면에 있는 행복'이 있다는 삶의 모순을 보여 주고 있다.
② 사랑하는 가족을 멀리하고 밖으로만 떠도는 삶을 살아야만 했던 '아버지가 내게 물려주고 싶었던 중요한 인생의 비밀'은 세상의 일이 모순으로 짜여 있다는 것이라고 생각한다. 이를 통해 삶의 본질이 모순에 있음을 드러내고 있다.
③ '그 다짐에 충실했던 일 년' 동안 '나'는 나영규와 김장우 사이에서 어떤 사람을 결혼 상대로 선택해야 할지 '살필 수 있는 만큼' 다 살피고 '생각할 수 있는 것은 다 생각'했다고 한다. 이를 통해 '나'가 사전적 의미와 그 반대 의미까지도 탐구하여 모순된 생에 대한 이해를 확장한 시기였음을 확인할 수 있다.

❹ '나'는 이모와 어머니의 삶을 지켜보며 인간에게는 행복만큼 불행도 필수적인 것임을 깨닫는다. 결국 '나'는 '어떤 종류의 불행과 행복을 택할 것인지 그것을 결정하는 문제'만 남았다고 생각한다. 그러므로 '나'가 물질적 행복의 이면에 있는 불행을 거부하기 위해 '내게 없었던 것을 선택한 것'으로 보는 것은 적절하지 않다.
⑤ '모든 사람들에게 행복하게 보였'던 이모의 삶은 자신에게는 '한없는 불행'이었다. 물질적 풍요 속에도 불구하고 정신적 빈곤에 시달렸던 이모는 결코 행복할 수 없었고 이런 자신의 모순된 삶을 '무덤 속 같은 평온'의 상태로 인식하였음을 알 수 있다.

Day 03
본문 015쪽

| 1. ① | 2. ③ | 3. ① | 4. ③ | 5. ② |
| 6. ④ | 7. ③ | 8. ④ | 9. ① | 10. ④ |

【1~3】 이선, '티타임을 위하여'

작품해설

서민 동네에서 이웃들과 사이좋게 어울리며 지내던 '나'의 가족이 중산층이 사는 아파트로 이사 온 뒤 벌어진 사건을 토대로 현대인의 허상과 허영심을 그린 작품이다. 아내는 이웃들과 스스럼없이 어울리고 음식을 나누어 먹던 이전 동네를 '저쪽 동네'로 규정하고, '이쪽 동네'의 삶에 편입하기 위해 세련된 '티타임'을 준비한다. 그러다 결국 티타임을 갖게 된 아내는 자신이 중산층에 대한 허상과 허영심을 가지고 있었음을 깨닫고 허탈해한다.

- **성격** : 사실적, 현실 비판적
- **배경** : 1980년대, 서울의 한 아파트
- **등장인물**
  - '나' : 서술자. 아파트로 이사 온 뒤 변해 가는 아내의 태도와 아내로부터 전해들은 사건을 전달함.
  - 아내 : 아파트로 이사 온 뒤 중산층인 이웃 주민들의 삶을 동경하며 티타임을 준비함.
- **구성**
  - 발단 : '나'의 가족이 아파트로 이사 온 뒤 이웃에 떡을 돌리지만 대부분 거절당하고 '나'의 가족은 남은 떡을 처리하기 위해 아침과 밤참으로 떡을 먹는다.
  - 전개 : 이웃 사람들과의 교류를 걱정하던 아내는 티타임을 갖자는 이웃의 말에 기뻐하며 식기류와 간식을 마련하는 등 티타임을 준비한다.
  - 위기 : 티타임 약속을 신경 쓰는 아내와 달리 티타임은 점점 연기되고 아내는 전전긍긍해하면서 점점 예전 동네에서 살 때와는 다른 언행을 보인다.
  - 절정 : '나'는 친구들을 집으로 초대해 집들이를 하다 술에 취해 복도로 나가 티타임을 갖자고 소리 지르고, 아내는 이 일로 이웃과 어울리기 힘들어졌다며 '나'를 원망한다.
  - 결말 : 이웃들이 갑작스레 찾아와 티타임 대신 떡 잔치를 하게 되고 아내는 그 동안 자신이 이쪽 사람들이 손으로 떡을 집어 먹을 수 있다는 생각을 하지 못했다는 것에 허탈해한다.
- **주제** : 현대인의 중산층에 대한 허상과 허영심

어휘풀이

- 자조적(自嘲的) 자기를 비웃는 듯한 것.

1. ①
서술상 특징 파악하기

❶ 이 글의 서술자 '나'는 '아내'로부터 티타임과 관련한 이야기를 전해 듣고 사건의 전말을 전달하고 있다.
② 인물의 성격과 관련하여 외양을 묘사한 부분을 찾을 수 없다.

③ 제시된 장면에서는 티타임 준비와 관련하여 밤참을 먹었던 일과 '나'가 술에 취해 복도에서 난동을 부린 사건, 결국 티타임 대신 떡 잔치를 하게 된 사건이 차례로 제시되고 있을 뿐 과거와 현재가 반복적으로 교차하고 있지는 않다.
④, ⑤ 티타임을 준비하다 결국 떡 잔치를 하고 허탈해하는 '아내'의 모습과 심리가 드러날 뿐 인물 간에 대립된 행동이나 새로운 인물의 등장으로 조성된 갈등 상황은 나타나 있지 않다.

2. ③
서술자의 심리 파악하기

① '그날' 아내가 자몽을 사 온 것을 보고 의아해하며 "한동안 농약이 검출되었다고 텔레비전에서 왕왕거렸는데 당신은 듣지도 보지도 못했단 말야?"라고 한 것을 통해 알 수 있다.
② '그날'부터 '어느 날' 전까지, 아내는 '티타임이 쉽사리 이루어지지 않으므로' '밤마다 조금씩 식구들에게 티타임에 멋지게 곁들였을 간식을 제공'했다. 따라서 '나'는 밤참이 제공된 것을 보며 티타임을 갖지 못한 것이라고 생각했을 것이다.
❸ '어느 날' 아내는 밝은 표정으로 '당분간 밤참은 없을' 것이라고 하는데, 이는 티타임을 미루어 편한 마음으로 결정한 것이다. 이에 '나'는 '당분간 밤참이 제공되지 않을 것이라는 사실에 서운하기는 했지만 왠지 나도 아내처럼 개운해지는 기분이 들었다.'고 하였다. 따라서 아내가 무거운 마음이라고 보기 어려우며 '나' 역시 아내에 대해 안타까움을 느끼고 있는 것은 아니다.
④ '그날 밤', '나'는 티타임을 갖자고 술에 취해 복도에서 난동을 부렸는데, 이후 아내가 티타임을 가졌다고 하면서 자조적인 웃음을 짓는 것을 보고 '우르르 몰려와 아내를 막다른 골목에 몰아붙이고 물 한 모금도 안 마시고 다시 우르르 되돌아갔다는 말인가.'라고 생각한다. 즉 '나'는 '그날 밤'의 사건 때문에 아내가 난감한 상황을 겪게 될지도 모르겠다고 생각했던 것이다.
⑤ '그때'는 티타임을 위해 온 이웃들이, 아이들이 식탁에서 떡을 먹는 모습을 목격한 때이다. 아내는 "그때 피자 같은 걸 먹고 있었다면 얼마나 좋았겠어요."라고 하는데, 이에 '나'는 '아내의 그 기분을 충분히 이해할 수 있었다. 억울하고 부끄럽고 쓸쓸하고 참담했을 그 기분'이라고 하면서 아내의 부끄러움을 이해하고 있다.

3. ①
외적 준거를 적용하여 작품 감상하기

❶ 아내가 '화보'를 보고 "하마터면 창피당할 뻔했지 뭐예요. 티타임이면 난 그냥 차만 마시는 줄 알았거든요."라고 한 것과, 간식을 밤참으로 제공하다 '무작정 티타임을 기다리다가는 가계부가 엉망이 되겠더라구요."라고 한 것으로 보아 아내는 티타임을 기다리던 중 '화보'를 보고 티타임에 곁들일 그럴싸한 간식을 준비하기 시작한 것이다. 즉 아내는 '화보'를 보기 이전부터 티타임을 하려던 상황이므로 '화보'가 티타임을 갖겠다고 결심하게 하는 소재라고 볼 수는 없다.
② 아내는 자몽에 농약이 검출되었다는 뉴스를 언급하는 '나'에게 '이쪽 동네', 즉 지금 거주 중인 아파트가 있는 동네에서 산 자몽이니 문제가 없을 것이라는 식으로 반응한다. 이는 '이쪽 동네'와 '저쪽 동네'를 구분 짓는 것으로, 〈보기〉에서 언급한 이분법적인 사고를 보여 준다.
③ 〈보기〉에서 '아내'는 아파트 주민들을 매개로 중산층의 삶에 편입되고자 하는 욕망을 지닌다고 하고 있

다. 아내는 티타임을 포기하지 않고 기다리던 중, '13호 여자'의 동태를 살피다가 우연인 척 마주쳐 티타임 시기에 대한 대화를 이끌어 낸다. 이는 중산층의 삶으로 여겨지는 아파트 이웃들의 세계로 여겨지는 티타임을 언제 할지 몰라 답답함을 느끼고 있었기 때문이다.
④ 아내는 상가에서 엿들은 이야기를 토대로 이웃들이 망년회 때문에 바쁠 거라고 생각하고 있었는데, 이후 13호 여자와 티타임 시기에 대해 대화하다 자신도 망년회가 밀려 있다고 거짓말한다. "망년회도 안 나간다면 시시하게 볼 것 아녜요."라고 한 것으로 보아 아내는 이 아파트 주민들에게 시시해 보이고 싶지 않다는 경쟁 심리를 느끼고 있음을 알 수 있다.
⑤ 〈보기〉에서는 아내의 간접화된 욕망의 대상이 허상임이 밝혀진다고 하고 있다. 아내는 티타임을 위해 온 이웃들이 떡을 손으로 집어 먹는 것을 본 뒤 쓸쓸하고 우울한 표정으로 "나는 왜 이쪽 사람들도 손으로 떡을 집어 먹을 수 있다는 생각을 못 했지요?"라고 말하는데, 이는 아내의 간접화된 욕망의 대상인 중산층의 삶의 모습이 허상이었음을 깨달은 것으로 볼 수 있다.

2H 뭐가 틀렸을까?

이 문제는 정답률이 20%밖에 되지 않았고, 오답인 ③번과 ④번을 고른 비율이 각각 40%, 21%로 정답보다 높았어. 이는 〈보기〉의 내용을 지문에 적용하기에 앞서, 지문의 내용을 제대로 이해하지 못한 결과로 보여. 정답인 ①의 경우, 아내의 대사 등을 통해 화보를 보기 전에 이미 티타임을 갖기로 했던 상황임을 파악했다면 〈보기〉와 관계없이 바로 잘못된 서술임을 파악할 수 있었거든. 나머지 선택지 역시 지문 내용이 적절하게 서술되었는지 파악한 뒤 〈보기〉와 연결하는 것이 좋아. 그리고 〈보기〉를 통해 아내가 티타임을 하고 싶어하는 욕망이 중산층의 삶으로 편입하고자 하는 욕망과 연결된다는 것과, 아내는 욕망의 매개자인 아파트 주민들을 닮고 싶어하면서도 경쟁 심리를 느낀다는 점을 정리한 뒤 구체적인 사건과 연결해 보면 오답을 피해갈 수 있었을 거야.

【4~6】 이청준, '당신들의 천국'

작품해설

나환자들의 수용 공간인 소록도라는 특수한 공간을 배경으로, 나환자들을 새로운 삶의 길로 이끌어 내려는 인물의 노력과 갈등, 고민 등을 다루고 있는 작품이다. 주인공인 조 원장과 병원 관계자들, 나환자들 사이에서 벌어지는 갈등과 진정한 삶을 위한 공간 건설의 문제를 실감 나게 그리고 있으며 우리 시대의 이상향 건설에 대한 진지한 고민을 풀어내고 있다.

- **갈래** : 장편 소설, 관념 소설
- **성격** : 관념적
- **배경**
  - 시간 : 5·16 이후
  - 공간 : 소록도
- **시점** : 전지적 작가 시점
- **주제** : 자유와 사랑의 실천을 통한 이상주의적 세계 추구

어휘풀이

- 부임(赴任) 임명이나 발령을 받아 근무할 곳으로 감.
- 병사(病舍) 병원의 건물. '병동'.

같은작가 다른기출

2006학년도 6월 모의 수능 '병신과 머저리'
2010학년도 9월 모의 수능 '잔인한 도시'

2014학년도 수능 '소문의 벽'
2020학년도 9월 모의 수능 '자서전들 쓰십시다'

4. ③   서술상의 특징 파악하기

① 인물들의 내적 독백은 나타나지 않았다.
② 감각적 묘사를 통해 시대적 상황을 상징적으로 제시한 부분은 찾아볼 수 없다.
❸ 새로 부임한 조 원장에게 주정수 원장과 동상 이야기를 하며 대결 구도를 그리는 상욱과의 갈등 관계와, 간척 사업을 설명하며 설득하는 조 원장과 장로들 간의 갈등 양상을 대화와 행동을 제시하여 실감 나게 보여 주고 있음을 확인할 수 있다.
④ 과거 회상 장면이 삽입되지 않았으며, 이를 통해 갈등이 해소되지도 않았다.
⑤ 다른 공간의 사건이 나오지만 동시에 사건이 진행되었다고 보기 어려우며, 이를 통해 서사의 흐름도 지연되지 않았다.

참고자료
'당신들의 천국'의 전체 구성과 줄거리
이 작품은 군부가 정권을 잡은 5 · 16 군사정변 후에 소록도 나환자 병원(수용소)를 배경으로 전개된다. 새로 부임해 온 의무장교 조백헌 대령이 사심 없이 소록도를 천국 같은 땅으로 만들려고 온갖 지혜와 노력을 다 쏟았으나 결국 실패하는 이야기를 중심으로 작품이 엮어져 있다. 이 작품은 3부로 나누어져 있는데, 1부는 현역 대령인 조백헌이 소록도 병원장으로 취임하여, 그곳 환자들에게 새로운 천국을 만들어 주기 위해 득량만 매몰공사에 착수하여, 그것이 어느 정도 이루어지는 21개월 동안의 나환자와의 싸움을 그리고 있으며, 2부는 천국을 만드는 데서 야기되는 배반의 사건이 중심을 이루면서, 매립공사를 둘러싼 9개월간의 조원장의 정신적 방황을 그린다. 그리고 3부는 배반으로 인한 실패를 극복하기 위한 대안을 제시하면서, 조원장이 섬을 떠난 지 5년이 지난 후의 3월에 한 시민으로 소록도로 되돌아와 다시 2년 후 4월에 미감아 두 사람의 결혼식 주례를 맞게 되는 것을 그리고 있다.

5. ②   구절의 의미 이해하기

① 조 원장은 소록도 마을사람들을 충분히 설득할 수 있다는 자신감과 여유를 드러낸 자세와 표정을 보이고 있지만, 상욱은 원장의 그러한 의도를 곧이곧대로 받아들이지 않고 있다. 따라서 ㉠에서 원장에 대한 상욱의 태도를 읽을 수 있는데, 조 원장은 상욱의 말을 비웃지 않았고 상욱도 조 원장을 조롱하려는 의도가 없으므로 적절하지 않다.
❷ ㉡에서 조 원장은 자신의 예상과 다르게 상황이 전개되는 것을 알고 당황해하는 모습을 보이고 있음을 알 수 있다.
③ ㉢에서 조 원장이 상욱의 말을 중단시키려고 하지 않았다.
④ ㉣의 '섬사람들의 반응은 아직도 그의 기대에는 훨씬 미치지 못했다.'를 볼 때 섬사람들이 조 원장의 기대만큼 적극적으로 호응했다고 보기 어려우며 조 원장의 기대가 비현실적이라고 보기도 어렵다.
⑤ ㉤에서 원장의 설득에도 장로들에게 변화의 기미가

보이지 않아서 실망스러운 마음을 들었지만 '그는 이제 물러설 수가 없었다.'라는 서술을 볼 때 조 원장이 간척 사업을 포기하지 않을 것이라는 의지를 나타내고 있다. 따라서 간척 사업을 포기할 수밖에 없는 조 원장의 좌절감을 드러냈다는 것은 적절하지 않다.

참고자료
'당신들의 천국'의 인물
* 조 원장(조백헌) : 나환자들에게 꿈과 희망을 주는 소록도 병원장으로, 간척 사업을 통해 천국을 건설하려 하지만, 전출 명령으로 섬을 떠난다. 이후 민간인 신분으로 다시 섬에 돌아와 진정한 이상향의 건설을 위해 노력한다.
* 이상욱 : 소록도 환자인 부모 사이에서 태어난 인물로, 육지에서 성장하여 다시 소록도로 들어온다. 조백헌 원장을 비판하고 감시하면서 진정한 천국 건설에 대해 회의적인 입장을 보인다.

6. ④   외적 준거를 바탕으로 감상하기

① 동상은 주정수 원장을 비롯한 이전 원장들의 명예욕과 타락을 상징적으로 보여 주는 소재라고 할 수 있다.
② 상욱은 이전 원장들과 마찬가지로 조 원장도 타락하지 않을까 의심하며 견제하는 감시자 역할을 하고 있는 인물이다. 〈보기〉의 '권력과 명예욕의 화신으로 돌변할지도 모를 타락 가능성을 의심하는 시선을 끝까지 놓지 않고 있다.'는 내용을 볼 때 상욱은 작가의 시선을 대변하는 인물이라고 볼 수 있다.
③ 조 원장은 축구 경기를 보급시켜 시합의 승리를 맛보게 하여 섬사람들에게 자신감을 갖게 함으로써 패배감에서 벗어나게 한 인물로, 소록도 주민들을 새로운 삶의 길로 이끌어 내려는 조력자 역할을 하고 있음을 알 수 있다.
❹ 바다를 막는 간척 사업을 하겠다는 원장의 설명에 장로들이 침묵하는 것은 더 큰 사업이 필요하다는 생각에서가 아니라 여전히 불신감을 갖고 있기 때문이라고 할 수 있다.
⑤ 이야기 속 인물들의 역학 관계를 놓고 볼 때, 조 원장은 실질적 권력을 가진 인물이므로 지배자라고 볼 수 있으며 섬사람들은 피지배자라고 볼 수 있다.

참고자료
'당신들의 천국'의 서술자의 복합적 시선
이 작품은 시간의 흐름을 따라가면서 사건이나 인물에 대해 여러 각도에서 분석하는 복합적 시선을 취하고 있다. 작품 표상상의 주인공은 조 원장이지만, 서술자는 그를 단순하게 제시하는 것이 아니라 주변에서 그를 바라보는 다양한 시선을 통해 비판하고 있다. 또한 조 원장은 시간이 흐르면서 그 비판적 시선의 의미를 이해하고 스스로를 변화시키는 성장 소설의 주인공과도 같은 면모를 보여 주고 있다.

【7~10】 이태준, '촌뜨기'

작품해설
1930년대 산골 마을을 배경으로 화전을 일구며 살던 장군이의 삶을 그린 소설이다. 제시된 장면에는 산골 마을의 땅이 일본 회사에 넘어가고 사람들의 삶이 관청의 통제를 받게 된 상황과 삶의 터전과 생

계 수단을 잃은 장군이가 물방앗간 사업을 시도했다가 발동기까지 갖춘 경쟁자에 밀려 좌절하고 마는 모습이 그려져 있다. 작품의 제목 '촌뜨기'는 과도기적 상황에서 더 나은 삶을 위해 노력하지만 시대 흐름에 적절하게 대응하지 못하고 실패하고 마는 주인공의 처지를 드러낸다.

■ 갈래 : 단편 소설
■ 성격 : 사실적, 향토적
■ 등장인물
  – 장군이 : 아버지 대까지 굶거나 구걸하지 않는 수준으로 살아오던 화전민. 이전까지의 생계 수단을 잃은 뒤 방앗간 사업을 해 보려고 빚까지 졌으나 실패함.
■ 작품의 구성
  – 발단 : 장군이가 경찰서 유치장에서 나오며 마을을 떠날 결심을 한다.
  – 전개 : 장군이는 삶의 터전인 산이 삼정회사에 넘어가고 기존의 생계 수단도 잃은 뒤 산짐승을 잡기 위해 파 놓은 구덩이에 순사부장이 빠진 일 때문에 경찰서에 가게 된다.
  – 위기 : 장군이는 물방앗간을 열어 보고자 했으나 장풍언네가 발동기를 들여오자 빚만 지고 실패한다.
  – 절정 : 경찰서에서 나온 장군이는 아내와 마을을 떠난다.
  – 결말 : 장군이는 떠나려는 아내에게 떡을 사 먹이고 아내와 헤어진다.
■ 제재 : 화전민인 장군이의 삶
■ 주제 : 삶의 터전과 생계 수단을 잃은 화전민의 삶

어휘풀이
• 떠엎다 어떤 일이나 판세를 뒤집어엎어 끝을 내다.
• 화전(火田) 주로 산간 지대에서 풀과 나무를 불살라 버리고 그 자리를 파 일구어 농사를 짓는 밭.
• 구차하다(苟且——) 살림이 몹시 가난하다.
• 비럭질 남에게 구걸하는 짓을 낮잡아 이르는 말.
• 창애 짐승을 꾀어서 잡는 틀의 하나.
• 상책(上策) 가장 좋은 대책이나 방책.
• 동뜨다 평상시와는 다르다.
• 관솔불 관솔(송진이 많이 엉긴, 소나무의 가지나 옹이)에 붙인 불.
• 길섶 길의 가장자리. 흔히 풀이 나 있는 곳을 가리킨다.
• 술막(—幕) '주막(시골 길가에서 밥과 술을 팔고, 돈을 받고 나그네를 묵게 하는 집)'(酒幕)의 잘못.

같은작가 다른기출

2003학년도 6월 모의 평가 '해방 전후'
2005학년도 9월 모의 평가 '화단'
2007학년도 9월 모의 평가 '복덕방'
2012학년도 수능 '돌다리'
2015학년도 수능 A형 '파초'

7. ⑤   서술상 특징 파악하기

① 인물의 과장된 반응이 드러나는 부분은 찾을 수 없으며 비극적 분위기가 반전되고 있다고도 볼 수 없다.
② 장군이가 겪은 일이 제시되어 있을 뿐 인물이 떠올린 상상 속 장면은 나타나 있지 않다.
③ 장군이가 함정을 파 놓은 행위는 생계를 위한 것으로 인물의 개성적 성격과는 관련이 없으며, 봇도랑 낸

데 물이 고인 것을 바라보다 돌을 던진 것은 습관적 행위로 볼 수 없으며 개성적 성격을 강조한다고 보기도 어렵다.

④ 장군이가 경찰서에 가게 된 사건과 물방앗간을 차리려 실패한 사건이 드러나 있을 뿐 이와 관련한 인물의 의문점을 나열하고 있는 것은 아니다.

❺ 이 글에는 장군이가 산짐승을 잡기 위해 판 함정에 순사부장이 빠진 일로 경찰서에 가게 된 사건과 물방앗간을 차리려 실패한 사건이 추이에 따라 요약적으로 서술되어, 장군이에 대한 독자의 이해를 돕고 있다.

어휘풀이

· 추이(推移) 일이나 형편이 시간의 경과에 따라 변하여 나감. 또는 그런 경향.

---

8. ④ 　　공간적 배경 이해하기

① '살림이라야 가진 논밭이 없'었지만, '자기 아버지 대에까지는 굶지는 않고 남에게 비럭질은 하지 않고 살아왔다.'라고 한 것에서 알 수 있다.

② '둘레가 백 리도 더 될 큰 산을 삼정회사에서 샀노라'고 한 뒤에, 부대를 파거나 숯을 굽거나 산짐승을 잡을 덫을 놓는 일이 금지되었다고 한 것에서 알 수 있다.

③ '요즘 와서 안악굴 동네는 산지기와 관청에서 이르는 대로만 지키자면'에서 안악굴이 산지기나 관청의 통제를 받았음을 알 수 있다.

❹ 안악굴 사람들은 멧돼지 함정이나 여우 덫, 꿩 창애 등을 허가 없이 놓지 못하게 된 뒤에도 초식만을 할 수가 없기에 멧돼지나 노루의 함정을 팠다. 즉 '여러 함정'은 생계를 위해 파 놓은 것으로 '경찰'에 저항하려는 의도가 담겨 있다고 볼 수는 없다.

⑤ 안악굴이 산지기나 관청의 통제를 받게 된 뒤로 안악굴 사람들이 생계를 유지하기 위해 산짐승을 잡는 함정을 파거나 덫을 놓는 것은 금지되었으므로, 기존처럼 멧돼지와 노루의 함정을 파는 것은 '범죄'로 취급될 수 있었으므로 적절하다.

---

9. ① 　　외적 준거를 바탕으로 감상하기

❶ 장군이가 '순사부장의 뒤를 따라 그의 묵직한 총을 메고' 경찰서에 간 것은 장군이가 산짐승을 잡기 위해 판 함정에 순사부장이 빠져서 다쳤기 때문으로, 근대화된 방식에 따르려는 욕구를 보여 주는 행동이라고 볼 수 없다.

② 장군이가 빚을 내어 방앗간을 차리려고 한 것은 '가을에 들어 이것으로 쌀되나 얻어먹어 볼까' 해서이므로, 〈보기〉에서 언급한 더 나은 삶을 살기 위해 제 나름대로 노력한 모습으로 볼 수 있다.

③, ④ 장군이가 물방아를 이용한 방앗간을 차리려고 애쓰던 중에 장풍언네는 서울에 가서 하루에 쌀을 몇 백 말도 찧을 수 있다는 발동기를 사 온다. 이는 장군이가 시대적 흐름을 이해하지 못하고 과거와 같은 방식을 선택한 반면, 장풍언네는 근대화된 방식에 적응해 가고 있음을 보여 주기 때문에 적절하다.

⑤ 장군이는 여름내 방아터를 잡으려고 애썼지만 장풍언네가 발동기까지 갖추자 방앗간을 차리는 것을 포기한다. 이는 장군이가 〈보기〉에서 언급한 시대적 흐름을 이해하지 못한 까닭에 실패하게 되는 '촌뜨기'의 처지임을 보여 준다.

---

10. ④ 　　장면의 비유적 의미 이해하기

① [A]에서 장군이는 방앗간을 해 보려다 실패한 일을 떠올린 뒤 수면을 바라보고 있으므로, 사태의 본질을 깨달은 이후 평온한 상태라고 보기는 어렵다.

② '꿈꾸듯 물만 내려다보고 섰던' 것은 맑은 물에 비친 자신의 모습을 내려다보는 모습일 뿐 자기 인식이 중단된 순간의 상실감을 드러낸 것이라고 볼 수는 없다.

③ 장군이가 던진 '몽우리돌'이 '철벙덩' 소리를 내며 떨어진 것은 장군이의 감정 표출 내지는 '송사리 떼'를 향한 돌팔매질의 결과라고 해석할 수 있을 뿐 자기 인식 기능이 작동하지 않은 데 대한 분노를 드러낸다고 보기는 어렵다.

❹ [A]에서 장군이는 송사리 떼가 몰려다니는 물속에 돌을 던진 뒤 그 돌에 송사리 떼는 한 마리도 떠오르지 않고, 수면에 비친 제 얼굴의 그림자만 찢어져 보이는 것을 목격한다. 〈보기〉에서 물에 비친 상은 주체가 자신의 내면이나 자신과 관련된 사태의 본질을 스스로 깨닫도록 한다고 한 것을 바탕으로 할 때, 이는 자신의 시도가 실패했다는 사태의 본질을 깨닫고 자신에 대해 부정적으로 인식하는 모습이라고 해석할 수 있다.

⑤ 장군이가 '송사리 떼'를 향해 돌을 던졌으나 송사리 떼가 '한 마리도 뜨지 않았다'는 것은 장군이의 행위가 실패한 상태를 나타낼 뿐 이를 내면에 대한 깨달음을 스스로 얻는 것이 불가능함을 보여 준다고 해석할 수는 없다. [A] 앞에 제시된 사건과 관련지을 때 장군이가 자신의 시도가 실패임을 인식하는 모습이라고 해석하는 것이 적절하다.

【1~3】 조정래, '청산댁'

작품해설

1972년에 발표한 조정래의 초기 중편 소설로, 우리 민족의 가장 큰 비극인 일제 강점기와 6 · 25 전쟁, 그리고 월남전이라는 역사적 사건들을 한 여인의 비극적인 삶을 통해 그린 소설이다. 빈농 출신의 아낙네 청산댁이 겪는 고난에 찬 삶을 통해 우리 근대사의 생생한 자취를 읽어낼 수 있다. 또한 한 여성이 한국근대사의 굴곡 속에서 겪은 고난과 역정을 사실적으로 형상화하고 있으며 대를 이어 수난이 반복되는 모습에서 희생당하는 민중의 삶과 한(恨)이 그려지고 있다. 이러한 수난을 겪으면서도 자식에 대한 사랑과 자손을 지키려는 의지로 발현된 인물의 강인한 모성은 시대의 아픔에 대한 치유와 극복의 가능성을 보여 준다는 점에서 사회적 의미를 지닌다.

[놓치지 말자!]

■ 갈래 : 현대 소설, 중편 소설
■ 성격 : 비극적, 의지적, 사실적, 사회비판적
■ 시점 : 3인칭 관찰자 시점
■ 주제 : 역사적 수난 속에서 희생당하는 어머니의 고달픈 삶
■ 특징
　– 일제 시대부터 6 · 25전쟁, 베트남전 등 역사의 질곡 속에서 희생당하는 민중의 삶을 표현함.
　– 인물의 행동을 묘사해 인물이 느끼는 충격과 슬픔 등의 심리를 극적 · 간접적으로 제시함.
　– 사투리를 활용해 상황을 사실적이고 생동감 있게 표현함.
　– 손자의 돌잔치와 아들의 장례식이 대비되어 비극성을 강화함.
　– 온 정성을 다해 빚은 '송편'을 통해 아들에 대한 사랑을 드러냄.

---

1. ② 　　작품의 서술상 특징 파악하기

① [A]의 서술 방식은 인물의 대화와 장면을 통해 제시되고 있는 것으로, 요약적 서술을 통해 인물의 과거 상황을 제시하고 있지 않다.

❷ [A]의 '청산댁 기시요?', '누구다요?', '마침 기셨구만이라.' 등을 볼 때 사투리를 사용하여 반장과 청산댁의 대화 상황을 사실감 있게 표현하고 있다.

③ [A]에서 인물들의 성격 변화는 드러나지 않는다.

④ [A]에서는 현재의 상황을 제시하고 있을 뿐, 회상의 기법을 사용하여 갈등 해소의 실마리를 제시하고 있지 않다.

⑤ [A]에서 돌잔치를 준비하는 상황이 제시되고 있는데 인물의 반복적 행위는 드러나지 않는다.

참고자료

요약적 제시와 장면 제시

① 요약적 제시
– 서술을 통한 인물의 상황을 압축하여 말하거나, 시간의 흐름을 압축하여 서술함. 사건 전개 속도가 빠르다는 특징을 보임.
㉠ 이효석, 「메밀꽃 필 무렵」
드팀전 장돌이를 시작한 지 이십 년이나 되어도 허생원은 봉평 장을 빼논 적은 드물었다. 충주 제천 등의 이웃 군에도 가고, 멀리 영남 지방도 해매이기는 하였으나 강릉쯤에 물건 하러 가는 외에는 처음부터 끝까지 군내를 돌아다녔다. 닷새만큼씩의 장날에는 달보다도 확실하게 면에서 면으로 건너갔다. 고향이 청주라고 자랑삼아 말하였으나 고향에 돌보러 간 일도 있는 것 같지는 않았다.
② 장면 제시
– 대화나 묘사(행동, 배경, 외양)를 통해 해당 상황이나 장면을 제시함. 사건 전개 속도가 느리다는 특징을 보임.
㉠ 작자 미상, 「박씨전」
처사가 말했다.
"제가 한 딸을 두었으나 십육 세가 되도록 혼처를 정하지 못하였삽기로 천하를 떠돌다가, 다행히 존문에 이르러 아드님을 보니 마음에 드는지라. 여식은 용렬하고 재주가 없으나 존문에 용납될 만하니, 외람되오나 혼인을 정함이 어떠하오니까?"
상공이 '처사의 도덕이 높으니 딸 또한 영민하리라.' 생각하고 답했다.
"존객은 선인이요 나는 속세 사람이라. 어찌 인간 세상 사람이 선인과 혼인을 의논하리까?"
처사가 답했다.
"상공은 이국 재상이요 나는 미천한 인물이라, 미천한 인물이 귀댁에 청혼함이 극히 불가하오나 버리시지 아니 하오면 한이 없을까 하나이다."
공이 즐거 즉시 혼인을 허락했다.

2. ② 인물의 심리 파악하기

① ㉠은 남편이 갑자기 전쟁터로 끌려가는 급박한 상황에서 '소 잘 간수허고, 만득이 병 안 들게 혀'라고 당부하는 모습에서 가족에 대한 남편의 걱정을 엿볼 수 있다.
❷ ㉡에서 동네 사람들은 피란민들의 처지를 보며 자신들은 피란을 가지 않아서 다행이라고 여기고 있다. 그런데 피란민은 '싸움이 한창'인 때에 동네로 몰려들었으므로 전쟁이 끝나자 피란민이 몰려들었다는 진술은 적절하지 않다.
③ ㉢은 낯선 사내가 청산댁에게 천만득의 전사 통지서를 전하려고 하지만 가족에게 선뜻 말을 꺼내지 못하고 망설이는 태도를 엿볼 수 있다.
④ ㉣은 아들의 '전사 통지서'라는 말을 들은 청산댁이 쓰러지는 장면으로, 예상치 못한 만득이의 전사 소식을 들은 청산댁의 충격을 엿볼 수 있다.
⑤ ㉤에서 정신을 차린 청산댁을 보고 다시 울음을 터뜨리는 며느리에게 착 가라앉은 목소리로 조언을 하는 청산댁의 차분한 태도를 엿볼 수 있다.

3. ③ 외적 준거를 바탕으로 작품 감상하기

① 〈보기〉에서 이 작품에는 역사적 질곡이 빚어낸 민족의 희생이 드러난다고 하였다. 이를 토대로 보면 청산

대의 남편이 '징용'과 '전쟁터'로 끌려 나가는 모습에서 우리 민족에게 닥친 역사적 질곡을 확인할 수 있으며 이러한 시련을 겪으며 희생을 감내해야 했던 아픔을 짐작할 수 있다.
② 〈보기〉에서 이 작품은 반복되는 수난을 겪는 여성의 한(恨)을 부각시키고 있다고 하였다. 이를 토대로 보면 청산댁이 만득이의 '전사 통지서'를 받고 불현듯 '남편의 얼굴'이 떠오르며 '만득이 얼굴'과 서로 뒤범벅이 되는 느낌을 받은 것은, 남편의 죽음에 이어 아들의 죽음을 겪는 청산댁의 반복되는 수난을 드러낸 것이라고 할 수 있다.
❸ 아들의 전사 소식을 듣고 까무러쳤던 청산댁이 '다시 정신을 차린' 후 '손에는 낫'을 들고 '맨발인 채 뛰'는 것은 아들을 잃었다는 충격과 울분에 휩싸여 하는 감정적인 행동이다. 이는 시대의 아픔을 겪은 사회를 치유하려는 개인의 의지와는 관련이 없으므로 적절하지 않다.
④ 〈보기〉에서 이 작품은 자손을 지키려는 여성의 의지를 드러내고 있다고 하였다. 이를 토대로 보면 청산댁이 며느리에게 '울지 말'고 '자석 딸싸 이별 양몰고 살어'야 한다고 말한 것에서 자손을 지키려는 여성의 강인한 모성을 살펴볼 수 있다.
⑤ 〈보기〉에서 이 작품은 자식에 대한 어머니의 사랑을 드러내고 있다고 하였다. 이를 토대로 보면 청산댁은 죽은 아들이 생전에 송편을 좋아했다고 말하며 '아들 장례에 쓸 송편을 온 정성을 다해 빚'는데 이러한 모습에서 어머니 청산댁의 자식에 대한 사랑을 짐작할 수 있다.

어휘풀이
· 질곡(桎梏) 몹시 속박하여 자유를 가질 수 없는 고통의 상태를 비유적으로 이르는 말.

참고자료
조정래, '청산댁'의 이전 줄거리
청산댁은 학교 교육을 받지 못한 여인으로, 가난한 이 모집에서 뼈가 굵어 열아홉 나던 해 허주사집에 거하고 있는 머슴과 결혼하게 된다. 일제 말엽 남편은 허주사의 논밭을 받기로 약속하고 그의 동생 대신 징용을 떠난다. 남편이 없는 사이 그녀는 허주사에게 능욕을 당하고 홍역으로 아들은 장애를 가지게 되고 그 사이에 낳은 딸은 잃어버리게 된다. 해방이 된 후 남편이 돌아오지만 6·25 전쟁이 발발하면서 남편은 또 전쟁에 참전했다가 재가 되어 돌아온다.

【4~7】 김원일, '노을'

작품해설
아픈 과거로 인해 고향을 거부해 오던 '나'가 숙부의 장례를 위해 고향을 찾았다가 가슴 속에 자리 잡고 있는 상처를 확인하고 그것을 극복하고자 하는 모습을 그린 소설이다. 40대인 '나'의 현재와 29년 전 소년 시절의 '나'의 과거가 교차되면서 사건이 전개되고 있다. '나'는 과거 좌익 폭동 사건에 가담한 아버지로 인해 상처를 지니고 있는 인물로 그 과거가 있는 고향을 외면해 왔으나 다시 찾은 고향에서 그 상처를 극복해야 함을 깨닫고 그 동안 원망해 오던 아버지와 화해하고자 한다. 제목과 제시된 장면의 '노을'은 아버지와 고향에 대한 인식을 변화하게 한 매개체로 노을에 대한 다양한 인식을 통해 과거와 미래에 대한 새로운 인식을 드러내고 있다.

[놓치지 말자!]
■ 갈래 : 장편 소설
■ 성격 : 회고적, 현실 비판적
■ 등장인물
– '나'(갑수): 숙부의 부고를 받고 29년 만에 고향을 찾음. 과거 고향에서의 고통스러운 사건을 회상한 뒤 오래도록 원망한 아버지를 용서하고자 함.
■ 구성
– 발단 : '나'(갑수)는 숙부가 별세했다는 소식에 29년 만에 고향에 내려온다.
– 전개 : '나'의 아버지는 백정으로 술과 도박을 즐기는 난폭한 성격이어서 어머니는 예전에 떠나 버렸고 '나'와 동생 갑득은 불안함 속에 지낸다. 정부가 수립된 후 좌익 폭동이 일어나자 아버지는 그에 가담하였다가 산으로 들어가 버리고 나는 그런 아버지의 존재로 인해 갖은 고생을 겪었다.
– 위기, 절정 : '나'는 고향 사람들과 숙부의 장례식장에서 아버지가 가담했던 좌익 폭동 또는 봉기에 대한 이야기를 나누고, 잊고자 했던 고향의 기억이 되살아남을 느낀다.
– 결말 : '나'는 노을을 보면서 그동안 원망해 오던 아버지를 마음속으로 용서하고 화해하고자 한다.
■ 제재 : '나'의 과거 고향과 아버지에 얽힌 상처
■ 주제 : 이데올로기로 인한 비극적 현대사를 극복하려는 개인의 의지

어휘풀이
· 사태(沙汰) 산비탈이나 언덕 또는 쌓인 눈 따위가 비바람이나 충격 따위로 무너져 내려앉는 일.
· 주봉 '바지'의 방언(강원, 경상).

같은작가 다른기출
2011학년도 9월 모의 평가 '다시 눕는 풀'
2015학년도 9월 모의 평가 B형 '도요새에 관한 명상'

4. ② 작품 내용 파악하기

① '나'는 아버지와 헤어져 봉화산에서 내려오던 저녁, 장터마당에서 미송이가 종이비행기를 날리던 일을 회상하며 그의 눈에 비친 하늘이 '핏빛 노을'이 아니라 '오색찬란한 무지갯빛'일 것이라는 점을 깨닫는다.
❷ '나'는 '아버지마저 삼돌이삼촌이나 우출이아저씨나 저 배도수씨처럼 우리 형제를 버리고 장터마당에서 사라지는 것을 걱정하고 있을 뿐 '나'가 비밀을 지키지 못해 삼돌이삼촌과 배도수씨가 가족과 헤어져 살게 된 것인지는 알 수 없다.
③ 주봉은 아버지의 바지로, '아버지 바지는 온통 흰 횟가루가 누덕누덕 묻어 있었다. 콩뜰이가 내 글씨보다 삐뚤삐뚤하더라고 말했는데, 그게 아버지 글씬가 하는 생각이 들었다.'에서 '나'는 주봉에 묻은 가루와 콩뜰이가 이야기한 글씨가 연관이 있다고 생각함이 드러난다.
④ '치모 말처럼 고향을 잊으려 노력해 온 만큼 이곳은 나로 하여금 더욱 잊지 못하게 하는 어떤 힘을 지니고 있었다.'에서 드러난다.
⑤ '나'가 선달바우산의 개울에서 횟가루 묻은 옷가지, 즉 아버지의 바지를 찾아내면서 아버지의 행적의 증거

물을 손에 쥔 셈이라고 한 것을 통해 드러난다.

5. ② 인물의 심리 파악하기

① ㉠은 아버지의 행적을 찾아나선 '나'의 행동으로 대답도 없이 길을 내리 걷는 모습에서 조바심을 엿볼 수 있다.

❷ ㉡은 '그게 아버지의 글씬가'라고 추측하다가 아버지는 글자를 쓸 줄 모른다는 점을 떠올리고 있는 모습일 뿐 이를 통해 사회적으로 천대받는 아버지에 대한 '나'의 수치심은 드러나지 않는다.

③ ㉢은 아버지의 행적에 따른 증거물을 확인한 '나'의 모습으로, 눈앞이 캄캄하고 막막한 '나'의 심정이 드러나고 있다.

④ ㉣은 아버지가 사라진다면 '나'와 갑득이는 누구를 의지하고 살아야 할 것인가라는 생각에 크나큰 두려움과 슬픔을 느낀 것을 표현한 것이다.

⑤ ㉤은 아우에게 웃어 보이며 한 생각으로, 어려운 처지에서 동생을 챙겨야 한다는 '나'의 책임감을 엿볼 수 있다.

6. ⑤ 소재의 기능 파악하기

❺ '나'는 노을이 단순히 붉다고 볼 수만은 없으며, 그 속에는 핏빛만이 아닌, 진노란색, 옅은 푸른색, 회색 등이 섞여 있다고 인식하게 된다. 이는 고향을 잊으려 노력해 온 '나'가 고향은 오늘의 나를 있게 한 모태이며 자신의 뿌리는 언제나 고향에 내리고 있었다는 것을 자각한 뒤 그러한 인식을 투영하여 노을빛을 다양하게 인식한 것이라고 볼 수 있다.

7. ① 외적 준거에 따라 작품 감상하기

❶ '나'가 아버지가 '어젯밤에 미창에 갔다'는 '비밀을 누구에게도 말해서는 안 된다'고 생각하는 이유는 그러한 행적이 밝혀지면 아버지가 사라지게 될 것이고, 그로 인해 자신과 갑득이가 의지할 곳이 없어질 것이라는 두려움 때문으로 이를 통해 '나'가 아버지에 대해 연민을 느끼고 있는지는 알 수 없다.

② '배가 고픈 따위의 서러움조차 우습게 여겨질 정도'의 '슬픔'은 의지할 곳이 없어질지도 모른다는 '나'의 두려움으로 인한 것으로, 이데올로기에 휩쓸린 아버지의 행위로 인해 '나'와 동생 갑수가 겪는 고통을 드러낸다.

③, ④ '나'는 고향을 버리고 떠나 스물아홉 해 동안 고향을 찾지 않았는데, 그 시간 동안 하루도 고향을 잊어본 적이 없고 '고향은 오늘의 나를 있게 한 모태'라고 인정하며 '뿌리만은 언제나 고향에 내리고 살아왔다.'고 생각하는 것에서 '나'가 유년의 상처를 마주하면서 정체성을 확인하고 있음이 드러난다.

⑤ '나'의 아들인 '현구'의 눈에 비친 고향은 '내일 아침을 예비하는' 고향일 수 있다고 생각하는 것에서 고향에 대한 인식 변화와 고향에 대한 상처를 치유하려는 '나'의 모습을 확인할 수 있다.

【8~10】 김정한, '어떤 유서'

[작품해설]

'어떤 유서'는 1975년에 쓰인 작품으로, 당시 국가가 산업화의 명목으로 농지를 침탈한 문제를 목도

하고 이것이 단순히 한 개인의 문제가 아닌 모든 농민과 민중들의 삶의 터전과 관련된 생존의 문제임을 드러내고 있다. 김정한의 소설은 작가 의식이나 등장인물이 지닌 명확한 사회참여 의식 때문에 작품 전반에서 작가의 목소리를 느낄 수 있다. 특히 '어떤 유서'에서는 송노인과 같이 핍박받는 민중들을 세상에 드러내고 권력의 횡포를 비판하고 있다. 작가가 이 작품에서 가장 중요하게 여긴 내용은 산업화로 인한 농지 침탈과 그에 따른 환지(換地) 문제이다. 환지를 할 경우에는 원래 땅의 가치만큼 정확하게 평가해서 환지를 해야 한다는 '원지본위'의 원칙을 지켜야 한다. 하지만 송노인은 전천후사업으로 경지 정리 공사가 실시되어 천오백여 평 중 원지로 사백 평만 받고 나머지는 산을 깎은 개간지를 환지로 받았다. 그 원인이 바로 환지의 원칙이 지켜지지 못하고 사사로운 정과 환지위원들의 관계에 의해서 좌우되는 '정실환지(情實換地)'에 있다. 작가는 농촌의 근간을 흔드는 당시 경지정리사업으로 인한 정실환지 문제에 대해 소설화하고 있다.

[놓치지 말자!]

■ **갈래** : 단편 소설, 리얼리즘 소설
■ **성격** : 현실 폭로적, 현실 참여적, 비극적
■ **배경**
　－ 공간 : 농촌 마을
　－ 시간 : 1970년대 산업화 시기
■ **주제** : 국가 발전이라는 명목으로 토지를 침탈당하는 농민들의 현실
■ **중요 시구 및 시어 풀이**
　· 주견(主見) 자기의 주장이 있는 의견.

같은작가 다른기출

2015학년도 6월 모의 수능 '모래톱 이야기'
2004학년도 6월 모의 수능 '인간단지'

8. ⑤ 서술상의 특징 파악하기

① 외부의 이야기에 내부의 이야기가 삽입되는 액자식 구성으로 전개되고 있지 않다.

② 주된 인물 중심으로 전개되고 있으며, 다양한 인물들의 경험을 삽화 형식으로 나열하고 있지 않다.

③ 과거와 현재를 반복하여 교차하고 있는 부분은 확인할 수 없다.

④ 시간의 흐름에 따라 내용이 전개되고 있을 뿐이다.

❺ '송노인의 불평은 한 계단 더 비약했다. 그는 자기에게 내려진 부당한 처사를 참을 수가 없었다.', '송노인은 상출의 얼굴에 침이라도 뱉어 주려다 그대로 돌아섰다. ~춤을 추고 있는 판국이라고 송노인은 생각했다.' 등을 볼 때 이야기 밖의 서술자가 개입하여 주로 송노인의 입장에서 서술하고 있음을 알 수 있다.

9. ④ 인물의 의도 파악하기

① 송노인이 '부당한 환지'를 받아 재산상의 피해를 입고 "죽일 놈들!"이라고 말하며 분노하고 있다.

② 이성복 동장은 송노인에게 고속도로가 생기면 가게를 차릴 수 있을 것이라고 했지만, 기대와는 다르게 길 쪽에 가게를 내긴커녕 먼지만 가득 먹게 된 상황에 실

망하고 있다.

③ 젊은이들은 송노인이 과거에 '농민조합'에 가담한 것을 두고 '빨갱이'라고 왜곡하고 있으며, 송노인이 이에 대해 노여움을 드러내고 있다.

❹ 송노인은 자신을 빨갱이라고 하는 것에 화를 내고 있을 뿐, 자신의 실수에 대해 인정하고 있다고 보기 어려우므로 적절하지 않다.

⑤ 아무런 주견 없으면서 우쭐거리는 사람들이나 환지 문제에 대해 별 관심이 없는 사람들에 대해 송노인은 '철딱서니 없는 놈들'이라고 생각하며 불편한 마음을 갖고 있다.

10. ③ 외적 준거를 통해 작품 감상하기

① '정부에서 한 일'이기 때문에 '부당한 환지'를 받고도 어쩔 도리가 없다고 생각하며 피해를 입은 것에서 권력자들에 의해 토지를 침탈당한 농민들의 모습이 드러나고 있으므로 적절하다.

② 고속도로가 통하면 송노인의 집에 '가게도 차릴 수 있을 것'이라고 한 이성복 동장의 말은 마을 환지위원장이라는 중간자의 입장에서 가해자의 편에 서서 한 말이므로 적절하다.

❸ '먼 굴다리 쪽을 일부러 돌아'가는 모습은 권력에 의해 피해를 입고 불편을 겪는 농민들의 상황을 드러낸 것이지, 세대 간의 갈등을 일으키는 모습으로 볼 수 없으므로 적절하지 않다. 세대 간의 이질감은 '이른바 세대교체의 탓인지도 모르되 옛날과 달라서 요즘은 어느 마을 할 것 없이 어른들은 다 뒤로 물러앉고 그런 젊은 치들이 마을 일을 도맡듯 해서 옳든 그르든 위에서 시키는 대로만 용춤을 추고 있는 판국이라고 송노인은 생각했다.' 정도에서 찾아볼 수 있을 것이다.

④ 환지문제에 대해 '세상이 그런 걸 머!'라고 할 뿐 드러내 놓고 말을 잘 하지 않는 모습에서 현실에 대해 무기력한 태도로 방관하는 농민들의 모습을 확인할 수 있으므로 적절하다.

⑤ 마을 사람들 사이에 '눈에 보이지 않는 어떤 틈'이 생기는 것이 '숨길 수 없는 사실'이라고 한 부분을 통해 공동체 의식이 사라지고 파편화되어 가는 농민들의 모습을 확인할 수 있으므로 적절하다.

들. 너우네 아저씨가 피란을 올 때 친자식 은표 대신 데리고 나와 고생하며 키움.

⑤ '나'는 마음속으로 아저씨의 위선을 드러내 앙갚음하고 싶다는 생각을 하며 지내왔지만, 자물쇠가 아저씨에 대한 이중적인 태도를 보여 준다고 할 수는 없다.

Day 05

본문 025쪽

1. ①	2. ①	3. ⑤	4. ①	5. ③
6. ②	7. ②	8. ④	9. ③	10. ③
11. ①	12. ⑤			

【1~4】 박완서, '아저씨의 훈장'

작품해설

한국 전쟁 당시 아들 대신 장조카를 데리고 피란을 왔던 '너우네 아저씨'의 삶을 통해 가부장적 세계관의 속박과 분단의 문제를 그린 작품이다. '나'는 친구 은표의 아버지인 너우네 아저씨가 장조카인 성표를 키우는 것을 사명처럼 여기는 모습을 보며 언젠가 그의 위선을 드러내고야 말겠다는 생각을 하며 그의 삶을 지켜본다. 기존의 가부장적 가치관에서는 그의 선택이 도덕적이고 대단한 희생인 것처럼 평가받았으나 시간이 흐르면서 젊은 세대들은 처자식을 버린 그의 행동을 비인간적인 처사라 비판한다. 그러나 위독한 가운데 '나'를 보며 30여 년 만에 은표를 떠올리는 너우네 아저씨를 보면서 '나'는 그를 오해하고 있었음을 깨닫는다. '나'의 회상을 통해 사건을 전개하는 한편 아저씨에 대한 '나'의 감정과 평가를 직접적으로 드러냄으로써 주제 의식을 효과적으로 전달하고 있다.

[놓치지 말자!]

- **갈래** : 단편 소설
- **성격** : 회고적, 비판적
- **배경** : 한국 전쟁 ~ 1980년대, 서울
- **시점** : 1인칭 주인공 시점
- **구성**
  - 발단 : '나'는 우연히 어릴 적 고향 사람인 성표 형을 만나 그의 숙부인 너우네 아저씨가 위독하다는 소식을 듣고 그를 찾아가려 한다.
  - 전개 : 너우네 아저씨는 '나'의 친구인 은표의 아버지로 형이 세상을 떠난 뒤 형의 아들인 성표를 극진히 키우며 인정을 받는다.
  - 위기 : 한국 전쟁이 일어나자 피란을 오면서 너우네 아저씨는 아들 은표 대신 장조카인 성표만을 데리고 남한으로 온다. 아저씨는 자신의 그런 선택을 자랑스러워하고 비슷한 연배의 동향 사람들은 그의 선택을 높게 평가했다.
  - 절정 : 세월이 흐른 뒤 젊은 세대들은 너우네 아저씨가 아들을 두고 온 것을 비인간적인 처사라고 비난하고, 아저씨는 위독한 가운데 성표의 외면 속에서 외롭게 지낸다.
  - 결말 : 아저씨를 찾아간 '나'는 자신을 보고 은표를 찾는 아저씨의 억장이 무너지는 소리를 들으며 비로소 아저씨를 이해한다.
- **등장인물**
  - '나' : 서술자. 아들 은표 대신 장조카인 성표를 데리고 피란을 온 아저씨에 대해 비판적인 태도로 바라봄.
  - 너우네 아저씨 : 장조카를 키우는 것을 사명처럼 여기는 모습을 통해 가부장적 세계관과 사회적 평가에 사로잡힌 모습을 보여 줌.
  - 성표 : 너우네 아저씨의 장조카. 즉 형의 큰아

- **주제** : 사회적 평가에 사로잡힌 인물의 비극적 모습
- **장조카(長--)** 맏조카(맏형의 맏아들을 이르는 말).
- **숙질(叔姪)** 아저씨와 조카.
- **억장이 무너지다** 극심한 슬픔이나 절망 따위로 몹시 가슴이 아프고 괴롭다.
- **사명(使命)** 맡겨진 임무.
- **행상(行商)** 도붓장사(이리저리 돌아다니며 물건을 파는 일).
- **풍기다** 1. 냄새가 나다. 또는 냄새를 퍼뜨리다. 2. (비유적으로) 어떤 분위기가 나다. 또는 그런 것을 자아내다.
- **숫제** 1. 순박하고 진실하게. 2. 처음부터 차라리. 또는 아예 전적으로.

같은작가 다른기출

2005학년도 9월 모의 평가 '엄마의 말뚝 2'
2016학년도 수능 A형 '나목'

1. ① 서술상 특징 파악하기

❶ '나'가 바라본 너우네 아저씨의 행동과 심리에 초점을 맞추어 이야기를 전개하고 있다.

② 시대적 배경과 시간의 흐름이 나타나 있을 뿐 공간적 배경을 사실적으로 묘사한 부분은 찾을 수 없다.

③ 작중 인물인 '나'가 속으로 '언제고 그의 위대성이 터무니없는 가짜라는 걸 보고 말 테다.'라는 생각을 바탕으로 아저씨의 행동을 비판적으로 바라보고 있으므로 객관적인 입장에서 인물의 행동을 관찰하고 있다고 볼 수는 없다.

④ 너우네 아저씨가 위독하다는 소식을 전해들은 '나'가 과거 아저씨의 내력을 시간의 흐름에 따라 떠올리고 있을 뿐 장면을 빈번하게 교차한 것은 아니며 인물이 처한 상황의 긴박한 분위기가 나타난 것도 아니다.

⑤ 서술자는 '나'로 일관되게 나타나고 있다.

2. ① 소재의 기능 파악하기

❶ '밤새도록 반짝반짝 닦은 크고 작은 자물쇠를 앞뒤로 주렁주렁 달고 장군처럼 거만하고 당당하게 장사를 나가는 너우네 아저씨의 권위는 완벽했다.'에서 '나'는 자물쇠를 통해 아저씨를 당당함과 완벽한 권위를 지닌 이로 인식하고 있다. 그러나 아저씨가 '나'를 보며 은표를 부르는 모습을 보고는 '해가 뉘엿뉘엿할 무렵이면 가슴에 하나 가득 갖가지 자물쇠를 늘인 채 봉지쌀과 자반 고등어를 사들고 뒤뚱뒤뚱 걸어오던 너우네 아저씨의 모습을 떠올리며 자물쇠가 훈장으로 보이는 착각이 일어나지 않음을 인식하고 있다. 이를 통해 '자물쇠'는 아저씨에 대한 '나'의 인식을 드러내는 기능을 함을 알 수 있다.

② 자물쇠는 아저씨에 대한 '나'의 인식 변화를 보여 줄 뿐 아저씨의 심리 변화를 보여 주는 것은 아니다.

③ 아저씨가 자물쇠를 통해 삶을 성찰하고 있는 것은 아니다.

④ '나'가 마음속으로 아저씨에게 앙갚음하고 싶다는 생각을 하고 있을 뿐 '나'와 아저씨가 갈등하고 있다고 볼 수는 없다.

3. ⑤ 인물의 심리 추론하기

① ⓐ로 인해 '나'는 너우네 아저씨에게 앙갚음하고 싶다는 생각을 하게 되는데, ⓑ에서 아저씨가 '나'를 '은표'라고 부르는 것을 통해 '나'는 '30여 년 전 은표 어머니의 억장이 무너지는 소리는 이제야 앙갚음을 완수한 것'이라고 생각하고 있으므로 ⓐ로 인한 인물 간의 오해가 ⓑ로 인해 심화되고 있다고 볼 수는 없다.

② ⓐ로 인해 '나'는 너우네 아저씨의 행동에 대해 부정적으로 판단하게 되는데 ⓒ의 아저씨의 억장이 무너지는 소리를 듣고 '나'는 앙갚음을 완수한 것이라고 생각하면서도 허망함을 느끼고 있다. 따라서 ⓒ로 인해 인물에 대한 판단을 보류하는 것은 아니다.

③ ⓐ를 통해 아저씨를 원망해 오다가 ⓒ에서 아저씨에 대해 새롭게 인식하고 있을 뿐 ⓐ를 통해 ⓒ를 공감하게 되는 것은 아니다.

④ ⓑ에서 아저씨가 아들인 '은표'를 부르는 소리를 듣고 있는데, ⓐ는 그 이전에 '나'가 경험한 사건으로 제시되었을 뿐 ⓑ를 통해 ⓐ를 회상하고 있는 것은 아니며 이를 통해 사건의 전모가 밝혀지는 것도 아니다.

❺ ⓐ의 은표 어머니의 '억장이 무너지는 소리'는 '나'에게 아저씨의 위대성이 가짜라는 게 드러나는 모습을 보고야 말겠다는 생각을 품게 한다. 아저씨는 피란을 내려온 뒤 한 번도 아들 은표의 이름을 입에 올리지 않는데, 위독한 가운데 '나'를 보고는 ⓑ와 같이 은표의 이름을 부른다. 그가 처음으로 입에 올린 은표 소리는 '나'만 겨우 알아들을 수 있었는데, 그것은 ⓒ의 사력을 다해 억장이 무너지는 소리였다. 이에 '나'는 앙갚음을 완수한 것이라고 여기면서도 쾌감이 아닌 허망감을 느끼고 소스라친다. 즉 아저씨가 아들의 이름을 부른 소리(ⓑ)가 억장이 무너지는 소리(ⓒ)라고 인식함으로써 아저씨를 새롭게 이해하게 되고, 아저씨에 대한 심리적 거리가 가까워진 것이다.

4. ③ 외적 준거에 따라 작품 감상하기

① 휴전이 되었지만 고향 쪽에서 남으로 처진 휴전선 때문에 형과 나는 고향에 돌아갈 수 없었고, 이로 인해 '고향을 아주 잃은 비감'을 느끼는 것에서 한국 전쟁으로 인한 분단의 슬픔을 엿볼 수 있다.

② 젊은 세대는 너우네 아저씨가 신봉하던 도덕과 상관없는 세대로, '나'가 젊은이들에게 너우네 아저씨가 한 행동을 알렸을 때 아저씨를 비웃는 젊은이들의 모습에서 기존 세계에서 인정받던 믿음이 달라지는 모습을 확인할 수 있다.

❸ 너우네 아저씨가 눈에 띄게 풀이 죽어가는 모습을 보인 것은 동향인이 모이는 자리에도 세대교체 현상이 나타나 너우네 아저씨의 자랑을 들어 주고 칭송하는 사람도 줄었기에, 자신의 내력이 더 이상 자신을 빛낼 수 없다는 것을 알았기 때문이다. 너우네 아저씨가 시대에 따라 달라진 사회적 평가를 지각하지 못하는 모습을 보인 것은 아니다.

④ 동향 사람들 중 특히 '나잇살이나 먹은 이들'이 장조카를 데리고 피란을 온 너우네 아저씨를 칭송하는 것에서, 가부장적 세계관을 따르고자 하는 모습을 엿볼 수

있다.
⑤ '나'는 너우네 아저씨가 '제 자식을 모질게 뿌리치고 장조카를 데리고 나와 성공시키기 위해 온갖 고생 다 했다는 걸로 자신을 빛내려' 하는 모습이 동향인들의 공동체 안에서 인정받고자 하는 모습이라고 보고 있다.

어휘풀이
• 단면(斷面) 1. 물체의 잘라 낸 면. 2. 사물이나 사건의 여러 현상 가운데 한 부분적인 측면.

【5~8】 전상국, '동행'

작품해설

6·25 전쟁으로 인한 상처와 그에 대한 연민을, 신분을 감춘 두 남자가 동행하는 여로형 구조를 통해 형상화한 소설이다. 형사와 살인 사건의 범인, 큰 키의 사내와 키 작은 사내라는 대립적인 인물이 나타나며, 작품 바깥의 서술자가 사건을 전달하면서 추리 소설과 같은 기법을 활용하여 긴장감과 흥미를 더하고 있다. 억구의 과거를 알게 된 큰 키의 사내가 억구를 잡지 않고 보내 주면서 죽음을 결심한 억구에게 담배를 건네는 모습을 통해 따뜻한 인간애가 형상화되고 있다.

[놓치지 말자!]

■ **갈래** : 단편 소설, 여로형 소설
■ **성격** : 회고적, 사실적
■ **배경** : 1960년대의 어느 겨울 밤, 눈 내린 강원도 산길
■ **시점** : 3인칭 관찰자 시점(부분적으로 전지적 작가 시점)
■ **작품의 구성**
 – 발단 : 서로 낯선 두 사람, 큰 키의 사내(형사)와 억구가 동행이 되어 눈 덮인 강원도 산골의 밤길을 가며 살인 사건에 대한 이야기를 나눈다.
 – 전개 : 큰 키의 사내는 학창 시절 해부당하고 안주가 될 위기에 처한 새끼 토끼를 구하고 싶었지만 도덕적 규범을 어기는 것에 대한 두려움 때문에 구하지 못했던 기억을 떠올리고, 억구는 어린 시절 친구 득수와의 악연과 추위와 어둠의 공포에 사로잡히게 된 사연을 이야기해 준다.
 – 위기 : 억구는 상처받은 어린 시절에 대한 분풀이로 6·25 전쟁 발발 이후 공산당으로부터 감투를 얻어 득수를 죽이고, 국군이 마을에 들어온 후 억구 아버지는 득수 동생 득칠에게 죽임을 당한다. 이후 억구는 고향에서 도망쳐 지내다 우연히 만난 득칠을 죽인다.
 – 절정 : 억구는 아버지의 산소가 있는 산에 이르러 큰 키의 사내에게 자신이 득칠을 죽였다고 고백하고, 아버지의 산소 옆에서 목숨을 끊으려 함을 드러낸다.
 – 결말 : 큰 키의 사내는 새끼 토끼를 살리고 싶었던 자신의 과거를 떠올리며 억구를 잡지 않고 보내는 대신 담배갑을 건네며 하루에 한 개피만 피라고 한다.
■ **등장인물**
 – 억구 : 6·25 전쟁으로 인한 상처를 지닌 인물. 전쟁의 혼란 속에서 살인을 한 뒤 보복을 겪고, 다시 보복 살인을 함. 아버지를 죽인 김

득칠을 우연히 만나 살해한 뒤 고향에 돌아가 아버지의 산소 옆에서 죽으려고 함.
 – 큰 키의 사내(형사) : 살인 사건의 범인을 쫓는 이로, 따뜻한 인간애를 지닌 인물. 우연히 억구와 만나 밤길을 동행하면서 억구의 상처를 바라보고는 갈등 끝에 그를 잡지 않고 보내 줌.
■ **제재** : 낯선 두 사내의 동행
■ **주제** : 전쟁이 남긴 상처와 인간애를 통한 치유

어휘풀이
• 심산(心算) 속셈(마음속으로 하는 궁리나 계획).
• 이주걱대다 '이기죽대다(자꾸 밉살스럽게 지껄이며 짓궂게 빈정거리다.)'의 북한어.
• 가친(家親) 남에게 자기 아버지를 높여 이르는 말.
• 을씨년스럽다 보기에 날씨나 분위기 따위가 몹시 스산하고 쓸쓸한 데가 있다.
• 노형(老兄) 1. 남자 어른이 자기보다 나이를 여남은 살 더 먹은 비슷한 지위의 남자를 높여 이르는 이인칭 대명사. 2. 처음 만났거나 그다지 가깝지 않은 남자 어른들 사이에서, 상대편을 높여 이르는 이인칭 대명사.

5. ③ 　서술상 특징 파악하기

① '쏟아져 내렸다', '들려 왔다', '다가섰다'와 같이 과거 시제를 주로 활용하였으며, 현재 시제를 통해 현장감을 부각한 부분은 나타나지 않았다.
② 억구와 큰 키의 사내가 대화를 나누며 눈길을 걷는 장면이 나타나 있을 뿐 장면을 빈번하게 전환하고 있는 것은 아니다.
❸ 눈 덮인 밤길을 동행하게 된 억구와 큰 키의 사내의 대화가 전개되다가, 큰 키의 사내가 내적 독백을 하며 갈등하는 모습이 나타나고 있다.
④ 작품 밖의 서술자가 인물의 행동과 대사를 관찰하여 억구와 큰 키의 사내가 동행하는 과정을 전달하고 있을 뿐, 서술의 시점을 달리하여 사건의 의미를 다각적으로 조명한 것은 아니다.
⑤ 억구와 큰 키의 사내가 대화를 나누며 걷다가 억구가 자신이 김득칠을 죽인 것을 고백하고 있는데, 이 두 사건이 동시에 일어난 것은 아니며 대비되고 있는 것도 아니다.

6. ② 　인물의 심리 추론하기

① 억구는 놓아 주어야 할지 말아야 할지 내적 갈등을 겪게 하는 인물일 뿐 위협적인 존재로 인식된 것은 아니다.
❷ 〈보기〉와 [A]를 통해 큰 키의 사내는 새끼 토끼를 구하고 싶어 했지만 망설이다 구하지 못했음을 알 수 있다. 큰 키의 사내가 과거를 고백한 억구를 세워놓고 새끼 토끼를 떠올리는 것은, 아버지를 잃고 죽음을 앞둔 억구의 모습이 새끼 토끼와 동일시되었기 때문이라고 볼 수 있다.
③ [A]에서 큰 키의 사내는 새끼 토끼를 구하기 위해 담을 넘지 못했던 것이 무서웠기 때문이라고 하며 후회하는 태도를 보이고 있을 뿐, 과거 경험을 부정한 것은 아니다.
④ 〈보기〉에서 어미 토끼는 새끼 토끼를 구하기 위해 목숨을 걸고 달려들던 모습으로 나타나 있는데, 큰 키의 사내가 아버지의 원수인 김득칠을 살해한 억구가 어

미 토끼를 닮아가고 있다고 여기고 있는 것은 아니다.
⑤ 큰 키의 사내가 어미 토끼에 대한 기억을 불쾌하게 여기고 있거나, 그러한 기억을 지우지 못해 후회하는 모습은 나타나지 않았다.

왜 답이 틀렸을까?

이 문제는 그럴싸해 보이는 오답이 두 개나 있어서 정답률이 낮은 편이었어. ③번과 ④번의 응답률이 다소 높았는데, 일단 ③을 골랐다면 '과거 경험을 부정'한다는 것의 의미를 잘못 파악했기 때문일 거야. 사내는 새끼 토끼를 구하지 못했던 과거 경험을 떠올리며 그것을 후회하는 태도를 보이고 있어. 즉 과거 경험을 부정적으로 인식하고 있다고 할 수 있는데, 그 경험 자체를 부정한 것은 아니니까 ③은 적절한 서술로 볼 수 없어. 그리고 ④번은 어미 토끼가 새끼 토끼를 구하기 위해 목숨을 걸고 달려들었다는 점에서, 아버지를 죽인 득칠을 살해한 억구가 유사하다고 판단했을 수도 있어. 그러나 문제의 요점은 '큰 키의 사내'의 심리를 이해하는 거야. 사내의 독백에 나타난 내적 갈등에서, 사내가 억구를 보며 어미 토끼를 떠올리는 모습은 나타나지 않았어. 그러니까 억구의 처지가 어미 토끼를 닮아가고 있다고 여긴다는 설명은 적절하다고 볼 수 없는 거야.

7. ② 　구절의 의미 이해하기

① ㉠은 억구가 김득칠을 죽였다고 고백하며 큰 키의 사내 앞으로 다가서자 보인 행동으로, 큰 키의 사내가 물러서며 오버 주머니에 손을 넣는 것에서 억구에 대한 경계의 태도를 엿볼 수 있다.
❷ ㉡은 자신의 아버지를 죽인 득칠에게 빈정거리며 한 말이므로, 억구가 득칠에게 진심으로 고마워한 것이라고 볼 수는 없다.
③ ㉢에서 "이젠 가친을 혼자 버려두고 달아나진 않을 겁니다."라고 한 것을 통해, 억구가 과거와 달리 아버지 곁을 떠나지 않겠다고 다짐하고 있음을 알 수 있다.
④ ㉣에서 억구의 양복 주머니에 소주병이 들어 있는 것을 통해, 아버지의 산소에 찾아가 술을 한 잔 올리고 그 옆에 눕겠다는 억구의 말이 사실임을 짐작할 수 있다.
⑤ 큰 키의 사내는 억구를 불러 놓고 과거 자신이 새끼 토끼를 구하지 못했던 것을 떠올리다가, 억구를 놓아 주기로 결심하고 담배를 건넨 뒤 ㉤과 같이 미소를 짓고 있다. 이를 통해 큰 키의 사내는 자신의 결정에 만족해하고 있음을 알 수 있다.

8. ④ 　외적 준거에 따라 감상하기

① 억구와 큰 키의 사내는 와야리로 향하는 동일한 여정 속에 있지만, 전쟁의 상흔으로 고향을 떠났다가 돌아오는 것은 억구이며 큰 키의 사내는 우연히 그를 만나 동행하고 있는 인물이다.
② 억구는 동행한 큰 키의 사내에게 구장네 집을 찾아 몸을 녹이라고 권하며 자신은 아버지의 산소로 향한다. 억구가 큰 키의 사내에게 구장네 집을 알려 주는 것은 눈길을 함께 걸어온 사내를 배려하는 모습일 뿐 쫓기는 자로서의 다급함을 드러내는 행동이라고 볼 수는 없다.
③ 억구가 자신의 범행을 큰 키의 사내에게 털어놓은 것은 맞지만, 그것이 밤길을 동행하며 느낀 인간적인 연민 때문인지는 알 수 없다. 억구가 큰 키의 사내에게 인간적인 연민을 느끼는 모습은 나타나지 않았다.
❹ 억구는 아버지의 산소를 찾아가 술을 올리고 죽을 결심을 하고 있는데, 큰 키의 사내가 억구에게 담배를 건네며 하루에 꼭 한 개씩만 피우라고 하는 것은 억구

가 죽을 결심을 되돌리기를 바라는 마음에서 한 말이므로 전쟁이 남긴 아픔을 치유하려는 따뜻한 인간애를 보여 준다고 할 수 있다.
⑤ 억구는 큰 키의 사내에게 와야리로 가는 길을 말해 준 뒤 어깨를 구부리고 산소가 있는 산을 향해 걸어가는데, 이러한 억구의 뒷모습에서 전쟁의 상처를 극복하려는 의지가 드러난다고 볼 수는 없다.

【9~12】 김승옥, '누이를 이해하기 위하여'

작품해설

1963년도에 발표된 단편 소설로, 전체가 6장으로 구성되어 있으며, 도시에서 돌아온 누이의 침묵을 '나'의 입장에서 밝혀 보려는 독백체의 이야기이다. 특히, 지적 내용을 감각적인 언어로 구체화시키는 서술 방식으로 누이의 삶을 드러냄으로써 도시적 삶의 개인주의와 고독감을 그려 내고 있다. 몇 개의 장 형식을 취하여 삽화적으로 구성된 것이 특징이다. 제시된 글의 (가)는 소제목이 '프로필'이며, 서울에 사는 '나'에 의해 시골에서 상경한 '작자'의 모습이 그려지고 있다. (나)는 소제목이 '갈대가 들려준 이야기'이며, 도시에서 귀향한 누이의 알 수 없는 침묵의 의미를 탐색하고 있다. 1인칭 독백 형식으로 특정한 서사적인 줄거리보다는 내면의식의 서술이 주가 되고 있다. 1960년대 사회적 배경이 제재가 되고 있으며 배경은 의식 속에 내면화되어 '상황'의 구실을 하고 있다. 이 작품은 지적 내용을 감각적인 언어로 구체화시켜 나가는 서술 방식으로 서정적이고 시적인 언어의 사용 속에 작가가 말하고자 하는 지적인 내용을 암시하고 있다. 성공의 신화를 쫓아 도시로 나아간 많은 시골 젊은이와 같이 누이는 고향을 떠나 도시로 갔으나 침묵만을 배워 온다. 즉, 누이는 도시에서 개인주의와 '군중 속에서 느낀 고독'에 의해 침묵하게 된 것이다. 그것은 도시적 삶 자체에서 비롯된 것으로 누이만의 것이 아니다. 도시의 사람들에게도 제 나름의 사연은 있게 마련이지만 그것은 실타래 같이 얽힌 이율배반성 속에 있는 것이어서 결국은 개인에게 밀려나고 마는 것이다. 도시의 사람들이 이와 같이 고독한 데 반해 항혼과 해풍의 사람들은 의지의 신화에 소외된 채 짙은 패배감 속에 고독을 느낀다.

[놓치지 말자!]

■ **갈래** : 단편 소설
■ **배경** : 해변 마을과 도시
■ **문체** : 특정한 서사적 줄거리보다 내면 의식의 서술에 치중함. 1인칭 독백체 서술이 중심.
■ **시점** : 1인칭 주인공 시점
■ **의의** : 1960년대, 한국 사회의 전반적인 산업화로 인한 도시 진출 및 그로 인한 문화적 충격을 섬세하게 포착함.
■ **주제** : 도시적 삶이 가져다주는 정신과 문화의 황폐화, 도시화에서 비롯된 삶의 개별화 현상과 가치의 상대화
■ **특징**
　– 서사적 줄거리보다 내면 의식의 서술
　– 배경은 인물의 의식과 삶을 구성하는 상황의 구실
　– 서정적이고 시적인 언어의 사용
　– 지적 내용을 감각적 언어로 구체화

■ **단어의 상징적 의미**
　· 도시 설화와 판단의 세계.
　· 황혼과 해풍의 해변 변화 없는 감각의 세계.
　· 누이의 침묵 도시적 삶의 개인주의와 고독감.

어휘풀이

· **침식(侵蝕)** 외부의 영향으로 세력이나 범위 따위가 점점 줄어듦.
· **치환하다(置換)** 1. 바꾸어 놓다. 2. 어떤 것의 순열을 다른 순열로 바꾸어 펼치다.
· **부유하다(浮遊/浮游)** 1. 물 위나 물속, 또는 공기 중에 떠다니다. 2. 행선지를 정하지 아니하고 이리저리 떠돌아다니다.

같은작가 다른기출

2015학년도 9월 모의 수능 '안개'
2015학년도 9월 모의 수능 '무진기행'
2009학년도 수능 '역사'

---

9. ③   작품의 주요 관점 파악하기

① '작자'는 '나 아닌 다른 사람을 낮잡아 이르는 말'인데, 서술자인 '나'가 '작자'로 불리는 어떤 이를 부정적으로 인식하고 있음을 짐작할 수 있다. 또한 '저 촌뜨기 의식에 가득 차서' 등에서 열거된 내용들을 볼 때 '나'는 '작자'의 행동을 부정적으로 인식하고 있음을 확인할 수 있다.
② '나'는 '작자'의 어머니의 편지를 보고 '성모 마리아의 하얀 석상을 볼 때 받는 느낌 같았다고나 할까, 요컨대 작자에게는 분에 넘치게 짝이 없이 훌륭한 어머니인 것이다.'라고 하며 어머니에 대해 '작자'와는 상반되는 우호적인 태도를 보이고 있다.
❸ (가)에서 '그처럼 착한 어머니께 '미친'이라는 차마 입에 담을 수 없는 욕을 하는' 모습을 보이는 '작자'의 행동을 '나'는 부정적으로 파악하고 있다. '작자'가 어머니의 행동에 대한 감동을 감추기 위해 부정적인 행동을 했을 것으로 이해한다는 진술은 적절하지 않다.
④ (나)의 '나'는 울음을 우는 누이의 모습을 '괴로움을 울며' 고통스러워하는 희생자들에 연결 지어 생각하고 있다.
⑤ '나'는 누이가 도시에 머물렀던 기간인 '2년 동안'의 기억을 토해 버리게 한 다음 '해풍으로 목욕시키고 싶어' 한다. 이는 누이가 도시의 부정적인 기억을 모두 잊어버리고 자신이 알던 원래의 인물로 되돌아오기를 바라는 마음을 드러낸 것으로 볼 수 있다.

참고자료

김승옥 '누이를 이해하기 위하여'의 전체 줄거리
성공의 신화를 쫓아 도시로 떠나간 많은 시골 젊은이와 같이 누이도 2년 전 고향을 떠나 도시로 갔다. 그러나 도시의 삶에 실패, 귀향한 누이는 완벽한 침묵에 빠져, 어머니에게도 '나'에게도 아무 말을 하지 않는다. 오빠인 '나'는 그 이유를 알기 위해 도시로 나온다. 거기서 한 인물을 만나는데, 그는 시골을 떠나 작가입네하고 살아가는 위선적인 인물로서, 도시화의 물결 속에 파탄되어 가는 상경인(上京人)이었다. 그리하여 '나'는 누이가 침묵에 빠진 이유를 이해한다. 즉, 누이는 도시에서 개인주의와 군중 속에서 느낀 고독에 의해 침묵하게 된 것이다. 얼마 후, 누이는 시골 청년과 결혼을 하고 출산, '나'는 축전(祝電)을 띄운다.

---

10. ②   작품의 주제 의식 추론하기

① 누이의 '작은 보따리'에는 '헌 옷 몇 벌과 두어 가지의 화장 도구'만 있었을 뿐, 그걸로써는 누이에게 침묵을 만들어 준 이 년의 내용을 측량해 볼 길이 없었다고 하였다.
❷ '선생님의 설명'을 보면, (가)의 '작자'와 (나)의 누이는 도시 공간을 경험한 점에서 관련을 맺고 있다고 하였다. 그들은 정착하지 못하거나 고독한 모습으로 그려지고 있는데 이를 통해 도시에 대한 인물들의 반응이나 경험을 형상화하고자 하는 것이다. 따라서 이 작품을 읽으며 독자는 (가)의 내용을 통해 (나)의 누이가 도시에서 겪었을 경험의 성격을 짐작해 볼 수 있을 것이다.
③ (나)에서 누이가 고향을 떠나 도시로 가게 된 구체적 계기는 분명히 제시되지 않았으며, (가)의 '나'나 '작자'를 통해서도 그 계기를 짐작하기 어렵다.
④ (나)에서 '나'와 '어머니'가 누이를 도시로 보낸 까닭은 '훈련을 받기 위해서 그곳에 간 것이 아니라 완성되기 위해서 간 것'이라고 표현되어 있다. 하지만 (가)를 통해서는 누이를 도시로 보낸 까닭을 짐작할 수 없다.
⑤ (나)에서 어머니가 누이의 침묵을 견디지 못한다는 내용은 제시되지 않았으므로, 이 내용을 (가)와 관련짓는 것은 적절하지 않다.

참고자료

김승옥 '누이를 이해하기 위하여'의 구성
: 전 6장의 분장체 구성
– [1장] 축전(祝電): 누이의 출산을 축하함.
– [2장] 프로필: '나'가 상경한 후 서울에 와서 만난 위선적 인간을 그리고 있음.
– [3장] 갈대들이 들려준 이야기: 누이가 침묵에 잠기는 이유를 여러 각도에서 추측해 봄.
– [4장] 누이의 결혼: 시골 젊은이와 결혼한 누이.
– [5장] 일지 초(日誌抄): '나'의 단편적 문장들. 도시에서 살아남기 위한 의식적인 노력을 고백함.
– [6장] 다시 축전(祝電): 1장의 변용.

---

11. ①   서술상의 특징 파악하기

❶ [A]에서 '나'는 누이의 침묵이 '우리를 향한 항거'인지 '도시를 향한 항거'인지 물음을 던진다. 또한 누이의 침묵에 대한 의문은 '~을 결국 도시에서 배워 왔단 말인가?', '무엇으로써 설명해야 할 것인가?'라며 독백적 질문이 반복되며, 누이가 침묵하는 이유에 관한 내적 탐색의 과정이 제시되고 있는 것으로 볼 수 있다.
② 이 글에서는 공간적 배경의 아름다움을 감각적으로 묘사한 내용은 드러나지 않는다. 제시된 부분에서는 서술자의 내적인 탐색이 주를 이루고 있다.
③ 계절적 이미지를 묘사한 부분은 찾을 수 없다.
④ '나'는 누이가 침묵하는 모습을 보며 안타까운 시선으로 바라보고 있으므로 서술자의 태도가 담담하다고 보기 어렵다. 또한 '나'의 주관적 생각 위주로 서술되어 있기 때문에 사건에 대한 묘사가 객관적이라고 보기도 어렵다.
⑤ 나와 어머니의 간절한 요청에도 불구하고 누이는 침묵으로 일관하고 있으므로 인물 간의 대화가 이루어졌다고 볼 수 없다. 또한 가족은 누이를 위로하고 달래려는 태도를 보이고 있으므로 누이의 침묵이 갈등을 유발했다고 보기도 어렵다.

---

12. ⑤   인물에 관한 추론의 적절성 파악하기

① ⓐ의 앞 내용을 보면 '향수와 고독을 발산하는 눈빛'이나 '두고 온 것들에게 보내는 마음의 등불 같은 저 눈빛'으로 미루어 볼 때, '나'는 누이가 도시에 대한 일말의 그리움이나 동경이 남아 있는 것으로 보고 있다.

② '나'는 '이 황혼과 이 해풍, 그들이 우리에게 알기를 강요하던 세계'가 '미소를 침묵으로 바꾸어 놓는' 세계이자, '우리가 만족해 있던 것을 그 반대로 치환시켜 버리는 세계'라고 인식하며, 도시와 고향을 이질적인 곳으로 파악하고 있다.

③ 어머니는 '우리에게 마음을 쓰고 있다는 표시로 되어 있는 밀국수를 끓여서 저녁'을 차리고 누이를 '가장 부드러운 말씨와 정성어린 손짓'으로 대하며 도시에서 어떤 일이 있었는지 털어놓도록 유도하고 있다.

④ 어머니가 누이에게 도시에서의 지난 경험을 물으니 누이는 '왜 저를 태어나게 했어요.'라고 반응한다. 이에 어머니와 누이가 운다. '나'는 누이가 울음을 통해 '미안해요, 어머니'라고 말하고 싶었던 것으로 이해한다.

❺ (나)의 '나'는 '도시가 침범해 오지 않는 한, 우리는 한 고장을 지키기에 충분한 만족'을 가지고 있다고 확신하고 있다. 누이의 울음과 침묵을 안타깝게 지켜보는 '나'는 ⓔ에서 도시의 속성들을 열거하며 도시적 삶에 대한 동경은 허영일 수도 있다며 문제를 제기하고 있다.

오H 많이 틀렸을까?

(나)는 도시에서 귀향한 누이의 알 수 없는 침묵의 의미를 탐색하고 있는 내용인데, 1인칭 독백 형식으로 내면의식의 서술이 주가 되다 보니 정답률 41%를 보인 문제로 다소 어려웠을 것으로 보여. '나'는 침묵하는 누이를 보며 여러 가지 추측을 하고 있지. ⓐ의 앞 내용을 보면 '나'는 누이의 침묵이 '도시를 향한 항거'인 것으로 거의 확신하고 있지만, 누이의 '눈빛'은 '나'의 확신을 지지해 주지 않는다는 내용을 확인할 수 있어. 또 ⓔ에서 열거된 속성들은 누이의 울음과 침묵으로 미루어 볼 때 고향의 속성이 아닌 도시의 속성으로 보여. '나'는 이를 통해 누이가 도시에서의 상처를 잊고 고향에서 만족하는 삶을 살아가길 기대하는 것으로 이해할 수 있지.

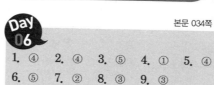

현대시

Day 06

본문 034쪽

1. ④   2. ④   3. ⑤   4. ①   5. ④
6. ⑤   7. ②   8. ③   9. ③

【1~3】 (가) 김춘수, '부재'

작품해설

삶과 죽음의 순환적 공존이 일어나는 자연 현상에 대한 정서적 반응을 통해 유한한 존재가 지닌 부재의 의미를 감각적으로 드러낸 작품이다. 1연의 '울타리', 2연의 '맨드라미, 나팔꽃, 봉숭아 같은 것', 3연의 '햇살', 4연의 '사람들'은 하나같이 지금 여기에 있으나 언젠가는 부재할, 즉 사라질 대상들인데, 화자는 이들이 부재하는 상황에 대한 슬픔을 담담한 태도로 드러내고 있다. 또한 감정 이입과 의인법 등의 표현 방법을 사용하였다는 특징이 있다.

■ 갈래 : 현대시
■ 성격 : 상징적, 사색적, 감각적
■ 주제 : 유한한 존재가 지닌 부재의 의미

(나) 황동규, '삶을 살아낸다는 건'

작품해설

소멸하는 자연물이 지닌 생의 감각과, 자연과 교감하며 깨달은 일상적인 경험을 표현하여 삶의 의미를 드러낸 작품이다. 1연에서는 투덜대는 이웃과 인사를 나누며 정다움을 느끼는 화자의 일상적 경험이 드러나고, 2연에서는 '꽃들', '낙엽', '피라칸사 열매' 등의 자연물이 소멸하는 모습이 나타나면서 생명의 소멸 인식이 드러난다. 마지막 3연에서는 거의 소멸하던 자연물들이 새로운 생명을 내놓는 모습과, 그 모습을 통해 자연과 교감하며 '괜찮은 삶'을 살고자 하는 화자의 인식이 드러난다.

■ 갈래 : 현대시
■ 성격 : 활유적, 감각적
■ 주제 : 자연과 교감하며 깨달은 일상적인 경험

1. ④   표현상 특징 파악하기

① (가)는 과거와 현재를 대비하고 있지 않다.

② (나)는 '마지막 잎들이 지고 있'는 모습에서 하강의 이미지가 나타나 있지만, 상승과 하강의 이미지를 반복하고 있지는 않다.

③ (나)에서는 '이런! 삶을, 삶을 살아낸다는 건……'에서 시행을 말줄임표로 끝내며 여운을 주고 있지만, (가)에는 말줄임표로 끝내는 시행이 없다.

❹ (가)는 '울타리는 슬픈 소리로 울었다', '외롭게 햇살은 청석 섬돌 위에서 낮잠을 졸다 갔다'에서 자연물에 인격을 부여하여 시적 의미를 부여하고 있고, (나)는 '나무'가 '기침' 소리를 내며 감추었던 것들을 내놓는 모습에서 자연물에 인격을 부여하여 시적 의미를 나타내고 있으므로 적절하다.

⑤ (가)에서 명령적 어조는 드러나 있지 않다. 한편 (나)

에서는 '괜찮은 삶도 있었다니!'에서 영탄적 어조를 활용하여 화자의 정서를 전달하고 있다.

2. ④   시어의 의미 이해하기

① ㉠ '어쩌다'는 '뜻밖에 우연히'라는 뜻의 '어쩌다가'의 준말로, 규칙적이지 않고 우연한 어떤 시간에 '바람'이 나타났음을 드러내고 있다.

② ㉡ '외롭게'는 '햇살'이 한겨울에 고독하게 홀로인 상태임을 표현하고 있다.

③ ㉢ '같이'는 '투덜대다'라는 행위가 혼자만의 행동이 아닌 여럿이 하는 행동임을 나타내고 있다.

❹ ㉣ '이리저리'는 '낙엽'이 아무렇게나 돌아다니고 있는 모습을 형상화한 것이므로, 대상이 규칙적으로 떨어지고 있는 모습을 형상화하고 있다는 진술은 적절하지 않다.

⑤ ㉤ '아직'은 햇빛이 닿아서 '피라칸사 열매'의 변화를 이끌어 내는 과정이 끝나지 않고 지속되고 있음을 드러내고 있다.

3. ⑤   외적 준거에 따라 작품 감상하기

① (가)에서 '사람들'이 '꿈결같이' '살다 죽'는 모습은 인간이라는 존재의 유한함을 형상화한 것임을 알 수 있다.

② (가)에서 '바람'이 '흔들'면 '울타리'가 '슬픈 소리'로 우는 모습은 자연 현상에 대한 정서적 반응, 즉 슬픔을 드러낸 것임을 알 수 있다.

③ (나)에서 '눈인사하듯 똑똑해'진 '피라칸사 열매'가 '더 똑똑해지면 사라'질 것이라고 하는 모습은 자연과의 교감을 통해 '이 가을의 모든 것'은 언젠가는 소멸한다는 깨달음을 얻은 것을 드러낸 것임을 알 수 있다.

④ (가)에서 '햇살'이 '낮잠을 졸다' 사라지는 모습과 (나)에서 '바싹 말라버린 '나무'의 상태를 '괜찮은 삶'이라고 하는 모습에서 자연현상의 속성을 활용하여 '부재의 의미'와 '삶의 의미'라는 관념적 주제를 형상화하고 있음을 알 수 있다.

❺ (가)에서 '맨드라미, 나팔꽃, 봉숭아' 같은 꽃들이 '철마다 피'고는 '겨 버'리는 모습에서 삶과 죽음의 순환적 공존을 알 수 있다. 그러나 (나)에서 '마른기침 소리'를 내던 나무가 새롭게 '가지와 둥치'를 내놓는 것은 소멸하던 자연물이 새로운 생명을 내놓는 모습이므로, 이를 통해 생의 감각이 소멸한다는 것을 알 수 있다는 진술은 적절하지 않다.

【4~6】 (가) 김춘수, '겨울밤의 꿈'

작품해설

서민의 삶을 상징적으로 드러내는 '연탄'을 통해 팍팍한 일상에 평온함이 도래하기를 바라는 마음을 환상적으로 형상화하고 있다. 작품은 크게 일상을 사실적으로 묘사한 전반부와 꿈을 환상적으로 형상화한 후반부로 나뉜다. 전반부(1~9행)는 가난한 시민들의 평화로운 저녁 식사 시간을 연탄을 중심 소재로 삼아 사실적으로 묘사하고 있고, 후반부(10~21행)는 시민들의 삶을 연민의 시선으로 바라보는 작가의 상상력이 만들어 낸 환상적 장면으로 그려진다. 화자는 '꿈'을 통해 가난한 시민들의 일상에 기적과 같은 일이 일어나길 바라며 환상의 세계

를 형상화하고 있다.

- **갈래** : 자유시, 서정시
- **성격** : 환상적, 감각적, 상징적
- **주제** : 가난한 시민들에 대한 연민과 희망

(나) 오규원, '개봉동과 장미'

작품해설

현대 문명을 상징하는 '개봉동'과 그곳에 종속되지 않고 순수한 생명력을 지키고 있는 '장미'의 대비를 통해 현대 문명 속에서도 본연의 모습을 잃지 않는 삶이 필요함을 드러내고 있다. 개봉동과 장미의 의미는 각각 도시 문명의 황폐함과 순수한 생명에 대응하는데, 현대 문명에 휩쓸리지 않는 장미의 모습을 통해 잃어버린 생명력을 가지고 있는 존재(장미)에 대한 동경을 드러낸다. 한편, '두드려 보라 개봉동 집들의 문은 / 어느 곳이나 열리지 않는다'는 구절에서는 순수한 본질을 추구하지 못하고 있는 개봉동 사람들의 모습을 보여 주며 안타까움을 드러낸다.

- **갈래** : 자유시, 서정시
- **성격** : 문명 비판적, 상징적, 주지적
- **주제** : 생명력 회복을 통한 현대 문명의 모순 극복
- **특징**
  - 구체적 지명을 사용하여 현장감과 사실감을 부여함.
  - 공간의 대비(문명의 공간인 개봉동, 장미의 공간인 길 밖)를 통해 시상을 전개함.
  - 명령형 어미와 도치법을 사용하여 시적 상황을 강조함.

---

4. ① 　작품 간의 공통점 파악하기

❶ (가)는 '그날 밤 / 가난한 서울의 시민들은 / 꿈에 볼 것이다'에서 서술어 '볼 것이다'의 목적어에 해당하는 '날개에 산호빛 발톱을 달고 ~ 내려와 앉는 것을'이 서술어보다 뒤에 나타나 있다. (나)는 2연에서 서술어 '보라' 뒤에 목적어에 해당하는 '가끔 몸을 흔들며 / 잎들이 제 마음대로 시간의 바람을 일으키는 것을'이 제시되어 있고, 3연에서는 서술어 '말해 보라' 뒤에 목적어에 해당하는 '무엇으로 장미와 닿을 수 있는가를'이 제시되어 있다. 따라서 (가)와 (나)는 도치의 방식을 활용하여 시적 상황을 부각하고 있다는 것을 확인할 수 있다.

② (나)는 '보라', '말해 보라', '두드려 보라'와 같이 명령형 문장을 활용하고 있지만, (가)에는 명령형이 나타나지 않는다.

③ (가)와 (나) 모두 감탄사는 나타나지 않는다.

④ (가)의 '연탄가스'와 (나)의 '장미'는 모두 청자로 설정된 대상이 아니다.

⑤ (가)와 (나) 모두 동일한 시행의 반복이 나타나지 않는다.

---

5. ④ 　시어의 의미와 기능 파악하기

❹ (가)에서 화자는 연탄이 '가난한 시민들'의 몸을 따뜻하게 데워 주고 따뜻한 음식을 먹으며 평온하게 저녁을 보낼 수 있도록 하는 것을 지켜보며 '연탄가스는 가만가

만히 쥐라기의 지층으로 내려간다'고 하였다. 이는 '연탄가스'가 가난한 시민들의 삶에 온기를 불어넣고 서울을 고대적이고 신화적인 아늑한 분위기로 만들고 있음을 의미한다. 그리고 화자는 이런 장면을 '가난한 서울의 시민들'이 '꿈'에 보게 될 것이라고 말하고 있다. 따라서 '꿈(⊙)'은 화자의 비현실적 상상을 시각적으로 나타내는 장치라 할 수 있다. (나)에서 '개봉동'은 현대 문명을 상징하고, '장미'는 그곳에 종속되지 않고 순수한 생명력을 지키고 있는 존재이다. '길 밖'은 '흔들리는 가지 그대로'의 '장미'가 서 있는 공간이다. 따라서 '길 밖(©)'은 '장미'가 현대 문명과 대조되는 이질적 속성을 지니고 있음을 보여 주는 공간이라고 할 수 있다.

---

6. ⑤ 　외적 준거에 따른 작품 감상하기

① (가)에서 '연탄'이 '가난한 시민들의 / 삶과 피를 데워' 준다는 것은 연탄이 가난한 사람들에게 온기를 채워 줄 수 있음을 보여 준다.

② (가)에서 화자가 '연탄가스'에서 '쥐라기의 지층'을 연상한 것은 연탄이 오래된 과거의 지층에서 비롯된 것임을 떠올렸기 때문이다.

③ (가)에서 '쥐라기의 새와 같은 새'가 '제일 낮은 지붕 위에 / 내려와 앉는'다는 것은 가난한 사람들이 따뜻해지길 바라는 화자의 바람을 감각적인 상상으로 그려낸 것이다.

④ (나)에서 '장미'가 '제 마음대로 시간의 바람을 일으' 킨다는 것은, 현대 문명에 종속되지 않고 순수한 생명력을 지닌 '장미'가 어느 것에도 얽매이지 않고 자신만의 시간을 주도해 나가고 있음을 보여 주는 것이다.

❺ (나)에서 '개봉동 집들의 문'이 '열리지 않는다'는 것은 현대 문명에 종속되어 순수한 본질을 추구하지 못하고 있는 현대 사회의 사람들에 대한 비판적 인식을 드러내는 것이다. 이를 두고 현대 문명의 발전과 본연의 모습을 잃지 않고 살아가는 삶이 공존할 수 있음을 드러낸다고 보는 것은 적절하지 않다.

【7~9】 (가) 이상, '거울'

작품해설

거울을 중심 구조로 현실적 자아(일상적 자아)와 본질적 자아(내면적 자아) 사이의 갈등을 관찰하며 자아에 대한 인식과 성찰을 표현하고 있는 작품이다. 거울 밖 자아는 거울 속의 자아에게 소통과 합일을 시도한다. 하지만 결국 자아 간 합일이 불가능하고 소통이 단절되는 상황을 통해 비극적 자의식을 드러내고 있다.

- **갈래** : 자유시, 초현실주의 시
- **성격** : 주지적, 실험적, 자의식적
- **제재** : 거울, 자아 의식
- **주제** : 자아 분열 양상과 현대인의 불안 심리, 심화되어 가는 자아 분열로 인한 고뇌
- **특징**
  - 자동기술법 사용으로 초현실주의적 경향을 띰.
  - 역설적 표현으로 자아의 모순성을 드러냄.
  - 띄어쓰기를 무시하는 등의 실험성을 드러냄.
  - 사물의 모습을 대칭적으로 보여 주는 거울의 기능에 착안하여 현대인이 겪는 자아 분열 현상을 형상화함.

- **구성**
  - 1연: 거울 속 세상의 조용함
  - 2연: '나'의 말을 못 알아듣는 '거울 속의 나'
  - 3연: '나'의 악수를 받을 줄 모르는 '거울 속의 나'
  - 4연: 만날 수는 있지만 만져 볼 수는 없는 '거울 속의 나'
  - 5연: '거울 밖의 나'와 극도로 분열된 '거울 속의 나'
  - 6연: 근심하고 진찰할 수 없는 '거울 속의 나'

(나) 천양희, '가시나무'

작품해설

고통을 상징하는 '가시'의 이미지를 통해 화자의 삶의 과정과 그 속에서 겪는 고통에 대한 인식을 드러내고 있는 작품이다. 화자는 '가시밭길'로 표현되는 삶의 고난과 고통에서 벗어나고 싶어 하지만, 그런 생각조차 가시나무에 기대어 하는 모습에서 화자가 결국 고통을 인정하고 있음을 드러낸다. 화자는 고통이 존재의 본질임을 깨닫고 고통과 함께하는 삶을 수용하게 된다.

- **갈래** : 자유시, 서정시, 운문시
- **성격** : 고백적, 경험적, 성찰적
- **주제** : 고통과 함께하는 삶을 수용하는 삶의 태도
- **특징**
  - 유사한 통사 구조의 반복으로 시적 의미를 강조함.
  - 감각적 이미지로 상황을 효과적으로 드러냄.
  - 고통받는 화자의 모습을 가시나무와 말벌을 통해 상징적으로 보여 줌.
  - 영탄적 표현과 대구적 표현, 설의적 표현으로 화자의 정서, 상황, 의지를 드러냄.

---

7. ② 　표현상 특징 파악하기

① (가)는 종결어미 '소'와 '오'를 반복하여 사용하고 있을 뿐, 명사형으로 시상을 마무리하지 않았다.

❷ (나)는 '~는 얼마나 많은 ~를 / 감추고 있어서 ~인가'라는 통사 구조를 반복하여 시적 의미를 강조하고 있다.

③ (가), (나)는 모두 공간의 이동이 나타나지 않았다.

④ (가), (나)는 모두 수미상관의 방식이 사용되지 않았다.

⑤ (나)는 '잉잉거린다'에서 청각적 이미지를 찾을 수 있으나, (가)에는 음성 상징어가 사용되지 않았다.

---

8. ③ 　내적 준거에 따라 이해하기

① 화자는 거울 밖과 구분되는 '거울속' 세상을 인식하며 '저렇게까지조용한세상'으로 표현하고 있다.

② 화자는 '거울속'의 '귀'에 대해 '딱한' 귀라는 정서적 반응을 표출하고 있다.

❸ 화자는 '거울속의나'에게 악수를 건네며 소통을 시도하고 있다. 그러나 '악수를받을줄모르는', '악수를모르는'이라는 표현에서 자아 간의 단절을 확인할 수 있다.

④ 화자는 거울 때문에 '거울속의나'를 '만나보'기는 하지만 '만져보지를못'한다고 표현하고 있다. 이는 '거울

속의나'를 인식할 수는 있지만 소통하지 못하고 단절되는 거울의 이중적 속성을 파악하고 있는 것이다.
⑤ 화자는 '거울속의나'와 '나'의 모습이 반대지만 또 꽤 닮았다는 모순적 상황을 파악하고 있다.

9. ③ 외적 준거를 통해 감상하기

① '쏘인 듯 아프'게 고통받는 화자의 내면 풍경을 '가시나무'와 '말벌'을 이용하여 드러낸 것으로 이해할 수 있다.
② 화자의 순탄하지 않았던 삶의 과정을 가시가 많은 '가시밭길'이라는 표현에서 이해할 수 있다.
❸ 고통에서 벗어나려는 화자의 행위는 '이 길, 지나가면 다시는 안 돌아오리라 / 돌아가지 않으리라'라는 표현을 통해 드러나고 있다. '지독한 노역'은 고통스러운 삶의 과정을 드러낸 표현으로, 이를 고통에서 벗어나려는 화자의 행위라고 보는 것은 적절하지 않다.
④ '가시나무'와 '많은 가시', '나'와 '많은 나'를 각각 대응한 것을 볼 때 화자가 고통이 존재의 본질임을 깨달았음을 알 수 있다.
⑤ '나에게는 가시나무가 있다'라고 시상을 마무리하고 있는데, 이는 고통과 함께하는 삶을 수용하는 화자의 인식을 드러낸 것이라 볼 수 있다.

Day 07 본문 037쪽

1. ① 2. ⑤ 3. ③ 4. ⑤ 5. ④
6. ② 7. ① 8. ④ 9. ④ 10. ③

【1~3】 (가) 나희덕, '그 복숭아나무 곁으로'

작품해설

'복숭아나무'라는 대상을 이해하는 과정을 통해 타인을 이해하는 인식의 과정을 드러낸 시이다. 화자는 처음에 복숭아나무에 대해 편견을 지니고 멀리 지나치지만, 복숭아나무의 마음을 읽은 후 그 그늘 속에 들어가 복숭아나무의 외로움을 어루만질 수 있게 된다.

■ 갈래 : 자유시, 서정시
■ 성격 : 성찰적
■ 어조 : 독백적 어조
■ 구성
　– 1연 : 복숭아나무를 편견을 가지고 멀리 지나치다가 멀리서 그 본모습을 인식함.
　– 2연 : 복숭아나무 그늘에서 저녁이 오는 소리를 들음.
■ 제재 : 복숭아나무
■ 주제 : 타인에 대한 진정한 이해의 과정
■ 중요 시어 및 시구 풀이
　• 흰꽃과 분홍꽃을 나란히 피우고 서 있는 그 나무 : 색채어를 사용하여 복숭아나무의 모습을 구체화함.
　• 사람이 앉지 못할 그늘을 가졌을 거 : 복숭아나무에 대한 화자의 선입견
　• 멀리로 멀리로만 지나쳤을 뿐입니다 : 복숭아나무 곁에 가까이 가고 싶지 않은 화자의 심리적 거리감이 드러남.
　• 흰꽃과 분홍꽃 사이에 수천의 빛깔이 있다 : 화자가 멀리서 보고 알게 된 복숭아나무의 본모습
　• 그 복숭아나무 그늘에서 / 가만히 들었습니다 : 타인을 진정으로 이해하고 교감하는 모습. '그늘'은 복숭아나무의 세계를 의미하는 공간으로, 화자와 복숭아나무 사이의 이해와 조화를 가능하게 해 줌.

같은작가 다른기출

2009학년도 6월 모의 평가 '못 위의 잠'
2015학년도 6월 모의 평가 A형 '그 복숭아나무 곁으로'

(나) 복효근, '잔디에게 덜 미안한 날'

작품해설

잔디밭에서 사람들에게 밟힌 잔디에 대한 인식 변화를 통해 자연과 인간의 관계에 대한 깨달음을 드러낸 시이다. 화자는 천변 잔디밭을 밟은 사람들로 인해 길이 난 것을 보고 잔디가 죽었다고 인식하다가, 잔디밭에서 걷는 사람들의 청량한 모습을 보고 사람들 속에 잔디가 살아 있음을 느낀다. 그리고 이를 통해 잔디가 사람들에게 생명력을 전달하고, 사람들 또한 언젠가 잔디에게 자리를 내어준다는 깨달음을 얻는다.

■ 갈래 : 자유시, 서정시
■ 성격 : 경험적, 성찰적

■ 구성
　– 1~6행 : 천변 잔디밭에 사람들로 인해 잔디가 밟혀 죽은 외줄기 길이 남.
　– 7~13행 : 죽은 잔디 싹들이 사람들 몸속에 살아 있는 것을 느낌.
　– 14~18행 : 잔디와 사람들의 생명력이 서로 순환됨을 깨달음.
■ 제재 : 잔디밭
■ 주제 : 잔디를 보며 깨달은 자연의 순환적 원리
■ 중요 시어 및 시구 풀이
　• 천변 : 냇물의 주변
　• 죽은 잔디싹들이 ~ 저렇게 청량하랴 : 죽은 잔디싹의 생명력이 사람들에게 전해진 것을 느끼며 자연물과 사람들의 관계를 발견함. '푸른'이라는 색채어로 잔디의 모습을 구체화함.
　• 잔디가 죽은 것이 아니라 ~ 꽃피고 있음을 안다 : '잔디가 모두 죽었다'는 인식이, 잔디가 사람들에게 생명력을 전해 주었다는 인식으로 변화함.
　• 언젠가는 사람들도 ~ 내어 준다는 것을 알겠다 : 죽음이 생명으로 이어지는 자연의 순환적 원리에 대한 깨달음이 드러남.

1. ① 표현상의 공통점 파악하기

❶ (가)는 '흰꽃과 분홍꽃'에서 색채어를 활용하여 복숭아나무의 모습을 나타내고 있고, (나)는 '푸른 잔디', '푸른 길'이라는 표현으로 잔디의 생명력과 사람들 몸 속에 살아 있는 잔디의 이미지를 구체화하고 있다.
② (가)에는 설의적 표현이 사용되지 않았다. (나)는 '말소리가 저렇게 청량하랴'에서 설의적 표현을 사용하여 푸른 잔디가 사람들 몸 속에 푸른 길을 내고 살아 있다는 확신을 드러내고 있다.
③ (가)는 '–습니다'와 같은 경어체를 활용하여 화자의 정서를 고백적으로 드러내고 있다. 그러나 (나)에는 경어체가 나타나지 않는다.
④ (가)에는 시각적 심상이 나타날 뿐 후각적 심상은 활용되지 않았다. (나)는 '싱싱한 풀꽃 냄새가 난다'에서 후각적 심상을 활용하고 있다.
⑤ (가)와 (나) 모두 상승과 하강의 이미지를 반복하고 있지는 않다.

2. ⑤ 시어의 의미 이해하기

① ㉠에는 복숭아나무에 대한 거리감이 나타나므로 대상에 대한 동경을 나타낸다고 볼 수 없다. ㉡에서 화자는 죽은 잔디싹들이 사람들 몸 속에 살아 있는 것을 느끼므로 연민을 느끼는 마음이 나타난다고 볼 수 없다.
② ㉠에는 복숭아나무에 대한 기대감이 나타나 있지 않다. 한편 ㉡에는 잔디에 대한 화자의 관심과 친밀감이 나타난다고 볼 수 있다.
③ ㉠은 복숭아나무에 대한 거리감과 이질감을 나타내지만, ㉡에는 잔디에 대한 친밀감이 나타날 뿐 일체감은 나타나 있지 않다.
④ ㉠은 복숭아나무에 대한 거리감이 담겨 있지만 이는 상실감과는 거리가 멀다. 또한 ㉡에 잔디에 대한 실망감은 나타나 있지 않다.
❺ (가)의 화자는 처음에 복숭아나무 곁에 가까이 가고 싶지 않아 하며 '멀리로만' 지나친다. 따라서 ㉠ '멀리로

만'에는 복숭아나무에 대한 심리적 거리감이 드러난다. (나)의 화자는 잔디가 사람들에게 밟혀 죽는 것에 대한 걱정으로 사람들이 잔디밭에 난 길을 걷는 모습을 바라보고, '멀리서도' '죽은 잔디싹들이 사람의 몸 속에 푸른 길을 내고 살아 있는' 것을 본다. 따라서 ⓒ '멀리서도'는 잔디에 대한 화자의 관심을 나타낸다.

3. ③ 시상의 흐름을 바탕으로 작품 감상하기

① '사람이 앉지 못할 그늘을 가졌을 거'는 (가)의 화자가 복숭아나무에 대해 가진 선입견으로, 복숭아나무를 피상적으로 인식한 결과라고 볼 수 있다.

② 잔디밭에 가르마길이 나고 '그 자리만 잔디가 모두 죽었다'고 인식하던 (나)의 화자는, '죽은 잔디싹들이 사람의 몸에 푸른 길을 내고 살아' 있어 '저 사람들의 말소리가 저렇게 청량한 것이라고 생각하게 된다. 이를 통해 죽은 잔디가 사람들 안에서 살아 있다는 자연물과 사람들의 관계에 대한 새로운 발견이 나타난다.

❸ (가)의 화자는 복숭아나무가 '피우고 싶은 꽃빛이 너무 많아서 '외로웠을 것이지만 외로운 줄도 몰랐을 것'이라며 복숭아나무의 마음을 읽는다. 복숭아나무의 모습은 욕심을 버리고 다른 사람을 위해 자신을 희생하는 것과는 관련이 없으므로, 그러한 모습을 인식했다는 감상은 적절하지 않다.

④ (가)의 '복숭아나무 그늘에서 가만히 들었습니다'는 복숭아나무를 멀리하던 화자가 복숭아나무 곁에 다가간 모습으로, 타인을 진정으로 이해하고 교감하는 모습이라고 할 수 있다.

⑤ (나)의 '언젠가는 사람들도 잔디에게 자리를 내어준다'는 잔디가 사람들에게 길을 내어주고 비켜서 있거나 사람 속에서 꽃피고 있는 것처럼 사람들도 언젠가 잔디에게 자리를 내어줄 것이라는 의미이므로, 죽음이 생명으로 이어지는 자연의 순환적 원리를 나타낸다고 볼 수 있다.

어휘풀이
• 피상적(皮相的) : 본질적인 현상은 추구하지 아니하고 겉으로 드러나 보이는 현상에만 관계하는 것.

왜 많이 틀렸을까?
두 시에 나타나는 시상 전개 과정을 바탕으로 시구의 의미를 이해하는 문제야. (나)를 관련 선지의 관점으로 해석하는 게 다소 어려웠는지, (나)를 관련 선지의 오답률이 높았어. (나)의 과제 수행 결과 중 '피상적 인식' 항목과 '인식의 변화' 항목을 참고하여 내용을 파악해 보면 이해가 보다 쉬울 거야. '인식의 변화'에서 잔디가 죽은 것이 아니라 사람들에게 생명력을 전해 준 것임을 인식했다고 한 것을 참고하면 '언젠가는 사람들도 / 잔디에게 자리를 내어 준다'가 죽음에서 생명으로 이어지는 순환을 나타낸 것이라는 감상이 적절함을 알 수 있었을 거야.

[4~6] (가) 이용악, '항구'

작품해설
과거 회상을 통해 항구의 모습과 그 시절 자신의 모습에 대한 그리움을 노래한 시이다. 항구는 부두의 인부들과 어린 노동자인 화자가 고달픈 삶을 이어 가는 암울한 분위기의 공간이다. 이곳에서 인부들은 절망적인 모습으로 살아가지만, 화자는 미래에 대한 희망과 의지를 다졌기에 그 시절을 회상하며 그리움을 드러내고 있다. 함경도에 있는 항구인 나진이라는 구체적인 지명이 나타나며, 시각적, 공감

각적 심상 등의 감각적 이미지와 직유법을 활용하여 대상과 시적 상황을 효과적으로 표현하고 있다.
- **갈래** : 자유시, 서정시
- **성격** : 회상적, 감각적
- **어조** : 독백적 어조
- **구성**
  - 1연 : 하루를 맞는 항구의 어두운 분위기
  - 2연 : 입항하는 기선과 노동자들의 암울한 모습
  - 3연 : 절망적인 모습의 인부들과 어린 노동자였던 화자
  - 4연 : 항구에서 희망을 꿈꾸었던 화자와 그날의 나진에 대한 그리움
- **주제** : 암울한 항구에서 꿈꾸었던 희망에 대한 그리움
- **중요 시어 및 시구 풀이**
  - 검은 기선이 / 뒤를 이어 입항했었고 : 항구의 우울한 모습을 시각적 이미지로 제시함.
  - 바늘 끝으로 쏙 찔렀자 / 솟아나올 한 방울 붉은 피도 없을 것 같은 / 얼굴 얼굴 희머얼건 얼굴 : 노동자들의 희멀건한 모습을 직유적 표현과 시각적 이미지로 제시함.
  - 시금트레한 눈초리는 / 푸른 하늘을 쳐다본 적이 없는 것 같았다 : 이상을 잃은 채 고달픈 삶을 살아가는 부두의 인부꾼들의 모습을 형상화함.
  - 작대기처럼 꼿꼿해지던 마음 / 나는 날마다 바다의 꿈을 꾸었다 : 항구에서 일하던 어린 노동자인 화자가 삶의 의지를 다지고 미래의 희망을 꿈꾸던 것을 형상화함.
  - 여러 해 지난 오늘 마음은 항구로 돌아간다 / 부두로 돌아간다 그날의 나진 : 과거 어린 노동자로 일하며 '바다의 꿈'을 꾸었던 항구에서의 시간을 그리워하는 화자의 태도가 드러남.

같은작가 다른기출
2002학년도 수능 '고향'
2005학년도 수능 '낡은 집'
2008학년도 9월 모의 평가 '풀벌레 소리 가득 차 있었다'
2021학년도 수능 '고향'

(나) 이정록, '희망의 거처'

작품해설
옥수숫대와 버드나무가 뿌리를 내리는 모습을 통해 삶에 대한 깨달음을 노래한 시이다. 화자는 옥수숫대가 뿌리를 내딛는 모습에서 실패를 두려워하지 않는 강인한 생명력을, 흠집에서 뿌리를 내려 흠집에 박아 기둥을 세우는 버드나무의 모습에서 시련을 극복하는 생명력을 인식하고 '생이란 / 자신의 상처에서 자신의 버팀목을 / 꺼내는 것'이라는 깨달음을 드러내고 있다. 옥수숫대와 버드나무를 의인화하여 의미를 드러낸 한편 비유적 표현과 감각적 이미지, 음성 상징어로 대상의 모습과 시적 상황을 형상화하고 있다.
- **갈래** : 자유시, 서정시
- **성격** : 감각적, 의지적, 성찰적
- **어조** : 독백적 어조
- **구성**
  - 1연 : 실패를 두려워하지 않고 뿌리를 내딛는 옥수숫대
  - 2연 : 옥수숫대의 삶의 의지와 뿌리의 생명력

  - 3연 : 고통을 인내하고 상처를 극복하려 하는 버드나무
  - 4연 : 버드나무와 옥수숫대를 깨달은 생의 의미
- **주제** : 실패와 시련을 이겨 낸 생명력을 통해 깨달은 삶의 가치
- **중요 시어 및 시구 풀이**
  - 땅에 닿지 못할 헛발일지라도 / 길게 발가락을 들이민다 : 옥수숫대가 뿌리를 내딛는 모습으로, 실패를 두려워하지 않는 의지를 형상화함.
  - 맨발의 근성을 키우는 것이다 : 땅을 딛고 서려는 옥수숫대의 의지적 태도를 나타냄.
  - 제 흠집에서 뿌리를 내려 ~ 스스로 기둥을 세운다 : 버드나무가 고통과 시련을 인내하고 극복하려는 모습을 나타냄.
  - 생이란, / 자신의 상처에서 자신의 버팀목을 / 꺼내는 것 : 옥수숫대와 버드나무를 통해 깨달은 생의 의미, 즉 시련을 극복한 생명력과 삶의 의지에 대한 깨달음이 나타남.

4. ⑤ 표현상 특징 파악하기

① (가)와 (나) 모두 표현의 효과를 높이기 위하여 실제와 반대되는 뜻의 말을 하는 반어적 표현이 나타난 부분은 찾을 수 없다.

② (가)와 (나) 모두 '-다'와 같은 평서형 진술을 반복하고 있을 뿐, 의문형 진술을 반복적으로 사용하고 있지는 않다.

③ (가)는 '그날의 나진이여'에서 감탄의 뜻이 나타나는 조사 '이여'를 사용하고 있으나 이를 통해 화자의 의지적 태도를 부각하고 있지는 않다. 또한 (나)에서도 영탄적 어조가 나타나 있지 않다.

④ (가)와 (나) 모두 그 정도를 점점 강하게 하거나, 크게 하거나, 높게 하는 점층적 시상 전개는 나타나 있지 않다.

❺ (가)는 '바늘 끝으로 쏙 찔렀자 / 솟아나올 한 방울 붉은 피도 없을 것 같은' '희머얼건 얼굴'에서 희멀건한 얼굴을 바늘 끝으로 찔러도 피가 안 날 것 같다고 직유적 표현으로 나타내고 있고, '부두의 인부꾼들은 / 흙을 씹고 자라난 듯 꺼머틱틱했고'에서 인부꾼들의 '꺼머틱틱'한 모습을 흙을 씹고 자라난 듯하다는 직유적 표현으로 나타내고 있다. 또한 (나)는 '부젓가락 같은 뿌리'에서 '뿌리'의 부젓가락 같다는 직유적 표현을 통해 나타내고 있다. 따라서 (가)와 (나)는 모두 직유적 표현으로 대상의 외양을 나타내고 있음을 알 수 있다.

5. ④ 외적 준거에 따라 작품 감상하기

① 〈보기〉에서 (가)는 항구의 모습을 감각적으로 형상화하고 있다고 했다. 항구에 '검은 기선'이 '입항'하고, 배에서 '상륙하는' 얼굴들은 '희머얼건 얼굴'이라는 표현은 항구의 모습을 시각적 이미지를 통해 감각적으로 형상화한 것에 해당한다.

② 〈보기〉에서 (가)의 항구는 부두의 일부들이 고달픈 삶을 이어 가는 공간으로, 노동자들은 이상을 잃은 채 살아가고 있다고 했다. 이로 보아 '푸른 하늘'은 이상을 상징하는 소재로, '인부꾼들'이 '푸른 하늘을 쳐다본 적이 없는 것 같았다는 것은 고달픈 삶의 공간에서 이상을 잃은 채 살아가는 모습이라고 볼 수 있다.

③ 〈보기〉에서 (가)의 다른 노동자들이 이상을 잃은 채

살아가는 것과 달리 화자는 삶의 의지를 다지고 미래의 희망을 꿈꾸었다고 했다. 이로 보아 화자가 '바다의 꿈'을 꾸며 자신을 '믿고'자 한 것은 미래에 대한 희망적 태도로, 인부들의 '시금트레한 눈초리'와 대비된다고 볼 수 있다.

④ 〈보기〉에서 (가)의 화자는 다른 노동자들과 달리 방황하는 마음을 다잡아 삶의 의지를 다졌다고 했다. 이로 보아 '마음'이 '흩어졌다'가도 '작대기처럼 꼿꼿해'졌다는 것은 화자가 방황하다가도 마음을 다잡아 의지를 다지는 모습으로 볼 수 있으며, 바다로 가로막힌 공간에서 좌절하곤 했던 모습을 드러낸 것이라는 진술은 적절하지 않다.

⑤ 〈보기〉에서 (가)의 화자에게 과거 자신의 모습은 그리움의 대상이 되고 있다고 했다. 이로 보아 '여러 해 지난 오늘' '마음'이 '항구로 돌아간다'는 것은 화자가 '그날의 나진'에서의 자신의 마음에 대한 그리움을 드러낸 것으로 볼 수 있다.

6. ② 　　시어의 의미 이해하기

① 옥수숫대가 땅에 뿌리를 내디디는 것을 '헛발일지라도', '들이민다'라고 표현함으로써, '헛발', 즉 실패할지라도 시도하는 태도를 드러내고 있다.

❷ '맨발의 근성'을 '키우는 것'은 1연에 나타난 옥수숫대의 의지적 태도와 연결되는 것으로, 옥수숫대가 땅을 딛고 서려는 의지를 보여 주고 있다. 이를 통해 다른 존재와 교감하는 모습은 나타나 있지 않다.

③, ④ 버드나무가 '흠집'에 뿌리를 '박는다'는 것은 상처인 '흠집'을 주춧돌로 삼아 기둥을 세우려는 태도로 고통을 인내하는 자세를 나타내고 있다. 그리고 '스스로' 기둥을 '세운다'는 것은 상처를 극복해 내는 모습으로 볼 수 있다.

⑤ 버드나무와 옥수수의 모습을 통해 '생이란' 자신의 상처인 '버팀목'을 '꺼내는 것'이라는 인식을 드러내고 있으므로, 자연의 모습으로부터 생에 대한 깨달음을 이끌어 내고 있다고 볼 수 있다.

【7~10】 (가) 이성복, '다시 봄이 왔다'

지문해설

변화 없는 삶에서 오는 권태와 생기 있는 삶에 대한 욕망, 욕망의 실현을 기대할 수 없는 현실에 대한 비관적 인식 등을 형상화하고 있다. 봄이 찾아오는 상황이지만 화자는 '우리의 굽은 등에 푸른 싹이 돋을까' 하는 물음에 대해 회의적으로 자문하고 있으며, 이를 통해 화자의 비관적 현실 인식이 드러난다. 또한 '세차장 고무호스'의 역동적인 모습은 자유롭고 생기 있는 삶에 대한 욕망을 함축한다고 이해할 수 있는데, '석탄층'의 모습을 통해 이러한 욕망이 실현되지 못한 채 억눌려 있는 상황이 선명하게 드러나고 있다.

■ 갈래 : 자유시, 서정시
■ 성격 : 회의적, 비관적
■ 제재 : 삶
■ 주제 : 변화 없는 삶에서 느끼는 권태와 억눌린 욕망
■ 특징
　－ 감각적 이미지를 통해 화자의 상황을 드러냄.
　－ 묻고 답하는 방식을 통해 화자의 소망과 절망적 인식을 드러냄.

　－ 비유를 통해 화자의 처지와 정서를 효과적으로 드러냄.
　－ 화자의 소망이 드러남.
■ 구성
　－ 1행 : 봄이 찾아온 모습
　－ 2행 : 현실에 대한 비관적 인식과 권태로운 삶
　－ 3행 : 삶의 변화 가능성에 대한 질문
　－ 4행 : 자유롭고 생기 있는 삶에 대한 욕망
　－ 5행 : 욕망이 실현되지 못하고 굳어 가는 현실

(나) 김기택, '벽'

작품해설

버스 안에 갇혀 내리지 못하는 작은 할머니가 처한 상황을 보여 주고 있는데 이렇듯 일상적 소재를 활용하여 사회적 문제를 제기하고 있다. 타인에 대한 관심과 배려가 없는 현실을 비판하고 있다.

■ 갈래 : 자유시, 서정시
■ 성격 : 비판적, 비유적, 상징적
■ 주제 : 타인에 대한 관심과 배려가 없는 현실 비판
■ 특징
　－ 작고 나약한 대상과 배려없는 강한 대상의 대비를 통해 상황의 드러냄.
　－ '튼튼한', '조금도', '견고한' 등을 활용하여 대상의 어려움을 심화시키는 대상을 강조함.

7. ① 　　작품 간의 공통점 분석하기

❶ (가)는 '항시 우리들 ~ 것이었다, 그런 일은 없었다'에서, (나)는 '벽은 꿈쩍도 하지 않았다, 벽은 조금도 흔들림이 없었다'에서 단정적 진술을 활용하여 주제 의식을 드러내고 있다.

② (나)에서는 도치의 방식이 사용되지 않았다.

③ 두 작품 모두 점층적 표현을 활용하지 않았다.

④ (가)에서 '푸른, 누구' 등의 시어와 '돼지 목 따는 동네의 더디고 나른한 세월'이라는 시구가 반복되고 있다. (나)에서 '벽, 할머니, 있었다' 등의 시어가 반복되고 '꿈틀거리는 동안, 꿈틀거릴수록', '벽이 되어 있었다, 벽이 되고 있었다' 등으로 변형되어 활용되고 있으나 열거는 사용되지 않았다.

⑤ (가)는 '푸른'의 색채 이미지를 통해 계절적 배경이나 시적 상황을 드러내고 있지만, (나)에서는 이를 확인할 수 없다.

8. ④ 　　시의 의미 파악하기

① [A]에서 화자는 '기다리던 것이 오지 않는다'라는 변화 가능성이 없는 상황에서 느끼는 '더디고 나른한 세월'의 권태로운 삶을 드러내고 있다.

② [B]에서 화자는 '우리의 굽은 등에 푸른 싹이 돋을까'라고 하며 자신이 처해 있는 현실에 대한 회의적인 태도를 드러내고 있다.

③ [B]에서 화자는 '푸른 싹'이 돋는 것과 같은 생기 있는 삶을 기대하지만 '항시 우리들 삶은 낡은 유리창에 흔들리는 먼지 낀 풍경' 같다며 비관적이라는 인식을 드러내고 있다.

❹ [C]에서 화자는 '길길이 날뛰는 물줄기처럼'을 통해 치열하고 역동적으로 살고자 하는 화자의 욕망을 드러내고 있다. 그러나 [C]에서 과거의 삶을 반성하는 모습

은 드러내지 않는다.

⑤ [C]에서 화자는 권태롭고 무기력한 삶에서 벗어나 자유롭고 활기 있는 삶을 살고 싶어 하는 욕망을 드러내고 있다.

9. ④ 　　시어를 중심으로 작품 감상하기

① 전동차에서 내리려고 하는 상황에서 혼자의 힘으로는 문제를 해결할 수 없는 할머니의 처지를 '혼자 헛되이'를 통해 부각하고 있다.

② 할머니를 에워싸고 있는 승객들의 견고한 상태를 '높고 튼튼한 벽'으로 표현하며 전동차에서 내리지 못하고 있는 할머니의 어려움을 심화시키는 대상을 강조하고 있다.

③ 할머니가 꿈틀거리지만 '벽'으로 표현된 승객들은 '조금도 흔들림이 없었다'라고 표현하며 행동에 변화가 없음을 강조하고 있다.

❹ 승객들이 할머니에게 고통을 더하고 있는 상황을 '더 세게'라는 표현으로 부각하고 있지만, ⓔ을 속박된 상황을 벗어나려는 할머니의 모습을 부각한다고 이해하는 것은 적절하지 않다.

⑤ 할머니의 처지와 관계없이 할머니를 에워싸고 있는 상황을 고수하고 있는 승객들의 모습을 '더욱 견고한 벽'으로 표현하며 부각하고 있다.

10. ③ 　　외적 준거를 통해 작품 감상하기

① (가)의 '갈라진 밑동'에 돋은 '푸른 싹'을 클로즈업으로 확대하여 보여 주면 희망적인 변화를 바라는 화자의 삶의 모습이 강조될 것이다.

② (가)의 '우리의 굽은 등'과 '먼지 낀 풍경'을 몽타주 기법으로 연결하여 유사성에 의한 연상적 비교를 일으켜 화자가 처한 부정적 상황에 대한 정서가 유발될 것이다.

❸ (가)의 화자는 '길길이 날뛰는 물줄기'는 생명력 있고 역동적인 삶을 원하지만 이를 이루지 못하고 그 소망이 굳어버린 것을 의미하는 '윤기나는 석탄층'이 몽타주 기법처럼 연결된다면, 기대와 소망이 실현되지 않는 현실에 대한 화자의 절망적 인식을 드러낼 수 있을 것이다. 그러나 이를 통해 현실에 맞서고 있는 화자에 대한 정서가 유발된다고 이해하는 것은 적절하지 않다.

④ (나)의 '작은 할머니'와 높은 '벽'을 몽타주 기법으로 연결한다면 대조적으로 비교되어 괴로움을 느끼는 할머니에 대한 정서를 드러낼 것이다.

⑤ (나)의 건조한 벽과 같은 사람들 틈에서 '꿈틀거리'는 '할머니'의 모습을 클로즈업처럼 확대한다면 할머니가 애쓰는 상황이 강조될 것이다.

Day 08

본문 041쪽

1. ③	2. ⑤	3. ⑤	4. ②	5. ④
6. ⑤	7. ⑤	8. ③	9. ④	10. ②

【1~3】 (가) 오세영, '열매'

작품해설

시적 화자는 열매의 모습이 모두 둥그렇다는 사실에 착안하여 시상을 전개한다. 열매는 자신의 모습을 둥글고 부드럽게 하여 자신을 필요로 하는 존재에게 먹히기 쉽도록 자신을 희생하는 존재로 형상화된다. 이는 나무 뿌리나 가지의 모습이 뾰족하다는 것과 대비되며, 열매가 생명력과 희생을 바탕으로 충만함과 자기희생적 정신을 가진 존재임을 강조하게 된다.

■ 주제 : 열매의 모양에 담긴 원만한 삶의 자세와 생명력

(나) 김광규, '대장간의 유혹'

작품해설

'나'는 자신의 존재 가치에 대하여 깊이 고민하고 있다. 자신이 주변에서 흔하게 볼 수 있는 플라스틱처럼 영혼도 열정도 없이 만들어진 공산품처럼 느껴질 때면 '털보네 대장간'을 떠올린다. 그 곳에서 쇳덩이들은 고통과 열기를 참아가며 자신을 날카롭게 다듬어 새로운 존재로 태어난다. '나'는 내가 무가치한 플라스틱, 똥덩어리처럼 느껴질 때면 대장간에서 다시 태어나는 가치로운 무언가가 되어 벽에 걸려있고 싶다고 역설하고 있다.

■ 주제 : 진정한 자신으로 거듭나고 싶은 의지

1. ③ 표현상의 특징 파악하기

① '열매', '가시나무', '탱자', '땅', '뿌리', '하늘', '가지', '능금' 등의 자연물을 통하여 주제를 형상화하고 있으나, 자연물에 감정을 이입하여 시적 정서를 드러내는 부분은 없다.
② 청각적 심상을 활용한 부분은 드러나지 않는다.
❸ '세상의 열매들은', '그의 탱자만은', '파고드는 뿌리는', '뻗어가는 가지는', '떨어질 줄 아는 열매는', '먹히는 능금은'에서처럼 '~은(는)'의 통사 구조가 나타나고, '둥글어야 하는가', '그대는 아는가'에서처럼 '~는가'와 같은 구조가 반복되며 시적 의미를 강조하고 있다.
④ 색채어의 대비를 활용하여 시적 대상에서 받은 대상을 부각하는 부분은 없다.
⑤ 계절의 흐름을 드러내는 부분은 드러나지 않는다.

2. ⑤ 구절의 의미 이해하기

① 시적 화자는 자신이 불현듯 '한꺼번에 싸게 사서' 망가지면 버리고 마는 '플라스틱 물건'처럼 느껴질 때 '버스'에서 당장 뛰어내리고 싶다고 하였으므로, 현재의 부정적인 상황에서 벗어나고 싶어 하는 태도가 드러난다.
② '홍은동 사거리'는 지금은 '현대 아파트'가 자리한 곳이지만, 문맥상 예전에는 '털보네 대장간'이 자리하고

있었으며, 이 대장간은 풀무질의 열기가 가득한 곳으로 지금과 달리 열정과 정성이 존재하는 곳이었다.
③ '털보네 대장간'은 쇠가 벼리고 달구는 과정을 통해 '시퍼런 무쇠낫'으로 바뀌는 장소이다. 이처럼 혹독한 단련을 끝내고 '대장간 벽에 걸리고 싶다'고 표현하고 있으므로 적절한 설명이다.
④ 시적 화자는 자신의 삶을 평가하며 지금까지 살아온 인생이 마치 '직지사 해우소'에 떨어져내리는 '똥덩이'처럼 무가치하게 느껴질 때, 혹독한 단련 과정을 통해 다시 '어딘가 걸려 있고 싶다'라고 서술하고 있으므로, '직지사 해우소'와 관련된 소재를 통해 자신의 삶에 대한 반성적 인식을 보여 주고 있다.
❺ 시적 화자는 지금까지 살아온 인생이 부끄러워질 때, '가던 길'을 멈추고 '문득 어딘가 걸려 있고 싶다'라고 서술하고 있다. 이때 '걸려 있고 싶다'라는 것은 대장간 벽을 지칭하는 것으로, '풀무질로 이글거리는 불 속에' 자신을 달구고 두들겨내는 과정을 겪는 것을 포함하고 있으므로, '가던 길'을 멈추는 행동을 통해 현실과 일시적으로 타협하려는 모습을 보여 주고 있다는 설명은 적절하지 않다.

오! 왜 많이 틀렸을까?

소설과 마찬가지로 이렇게 함축적 의미를 포함하고 있는 시를 읽을 때에는 항상 내포된 뜻을 따져봐야 해. '가던 길'을 멈춘다는 것은 사전적인 의미로 보았을 때 하던 일을 멈추는 것이라고 해석할 수 있고, 선택지에 제시된 것처럼 '현실과 일시적으로 타협하는 것'과 관련되어 보이기도 할 거야. 하지만 항상 시적 화자의 입장에서 시를 전체적으로 살펴봐야 해. 화자는 '대장간'이라는 장소에서 자신을 단련하고 새로운 존재로 태어나고 싶어하잖아. 그 문맥 속에서 파악해야 한다는 거지.

3. ⑤ 외적 준거에 따라 감상하기

① (가)의 '열매'는 모두 둥근 모습으로 부드러운 존재로 묘사되며 이는 '땅으로 땅으로 파고드는 뿌리'의 날카로운 모습과 대비되고 있다. 이처럼 '스스로 먹힐 줄 아는 열매'는 남을 위해 스스로 희생을 감수하는 존재로 '모가 나지 않은 모습'을 하고 있다.
② (가)의 '열매'들은 모두 둥근 모습을 하고 있으며 가시나무의 열매인 탱자조차도 둥근 모습이라고 하였다. 이는 열매를 먹는 자의 날카로운 이빨과 대비되며 '스스로 먹힐 줄 아는' 존재이며, 다른 생명을 위한 자기희생의 태도가 드러나 있다.
③ (가)의 시적 화자는 '세상의 열매들은 왜 모두 둥글어야 하는가'라고 호기심을 갖고 있으며 '열매'가 둥그런 모습을 한 이유는 바로 '스스로 먹힐 줄 아는 열매'라는 표현에서 단서를 찾을 수 있다. 또한 '모든 생성하는 존재'는 둥글다는 깨달음을 통하여 열매의 모습에서 얻은 깨달음이 확장되고 있음을 알 수 있다.
④ (나)의 '망가지면 내다 버리는' 물건은 '한꺼번에 싸게 사서 마구 쓰는' 것으로 묘사되어 있다. 이는 뒤에 제시되는 '땀흘리며 두들겨 하나씩 만들어낸 꼬부랑 호미'와 대비되며, 무가치하고 소모품적인 존재를 의미하고 있다.
❺ (나)의 '꼬부랑 호미'는 '털보네 대장간'에서 뜨거운 불 속에 달구고, 벼리고, 숫돌에 가는 정성스러운 과정을 통해 '하나씩 만들어진' 결과물이다. 이를 두고 시적 화자는 '꼬부랑 호미'가 되어 '소나무 자루에서 송진을 흘리면서' 대장간 벽에 걸려 있고 싶다고 표현하였으므로, 이를 두고 '꼬부랑 호미'가 '송진'을 흘리며 벽에 걸

린 모습에서 무가치한 존재로 머물러 있음을 알 수 있다는 설명은 잘못 되었다.

【4~6】 (가) 이육사, '절정'

지문해설

견디기 어려운 극한적인 상황에 대한 인식과 그것을 초극하려는 의지를 형상화한 시이다. 기승전결의 구조로 시상을 전개하고 있는데, 즉 1, 2연에서는 '북방-고원-서릿발 칼날진 그 위'로 고조되는 극한 상황이, 3연에서는 한 발 비껴 설 수도 없는 절망적 한계 상황이 드러나고, 마지막 4연에서는 관조를 통해 극한 상황을 초극하려는 의지를 드러내고 있다.

■ 갈래 : 자유시. 서정시
■ 성격 : 상징적. 의지적
■ 어조 : 강인한 어조
■ 구성 :
　– 1연 : 더 이상 갈 곳이 없는 수평적 한계 상황
　– 2연 : 더 이상 갈 곳이 없는 수직적 한계 상황
　– 3연 : 극한 상황에 대한 인식
　– 4연 : 극한 상황에 대한 초극 의지
■ 제재 : 견디기 어려운 극한적 상황
■ 주제 : 극한 상황에 대한 초극 의지
■ 중요 시어 및 시구 풀이
• 매운 계절의 채찍에 갈겨 : 감각적 이미지를 활용하여 겨울의 혹독한 추위와 그 속에서의 시련을 드러냄.
• 북방, 고원 : 극한적 공간의 이미지. '겨울'의 이미지와 맞물려 화자가 처한 고통스러운 현실을 드러냄.
• 서릿발 칼날진 그 위에 서다 : '서릿발'은 땅속의 물이 얼어 기둥 모양으로 솟아오른 것으로, '서릿발 칼날진' 위에 섰다는 것을 통해 겨울이라는 부정적 상황 속에서 시련을 겪음을 드러냄.
• 한 발 재겨 디딜 곳조차 없다 : 발을 디딜 곳조차 없는 화자의 극한 상황을 드러냄.
• 겨울은 강철로 된 무지갠가 보다 : 역설적 표현. 추상적 관념인 '겨울'을 시각적 이미지인 '무지개'로 형상화하여 고통스러운 현실에 대한 인식 전환을 드러냄.

같은작가 다른기출

1996학년도 수능 '자야곡'
1999학년도 수능 '꽃'
2003학년도 6월 모의 평가 '광야'
2007학년도 수능 '교목'
2010학년도 9월 모의 평가 '소년에게'
2018학년도 수능 '강 건너간 노래'

(나) 김남조, '생명'

작품해설

고통 속에서 생성을 준비하는 생명의 속성을 '겨울보리', '겨울나무'와 같은 자연물을 통해 노래한 시이다. 생명은 고통을 동반할 수밖에 없으며, 진실 또한 마찬가지라는 깨달음을 드러내면서 고통 속에 있는 이를 외면하지 말아야 한다는 삶의 방향을 드러내고 있다.

■ 갈래 : 자유시, 서정시

■ **성격** : 성찰적
■ **어조** : 단정적 어조
■ **구성**
  - 1연 : 추운 몸으로 오는 생명
  - 2연 : 불에 타고 피 흘리면서 오는 진실
  - 3연 : 고통을 감내하고, 소멸과 생성을 통해
    오는 생명
  - 4연 : 고통 속에 있는 이에 대한 자세
  - 5연 : 추운 몸으로 오는 생명
■ **제재** : 생명
■ **주제** : 고통을 감내하며 생성을 준비하는 생명
■ **중요 시어 및 시구 풀이**
  • 벌거벗고 언 땅에 꽂혀 자라는 / 초록의 겨울보리 : '추운 몸'으로 오는 생명을 언 땅에 꽂혀서 자라는 겨울보리의 이미지로 형상화하고 있음.
  • 진실도 / 부서지고 ~ 피 흘리면서 온다 : 진실이 불에 타고 피 흘리면서 온다고 하여, 고통을 동반하면서 오는 '진실'의 속성을 드러냄.
  • 겨울 나무들을 보라 / 추위의 면도날로 제 몸을 다듬는다 : '겨울 나무'가 '추위의 면도날'로 제 몸을 다듬는다고 하여, 고통을 감내하는 생명의 속성을 드러냄.
  • 금 가고 일그러진 걸 사랑할 줄 모르는 이는 ~ 친구가 아니다 : '금 가고 일그러진 걸 사랑할 줄 모르'고, '상한 살을 헤집고 입맞출 줄 모르'는 이는 '친구가 아니다'라고 함으로써, 고통 속에 있는 이를 외면하지 말아야 한다는 태도를 드러냄.

같은작가 다른기출
2005학년도 9월 모의 평가 '설일'

4. ②   표현상 공통점 파악하기

❷ (가)의 4연에서 '겨울은 강철로 된 무지개가 보다.'는 '겨울'이라는 추상적 시간을 '무지개'라는 시각적 이미지로 구체화하여 고통스러운 현실에 대한 인식의 전환을 드러내고 있다. 또한 (나)의 2연에서 '진실도 부서지고 불에 타면서 온다/버려지고 피 흘리면서 온다'는 '진실'이라는 관념을 '불에 타면서', '피 흘리면서' 온다고 하여 시각화하여 드러냄으로써 진실의 속성을 강조하고 있다. 따라서 (가)와 (나) 모두 추상적 관념을 시각화하여 주제를 강조한다고 볼 수 있다.

5. ④   작품 내용 이해하기

① 1연의 '매운 계절'에서는 '매운'의 감각적 이미지를 활용하여 겨울의 혹독한 추위를 드러내고 있다.
② '서릿발'은 땅속의 물이 얼어 기둥 모양으로 솟아오른 것으로 겨울을 연상시키는 시어이다. 따라서 2연에서는 '서릿발 칼날진'을 통해 겨울이 주는 시련의 이미지를 더욱 강조하고 있다고 볼 수 있다.
③ 1연의 '북방'은 화자가 '매운 계절의 채찍에 갈겨' 휩쓸려 온 곳이고, 2연의 '고원'은 '하늘도 그만 지쳐 끝난' 곳이므로 둘 다 극한적 공간이다. 이러한 극한적 공간이 '겨울'의 혹독한 추위와 시련과 맞물리면서 화자가 처한 상황이 고통스러움을 드러내고 있다고 볼 수 있다.
❹ 3연에서 화자가 무릎 꿇을 곳을 찾고 있으나 '한 발

재겨 디딜 곳조차 없다.'고 한 것은 화자의 극한 상황을 드러낸 것으로, 화자가 고난이 끝났음을 인지하는 모습이라고 볼 수는 없다.
⑤ 1~3연에서는 화자가 '겨울'을 부정적으로 인식하고 있었는데, 4연에서는 '겨울'을 '강철로 된 무지개'의 이미지로 전환함으로써 현실 상황을 다르게 인식하려는 모습이 드러나고 있다.

6. ⑤   외적 준거에 따라 감상하기

❺ 4연에서 화자는 '상한 살을 헤집고 입 맞출 줄 모르는 이'는 '친구가 아니다'라고 하면서 고통 속에 있는 이를 외면해서는 안 된다는 삶의 방향을 드러내고 있다. 즉 '상한 살을 헤집고 입맞출 줄 모르는 이'에 대해 부정적인 태도를 드러낸 것이지, '상한 살을 헤집고 입 맞추는 사람을 부정한다고 볼 수 없다.

[7~10] (가) 기형도, '바람의 집-겨울 판화1'

작품해설

어린 시절의 추억을 다양한 감각적 표현으로 생생하게 그린 작품이다. 찬바람이 매섭게 부는 겨울밤, 유년 시절의 화자가 바람 소리를 두려워하자 어머니는 그것이 화자가 겪을 삶의 고단함보다 덜하다고 위로한다. 어머니는 마른 손으로 배를 쓰다듬으며 화자를 위로해주면서도 냉철한 조언으로 화자의 성숙을 돕는 모습으로 나타난다. 이 시의 제목은 가난과 추위에 떨던 유년 시절이 한 장의 판화처럼 화자에게 각인되어 있음을 의미한다.
■ **갈래** : 산문시, 서정시
■ **성격** : 회상적, 감각적, 묘사적
■ **어조** : 그리움의 어조
■ **구성**
  - 내 유년 시절~깎아주시곤 하였다 : 바람이 몹시 불던 유년 시절을 떠올림.
  - 어머니 무서워요~울어야 한다 : 바람을 무서워하는 화자를 위로하며 냉철하게 조언하는 어머니
  - 자정 지나~자꾸만 쓸어내렸다 : 시간이 흐르는 내내 화자의 배를 쓸어내리던 어머니
  - 처마 밑 ~ 무엇을 깔까? : 유년 시절에 대한 그리움
■ **제재** : 가난했던 어린 시절
■ **주제** : 가난했던 어린 시절의 추억과 회고
■ **중요 시어 및 시구 풀이**
  • 어머니 무서워요 저 울음 소리, 어머니조차 무서워요 : 찬 바람 소리에 대한 무서움 때문에 어머니의 따뜻한 온기마저 두려움 속에 묻혀 버림. 불안과 두려움으로 가득했던 화자의 유년 시절을 의미함.
  • 애야, 그것은 네 속에서 ~ 더 큰 소리로 울어야 한다. : 어머니의 말. 화자의 무서움은 화자의 내면의 두려움 때문이며, 자란 후에는 바람 소리를 그리워할 정도로 더 큰 어려움 때문에 울게 될 것이라고 일러줌. 화자의 내적 성숙을 도움.
  • 앞마당에 은빛 금속처럼 서리가 깔릴 때 : 시간의 경과를 시각적 심상과 비유적 표현으로 드러냄.

  • 처마 밑 시래기 한줌 부스러짐으로 천천히 등을 돌리던 바람의 한숨 : 바람도 한숨을 쉬며 사그라들 정도로 가난한 화자의 형편

(나) 허영자, '씨앗을 받으며'

작품해설

화자의 삶과 자연을 대조하여 화자의 모습을 성찰한 시이다. 온갖 시련을 겪으면서도 결실을 맺는 초목과 아무런 결실도 맺지 못하는 인간의 무력함을 대비하여, 대자연 앞에서 겸허해졌던 화자의 체험을 고백적인 어조로 풀어내고 있다. 다양한 비유적 표현을 통해 화자의 내적인 성찰을 드러내는 한편 영탄적 표현을 통해 가을 초목에 대한 예찬적 태도를 효과적으로 형상화하고 있다.
■ **갈래** : 자유시, 서정시
■ **성격** : 성찰적, 예찬적
■ **어조** : 반성적·고백적인 어조, 예찬적 어조
■ **구성**
  - 1연 : 씨앗을 받는 송구한 마음
  - 2연 : 결실을 맺기까지 고난의 세월을 겪은 초목
  - 3, 4연 : 아무런 결실을 맺지 못한 자신의 삶에 대한 반성
  - 5연 : 알찬 결실을 맺은 초목
  - 6연 : 자연에 대한 겸허함
■ **제재** : 씨앗
■ **주제** : 가을 초목의 씨앗을 받으며 성찰한 자신의 삶
■ **중요 시어 및 시구 풀이**
  • 씨앗 : 자연의 알찬 결실
  • 모진 비바람 : 초목이 결실을 맺기까지 겪어야 했던 시련과 고난
  • 반백의 어머니 : 씨앗이라는 결실을 맺기까지 온갖 시련을 겪은 초목의 모습을 늙은 어머니의 모습에 빗대어 예찬
  • 꺼멓게 때만 묻어 돌아왔는데 : 결실 없이 순수함을 잃고 돌아온 화자 자신에 대한 반성
  • 젊음이 역사한 씨앗 : 봄과 여름의 열정으로 온갖 고난을 이겨내고 초목이 이룬 결실

7. ⑤   작품 간의 공통점 파악하기

① 일상적 소재를 열거하여 화자의 심리 변화를 보여 주는 것은 (가)에만 나타난다.
② (가)는 가난했던 어린 시절을 회고하고 있고, (나)는 자연과 인간의 대비를 통해 주제 의식을 드러내고 있을 뿐, 두 시 모두 과거와 현재의 대비를 통해 화자의 의지를 표현한 것은 아니다.
③ 영탄적 표현을 통해 대상에 대한 예찬적 태도를 드러내는 것은 (나)에만 나타난다.
④ 특정 대상과의 대화는 (가)에만 나타난다.
❺ (가)의 '은빛 금속'은 '서리', (나)의 '황금빛 생명'은 '씨앗'을 비유적으로 표현한 것으로 모두 색채어가 사용되었으며 이를 통해 대상이 지닌 속성을 감각적으로 드러내고 있다.

8. ③   외적 준거를 바탕으로 감상하기

① (가)의 '어머니'는 화자의 내적 성장을 위해 단호한

태도를 보이고 있으므로 분리를 행했다고 볼 수 있지만 (나)의 '어머니'는 온화하고 부드러운 존재이다.
② (나)의 '어머니'에게서 단호한 태도는 드러나지 않는다.
❸ 제시된 자료에 따르면 '어머니'는 따뜻할뿐만 아니라 차가움의 속성 또한 지닌다. 이를 토대로 볼 때 (가)의 '어머니'가 화자에게 '그것은 네 속에서 울리는 소리란다. ~ 더 큰 소리로 울어야 한다.'라고 말하는 것은 화자의 성숙을 돕기 위해 냉정하게 미래를 전망하는 모습이라고 할 수 있다. 그리고 (나)의 '어머니'는 '바쁘게 거리를 헤매고도 아무 얻은 것 없'는 화자에게 '알차고 여문 황금빛 생명'을 마련해 주고 있으므로 생명의 근원으로서 너그럽게 포용하는 존재라고 할 수 있다.
④ (나)의 '어머니'는 순수함을 잃고 '꺼멓게 때만 묻어 돌아'온 화자에게 '알차고 여문 황금빛 생명'을 마련해 주었으므로 나약함을 질책하는 엄격한 '어머니'와는 거리가 멀다.
⑤ (가)의 화자는 어머니 무릎을 베고 누워서도 '무서워요'라고 말하고 있는데 이를 볼 때 '어머니'가 '바람'이라는 외부의 시련을 차단해 내지 못한 것으로 이해할 수 있다.

9. ④   감상의 적절성 평가하기

① '문풍지를 더듬던' '바람'의 소리를 화자는 '울음소리'로 표현하며 불안과 두려움을 드러내고 있다.
② 가난으로 메마른 화자의 몸을 표현한 '종잇장'이나 '시래기 한줌 부스러짐'은 모두 얇고 메마른 이미지를 드러내며 이를 통해 화자의 가난하고 팍팍한 삶의 이미지를 형성하고 있다.
③ 작품의 부제를 통해 알 수 있듯이 화자의 유년 시절은 현재의 화자에게 판화처럼 각인되어 있으며, '그 작은 소년과 어머니는 지금 어디서 무엇을 할까?'라고 시를 마무리하며 자신의 '유년 시절'에 대한 그리움을 드러내고 있다.
❹ 방 안의 찬 기운 때문에 '수십 장 입김이 날리던 밤'은 시간적 배경인 '동지'이며, 동지는 한 해 중 가장 밤이 길고 추운 날로 춥고 어두운 이미지를 형성한다. 화자는 동짓밤에 매섭게 부는 바람 소리를 들으며 불안과 두려움을 느끼고 있으므로 '수십 장 입김이 날리던 밤'이 '동지'와 결합하여 안온한 시적 분위기를 조성한다는 것은 적절하지 않다.
⑤ '사위어가는 호롱불'은 시간의 경과를 드러내는 한편 '바람'으로 인해 점점 사그라드는 불빛이 화자의 불안감을 상징적으로 드러낸다고 볼 수 있다.

10. ②   시구의 표현상 특징 파악하기

① '가을 뜨락'은 화자가 씨앗을 받고 있는 계절적, 공간적 배경으로 '황금빛 생명'이라는 결실을 접하고 자신의 삶을 성찰하고 반성하고 있는 배경이다. 따라서 '가을 뜨락'를 반복하여 화자가 자신의 삶을 탐색하고 있다고 볼 수 있다.
❷ '젊음이 역사'하여 얻은 것은 초목의 결실인 '씨앗', 즉 '알차고 여문 황금빛 생명'으로, '젊음이 역사한'은 초목이 봄, 여름의 열정으로 온갖 시련을 이겨내고 결실을 얻어냈음을 표현한 것이다. 화자는 결실을 맺지 못한 자신의 삶을 반성하고 있으므로 화자가 과거에 기울였던 노력의 가치를 재인식한다고 볼 수 없다.
③ 화자는 '씨앗을 받으려니' '송구하'며, '염치없'다고 말

하고 있는데, 이는 결실을 맺지 못한 자신의 삶에 대한 반성과 부끄러움을 일으키는 소재인 '씨앗'에 주목하게 한다.
④ 1연에서 '두 손이 송구하'던 화자는, 6연에서 화자의 태도를 드러내는 부사인 '도무지'를 사용하여 정서적 반응을 더욱 심화하고 있다.
⑤ 1연에서는 '두려워 마음이 거북스럽다'는 의미의 '송구하다'를 사용하고 6연에서는 '체면을 차릴 줄 알거나 부끄러움을 아는 마음이 없다'는 뜻인 '염치없다'를 사용함으로써 화자의 성찰적 태도를 강화하고 있다.

Day 09

| 1. ① | 2. ④ | 3. ⑤ | 4. ① | 5. ⑤ |
| 6. ③ | 7. ② | 8. ④ | 9. ⑤ | |

【1~3】 (가) 신경림, '수유나무에 대하여'

작품해설

꽃을 피워내기까지 고난을 견뎌낸 수유나무가 그 자신만의 가치를 가지게 된 것에 대한 위로와 격려가 드러난 작품이다. 몸통이 군데군데 썩어 흉한 상처나 드러나고 온몸이 일그러지고 뒤틀리는 고난을 겪었지만 마침내 어깨와 등과 손끝에 노란 꽃을 피워낸 수유나무의 모습을 통해 고난을 극복하고 자신만의 가치를 지니게 된 존재와 그에 대한 긍정적 태도를 드러내고 있다.

■ 갈래 : 자유시
■ 성격 : 관념적, 감각적
■ 특징
 – 다양한 심상을 활용하였고, 특히 색채어를 활용해 대상의 모습을 감각적으로 표현함.
 – 설의법과 도치법을 사용해 화자의 의도를 강조함.
 – 수유나무를 의인화하여 말을 건네는 방식으로 시상을 전개함.
 – 거와 묘사를 통해 수유나무가 겪은 고난의 상황을 구체적으로 드러냄.
■ 주제 : 고난을 이겨낸 수유나무의 가치

같은작가 다른기출

2002학년도 수능 '가난한 사랑 노래'
2004학년도 6월 모의 수능 '목계장터'
2004학년도 9월 모의 수능 '갈대'
2007학년도 6월 모의 수능 '고향길'
2009학년도 9월 모의 수능 '나무를 위하여'
2014학년도 9월 모의 수능 '농무'

(나) 김기택, '멸치'

작품해설

식탁 위 반찬으로 올라온 멸치가 본래 가졌던 생명력을 상상해 보며 멸치의 생명력이 회복되기를 염원하고 있다. 화자는 일상 속에서 흔히 접하는 반찬으로 접시에 담긴 멸치의 지느러미를 관찰하며 그 작은 무늬에서 바다의 흐름과 하나가 되어 헤엄쳤던 멸치의 역동적 생명력을 발견하고 있다. 바다의 물결과 분리되지 않고 한 몸처럼 움직이던 멸치는 인간이 던진 그물에 잡혀 점차 생명력을 잃고 결국 반찬이 되어 접시에 담기게 된다. 그러나 화자는 이미 딱딱해져 접시에 담긴 멸치에 아직 '바다'가 있고 '물결'이 있다고 말하고 있다. 즉, 화자는 생명력의 상실이라는 부정적 인식에 머무르지 않고, 고깃배를 부수고 그물을 찢으며 저항하는 역동적인 생명력이 아직 멸치에 있음을 인식하며 생명력 회복의 가능성을 소망하고 있다.

■ 갈래 : 자유시
■ 성격 : 상징적, 비판적, 의지적
■ 제재 : 멸치
■ 주제 : 역동적인 생명력 회복에 대한 염원
■ 특징
 – 접시에 담긴 멸치에서 바다의 생명력을 떠올리는

탁월한 시적 상상력을 보여 줌.
 – 대립적인 시어를 통해 주제 의식을 선명하게 부각함.

같은작가 다른기출

2013학년도 9월 모의 수능 '멸치'
2016학년도 수능 '풀벌레들의 작은 귀를 생각함'
2020학년도 수능 '새'

1. ①　표현상의 특징 파악하기

❶ (가)의 '네가 살아온 나날을 누가 어둠뿐이었다고 말하는가', '누가 말하는가'에서 설의법을 활용하여, 수유나무가 살아온 나날이 어둠뿐이 아니었다는 점과 꽃잎의 노래소리를 다른 존재들도 들을 것이라는 점을 강조하고 있다. 그러나 (나)에서는 설의법이 활용되지 않았다.
② (가)에서 '노랗게', '노란'은 색채어를 통해 대상의 모습을 감각적으로 표현하며 고난을 극복하고 자신만의 가치를 지니게 된 수유나무의 모습을 바라보는 화자의 정서 변화를 드러내고 있지만, (나)에서는 색채어가 활용되지 않았다.
③ (가), (나) 모두 음성 상징어는 활용되지 않았다.
④ (나)의 '뼈다귀처럼', '모래 더미처럼' 등에서 직유법을 활용하여 생명력을 상실한 멸치의 모습을 구체적으로 드러내고 있으나, (가)에는 직유법이 활용되지 않았다.
⑤ (가)에서는 수유나무를 의인화하여 말을 건네는 방식으로 시상을 전개하고 있으나, (나)에서는 독백체가 활용되었다.

참고자료

색채어
1. 개념
우리말에서 빛깔을 나타내는 말인 색채어는 파란색, 흰색, 빨간색, 검은색, 노란색의 다섯 가지 색에서 만들어진다.
• 빨간색은 '빨갛다, 뻘겋다, 새빨갛다, 시뻘겋다, 불그죽죽하다, 불그스름하다, 불긋불긋하다' 등으로 표현한다. ⑳ 사과, 노을, 피, 석류 알, 자두, 홍시, 단풍잎
• 노란색은 '노랗다, 누렇다, 샛노랗다, 노릇노릇하다, 노르스름하다' 등으로 표현한다. ⑳ 개나리, 모래, 병아리, 민들레, 은행잎, 달걀노른자
• 파란색은 '파랗다, 푸르다, 새파랗다, 시퍼렇다, 파릇파릇하다, 푸르스름하다, 파래지다' 등으로 표현한다. ⑳ 하늘, 바다, 멍, 소나무, 새싹, 새벽하늘, 입술
• 검은색은 '까맣다, 꺼멓다, 새까맣다, 거무죽죽하다, 거무튀튀하다, 거뭇거뭇하다, 거무스름하다' 등으로 표현한다. ⑳ 연탄, 밤, 우주, 연필심, 아빠 수염, 누나 머리
• 흰색은 '하얗다, 허옇다, 새하얗다, 희끄무레하다, 하야말갛다, 희끗희끗하다' 등으로 표현한다. ⑳ 눈, 목련꽃, 안개, 백합꽃, 아기 얼굴, 할머니 머리
2. 색채어의 쓰임
색채어는 사물의 빛깔뿐만 아니라 사람의 감정을 표현할 때에도 쓴다. 또, 비유적 표현으로도 쓴다. 다음과 같은 예를 참고할 수 있다.
⑳ 그는 진작 마음먹은 대로 시꺼먼 속을 드러냈다.
시험에 불합격이라는 소식을 들으니 하늘이 노래

졌다.
봄이 되니 하얀 목련꽃이 활짝 피었다.
학교에 가져갈 준비물을 까맣게 잊고 있었다.
눈에 공을 맞아 시퍼렇게 멍이 들었다.

2. ④　작품 감상의 적절성 파악하기

① '상처' 난 몸통과 '문드러'진 팔다리, '온몸이 일그러지고 뒤틀린 형상은 수유나무가 살아오면서 겪은 고난을 짐작하게 하는 묘사임을 알 수 있다.
② '바람과 노을 동무해서' '꽃들 노랗게 피어나는데'를 통해 '바람과 노을'은 수유나무가 '꽃'을 피우는 과정에서 함께 있었던 '동무'였다는 것을 알 수 있다.
③ '온몸이 일그러지고 뒤틀'렸던 모습은 수유나무가 겪은 고난의 모습이지만, '어깨와 등과 손끝'에 꽃이 핀 모습은 수유나무가 고난을 견뎌낸 후 그 자신만의 가치를 가지게 된 대조적인 모습이라는 것을 알 수 있다.
❹ 수유나무의 '꽃향기'가 '산'을 '넘고' '바다'를 건너'야 한다는 점에서 '산'과 '바다'는 극복해야 할 장애물을 의미한다고 볼 수 있다. 따라서 '산'과 '바다'는 '꽃향기'가 궁극적으로 도달하고자 하는 목적지라는 진술은 적절하지 않다.
⑤ 화자는 '노란 꽃잎'이 '풀벌레의 노래소리'가 될 것이며, '이 노래 듣는 이'가 '하늘과 별'뿐만 아니라 다른 존재들까지도 듣게 될 것이라고 설의법과 도치법을 통해 강조하고 있다. 따라서 화자는 떨어진 수유나무의 '꽃잎'은 '풀벌레의 노랫소리'로 변하여 퍼져 나가게 될 것이라고 상상하고 있음을 알 수 있다.

3. ⑤　외적 준거를 바탕으로 감상하기

① '유유히 흘러다니던 무수한 갈래의 길'에서 멸치가 본래 바다에서 생명력을 지닌 자유로운 존재이자 무한한 가능성을 지닌 존재였음을 알 수 있다.
② '그물'은 물결 속에서 멸치를 떼어내어 결국 생명력이 상실되게 하는 외부적 힘을 상징함을 알 수 있다.
③ 화자는 멸치가 식탁 위에 오르기까지의 과정에서 겪었을 상황을 상상하며 생명력을 상실한 멸치의 모습을 '모래 더미처럼 길거리에 쌓'였다고 비유적으로 표현하고 있음을 알 수 있다.
④ 화자는 지금은 접시 위에 있지만 멸치가 지녔을 '지느러미'와 '물결'을 상상하며 멸치가 본래 지녔던 생명력을 떠올리고 있음을 알 수 있다.
❺ 멸치의 작은 무늬를 보며, 바다에서 '파도를 만들고 해일을 부르고' 고깃배를 부수고 그물을 찢었을 것이라고 상상하고 있다. 이러한 점층적인 전개를 통해 멸치의 왕성한 생명력 회복에 대한 소망을 드러내고 있으나, 멸치가 생명력을 회복하기 위해 극복해야 할 점과 관련짓는 것은 적절하지 않다.

【4~6】 (가) 한용운, '달을 보며'

작품해설

'달'을 매개로 부재하는 '당신'에 대한 그리움을 노래한 시이다. 화자는 '당신'을 그리워하다 뜰에 나와 달을 보며 '당신'의 얼굴을 떠올린다. 그리고 자신의 얼굴도 달이 되었다고 하면서 '당신'과의 합일에 대한 소망을 드러낸다. 경어체의 어미를 반복하

여 운율을 형성하는 한편 대상과의 재회를 소망하는 화자의 태도를 잘 드러내고 있다.
■ **갈래** : 자유시, 서정시
■ **성격** : 연정적, 감각적
■ **어조** : 경어체의 부드러운 어조
■ **구성**
 – 1연 : 당신을 그리워하며 뜰에 나와 달을 봄.
 – 2연 : 달이 당신의 얼굴이 됨.
 – 3연 : 나의 얼굴도 달이 됨.
■ **제재** : 달
■ **주제** : 당신에 대한 그리움과 재회의 소망
■ **중요 시어 및 시구 풀이**
• 달을 한참 보았습니다 : '당신'에 대한 그리움으로 잠을 못 이루고 뜰에 나와 달을 바라봄
• 달은 차차차 당신의 ~ 역력히 보입니다 : 화자가 달에서 '당신'의 얼굴을 떠올림.
• 당신의 얼굴이 달이기에 나의 얼굴도 달이 되었습니다 : 그리운 '당신'의 얼굴이 달이기에 자신의 얼굴도 달이 되었다고 함으로써, '당신'과 합일을 이루고 싶은 마음을 드러냄.

같은작가 다른기출

2003학년도 6월 모의 평가 '알 수 없어요'
2003학년도 수능 '나룻배와 행인'
2009학년도 수능 '님의 침묵'
2013학년도 6월 모의 평가 '알 수 없어요'

(나) 박남준, '이사, 악양'

작품해설

대상의 부재를 겪는 화자의 내면을 그린 시이다. 남쪽 악양으로 이사한 화자는 밥상머리 맞은편에 있던 이의 부재를 인식하며 밤마다 한 몸이 되고는 하는 별들과 불빛들을 부러워하기도 했지만 해가 바뀔수록 점점 무심해진다. '낯선 아랫마을 밤 개'가 '컹컹거리고', '겨울바람이 처마 끝을 풀썩 뒤흔들다' 가는 쓸쓸한 분위기를 통해 대상의 지속적인 부재 속에 살아가는 화자의 외로운 처지가 드러나고 있다.
■ **갈래** : 자유시, 서정시
■ **성격** : 애상적
■ **어조** : 담담한 어조
■ **구성**
 – 1~2행 : 남쪽 악양으로 이사함.
 – 3~9행 : 늘 비어 있던 자리가 달라지지 않음.
 – 10~16행 : 시간의 흐름에 따라 무심해짐.
 – 17~21행 : 쓸쓸함과 결핍 속에 지속되는 삶
■ **제재** : 이사, 대상의 부재
■ **주제** : 결핍과 부재 속에서 지속되는 삶
■ **중요 시어 및 시구 풀이**
• 밥상머리 맞은편 ~ 달라지지 않았다 : 화자의 '밥상머리 맞은편'에서 '내 뼈를 발라 살점 얹어 줄 사람'이 변함없이 부재하는 상황이 드러남.
• 이따금 아직도 ~ 이유를 묻기도 했다 : 이사 온 '남쪽 악양'에 아직 낯설음을 느끼는 한편, 대상의 부재를 이따금 상기하는 화자의 모습이 드러남.
• 별들과 산마을의 ~ 부럽기도 했다 : 자신과 달리 합일을 이루는 자연물에 부러움을 느낌.
• 점점 무심해졌다 : 시간의 흐름에 따른 화자의 변화가 드러남.

4. ①　표현상 공통점 파악하기

❶ (가)는 3연의 2행을 제외한 모든 행이 '-니다'라는 종결 어미로 끝남으로써 운율을 형성하고 있다.
② (나)에 의문문 형식으로 당연한 사실을 강조한 설의적 표현은 나타나지 않았다.
③ (가)에는 시각적 심상이 드러날 뿐 공감각적 심상은 활용되지 않았다.
④ (나)는 독백적인 어조로 시상이 전개될 뿐 말을 건네는 방식은 나타나지 않았다.
⑤ (나)의 '검던 머리 더욱 희끗거리고 / 희끗거리며 날리는 눈발을 봐도'에서 연쇄적 표현이 나타나지만, (가)와 (나) 모두 연쇄적인 표현으로 역동적인 분위기를 형성한 것과는 거리가 멀다.

5. ④　시어 사이의 관계 파악하기

① 당신이 '하도' 그리워 뜰에 나와 달을 '한참' 보았다고 한 것을 통해 그리움의 크기와 달을 바라보는 행위의 지속 시간이 조응함을 알 수 있다.
② 달이 '차차차' 당신의 얼굴이 되더니 '넓은 이마 둥근 코 아름다운 수염'이 '역력히' 보인다는 것을 통해 화자가 달에서 당신의 얼굴을 떠올리고 있음을 알 수 있다.
③ '어쩌다' 생선 한 토막을 굽기도 하지만 밥상머리 맞은편에 비어 있던 자리는 '늘' 달라지지 않았다는 것을 통해 '내 뼈를 발라 살점 얹어줄 사람'이 부재하는 상황이 변함없이 지속됨을 강조하고 있다.
❹ '이따금'은 '묻기도 했다'와, '아직도'는 '낯설'과 호응한다고 볼 수 있다. 이는 화자가 '이따금' 부재의 이유를 상기하고, '아직도' 이사 온 곳을 낯섦을 느낌을 드러낼 뿐 '이따금'과 '아직도'가 대비를 이룬다고 볼 수는 없으며 상황의 변화 가능성이 암시된 것도 아니다.
⑤ 검던 머리가 '더욱' 희끗해진다는 것은 시간의 흐름을 보여 주는데, 이러한 시간의 흐름에 따라 '점점' 무심해진다는 것에서 시간의 흐름에 따른 화자의 감정 변화가 드러난다.

6. ③　내적 준거에 따라 작품 감상하기

① (가)의 화자는 '뜰'에 나와 '달'을 바라보며 '당신'을 떠올리고 있고, (나)의 화자는 '생선 한 토막'을 구웠으나 '늘 비어 있던 자리는 달라지지 않았다'고 하며 대상의 부재를 확인하고 있다.
② (가)의 화자는 '달'이 '당신의 얼굴'이 되더니 '넓은 이마 둥근 코 아름다운 수염'이 보인다고 하고 있고, (나)의 화자는 비어 있는 자리의 주인을 '내 뼈를 발라 살점 얹어줄 사람'이라고 형상화하고 있다.
❸ (가)의 화자는 '간 해'에는 당신의 얼굴이 달로 보였는데, '오늘 밤'에는 달이 당신의 얼굴이 되었다고 함으로써 현재 '당신'과 함께하지 못하고 있음을 드러내고 있다. 또한 (나)에서 '아랫마을 밤 개'가 컹컹거리며 부재의 이유를 묻는 것이나, '겨울바람이 처마 끝을 풀썩 뒤흔들다'가는 것은 화자의 쓸쓸하고 외로운 상황을 드러내고 있다. (가)와 (나) 모두 재회에 대한 확신과는 거리가 멀다.
④ (가)의 화자는 '당신의 얼굴이 달이기에 나의 얼굴도 달이 되었습니다'라고 하며 '달'을 매개로 '당신'과 합일하고 싶은 소망을 드러내고 대

⑤ (나)의 화자는 '별들과 산마을의 불빛들'이 '밤마다 한 몸이 되고는' 하는 모습에 대해 '부럽기도 했다'라고 하는데, 이는 '밥상머리 맞은편'이 늘 비어 있는 자신과 달리 합일을 이루는 자연물의 모습을 부러워하는 것으로 볼 수 있다.

【7~9】 (가) 윤동주, '흰 그림자'

작품해설

작가는 일제 치하의 암담한 시대 현실 속에서 지식인으로서 고뇌에 지쳐 있는 자신의 모습을 분열된 자아로 설정하고 '흰 그림자'를 통해 상징적으로 형상화하고 있다. 화자의 분신이기도 한 '흰그림자'는 공존과 애정의 대상인 동시에 화자 내면의 갈등을 유발하는 대상이기도 하다. 화자는 지난날의 자신을 반성하고 분열된 자아를 떠나보냄으로써 갈등을 극복하고 있는데 이로써 고뇌와 번민에서 벗어나 꿋꿋이 자신의 삶을 이어나가고자 하는 의지를 보인다.

[놓치지 말자!]

- **갈래** : 자유시, 서정시
- **성격** : 고백(독백)적, 의지적, 상징적, 성찰적
- **어조** : 내적 성찰의 차분하고 의지적 어조
- **주제** : 순수한 자아의 회복 및 신념을 지키는 삶에 대한 의지
- **특징**
  - 각운을 통해서 운율을 형성함.
  - 의문형 어미를 사용하여 자신에 대한 성찰의 모습을 드러냄.
  - 자아 성찰을 통해 내적 갈등을 해소하려는 것과 함께 분열된 자아에 대한 애정도 나타남.
  - 시각, 청각 등 다양한 감각적 이미지를 활용해 대상을 구체적이고 생생하게 형상화함.
  - 비유법을 사용해 화자가 번민에서 벗어나 묵묵히 자신의 삶을 지켜나가려는 신념을 표현함.
- **구성**
  - 1연: 외부 세계에 대한 응시(배경)
  - 2연: 현실에 대한 무지의 자각(반성)
  - 3연: 자각을 통한 부정적 요소의 정화
  - 4연: 과거의 자아에 대한 미련과 애정
  - 5연: 내면 정리를 통한 긍정적 자아의 회복
  - 6연: 신념을 지키는 삶에 대한 실천 의지
- **중요 시구 및 시어 풀이**
  - 황혼이 짙어지는: 자아 성찰의 시간
  - 시들은 귀: 고뇌로 지쳐 있는 모습

같은작가 다른기출

- 2020학년도 수능 '바람이 불어'
- 2017학년도 9월 모의 수능 '병원'
- 2013학년도 9월 모의 수능 '또 다른 고향'
- 2011학년도 수능 '지하도'
- 2008학년도 6월 모의 수능 '길'
- 2004학년도 9월 모의 수능 '또 다른 고향'
- 2004학년도 6월 모의 수능 '사랑스런 추억'
- 2001학년도 수능 '서시'
- 1998학년도 수능 '별 헤는 밤'
- 1995학년도 수능 '서시'

(나) 복효근, '연어의 나이테'

작품해설

화자는 연어의 살결 무늬와 나무의 나이테의 모습이 비슷하다는 것에 착안하여, 연어의 살이 시련과 고난을 이겨낸 흔적이라고 말하고 있다. 나무의 나이테는 좋은 때인 여름에는 많이 성장하고, 힘겨운 때인 겨울에는 조금 성장해서 만들어졌는데 이는 나무가 살아온 삶의 흔적이자 시련과 고난을 이겨낸 강인함의 상징으로 대변된다. 화자는 바다에 살다가 새끼를 낳기 위해 강으로 회귀하는 연어의 살에도 이러한 나무의 나이테와 같은 강인함이 담겨 있다며 두 대상을 연결함으로써 시적 효과를 대화하고 있다. 또 연어와 나무는 자신에게 시련을 준 '사나운 물살'과 '눈바람'을 '순한 향기'와 '강물 냄새'로 승화시켜 간직하는 존재라는 점에서 우리에게 생각할 점을 시사한다. 연어가 강으로 회귀하는 생의 형식이 세대를 넘어 이어지는 모습을 비추며 작가는 삶의 힘겨움을 온몸으로 이겨내는 우직한 존재인 연어를 통해서 우리도 삶의 시련과 고난을 강인한 의지를 가지고 이겨내야 한다는 메시지를 보내고 있다.

[놓치지 말자!]

- **갈래** : 자유시, 서정시
- **성격** : 의지적, 상징적, 성찰적
- **주제** : 삶의 시련과 고난을 이겨내는 강인한 의지
- **특징**
  - 생의 형식이라는 측면에 착안하여 연어와 나무 사이의 유사성을 중심으로 두 대상을 연결함.
  - '나무'와 '연어'라는 시적 의미를 다양한 심상을 통해 감각적으로 드러냄.
  - 하강의 이미지와 상승의 이미지를 반복, 대비하여 삶에 대한 강인한 의지를 드러냄.
  - 자연에 상징적인 의미를 부여해 대상에게 가해지는 시련으로 설정함.
  - 동일한 형태의 '-리라'라는 어미를 반복하여 운율을 형성하고 의미를 강조함.
  - 직유법과 설의법 등 수사법을 적절하게 활용함.
  - 추측성 종결 표현과 평서형 종결 표현 등 다양한 종결 표현을 사용함.
- **중요 시구 및 시어 풀이**
  - 열 번이고 스무 번이고 솟구쳐: 시련을 이겨내는 강인한 의지를 드러냄.
  - 순한 향기: 시련을 수용하고 승화시킴.

7. ②　작품의 표현상 특징 파악하기

① 두 작품 모두 동일한 시행을 반복하고 있지 않고, 각운을 반복하여 운율을 형성하고 있다.
❷ (가)는 '나는 총명했던가요'에서 의문형 어미를 활용하여 화자가 자신에 대한 성찰의 모습을 드러내고 있다. (나)는 '다시 그 강에 회귀하는 것은 다 그 때문이 아니겠는가'에서 의문형 어미를 활용하여 연어가 살아가는 방식이 다음 세대로 이어지는 것에 대한 화자의 생각을 드러내고 있다. 따라서 두 작품 모두 의문형 어미를 활용하여 시적 의미를 드러내고 있다는 공통점을 확인할 수 있다.
③ (가)는 '황혼', '흰 그림자'에서 색채어를 활용하여 대

상을 구체적으로 형상화하고 있지만 (나)에서는 살펴볼 수 없다.

④ 두 작품 모두 명령형 어조를 활용하고 있지는 않고, 다만 의지를 드러내는 표현을 확인할 수 있다.

⑤ 두 작품 모두 음성 상징어를 활용하고 있지 않다.

---

8. ④   외적 준거를 통해 작품 감상하기

① 〈보기〉에서 화자는 암담한 시대 현실에서 고뇌로 지쳤다고 했는데, 이는 (가)의 '시들은 귀'와 '오래' '괴로워하던' 것을 통해 힘겨운 현실 속에 놓인 화자의 모습을 확인할 수 있다.

② 〈보기〉에서 화자는 자신의 분신인 분열된 자아를 떠나보낸다고 했는데, 이는 (가)의 '수많은 나'를 '제고장으로 돌려보'낸다는 것을 통해 확인할 수 있다.

③ 〈보기〉에서 '흰 그림자'는 화자의 분신인 분열된 자아를 상징하는 것으로 공존과 애정의 대상이라고 했는데, 이는 (가)의 '흰 그림자'들 '연연히 사랑'했었다는 것을 통해 확인할 수 있다.

❹ 〈보기〉에서 '흰 그림자'는 화자의 분열된 자아이며 내면의 갈등을 유발하는 대상이라고 했는데, 이를 바탕으로 본다면 (가)의 화자가 '내 모든 것을 돌려보낸 뒤' '허전'함을 느끼며 '황혼처럼 물드는 내 방'으로 돌아온 상황은, 화자가 내면을 정리하고 긍정적인 자아를 회복하는 과정을 형상화한 것으로 이해할 수 있다. 분열된 자아에 대한 애정을 드러내고는 있지만 내면의 갈등을 유발하는 대상과 공존할 수밖에 없다고 이해하는 것은 적절하지 않다.

⑤ 〈보기〉에서 화자는 갈등을 극복하고 번민에서 벗어나 묵묵히 자신의 삶을 지탱해 나가고자 한다고 했는데, 이는 (가)의 '신념이 깊은 의젓한 양처럼' '시름없이 풀포기'를 '뜯'겠다는 것을 통해 확인할 수 있다.

---

9. ⑤   외적 준거를 통해 작품 이해하기

① ㉠ '연어의 살'에는 나무의 '제 근육'에 보이는 유사한 나이테가 있다는 점을 연결하여, 나무에게 '굴렁쇠같이 단단한 것'이 있듯이 '연어의 살결에 나무처럼 단단한 한 시절'이 있었음을 드러내고 있다.

② ㉡ '폭포수를 뛰어넘는 연어'와 '솟구치던 나무'가 자신에게 가해지는 아래로 향하는 힘을 거부한다는 점을 연결하여, 연어에게 나무와 같은 강인함이 있음을 드러내고 있다.

③ '나무를 눈바람이 주저앉히려' 한다는 점과 '연어를 사나운 물살이 저 바닥으로 내동댕이' 친다는 것을 볼 때, '눈바람'과 ㉢ '사나운 물살'은 대상에게 가해지는 반복적인 시련이라는 점을 알 수 있다. 이를 연결하여 연어가 나무처럼 부단히 반복되는 시련을 겪어 내는 존재임을 드러내고 있다.

④ 나무가 '제가 맞은 눈바람을 순한 향기로 뿜어내놓듯이'와 '연어의 살결에선 강물 냄새가 나는 것'을 볼 때, '순한 향기'와 ㉣ '강물 냄새'는 대상이 시련을 겪은 결과 지니게 된 것임을 알 수 있다. 이를 연결하여 연어와 나무는 자신에게 시련을 준 '사나운 물살'과 '눈바람'을 '순한 향기'와 '강물 냄새'로 승화시켜 간직하는 존재임을 드러내고 있다.

❺ '연어의 살결'에 '나무처럼 단단한 한 시절이 있었다'의 의미는 연어도 나무처럼 시련과 고난을 이겨 내며 단단해짐을 형상화한 표현으로 '한 시절'은 고단한 과정

을 이겨 낸 시간으로 이해할 수 있을 것이다. 한편 '죽은 어미연어의 나이테를 먹은 새끼연어가' '몇 만 년을 두고 다시 그 강에 회귀하는 것'에서 '몇 만 년'은 연어가 강으로 회귀하는 본능이 세대를 넘어 이어진다는 것으로 이해할 수 있다. 따라서 ㉤ '몇 만 년'과 '한 시절'을 연결하여 대상의 생의 과정을 드러내고 있다고 볼 수 있지만 '강으로 회귀하는 연어가 나무처럼 생을 마감하는 존재'라는 것을 드러냈다고 이해하는 것은 적절하지 않다.

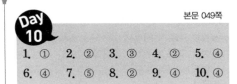

본문 049쪽

Day 10

1. ①	2. ②	3. ③	4. ②	5. ④
6. ④	7. ⑤	8. ②	9. ④	10. ④

【1~3】 (가) 이성부, '산길에서'

［작품해설］

산에 오르는 과정에서 자신이 누군가 만든 길을 따라 걷고 있음을 깨닫고, 길을 따라가며 힘들고 어려워도 주저앉지 말아야 한다는 의지를 드러내고 있는 시이다. 길은 옛 사람들이 쫓기거나 비칠거리면서도 다져 놓은 것으로, 그것이 부질없게 보이더라도 되풀이되어 만들어진 것이다. 화자는 옛 사람들이 쌓은 역사로 인해 현재의 삶이 있음을 깨닫고, 자신 또한 힘들고 어려워도 주저앉아서는 안 된다는 의지를 드러내고 있다.

［놓치지 말자!］

- **갈래** : 자유시, 서정시
- **성격** : 성찰적, 의지적
- **어조** : 성찰적 어조
- **구성**
  - 1~5행: 길을 만든 이들에 대한 인식
  - 6~12행: 옛 사람들의 만들어 온 역사에 대한 인식
  - 13~17행: 새로운 역사에 대한 의지
- **제재** : 길
- **주제** : 새로운 역사를 만들어 가려는 의지
- **중요 시어 및 시구 풀이**
  - 이 길을 만든 이들이 누구인지를 나는 안다: 길을 만든 이들이 누구인지 지각하고 있는 화자의 모습이 나타남.
  - 조릿대: 볏과의 여러해살이 식물. 높이는 1~2미터이며, 잎은 긴 타원형의 피침 모양임.
  - 가슴 벅차게 하는 까닭을 나는 안다: 산길을 오르며 가슴 벅참을 느끼는 태도가 드러남.
  - 나는 자꾸 집을 떠나고 ~ 신명나지 않았더냐: '신명'은 흥겨운 신이나 멋으로, 집과 서울을 떠나 산길을 오르는 일에 신명을 느끼는 태도가 드러남.
  - 무엇 하나씩 저마다 다져놓고 사라진다는 것: 쫓기듯 살아가는 이들도, 힘을 다하여 비틀거리는 이들도 누구나 삶의 자취를 남김을 깨달음.
  - 왜 내가 지금 주저앉아서는 안 되는지를 나는 안다: 포기하지 않는 삶의 태도를 다짐함.

(나) 윤동주, '길'

［작품해설］

잃어버린 참된 자아를 찾고자 하는 의지를 상징적인 시어로 노래한 시이다. 화자가 잃어버리고 찾으려 하는 것은 화자의 참된 자아로, 길을 걷는 과정은 자아를 탐색하는 과정이자 삶의 여정을 의미한다. 화자는 '풀 한 포기 없는 이 길'과 같은 암담한 현실을 극복하고, 쇠문으로 단절된 담 저쪽의 '나', 즉 참된 자아를 찾으려는 의지를 드러내고 있다.

[고2 국어 문학]

025

Day 10 · 현대시

[놓치지 말자!]

■ **갈래** : 자유시, 서정시
■ **성격** : 고백적, 의지적, 상징적
■ **어조** : 고백적 어조
■ **구성**
  – 1연: 참된 자아를 상실함.
  – 2~4연: 참된 자아를 찾기 위한 과정
  – 5연: 자아 성찰을 게을리 한 부끄러움
  – 6, 7연: 현실을 극복하고 참된 자아를 회복하려는 의지
■ **제재** : 길
■ **주제** : 참된 자아의 회복과 현실 극복에 대한 의지
■ **중요 시어 및 시구 풀이**
  • 돌담: 화자가 참된 자아를 지향하는 것을 가로막는 장애물
  • 담은 쇠문을 굳게 닫아 / 길 위에 긴 그림자를 드리우고: '쇠문'은 단절을 의미하는 시어로 쇠문이 굳게 닫힌 것은 화자가 처한 부정적인 상황을, 그 그림자는 어둡고 절망적인 상황을 드러내는 것으로 볼 수 있음.
  • 길은 아침에서 저녁으로 / 저녁에서 아침으로 통했습니다.: 자기 탐색의 과정이 끊임없이 이어짐이 드러남.
  • 쳐다보면 하늘은 부끄럽게 푸릅니다: '하늘'은 성찰의 매개체로, 색채어를 활용하여 하늘에 대한 인식을 드러냄. 자아 성찰을 게을리한 것에 대한 부끄러움이 드러남.
  • 담 저쪽에 내가 남아 있는 까닭: '담 저쪽'의 '나'는 화자가 찾고자 하는 참된 자아를 의미함.
  • 내가 사는 것은 다만, / 잃은 것을 찾는 까닭입니다.: '잃은 것을 찾'고자 하는 '나'는 현실적 자아로, 현실을 극복하고 참된 자아를 찾고자 하는 화자의 결의와 다짐이 드러남.

같은작가 다른기출

1998학년도 수능 '별 헤는 밤'
2001학년도 수능 '서시'
2004학년도 9월 모의 수능 '또 다른 고향'
2011학년도 수능 '자화상'
2017학년도 9월 모의 수능 '병원'

1. ① 표현상의 특징 파악하기

❶ (가)는 '조릿대밭 눕히며 소리치는 바람', '이름 모를 풀꽃들 문득 나를 쳐다보는 수줍음'에서 자연물에 인격을 부여하여 대상과의 교감을 드러내고 있다. 그러나 (나)에서는 '길'을 소재로 시상을 전개하고 있을 뿐 자연물에 인격을 부여하고 있는 것은 아니다.
② (가)는 '–다', (나)는 '–ㅂ니다'라는 종결 어미가 반복되고 있다.
③ (가)에는 색채어가 드러나지 않는다. (나)는 '하늘은 부끄럽게 푸릅니다.'에서 색채어를 활용하여 '하늘'에 대한 인식을 드러내고 있다.
④ (가)는 '소리치는 바람', '옛 내음' 등에서 청각적, 후각적 심상이 드러나며 (나)는 '길은 돌담을 끼고 갑니다.', '푸릅니다' 등에서 시각적 심상이 드러날 뿐 둘 다 공감각적 심상은 드러나지 않았다.
⑤ (가)에는 계절의 변화가 드러나지 않는다. 한편 (나)에는 '길'을 걷고 있는 모습이 나타나 있다.

2. ② 화자 이해하기

① '이 길을 만든 이들 누구인지를 나는 안다'고 하여 길을 만든 이들에 대해 지각하고 있음을 드러내고 있다.
❷ 화자는 길을 따라 걸으며 '그이들'로 인해 가슴 벅참을 느끼고 있을 뿐, 삶의 고달픔이 어디에서 비롯되는지 깨닫고 있는 것은 아니다.
③ '옛 내음'이라도 맡고 싶어서 집과 서울을 떠나 산길을 오르는 일에 '신명'남을 드러내고 있다.
④ 쫓기듯 살아가는 이들도, 비칠거리는 발걸음들도 '무엇 하나씩 저마다 다져 놓고 사라진다'고 하여 사람은 누구나 삶의 자취를 남긴다는 것을 깨달았음을 드러내고 있다.
⑤ '그이들을 따라 오르는 일 / 이리 힘들고 어려워도' 주저앉아서는 안 되는 것을 안다고 하며, 포기하지 않는 삶의 태도를 다짐하고 있다.

3. ③ 외적 준거에 따라 감상하기

① 화자는 잃어버린 '나'를 찾기 위해 길을 걷고 있는데 '쇠문'이 굳게 닫혀 단절을 가져오고 있으므로 이는 화자가 처한 부정적 상황을 드러낸다고 할 수 있다.
② 화자가 잃어버린 '나'를 찾기 위해 걷는 길이 '아침에서 저녁으로 / 저녁에서 아침으로 통하'고 있다는 것은 자기 탐색의 과정이 끊임없이 이어짐을 의미한다고 할 수 있다.
❸ 화자가 '눈물짓다' 부끄러움을 느끼고 있으므로 눈물짓는 것은 잃어버린 '나'를 찾기 위해 돌담을 더듬다 절망을 드러내는 모습일 뿐 절망적 상황을 극복하려는 화자의 노력을 나타낸다고 볼 수는 없다.
④ 화자는 '하늘'을 쳐다보며 부끄러움을 느끼고 있는데, 이는 하늘을 보며 자기 성찰을 했기 때문이라고 할 수 있다.
⑤ '길을 걷는 것은 / 담 저쪽에 내가 남아 있는 까닭'이고, '내가 사는 것은' '잃은 것을 찾는 까닭'이라고 한 것에서, 화자가 길을 걷는 이유는 '담 저쪽'의 '나'를 회복하기 위해서임을 알 수 있다.

【4~6】 (가) 이용악, '하늘만 곱구나'

작품해설

1946년에 발표된 작품으로, '거북네'의 내력을 중심으로 그들의 삶의 비극성을 다루고 있다. '거북네' 삼대는 고향을 떠나 만주에서 살다가 희망을 품고 고향에 다시 돌아오지만 그들의 삶은 비극적이기 그지없다. 이들의 비참한 상황을 '혼자만' 고운 '하늘'과의 대비를 통해 표현하고 있다. 이 작품은 유이민들이 광복이 되자 중국 등지에서 돌아오던 시기를 다루고 있으며, 새로운 시대에 대한 희망을 품고 돌아왔지만 많은 사람들은 살 곳을 찾지 못하고 고달프게 살아야 했던 모습을 형상화하고 있다. 고향과 삶의 터전을 잃고 만주 등지로 유랑하던 식민지 민중들의 비애와 비참한 삶을 그리고 있다.

[놓치지 말자!]

■ **갈래** : 자유시, 서정시
■ **성격** : 사실적, 애상적
■ **제재** : 거북네의 힘겨운 삶
■ **주제** : 광복 후 조국으로 돌아왔던 유이민들의

고달픈 삶의 처지에 대한 연민
■ **특징**
  – 서사적 구성을 통해 시상을 전개함.
  – '나'라는 화자를 표면에 드러내지 않음으로써 서술의 객관성을 확보함.
  – 계절적 배경을 통해 고달픈 처지를 효과적으로 드러냄.
  – 자연물과 시적 대상의 처지를 대비하여 대상의 비참한 실상을 부각함.(움 ↔ 하늘)
  – 1연과 마지막 연의 대응을 통해 부정적 현실로 인한 대상의 비참한 심정을 부각함.
  – 1,3,5연은 거북이가 말하는 형식으로, 2,4연은 화자가 거북네의 사연을 들려주는 형식으로 구성하여 객관과 주관의 결합 형식으로 표현함.
■ **중요 시구 및 시어 풀이**
  • 움 땅을 파고 위에 거적 따위를 얹어 비바람이나 추위를 막아 겨울에 화초나 채소를 넣어 두는 곳.

같은작가 다른기출

2008학년도 9월 모의 수능 '풀벌레 소리 가득차 있었다'
2005학년도 수능 '낡은 집'
2002학년도 수능 '그리움'

(나) 나태주, '등 너머로 훔쳐 듣는 대숲바람 소리'

작품해설

화자가 '대숲바람 소리'를 계기로 과거의 서러웠던 기억을 떠올리게 되면서, 과거의 상처를 포용하게 되는 과정을 담고 있다. 즉 가난하고 아픈 기억이 많은 어린 시절이지만 세상을 환하게 비추어 주었던 '햇살'을 통해 삶에 대한 희망을 잃지 않았음을 표현하고 있다. 대숲바람 소리가 가진 청각적 이미지를 시각적 이미지로 치환시켜 대숲의 아름다움을 부각시키는 한편, 고전적 상상력을 활용해 심청이를 등장시켜 자신의 삶과 연계시킴으로써 대면하기 싫었던 아픈 과거이지만, 지금은 그 아픈 기억도 아름답게 느껴지는 마음을 그리고 있다. 화자가 과거의 기억 속에 존재하는 자신의 서로 다른 모습을 통합하여 나가는 모습을 감각적 이미지를 통해 형상화하고 있는 것이다.

[놓치지 말자!]

■ **갈래** : 자유시, 서정시
■ **성격** : 서정적, 우화적
■ **제재** : 대숲바람 소리
■ **주제** : 순수한 어린 시절에 대한 그리움
■ **특징**
  – 대숲바람 소리의 청각적 이미지를 시각적 이미지로 형상화함.
  – 고전 세계의 인물을 등장시켜 문제(갈등) 해결의 실마리로 삼음.
■ **중요 시구 및 시어 풀이**
  • 개다리소반 위 비인 상사발에 가난하고 초라한 심봉사의 살림을 상징.

4. ② 작품간 공통점 파악하기

① (가)에는 '만주'와 같은 구체적인 지명을 제시하여 거북네가 만주에서 조국으로 돌아온 유이민임을 짐작하게 한다. 그러나 (나)에서는 구체적인 지명이 드러나지 않는다. (나)의 '장 승상네 참대밭'은 장소를 지칭하지만 구체적인 지명이라고 보기 어렵다.

❷ (가)는 1, 5연을 유사하게 반복하고, '집도 많은', '배추꼬리를 씹으며' 등과 같은 시구를 반복하여 고달프고 비참한 삶을 드러내고 있으며, '~단다', '~구나'와 같은 종결표현 또는 어미를 반복하여 시적 의미를 강조하고 있다. 그리고 (나)는 '등 너머로 훔쳐 듣는 남의 집 대숲 바람 소리' 등과 같은 시구를 반복하여 시적 의미를 강조한다.

③ (가), (나)는 청자를 명시적으로 설정하고 있다고 보기 어렵다.

④ (가)와 (나)에는 반어적 표현이 드러난 구절이 없다.

⑤ (가)에는 시선의 이동이 드러나지 않는다. (나)는 '대숲바람 소리'로 인해 떠올리게 하는 기억을 중심으로 시상을 전개하고 있어 시선의 이동이 드러나지 않는다.

---

5. ④   시상의 흐름에 따라 작품 감상하기

① 1연에서 '두 손 오구려 혹혹 입김을' 불며 '움 속에서' 살고 있는 거북네의 가난하고 힘겨운 모습과 고운 '하늘'이 대비를 이루어 거북네의 처지를 강조한다.

② 2연에서 거북네 삼대가 '두터운 얼음장과 거센 바람' 속에서 '세월은 흘러' 왔다는 구절에서 거북네가 만주에서 겪은 시련을 짐작하게 한다.

③ 3연의 '조선으로 돌아가면 빼앗겼던 땅에서 농사지으며 가 갸 거 겨 배운다더니'에서는 거북이가 고향에 돌아오면 땅을 되찾고 공부를 할 수 있을 것이라는 희망을 품었지만, '조선으로 돌아와도 집도 고향도 없고'에서는 거북이가 고향에 돌아와서 직면한 현실이 드러난다. 이 구절을 통해 희망과 좌절이라는 괴리를 드러내고 있다.

❹ 4연에서는 '배추꼬리를 씹으며'라는 구절을 통해 거북이의 가난과 배고픈 현실을 드러내고 있으며 '아배'는 거북이가 바라보는 대상일 뿐, '아배'의 행동이 제시되지는 않는다.

⑤ 5연에는 '첫눈' 내리고 '새해가 온다는데'라는 구절을 통해 앞으로 더 많은 눈이 내리고 추워지는 시기임을 알 수 있다. 이는 거북이에게 가해지는 시련을 의미하는 것으로 '움 속'에서 집도 없이 살아가고 있는 상황의 비극성을 부각하고 있다.

---

6. ④   외적 준거를 통해 감상하기

① 1연에서 화자는 '대숲바람 소리'가 계기가 되어 유년 시절의 서러운 기억을 떠올리게 된다. 과거의 상처는 '퍼렇게 멍든', '혼자', '눈물의 찌꺼기'와 같은 시구를 통해 드러난다.

② 2연의 '햇살'은 '마음만 부자로 쌓여주는' 곳이며, '다시 눈' 뜰 수 있게 하는 소재로, 심 봉사와 심청에게 가난 속에서의 희망으로 자리 잡고 있다. 또한 3연의 '햇살'과도 중첩됨으로써 화자에게도 작용하여 새로운 희망을 떠오르게 하는 역할을 한다.

③ 2연의 '햇살'과 '참대밭의 우레 소리'는 '다시 눈 트고 있다', '다시 무너져서 내게로 달려오고 있다'로 대응되면서, 두 소재가 희망적이고 긍정적인 기능을 하고 있음을 알 수 있다.

---

④ 3연의 '여름냇가'는 '햇살'이 빛나고 있던 공간으로, 화자가 어린 시절 꿈꾸었으나 이루지 못했던 희망의 반쪽이 있던 과거의 모습을 드러낸다. 반면, 2연의 '툇마루 끝'은 심봉사가 '날무처럼 끄들끄들 졸고 있는' 공간으로 '여름냇가'와 동일시되기 어렵다.

⑤ 3연의 '햇살의 그 반쪽'이 화자를 '기다리'며 '반짝'인다는 시어를 통해 어린 시절 놓쳐버린 햇살의 반쪽은 사라진 것이 아니라 희망은 아직도 건재함을 드러낸다. 이렇듯 화자는 과거에서 새롭게 발견한 자신의 모습을 인식하고 있다.

【7~10】 (가) 백석, '수라(修羅)'

> **작품해설**
>
> 방 안에 들어온 거미를 문 밖으로 버리는 화자의 행위가 반복되면서 나타나는 감정의 변화를 그린 시이다. 화자는 새끼 거미가 들어온 것을 무심히 버렸다가 그 자리에 어미 거미로 보이는 큰 거미가 온 것을 보고 가슴이 짜릿해진다. 어미 거미가 새끼 있는 데로 가기를 바라는 마음에 서러워하며 어미 거미를 문 밖으로 버린 화자는, 다시 새끼 거미가 어미 거미를 찾으려는 듯 온 것을 보고 서러워하면서 새끼 거미가 가족들을 만나길 바라며 문 밖으로 버리고, 슬퍼한다. 거미를 버리는 행위가 반복되면서 무심했던 화자의 감정이 점층적으로 고조되는 모습을 통해 가족 공동체가 붕괴되던 당대 현실에 대한 안타까움을 드러내고 있다.

> **[놓치지 말자!]**
>
> ■ **갈래** : 자유시, 서정시
> ■ **성격** : 상징적
> ■ **어조** : 애상적
> ■ **구성**
> – 1연 : 방에 들어온 새끼 거미를 아무 생각 없이 문 밖으로 쓸어버림.
> – 2연 : 큰 거미가 온 것을 다시 문 밖으로 버리며 서러워함.
> – 3연 : 작은 새끼 거미가 찾아온 것을 보고 가족들과 만나기를 바라며 문 밖으로 버림.
> ■ **제재** : 거미
> ■ **주제** : 붕괴된 가족 공동체 회복에 대한 소망
> ■ **중요 시어 및 시구 풀이**
> • 수라(修羅) : 불교에서 싸우기를 좋아하는 귀신으로, '아수라'라고도 함. 가족 공동체가 붕괴된 비극적 현실을 상징함.
> • 아모 생각 없이 문 밖으로 쓸어버린다 : 거미 새끼를 쓸어버릴 때까지만 해도 화자는 무심한 심정이었음이 드러남.
> • 어니젠가 : 어느 사이엔가.
> • 가슴이 짜릿한다 : 새끼 거미를 찾으러 온 큰 거미를 본 화자의 감정 변화가 나타남.
> • 큰 거미를 쓸어 문 밖으로 버리며 : 어미 거미가 새끼 거미를 만나기를 바라는 마음에 한 행동임.
> • 싹기도 : 가라앉기도.
> • 가슴이 메는 듯하다 : '좁쌀알만 한' 작은 새끼 거미가 큰 거미 없어진 곳으로 찾아온 것을 본 '나'의 심정이 나타남.
> • 이 작은 것을 고이 보드러운 종이에 받어 또 문 밖으로 버리며 : 정성스러운 태도로 새끼 거

미를 가족들을 보낸 곳으로 보내고자 함.
• 쉬이 만나기나 했으면 좋으련만 하고 슬퍼한다 : 가족 공동체가 붕괴된 현실에 대한 슬픔과 그 회복에 대한 소망이 드러남.

> **같은작가 다른기출**
>
> 2003학년도 6월 모의 평가 '남신의주 유동 박시봉방'
> 2004학년도 9월 모의 평가 '흰 바람벽이 있어'
> 2004학년도 수능 '고향'
> 2009학년도 6월 모의 평가 '여승'
> 2011학년도 9월 모의 평가 '적막강산'
> 2014학년도 6월 모의 평가 B형 '팔원 – 서행시초3'

(나) 송수권, '까치밥'

> **작품해설**
>
> 까치밥은 험난한 세상에 날짐승들에게 '따뜻한 등불'이 되어 준 인정으로, 빈 겨울 하늘에 걸려 있어 우리의 마음을 채워 주는 존재이다. 이러한 까치밥에 담긴 고향의 훈훈한 정은 할아버지가 남겨 놓고 간 짚신 몇 죽에서도 느낄 수 있다. 자신은 신지 않을 짚신을 몇 죽 남겨 놓고 떠난 할아버지의 이타적인 마음씨와 같은 까치밥은 '너희 들이 가야 할 머나먼 길'을 따뜻하게 비춰 주는 등불 같은 존재인 것이다. '서울 조카 아이들'이라는 구체적인 청자를 대상으로 대화체로 시상을 전개하였으며, 함부로 까치밥을 따려는 이 아이들과 '할아버지'를 대비하여 주제를 강조하였다. 반복되는 구절과 설의적 표현을 통해 의도를 강조하고 있다.

> **[놓치지 말자!]**
>
> ■ **갈래** : 자유시, 서정시
> ■ **성격** : 향토적, 교훈적
> ■ **어조** : 권유적
> ■ **구성**
> – 1행~10행 : 날짐승에게 베푸는 인정인 까치밥
> – 11행~17행 : 할아버지께서 타인에게 남긴 배려인 짚신
> – 18행~23행 : 까치밥의 의미와 가치
> ■ **제재** : 까치밥
> ■ **주제** : 타인을 배려하는 삶의 가치
> ■ **중요 시어 및 시구 풀이**
> • 고향이 고향인 줄도 모르면서 : '고향'은 인정과 배려가 살아 있는 공간으로, 그러한 고향의 가치를 알지 못한 모습을 지적함.
> • 까치밥 : 까치 따위의 날짐승이 먹으라고 따지 않고 몇 개 남겨 두는 감. 생명체에 대한 따뜻한 배려를 의미함.
> • 서울 조카아이들 : 까치밥을 따려는 도시의 아이들. 고향과 까치밥에 담긴 인정과 배려의 의미를 알지 못하는 존재들로 설정되어 '고향(시골)'과 '서울(도시)'의 대비가 나타남.
> • 따뜻한 등불 : 까치밥이 따뜻한 배려임을 비유적으로 드러냄.
> • 말쿠지 : '말코지(물건을 걸기 위하여 벽 따위에 달아 두는 나무 갈고리)'의 방언(평북).
> • 짚신 : 다른 사람을 위한 할아버지의 배려가 담긴 소재. '까치밥'과 유사한 의미를 지님.
> • 죽 : 옷, 그릇 따위의 열 벌을 묶어 이르는 말.

- 보시(布施): 〈불교〉 자비심으로 남에게 재물이나 불법을 베풂.
- 이렇게 등 따습게 비춰주고 있지 않으냐: '까치밥'이 '머나먼 길'의 '등불' 같은 존재임을 나타냄.

같은작가 다른기출

2010학년도 수능 '지리산 뻐꾹새'

(다) 김지율 외, '백석 시의 장소와 화자의 시선'

지문해설

시적 공간은 시인이 주제를 형상화하기 위해 설정한 곳으로 일상적 공간과는 성격이 다르다. 시적 공간은 시인이 특별한 의미를 부여하는 순간부터 구성되는 것으로, 일상에서 볼 수 없는 공간일 수도 있고 일반적인 의미와는 다른 공간일 수도 있다. 따라서 동일한 공간도 한 편의 시에서 다른 의미를 나타내기도 한다. 시적 공간은 시인의 체험이나 독자의 주체적 인식에 따라 이해될 수 있기에 감상의 실마리이자 창조적 의미를 구성하는 요소가 될 수 있다.
■ **주제**: 시적 공간의 구성과 특징

7.⑤ 작품 간의 공통점 파악하기

① (가)에서는 거미 가족이 헤어진 모습을 본 화자의 안타까움이 드러나 있으나 이를 대상과의 이별에 대한 화자의 안타까움이라고 보기는 어렵다. 또한 (나)에는 대상과의 이별이나 이에 대한 화자의 안타까움이 나타나지 않는다. 할아버지가 짚신 몇 죽을 남기고 돌아가셨다고 하고 있으나 이를 통해 할아버지의 배려에 대해 강조하고 있을 뿐 안타까움의 정서와는 거리가 멀다.
② (가)에는 과거 회상이 나타나지 않았다. (나)에는 '까치밥'의 의미와 과거 할아버지의 모습을 통해 바람직한 삶의 방향을 제시하고 있다.
③ (가)에는 '차디찬 밤'이라는 배경이 나타날 뿐 계절적 배경이 나타난 것은 아니며, (나)에는 '남도의 빈 겨울 하늘'에서 계절적 배경이 나타나지만 이를 통해 화자가 처한 상황을 부각하고 있는 것은 아니다.
④ (가)에서는 거미가 찾아와서 문 밖으로 버리는 행위가 반복되면서 화자의 태도가 변화하고 있으나 이를 자연에서 얻은 깨달음으로 화자의 태도가 변화하고 있는 것이라고 보기는 어렵다. 또한 (나)는 '까치밥'에서 인정과 배려라는 교훈을 이끌어 내고 있을 뿐 역시 화자의 태도가 변화하고 있지는 않다.
❺ (가)는 새끼 거미와 큰 거미가 찾아와서 문 밖으로 버리는 경험을 반복한 것을 통해 가족 공동체가 붕괴된 것에 안타까움을 느끼며 공동체가 회복되기를 바라는 마음을 드러내고 있다. 또한 (나)는 까치밥을 남겨 두는 이유와 짚신 몇 죽을 남겨 두고 돌아가신 할아버지의 삶을 바탕으로 타인과 공동체를 배려하는 삶에 대한 지향을 드러내고 있다.

왜 말이 틀렸을까?

이 문제는 ①번을 고른 비율이 높았고, ③, ④번을 고른 비율도 적지 않아서 정답률이 낮았어. 하지만 선택지의 의미를 꼼꼼히 따져 보고 시에서 근거를 확인해 보았다면 함정을 잘 피해 갈 수 있었을 거야. 오답 중 ①번을 고른 비율이 가장 높았는데, ①번은 (가), (나) 모두 해당된다고 보기 어려워. (가)에 나타난 이별, 해체는 거미 가족의 현실이고 화자는 거

미라는 대상과 자신의 이별을 안타까워하는 것이 아니라 거미 가족의 해체를 안타까워하고 있는 것이거든. 새끼 거미가 '나를 무서우이 달어나 버리며 나를 서럽게 한다'라고 한 것을 보고 착각하지 말아야 하는데, 여기서 화자는 새끼 거미와의 이별을 안타까워하는 것이 아니라 가족이 있는 곳으로 보내 주려는 자신을 피하는 상황, 새끼 거미의 안쓰러운 모습에 안타까워하고 있는 거야. 한편 (나)에 나타난 이별은 할아버지의 죽음이 있는데 이에 대해 화자가 안타까워하는 모습은 찾을 수 없어. 즉 선택지에 제시된 '대상과의 이별'이 나타났는지, 그에 대해 화자가 안타까워하는지를 찬찬히 살펴보면 충분히 피해 갈 수 있는 오답이었지.

8.② 소재의 의미 파악하기

❷ ㉠ '보드라운 종이'는 화자가 '작은 것', 즉 '무척 작은 새끼 거미'를 감싼 것으로, 새끼 거미에 대한 조심스러운 태도, 배려를 나타낸다. 또한 ㉡ '까치밥 몇 개'는 겨울철에 굶주릴 날짐승들을 위해 남겨 두는 것이므로 역시 다른 대상에 대한 배려를 의미한다.

어휘풀이

- 미물(微物) 1. 작고 변변치 않은 물건. 2. 인간에 비하여 보잘것없는 것이라는 뜻으로, '동물'을 이르는 말.
- 합일(合一) 둘 이상이 합하여 하나가 됨. 또는 그렇게 만듦.

9.④ 시의 특징 파악하기

① '엄마와 누나나 형이 가까이 이것의 걱정을 하며 있다가 쉬이 만나기나 했으면 좋으련만 슬퍼한다'에서 거미들을 의인화하여 연민하는 태도가 드러난다.
② '차디찬 밤', '찬 밖'에서 촉각적 심상을 통해 거미 가족이 처한 비극적 현실을 부각하고 있다.
③ '쓸어버린다', '짜릿하다', '서러워한다', '아물거린다', '슬퍼한다' 등에서 현재형 어미를 사용하여 시적 상황을 생생하게 보여 주고 있다.
❹ 1연에서 새끼 거미를 무심하게 문 밖으로 쓸어버렸던 화자가 2연에서 큰 거미를 만나고 서러워하고, 3연에서는 무척 작은 새끼 거미를 만나 슬퍼하고 있다. 그러나 이러한 화자의 태도 변화에 따라 거미 가족이 처한 상황이 악화되고 있다고 볼 수는 없다. 화자가 2연과 3연에서 거미를 문 밖으로 버리는 것은 거미 가족이 다시 만나기를 바라는 마음이 반영된 것으로 거미 가족이 처한 상황의 악화를 가져온다고 볼 수 없다.
⑤ 1연은 2행, 2연은 4행, 3연은 6행으로 구성되어 화자의 심정이 무심함에서 서러움, 슬픔으로 심화되는 것을 효과적으로 드러내고 있다.

어휘풀이

- 연민(憐愍) 불쌍하고 가련하게 여김.

10.④ 외적 준거에 따라 작품 감상하기

① (가)에서 1연의 '문 밖'은 방바닥에 내려온 '거미 새끼'를 화자가 쓸어버린 공간으로, 이를 통해 '거미 새끼'와 2연의 '큰 거미'가 단절되고 있으므로 결국 1연의 '문 밖'은 가족 공동체가 해체된 공간이라고 할 수 있다.
② (가)에서 3연의 '문 밖'은 1연의 '문 밖'과 동일한 공간이지만 거미 가족들이 다시 만날 수 있는 공간으로 설정되었으므로, 가족 공동체가 해체된 공간인 1연의 '문 밖'과는 다른 의미를 지닌다.
③ (나)에서 '남도의 빈 겨울 하늘'은 '까치밥'이 남아 있

지 않은 공간으로, 화자가 지키려는 인정과 배려가 사라졌을 때의 모습이다.
④ (나)에서는 까치밥이 공중을 오가는 날짐승들이 배주릴 때 길을 내어 주는 등불이 되어 준다고 하고 있다. 따라서 이때 '길'은 공중을 오가는 날짐승들의 길일 뿐 시인의 고된 삶이 반영되었다고 볼 수는 없다. (나)에 시인의 고된 삶이 형상화된 것도 아니다.
⑤ (나)에서 '너희들이 가야 할 머나먼 길'은 생활하는 공간이 아닌 인생의 길과 같은 주체적으로 체득한 길로 이해할 수 있다.

고전 산문

Day 11 본문 056쪽

1. ③ 2. ② 3. ② 4. ④ 5. ②
6. ④ 7. ⑤ 8. ① 9. ① 10. ①
11. ③ 12. ①

【1~4】 작자 미상, '두껍전'

작품해설

동물을 의인화한 우화소설이며, 지은이와 지은 연대는 알 수 없다. 두꺼비가 주인공이 된 고전소설들을 아울러 두껍전류라 할 수 있으며, 두껍전의 이본은 크게 세 종류로 나뉜다. 여러 짐승들이 모여 상석(上席)에 누가 앉을 것이냐를 다투는 쟁좌형(爭座型) 두껍전, 신선이 두꺼비의 탈을 쓴 선관형(仙官型) 두껍전, 까마귀와 두꺼비가 들은 사랑에 대한 즐겁고 슬픈 이야기를 문답체로 엮은 일월형(日月型) 두껍전 '오섬가(烏蟾歌)'가 있다. 이 작품은 '선관형'에 해당하는데, 시험에 주로 출제되는 유형은 '쟁좌형'이다.

■ **갈래** : 고전 소설, 우화 소설
■ **성격** : 우의적
■ **주제** : 속죄를 위해 뛰어난 능력을 발휘하는 천상계의 인물

1. ③ 서술상의 특징 파악하기

① '그럭저럭 회갑 날이 이르러 ~ 두꺼비에게 문안하였다.'에서 섬세한 배경 묘사가 나타나지만, 이를 통해 작중 상황을 희화화하고 있지는 않다.
② 시간의 역전을 통해 인물의 심리 변화를 보여 주는 부분은 나타나지 않는다.
③ '두 사위'와 '장인'의 대화에서 '사냥 갔을 때에 두꺼비 동서를 만나서' 일어난 사건의 정황을 드러내고 있고, 두꺼비와 '장인'의 대화에서 두꺼비가 '선관이었'다가 '인간에 내쳐'져 일어난 사건의 정황을 드러내고 있으므로 적절하다.
④ 꿈과 현실의 교차를 통해 미래의 일을 암시하는 부분은 나타나지 않는다.
⑤ 현실 세태와 자연물의 대비를 통해 당대 사회상을 비판하는 부분은 확인할 수 없다.

2. ② 작품의 세부 내용 이해하기

① ㉠에서 '두 동서'가 '사냥한 것'을 달라고 하자 두꺼비가 허락하며 동서들의 부탁을 들어주고 있음을 알 수 있다.
❷ ㉡의 안쪽에서 '하늘에서' 내려온 하인들은 ㉠의 하인들이 아니며, 두꺼비가 하인들을 불러 ㉠에서 있었던 일에 대해 문책을 하고 있는 것이 아니므로 적절하지 않다.
③ ㉡에서 ㉢으로 이동한 두꺼비를 보고 '대감'이 '뉘 댁 사람입니까'라고 하는 것을 보아 대감은 두꺼비를 자신

의 사위라고 인식하지 못하고 있음을 알 수 있다.
④ ㉢에서 '부인'이 두꺼비의 '좋은 풍채'를 '반기며 좋아하는 것에서 부인이 두꺼비에 대한 생각을 바꾸게 됨을 알 수 있다.
⑤ ㉢로 ㉣로 가기 전에 '선관'이 '빈 상자'를 '장인'에게 주며 '잘 간수하'라고 말하는 것에서 두꺼비는 장인에게 간직할 물건을 주고 있음을 알 수 있다.

3. ② 소재의 의미 파악하기

❷ 두꺼비가 '두 동서'의 '등에다 도장을' 찍고 '회갑 날' '그대들은 나를 ~ 욕을 보였노라.'라고 하는 것을 보면 ⓐ는 계획한 일을 실현하기 위한 수단이다. 그리고 '천상에서' '옥으로 된 가마가 내려오'자 두꺼비가 '장인장모에게' '천명을 이기지 못하고 천상으로 올라'간다고 하는 것을 보면 ⓑ는 명령을 이행하는 데 쓰이는 수단이다.

4. ④ 외적 준거에 따라 작품 감상하기

① 두꺼비가 '진언'을 외워 '허물'을 벗으니 하늘에서 하인들이 내려오는 장면에서 두꺼비가 '선관의 의복을 제대로 갖춘 것을 보면 숨기고 있었던 주인공의 정체를 확인할 수 있다.
② '부인'이 두꺼비에게 '흉한 허물을 쓰고 있었'다고 언급하는 장면에서 두꺼비를 '좋은 풍채'라고 하며 '반기며 좋아하'는 것을 보면 가족들에게 인정받는 모습을 확인할 수 있다.
③ '회갑 날' '두꺼비 내외'를 '못 오게 하'는 장면에서 '그네들이' 두꺼비를 '미워하기 때문'이라고 한 것을 보면, 가족 구성원으로부터 박대를 당하는 주인공의 모습을 확인할 수 있다.
❹ '두 동서'가 '사냥한 것'을 달라고 하자 두꺼비가 허락하는 장면에서 두꺼비가 뛰어난 능력을 발휘하는 것이 속죄를 위한 것임을 확인할 수는 없으므로 적절하지 않다.
⑤ '두꺼비가 장인에게' 자신이 '천상에서 비를 내려 주는 선관이었'다고 말하는 장면에서 '인간에 비를 잘못 내린 죄로' 지상에 내려왔다고 말하는 것을 보면, 주인공이 천상에서 쫓겨나 지상의 삶을 살게 된 이유를 확인할 수 있다.

【5~8】 작자 미상, '왕경룡전'

작품해설

왕경룡전은 작자·연대 미상의 한문 소설집 '삼방전'에 실린 고전 소설이며, 이본으로는 〈왕어사경룡전〉, 〈청루지열녀〉 등이 있다. 기녀의 순정과 기녀에게 빠져 몰락과 상승의 길을 걷는 한 도령의 행로를 흥미 있게 엮은 애정 소설로, 후대에 많은 영향을 끼쳐 〈청루지열녀〉, 〈왕어사경룡전〉 등으로 번역되어 나왔다. 작품의 시대적 배경이 명나라 가정(嘉靖) 연간으로 되어 있다는 점과 중국 소설과의 연관성으로 보아 임진왜란 직후에 쓰인 것으로 추측된다. 이 작품은 중국 당대(唐代)의 애정 소설 〈이와전〉에서 영향을 많이 받았는데, 부잣집 아들이 기녀에게 빠져서 가지고 있던 재물을 모두 탕진하고 이어 냉대를 받아 쫓겨나며, 다시 그 기녀를 만나 그의 도움을 받게 된다는 기본 구성이 일치한다.

그러나 〈이와전〉은 이전의 잘못을 뉘우치고 불행하게 된 사람을 도와 출세시킨다는 기녀의 순정에 대한 재인식을 강조하였으나, 〈왕경룡전〉은 끝까지 기녀를 관인(官人)의 예속물로 다루어 흥미 본위로 끝맺고 있다. 이러한 차이를 통해 그 주제 의식이 근본적으로 다르다는 것을 알 수 있다.

■ **갈래** : 고전 소설, 한문 소설, 애정 소설
■ **시점** : 전지적 작가 시점
■ **배경** : 시간적 – 명나라 가정 연간(임란 직후)
　　　　　공간적 – 중국 소흥, 절강, 서주 일대
■ **주제** : 고난을 극복하고 이룩한 사랑의 소중함.
■ **등장인물**
　– 왕경룡: 남자 주인공. 옥단과의 사랑을 지키기 위해 죽음을 무릅쓰고 과거에 급제하여 사랑을 성취함.
　– 옥단: 여자 주인공. 어쩔 수 없는 가정 사정으로 기생이 되었으나 사랑하는 이를 위해 목숨을 걸고 정절을 지켜냄. 재치와 기지를 발휘해 위기 상황을 모면하여 자신의 뜻을 이룸.
　– 창모(기생 어미): 남녀 주인공과 대립되는 부정적 인물. 악인의 전형으로, 물질적 부에 대한 탐욕에 눈이 멀어 인간으로서 해서는 안 되는 일을 자행하는 인물.
　– 왕각로: 왕경룡의 아버지. 불의와 타협하지 않고 강직하며 유교적 이념에 충실한 인물.
　– 경룡의 모친: 아들을 따뜻하게 감싸 주는 인물.

5. ② 배경의 의미와 기능 파악하기

① 옥단은 공자를 보내고 '침방'에 돌아와 시비와 함께 옷을 찢어 손과 발을 묶고 엎어져 죽은 듯 쓰러져 있는다. 그리고 다음날 경룡의 무리들에게 결박당했다고 말하여 기생 어미를 속인다.
❷ 난영은 옥단이 '기생집'에 들어가기 전 '양가집에서 데리고 온 시비'이다. 따라서 '기생집'이 기생 어미가 부모를 잃은 옥단을 위해 난영을 시비로 내어 준 공간이라는 설명은 적절하지 않다.
③ 옥단은 경룡을 속여 재물을 빼앗으려고 했던 기생 어미의 잘못을 알리기 위해 '서주 관청'으로 기생 어미를 유인한다.
④ '북루'는 옥단이 경룡에게 절개를 더럽히는 지경에 이르면 죽겠다고 했던 다짐을 실천하는 공간이다.
⑤ 옥단은 경룡을 만나기 위해 절강으로 가던 중 '서주의 경계'에서 조씨 상인이 보낸 무리에게 끌려간다. 결국 '서주의 경계'는 경룡과의 만남을 바라던 옥단의 기대가 깨지는 공간이 된다.

6. ④ 작품의 세부 내용 이해하기

① 난영의 성품은 타인과 더불어 즐기는 것을 좋아하지 않는다고 하였다.
② 옥단은 서리를 청하여 문서를 쓰고 이웃 사람에게 서명하게 하였다.
③ 조씨 상인은 난영이 아닌 옥단을 얻기 위해 무리를 보냈다.
❹ 옥단은 관청에서 돌아온 뒤 기생 어미와 떨어져 북루에서 지내면서 난영에게 '쌀을 빌어 조석으로 바치게'하며 어렵게 살아갔다.

⑤ 이웃 사람들은 '노림'의 일을 다 알고 있었고, 옥단에게 송사를 권한 것은 서리들이었다.

오H 많이 틀렸을까?

아주 어려운 문제는 아니었는데도, 마지막 지문이라 시간이 아주 부족해서였는지 오답률이 꽤 높았어. 특히 ③번을 고른 비율이 컸어. 난영이나 옥단 모두 자색이 있다고 언급하고 있어서 급하게 읽은 학생들이 헷갈린 모양이야. 조씨 상인은 옥단을 얻기 위해 기생 어미와 협작을 하여 옥단을 북루에서 쫓아내지. 옥단이 길거리로 쫓겨나 돌아갈 곳이 없이 통곡하고 있을 때 어떤 할미가 나타나서 도움을 주는 척하지만, 결국 옥단을 조씨 무리에게 넘기는 역할을 하고 있어. 고전 소설 문제를 풀 때는 작품의 세부 내용을 꼼꼼히 읽어서 실수를 하지 않는 것이 가장 중요해. 문학이라도 비문학 지문을 읽을 때와 같은 분석적인 태도로 접근하도록 하자.

---

7. ⑤　　인물의 말하기 방식 파악하기

❺ [A]에서 이웃 사람들은 기생 어미가 '왕 공자가 재물을 훔쳐 도망갔다고 거짓말을 하여' 자신들이 기생 어미를 따라 '서주 관청'에 왔다고 말하고 있다. 이는 이웃 사람들이 옥단의 편을 들며 자신이 현재 장소로 오게 된 이유는 기생 어미에게 속았기 때문임을 밝히고 있는 대목이다. 한편 [B]에서 할미는 옥단에게 경룡을 만나기 위해 현재 장소인 '서주'를 떠날 것을 제안하고 있다.

---

8. ①　　외적 준거에 따른 작품 감상하기

❶ 장사치 할미는 쫓겨난 옥단에게 머물 곳을 제공하는 선인으로 행세하지만, 기생 어미에게 많은 재물을 받고 조씨 상인에게 옥단을 넘기려는 음모에 가담하기로 비밀리에 약속한 악인으로 밝혀진다.
② 기생 어미에게 재산을 빼앗기고 노림에서 목숨의 위협을 받았던 경룡이 다시 재산을 가지고 기생집을 찾아오자, 기생 어미는 또다시 경룡의 목숨과 재산을 노리게 된다. 하지만 옥단이 기지를 발휘하여 경룡은 자신의 재물을 되찾아 달아난다.
③ 조씨 상인에게 받은 재물을 돌려주는 것이 아까웠던 기생 어미는 조씨 상인에게 옥단을 넘기려는 음모를 꾸미고, 조씨 상인은 무리를 보내 옥단을 납치하게 된다.
④ 옥단과 재회한 경룡을 기생 어미가 해치려고 하자, 경룡이 옥단을 기생집에 남겨 두고 떠나는 모습에서 혼사 장애 모티프를 확인할 수 있다.
⑤ 옥단이 송사를 포기하는 조건으로 자신의 정절을 훼손하지 않겠다는 기생 어미의 승낙을 받아내는 장면에서 기생이지만 정절을 지키려 노력하는 옥단의 모습을 확인할 수 있다.

【9~12】 작자 미상, '진성운전'

작품해설

주인공 진성운이 세 명의 친구인 남순경, 윤호원, 이학녹과 함께 효행과 충절로 아버지의 원수를 갚고 나라를 위험에서 구하는 이야기를 담은 영웅 군담 소설이다. 복수의 영웅이 결연하는 과정과 그들의 가족이 혼사를 통해 연을 맺는 과정을 치밀하게 보여 주고 있다. 『진성운전』은 군담계 남성 영웅과 병행시켜 여성 영웅의 일대기를 구성하고 있는데, 여성 영웅에 관한 서술 분량을 늘리며 여성의 능력

을 긍정하는 근대 지향적 성격을 드러낸다는 특징이 있다.
- 갈래 : 영웅 소설, 군담 소설
- 성격 : 전기적, 영웅적, 근대 지향적
- 주제 : 진성운의 영웅적 일대기
- 특징
  - 각 면 12행, 각 행 평균 24자로서 한지에다 사람이 일일이 모필(毛筆)로 쓴 흘림체 한글 필사본 고소설임.
  - 이본과 제목이 다른 책이 있는 점을 미루어 보면 창작 당시는 큰 인기를 누렸던 작품이었을 것으로 추측됨.
  - 서술자 개입을 통해 중행달의 상황을 드러냄.

---

9. ①　　세부 내용 이해하기

❶ 성운은 순경과 학녹에게 '정병 오천씩 거느리고 적진 좌우에 매복하였다가 불이 일어남을 보고 또 군사를 놓아 쳐라.'라고 명을 내렸다. 이에 순경과 학녹은 불이 일어나자 사면에서 군사를 몰아 중행달을 공격하였다.
② 성운이 적군을 파하고 천자와 함께 장안에 도달해 있을 때, 맹호원이 '녹림산'으로 피란을 와 있는 '황후와 태자와 공주 세 자매'를 데려다가 진중에 가두었다.
③ 중행달이 보낸 격서는 '만일 천자가 항복하지 아니하면 황후, 태자, 공주 세 자매를 죽이리라.'라는 내용으로, 성운과 다시 맞붙고 싶다는 내용은 확인할 수 없다.
④ 성운은 순경이 아니라 군사 대여섯 명에게 적병의 옷을 입혀 진문 밖에 세우고는 군사가 좌우에서 옹위하게 하였다.
⑤ 성운이 순경에게 '만일 적이 성문을 열고 나오면 내가 군사를 거느리고 싸우다가 달아날 것이니'라고 미리 말하였다. 따라서 순경은 성운이 달아날 것을 이미 알고 있었다.

오H 많이 틀렸을까?

이 문제는 정답률보다 오답률이 더 높았고, 정답을 제외한 나머지 선지에 대한 분포가 고른 편이었어. 그만큼 헷갈리는 학생이 많았다는 뜻이겠지. 이 이야기는 전쟁이라는 사건 속에서 인물들이 펼치는 계략과 행동들이 치밀하게 묘사되어 있어. 천자의 가족들이 적의 볼모가 된 사건, 주고받는 서신의 내용, 성운의 꾀가 담긴 군사 작전들의 내용을 잘 파악해서 흐름을 놓치지 길 바라.

---

10. ①　　발화 의도 이해하기

❶ [A]에서 성운은 정체를 숨기고 자신을 '금인국 백화산의 신령'이라고 칭하며 같은 편인 것처럼 중행달을 속이고 있다. 또한 금인국 장수인 중행달의 임무를 하늘에서 부여한 것처럼 말하며 중행달에게 명령하고 있다. 반면에 [B]에서는 중행달을 '적장'이라 하여 자신이 그의 적임을 밝히고 있다.
② [B]에서만 '적장은 나의 재주를 모르느냐? 아느냐?' 하며 자신의 능력을 과시하고 있다.
③ [A]에서만 자신이 '금인국 백화산의 신령'이라고 하며 초월적 존재라고 말하고 있다.
④ [A]에서만 자신의 예지 능력을 근거로 들어 상대의 행동 변화를 촉구하고 있다.
⑤ [A]에서만 위기에 처한 백성을 위해 상대가 수행할 임무를 일깨우고 있다.

---

11. ③　　외적 준거를 통해 감상하기

① 중행달이 천자에게 항복을 종용한 행위는 〈보기〉에서 언급한 것처럼 영웅들이 지향하는 세계 질서를 위협하는 행위와 같다. 이러한 이유로 영웅들이 중행달을 적으로 규정한 것으로 볼 수 있다.
② 성운이 신령으로 변장하여 중행달에게 배를 묶으라고 지시한 것은 〈보기〉에서 언급한 것처럼 승리하기 위해 전략을 세운 모습으로 볼 수 있다.
❸ 성운이 군사 대여섯 명에게 적병의 옷을 입혀 천자의 가족이라고 속인 것은 전기적 능력이 아니라 〈보기〉에서 언급한 '현실적 차원에서 기지를 발휘'한 모습으로 볼 수 있다.
④ 이 이야기에는 진성운을 비롯한 복수(複數)의 영웅이 등장한다. 순경, 학녹, 호원이 함께 천자의 가족을 구한 후 학녹은 가족을 호위하여 장안으로 가고 순경과 호원은 중행달을 뒤쫓았다. 이것은 영웅들이 자신들이 지향하는 세계 질서를 회복하기 위해 힘을 합쳐 활약한 모습으로 볼 수 있다.
⑤ 성운이 세계 질서를 위협하는 중행달과 맹호원을 물리치고 승전곡을 부르며 돌아온 것은 영웅들이 지향하는 세계 질서가 회복된 모습으로 볼 수 있다.

---

12. ①　　상황에 맞는 사자성어 파악하기

❶ ㉠은 배를 한 곳에 잡아맨 상태에서 바람까지 불어 불꽃을 잡을 길이 없는 상황이다. 이러한 상황을 나타내는 말로는 '이러지도 저러지도 못하는 어려운 처지.'라는 뜻의 '진퇴양난(進退兩難)'이 가장 적절하다.
② '자가당착(自家撞着)'은 '같은 사람의 말이나 행동이 앞뒤가 서로 맞지 아니하고 모순됨.'을 뜻한다.
③ '이심전심(以心傳心)'은 '마음에서 마음으로 뜻이 통함.'을 뜻한다.
④ '다다익선(多多益善)'은 '많을수록 더욱 좋음.'을 뜻한다.
⑤ '기사회생(起死回生)'은 '거의 죽을 뻔하다가 도로 살아남.'을 뜻한다.

참고자료

'진성운전'의 전체 줄거리

명나라 신종 때 명신 진공필은 20세가 되어 유리국으로 사신이 되어 가는 도중에 우연히 곤경에 처한 임진사의 딸을 구해준다. 이 일이 인연이 되어 진공필이 위기에 처했을 때 임소저의 외할아버지인 선관의 도움을 받아 목숨을 구하고 임소저와 혼인하게 된다. 진공필이 임소저와 집으로 돌아오니 먼저 부인이 자결하고 만다. 임부인은 딸 성희와 아들 성운을 낳으니 남매가 모두 용모가 준수하고 재주가 탁월하다. 성운이 13세 되었을 때 임부인이 갑자기 병을 얻어 죽고 진공필은 간신 유경만의 모함을 받아 강남으로 귀양을 간다. 이때 형부시랑 정선걸이 진소저를 후처로 삼으려고 하자, 진소저는 동생과 헤어져서 남도독 집에 피신하여 남소저와 친구가 된다. 성운은 아버지를 만나려고 강남으로 가다가 남도독의 아들 순경을 만나 친구가 된다. 또 성운은 유경만의 참소로 억울하게 죽은 윤승지의 아들 호원을 만나 친구가 되고 그의 큰누이 형옥과 혼약한다. 성운이 강남에 도착하여 진상서를 만나지만 병든 진상서는 곧 죽는다. 성운은 꿈에서 어머니의 외할아버지의 지시를 받고 도사를

만나 무예를 익힌다. 남도독 부인은 진소저를 며느리로 삼고자 혼약을 정해둔다. 10세가 된 성운은 원수를 갚기 위해 속세로 나와 학록을 만나 친구가 되고, 남해귀신으로부터 칼 두 자루와 말 두 필을 얻는다. 유경만이 남도독을 모함하니 남도독 부부가 자결한다. 이때 연나라가 명나라를 침공하니, 유경만은 연나라에 항복, 합세하고 천자는 위태로운 상황에 처한다. 성운·학록·호원·순경 네 사람은 힘을 합쳐 적을 격파하고 천자를 구한다. 천자는 그들을 각각 초왕·위왕·조왕·제왕에 봉한다. 성운은 공주와 호원의 큰누이를 취하고, 순경은 진소저와 호원의 둘째 누이, 학록은 순경의 누이와 혼인한다.

Day 12

1. ② 2. ④ 3. ① 4. ④ 5. ③
6. ④ 7. ② 8. ② 9. ② 10. ⑤
11. ④

【1~4】 작자 미상, '월영낭자전'

작품해설

중국 송나라를 배경으로 천상 선녀였던 월영이 호원의 딸로 태어나 최희성과 정혼한 뒤 온갖 고난을 겪다가 행복을 이루는 과정을 담은 고전 소설이다. 적강 소설의 기본 구성을 따르면서 전반부에는 혼사 장애의 사건이, 후반에는 여러 처첩 간의 갈등 속에서 악인이 선인을 모함하는 사건이 그려져 있다. 제시된 장면은 부모를 잃은 월영이 위 자사의 강제 혼인 시도에 맞서는 내용이다.

■ **갈래** : 가정 소설, 적강 소설
■ **성격** : 전기적, 교훈적
■ **배경** : 중국 송나라
■ **등장인물**
　– 월영 : 현숙하고 아름다우며 재주를 지닌 인물로 최희성에게 신의를 지니고 있음. 위 자사의 청혼을 거부한 뒤 강제 혼인 시도를 지혜롭게 물리침.
　– 위현(위 자사) : 소주 자사로 월영에게 청혼했다 거절당하나 포기하지 못하고 계교를 부려 강제로 혼인하고자 함.
■ **구성**
　– 발단 : 중국 송나라 때 이부시랑 최현이 뒤늦게 아들 희성을 얻고 친구 호원의 딸 월영과 정혼시킨다.
　– 전개 : 호원이 간신의 모해로 죽고 부인도 자결하자 소주 자사 위현이 월영을 재취로 맞으려 한다. 월영은 핍박을 피해 자살한 것으로 위장하고, 남장한 채 피신하여 절강에 사는 경어사의 부인을 만나 양녀가 된다.
　– 위기 : 월영이 죽은 줄 안 희성은 과거에 장원한 후 민 상서의 딸과 혼인하고, 숙 부인의 병 문안을 갔다가 월영을 우연히 만나 집으로 데려와 혼례를 올린다.
　– 절정 : 희성은 임금의 장인인 정한의 압력으로 정씨와도 혼인하는데, 월영을 시기한 정씨의 모함으로 월영은 누명을 쓰고 옥에 갇혀 그 안에서 쌍둥이를 낳는다.
　– 결말 : 정한의 계교로 월영이 처형당하려 할 때 천상에서 선관들이 내려와 월영이 천상의 인물임을 알려 목숨을 구하고, 정씨가 자결한 뒤 나머지 가족들은 화목하게 지낸다.
■ **주제** : 일부다처제에서의 결혼 생활이 빚어낸 가정의 비극

어휘풀이
• 모해(謀害) : 꾀를 써서 남을 해침.
• 차인(差人) : 관아에서 임무를 주어 파견하던 일. 또는 그런 사람.
• 화용월태(花容月態) : 아름다운 여인의 얼굴과 맵시를 이르는 말.
• 차탄(嗟歎) : 탄식하고 한탄함.

• 군자호구(君子好逑) : 군자의 좋은 짝.
• 채단(采緞) : 혼인 때에, 신랑 집에서 신부 집으로 미리 보내는 푸른색과 붉은색의 비단. 치마나 저고릿감으로 쓴다.
• 불연즉(不然則) : 그렇지 않으면.
• 언파(言罷) : 말을 끝냄.
• 침음하다(沈吟—) : 1. 속으로 깊이 생각하다. 2. 근심에 잠겨 신음하다.
• 개착하다(改着—) : 옷을 갈아입다.

1. ② — 서술상 특징 파악하기

① 현실의 사건이 전개되고 있을 뿐 꿈과 현실이 교차되는 장면은 나타나지 않으며 낭만적 분위기와도 거리가 멀다.
❷ (중략) 이후에 낭자가 위 자사가 보낸 관군을 물리칠 때 '규중에 조그마한 처자로 ~ 도망함은 목숨을 아낌이라.'라고 한 부분과, 관군들이 돌아가 자사에게 상황을 전할 때 '낭자는 본대 지혜 용맹 있는 여자라.'라고 한 부분에서 사건과 인물에 대한 서술자의 주관적인 평가가 드러나고 있다.
③ 다른 사물에 빗대어 비유적인 뜻을 나타내거나 풍자하는 방법인 우의적 기법이 사용된 부분은 찾을 수 없다.
④ 위 자사가 월영에게 강제로 혼인을 요청하고 계교로 이를 이루려고 하는 사건이 시간의 흐름에 따라 제시되고 있을 뿐, 이야기 속에 하나 또는 그 이상의 이야기가 들어 있는 액자식 구성은 나타나지 않았다.
⑤ 월영의 외양이 '화용월태'라고 언급하거나, 인물의 행동을 '차인이 무료하여 돌아와 ~ 말을 자세히 고한대', '일봉 서간을 만들고 봉채를 차려 시비를 주며 왈', '봉서를 담아 그 노복으로 금백 채단을 도로 합에 넣어 보내니', '비수를 빼어 우선 자객 삼 인을 베니'와 같이 서술하고 있다. 그러나 인물의 외양과 행동을 섬세하고 치밀하게 묘사한 부분은 찾을 수 없다.

왜 많이 틀렸을까?

소설의 서술상 특징을 묻는 문제는 현대 소설이나 고전 소설에서 늘 출제되는 유형인데, 이 문제는 정답의 근거를 찾기 어려운 한편 오답 선택지에 대해 착각하기 쉬워서 오답률이 높았어. 서술자의 주관적 평가가 나타난다는 것은 서술자가 인물이나 사건에 대해 직접 개입하여 논하고 비평하는 것으로 편집자적 논평이라고도 해. 이러한 요소는 지문을 읽으며 작품 바깥의 서술자의 입장에서 인물이나 사건에 대한 감상이나 평을 제시한 부분을 통해 드러나. 오답 선택지 중 ③번과 ⑤번을 선택한 비율이 높았는데, 일단 ③번을 골랐다면 우의적 기법이 무엇인지 정확하게 이해하지 못한 것은 아닌지 점검해 볼 필요가 있어. ⑤번은 좀 헷갈릴 수 있었는데, 인물이나 사건에 대해 '섬세하고 치밀하게 묘사'한다는 것은 단순히 '서술'하는 것과 다르다는 점을 기억해 두자.

2. ④ — 구절의 의미와 기능 이해하기

① ㉠은 위 자사가 시비에게 해야 할 일을 이른 것을 대신한 말로, 인물 간에 내재된 갈등을 직접 언급하고 있지는 않다.
② ㉡은 월영이 봉서와 금백 채단을 돌려보낸 일을 대신한 말로, 이를 통해 여러 사건에 대한 인물들의 다양한 입장을 예상하거나 인물 간의 관계를 추론할 수 있는 것은 아니다.

③ ⓔ은 월영이 노복들에게 화를 면하기 위한 방책을 이른 것을 대신한 말로, 인물의 성격 변화를 나타낸다고 볼 수 없다.

④ ⓛ은 월영이 봉서와 금백 채단을 돌려보낸 일을 대신한 말이고, ⓒ은 월영이 위 자사가 보낸 관군을 물리친 일을 대신한 말이다. 따라서 ⓛ, ⓒ은 모두 앞에서 일어났던 사건의 주요 내용을 생략하여 반복적 진술을 피하게 하는 기능을 한다.

⑤ ⓒ은 월영이 위 자사가 보낸 관군을 물리친 일을 대신한 말로, 인물이 앞으로 취할 행동을 나타내지 않는다. ⓔ은 월영이 노복들에게 화를 면하기 위한 방책을 이른 것을 대신한 말로, 인물이 앞으로 취할 행동을 나타낸 것으로 볼 수 있다.

3. ① 　　　　　글의 세부 내용 파악하기

❶ [A]는 위 자사가 최생이 보낸 것으로 꾸며 보낸 서간을 보고, 낭자가 위 자사가 보낸 것을 눈치채고 그와 같이 의심하는 이유를 말한 부분이다. 그러나 [A]에 최생이 자신에게 그간의 안위를 묻지 않았다는 내용은 제시되어 있지 않다.

② '최생이 나를 데려가려 할진대, 천리 원정에 노복만 보내지 아니할 것'에서 알 수 있다.

③ '서간의 말씀이 심히 허소하니'에서 알 수 있다. '허소하다'는 것은 허술하거나 허전한 것을 의미한다.

④ '나의 월귀탄은 보내지 아니하였으니'에서 알 수 있다. [앞 부분 줄거리]에서 월귀탄은 귀걸이로 월영이 희성에게 준 정혼의 징표라고 했다.

⑤ '최 상서는 본대 정직한 군자라. 어찌 원로에 이렇듯 보배를 보내리오.'에서 알 수 있다.

4. ④ 　　　　　외적 준거에 따라 작품 감상하기

① 〈보기〉에서 이 글은 주인공의 결연 과정에서 혼사를 어렵게 만드는 혼사 장애 모티프를 바탕으로 하고 있음을 알 수 있다. 위 자사가 지위와 부귀영화를 내세워 월영에게 청혼한 뒤 거절당하자 계교 등으로 강제 결혼을 하려고 하는 것에서 낭자(월영)와 최생(최희성)의 혼인을 어렵게 하는 혼사 장애 모티프가 드러난다고 할 수 있다.

② "우리 등은 위 자사의 ~ 혼백이 될 것이니"에 관군들이 위 자사의 명을 받고 무기를 들고 와 낭자를 강제로 끌고 가려는 모습이 나타나며, 이를 통해 권력의 폭력성이 드러난다고 할 수 있다.

③ 낭자가 차인을 통해 위 자사의 혼인 요청을 듣고 "인륜대절은 아나니 ~ 사대부 여자로 도리가 있거늘"이라고 말하며 거절하는 모습에서 인륜을 중시하는 주인공의 가치관이 드러난다고 할 수 있다.

❹ 낭자는 관군과 맞서며 "지금까지 목숨을 보전하기는 ~ 부모의 유언도 있을뿐더러 후사를 근심함일러니"라고 한 뒤, "너희 등의 핍박을 보니 어찌 소소한 일을 생각하고 잔명을 구차히 살아 무엇에 쓰리오."라고 말하며 관군을 물리친다. 낭자가 부모의 유언을 따르고 후사를 잇기 위해 목숨을 보전해 온 것은 고난을 주체적으로 극복해 나가려는 근대적 여성상과 거리가 먼 부분이므로 이 점을 통해 근대적 여성으로서 주인공의 면모가 드러난다는 것은 적절하지 않다.

⑤ 낭자가 관군들을 쫓은 뒤 자사의 흉계를 짐작하고 거짓말로 병이 위중하다고 꾸민 후, 남복을 입고 금안

으로 달아난 것에서 주인공인 낭자의 지략이 드러난다고 할 수 있다.

어휘풀이
• 위력(威力) : 상대를 압도할 만큼 강력함. 또는 그런 힘.

[5~8] 작자 미상, '유씨전'

작품해설

죽음을 무릅쓰고 열행(여자가 정절을 훌륭하게 지키는 행위)을 행한 유씨의 의지를. 죽음과 재생이라는 비현실적인 사건 전개를 통해 그린 고전 소설이다. 유씨는 남편이 죽자 현실적 고난에 맞서다 남편을 따라 죽음을 택하고, 염왕이라는 초월적 존재 앞에서도 의지를 굽히지 않음으로써 죽음을 극복하는 보상을 얻어 낸다. 정절이 중요시되는 시대를 살아가는 여인의 주체적, 의지적 태도가 드러나는 작품으로 볼 수 있다.

[놓치지 말자!]
■ 갈래 : 열녀 소설
■ 성격 : 비현실적
■ 배경 : 절도(유배지), 저승
■ 등장인물
　– 유씨 : 춘매의 아내. 죽은 남편을 따라 저승에 가서 홀로 이승으로 돌아가라는 염왕의 말을 따르지 않고 남편과 함께하겠다고 하여 부부가 함께 회생하게 됨.
　– 춘매(한림) : 유씨의 남편. 억울한 죽음을 당한 뒤 혼백으로 나타나 유씨를 위로하다가 유씨와 함께 저승으로 감.
　– 염라왕(염왕, 대왕) : 기한이 되지 않았는데 저승으로 온 유씨를 달래다가 유씨의 정절에 감탄하여 부부를 함께 이승으로 돌려보냄.
■ 구성
　– 발단 : 유형남의 딸 유씨와 전 승상의 아들 춘매가 결혼하고, 과거에 급제한 뒤 한림학사가 된 춘매는 시기하는 무리의 모함을 받아 유배를 가게 된다.
　– 전개 : 유씨는 춘매가 유배지에서 죽었다는 소식을 듣고 시신을 가지러 가고, 도중에 해평태수의 겁탈을 피해 그의 팔을 자르고는 투옥되나 사건이 진상이 밝혀진 뒤 풀려난다.
　– 위기 : 유씨는 유배지에 이르러 춘매의 시신을 찾아 애통해하고, 춘매가 혼백으로 나타나 유씨를 위로하고 다시 죽자 설움에 겨워 죽게 된다.
　– 절정 : 유씨의 혼백이 죽을 때가 되지 않았다며 자신을 돌려보내려는 염왕의 말을 따르지 않고 여필종부의 정절을 주장하자 염왕이 유씨를 가상히 여겨 유씨 부부를 재생시킨다.
　– 결말 : 재생한 춘매와 유씨는 여러 자식을 낳아 부귀영화를 누리다가 함께 죽는다.
■ 주제 : 죽음을 불사한 유씨의 열행과 의지

어휘풀이
• 흥진비래(興盡悲來) 즐거운 일이 다하면 슬픈 일이 닥쳐온다는 뜻으로, 세상일은 순환되는 것임을 이르는 말
• 기박하다(奇薄——) 팔자, 운수 따위가 사납고 복이 없다.
• 불측하다(不測——) 미루어 헤아릴 수 없다.
• 애연히(哀然–) 슬픈 듯하게

• 구천(九泉) 땅속 깊은 밑바닥이란 뜻으로, 죽은 뒤에 넋이 돌아가는 곳을 이르는 말
• 여필종부(女必從夫) 아내는 반드시 남편을 따라야 한다는 말
• 무색하다(無色—) 겸연쩍고 부끄럽다.

5. ③ 　　　　　서술상의 특징 파악하기

① 이 글은 시간의 흐름에 따라 사건을 전개하고 있을 뿐, 시간의 역전은 나타나 있지 않다.

② 남편 춘매가 혼백으로 나타나고 유씨의 혼백이 저승으로 가는 비현실적 상황이 나타날 뿐 꿈은 삽입되어 있지 않다.

❸ [중략 부분 줄거리] 이후 부분에서 유씨와 염왕과의 대화를 통해 원명에 다라 유씨를 이승으로 돌려보내려는 염왕과 남편과 함께 저승에 남으려는 유씨의 갈등 상황이 드러나고 있으므로, 인물 간의 대화를 통해 갈등 상황을 구체화하고 있다는 진술은 적절하다.

④ 이 글은 전지적 작가 시점으로 작품 바깥의 3인칭 서술자가 사건을 전달하고 있으며, 서술자를 교체하고 있지는 않다.

⑤ 시간의 흐름에 따라 전개되는 사건을 차례로 제시하고 있을 뿐, 동시에 벌어진 사건을 병치한 부분은 찾을 수 없다.

6. ④ 　　　　　작품의 내용 이해하기

① 염왕이 '춘매는 인간에게 가서 시한을 어기었다.'라고 하며 사신에게 '급히 잡아들이라'라고 명령했다고 한 것에서 확인할 수 있다.

② '유씨 혼백이 한림을 붙들고 구천을 급히 따라오'자, 춘매가 '그대는 어찌 오는가. 바삐 가옵소서.'라고 한 것에서 춘매는 구천으로 자신을 따라오는 유씨를 만류했음을 알 수 있다.

③ '청산이 먼저 들어가 정양옥께 유씨 오심을 전하니 양옥이 놀라 칭찬하고, '십 리 밖에 나와 기다렸다.'라는 것에서 확인할 수 있다.

❹ 유씨는 자신을 마중하러 나온 양옥에게 '그간 중에도 위문하러 나오시다니 실로 미안하여이다.'라고 하고 있을 뿐, 춘매의 죽음과 관련하여 양옥을 원망하는 모습을 보이고 있지는 않다. 참고로 정양옥은 춘매와 유배지에서 호형호제하며 지낸 인물이다.

⑤ 춘매가 사신에게 '내 돌아오는 길에 아내의 혼백을 만나 다시 돌아가라 만류하다가 시한을 어기어 하는 수 없이 데리고 들어가노라.'라고 한 것에서 확인할 수 있다.

7. ② 　　　　　인물의 말하기 방식 파악하기

① [A]와 [B] 모두 상대방을 원망하는 태도가 드러난다고 볼 수는 있으나 상대방을 질책하며 사죄를 요구하고 있는 것은 아니다.

❷ [A]에서는 남편 춘매의 관 앞에 이른 유씨가 '이제 가시면 백발 노친과 기댈 곳 없는 첩은 어찌하라고'라고 하며 슬픔을 토로하고 있고, [B]에서는 유씨가 자신을 달래 보내려 하는 염왕에게 '남편 춘매에게 어찌 부모 자식 간에 사랑을 이리도 일찍 저버리게' 했으며 '젊은 인생 배필 없이 어이 살며 의탁할 곳 없는 몸을 누구에게 붙여 살'라는 것이냐며 원망을 토로하고 있다. 즉, [A]와

[B]는 모두 유씨 자신과 타인(백발 모친, 남편 춘매)의 불행한 처지를 들어 자신의 감정을 토로하고 있다고 할 수 있다.
③ [A]는 죽은 남편에게 자신의 슬픔과 한스러움을 토로하는 내용으로 상대방의 약점을 공격하고 있지는 않다.
④ [B]는 염왕에게 남편과 저승에 함께 있겠다는 의지를 밝히는 부분으로 유씨는 '여필종부는 인간의 제일 정절'이라고 하고 있을 뿐 자신의 직책을 밝히고 있는 것은 아니다.
⑤ [A]에서 과거의 경험을 회상하는 부분이나, [B]에서 미래의 상황을 가정한 부분은 찾을 수 없으며, 둘 다 상대방을 위로하고 있지 않다.

8. ② 외적 준거에 따라 작품 감상하기

① 염왕은 저승에서 남편과 함께하고자 하는 유씨의 '백설 같은 정절과 절의에 탄복하여' 유씨와 춘매를 이승으로 '함께 도로 내려보내'려 한다. 이는 〈보기〉에서 언급한 비현실계에서 현실계로 이어지는 염왕의 보상으로 볼 수 있다.
❷ 염왕이 유씨에게 '춘매는 제 원명으로 잡아 왔다'고 말한 것은 춘매는 목숨이 다해 잡아 왔다는 의미로, 춘매의 능력을 알아보기 위한 시험으로 볼 수 없다. '그대의 마음을 탐지해 보고자 함이니 도리어 무색하도다.'라고 한 것으로 보아, 〈보기〉에서 언급한 비현실계에서 주어지는 시험은 염왕이 유씨의 정절을 확인해 보고자 한 것으로 볼 수 있다.
③ 염왕이 '그대 모친과 춘매 모친은 누구에게 부탁하고 왔느냐'라고 묻자 유씨가 '공방 독침 혼자 누워 무슨 봉양하며', '부부지정은 끊지 못하겠'다고 말한 것을 통해, 〈보기〉에서 언급한 다른 유교적 가치(효)에 앞서 사랑을 택하는 적극적 모습이 드러난다고 할 수 있다.
④ 유씨가 '불측한 일을 당하여 목숨을 겨우 부지하'며 '삼천 리 길을 마다 않고' 춘매의 관 앞에 당도한 것은, 남편에 대한 사랑으로 〈보기〉에서 언급한 현실 세계의 고난을 견뎌 내는 모습이라고 할 수 있다.
⑤ 유씨는 염왕이 '다른 배필을 정하여 줄 것이니 네 여연을 다 살고 돌아오라'하자 '대왕이 어찌 무류한 말씀으로 건곤재생의 여자로 더불어 희롱'하느냐며 염왕을 꾸짖는다. 이를 통해 〈보기〉에서 언급한 초월적 존재 앞에서도 의지를 굽히지 않는 당당한 모습과 주체적인 모습을 확인할 수 있다.

【9~11】 김만중, '구운몽'

지문해설

서포 김만중이 남해 유배 시절 어머니 윤씨 부인의 한가함과 근심을 덜어주기 위하여 지었다고 전해지는 우리나라 양반 소설의 대표적 작품이다. 유교, 도교, 불교 등 한국인의 사상적 기반이 총체적으로 반영되어 있으며 불교의 공(空) 사상이 중심을 이루고 있다. 성진이라는 불제자가 하룻밤의 꿈속에서 온갖 부귀영화를 맛보고 깨어나, 인간의 부귀영화는 일장춘몽에 불과하다는 것을 느껴 불법에 귀의하게 된다는 내용으로 몽자류 소설의 효시가 된다.
■ **갈래** : 고전 소설, 몽자류 소설, 염정 소설
■ **시점** : 전지적 작가 시점
■ **문체** : 문어체, 산문체
■ **배경** : 시간-당나라 때, 공간-중국 남악 형산의 연화봉

■ **창작 동기** : 귀양지에서 노모를 위로하기 위해 창작
■ **구성** : 현실세계-환몽세계-현실복귀
■ **연대** : 숙종 15년(1689)
■ **특징**
– 꿈과 현실의 이중 구조를 취하고 있음.
– 관용적 표현과 유형적 문체의 사용이 두드러짐.
– 전기적 요소, 우연적 사건 전개로 비현실적인 작품 세계를 보여줌.

9. ② 작품의 내용 이해하기

① 양생이 섬월이 말하던 여자임을 떠올리며 '어떤 여자이기에 두 서울 사이에 이렇듯 이름을 얻었는고?'라고 생각하는 부분을 통해 양생이 정 소저가 명성이 높음을 알고 있었음을 확인할 수 있다.
❷ 양생은 과거에는 마음이 없었으나 두련사가 정 소저를 언급하며 '신방 급제를 하면 이 혼사를 의논'할 수 있다고 말하였다. 양생은 이러한 말을 듣고는 정 소저와의 혼인을 위해 '이번 과거는 소자의 주머니 가운데 있는 것이나 다름이 없습니다'라며 자신감을 보이고 있다. 이를 통해 양생은 과거 시험을 피하고자 하지 않았음을 확인할 수 있다.
③ 거문고 소리를 들은 '정 사도 집에서 작은 교자와 시비 한 사람을 보내 거문고 타는 여자를 청하였다.'고 하였다.
④ 젊은 여관이 부인에게 '소저의 가르치심을 바라나이다'라고 청하니 곧 정 소저를 불러내었으므로, 부인은 정 소저가 젊은 여관에게 가르침을 주는 것에 동의하였음을 확인할 수 있다.
⑤ 거문고 소리를 들은 전 노파가 '우리 부인이 들으시면 부르실 법하니 두련사는 저 사람을 머물러 두소서'라고 당부하고 가자, 두련사가 양생에게 이 말을 전하고 좋은 소식이 오기를 기다리는 내용이 제시되어 있다. 이를 통해 두련사는 부인이 전 노파의 이야기를 듣고 양생을 불러주기를 기대하였음을 확인할 수 있다.

오H 많이 틀렸을까?
내용은 어렵지 않은데 고전 소설에서 사용하는 표현이나 사건 전개의 흐름 등을 잘 이해하지 못해서 실수한 부분이 생기는 문제였어. '양생', '두련사', '전 노파', '부인', '정 소저'의 행동과 말하는 의도 등을 잘 이해하고 세부적인 내용을 놓치지 않아야겠지.

10. ⑤ 인물의 말하기 방식 파악하기

❺ [A]에서는 '다만 평생 바라는 바가 있어 처자의 얼굴을 보'게 해 달라며 자신이 원하는 바를 직접 드러내고, [B]에서는 양생은 '소저의 가르치심을 바라나이다'라고 말하며 정 소저의 얼굴을 직접 보기 위해 부인으로 하여금 정 소저를 불러내도록 유도하고 있다.

11. ④ 외적 준거를 통해 작품 감상하기

① 양생이 자신의 신분을 속이기 위해 여사도의 복장으로 정 사도 집에 들어가는 부분은 속임수를 통해 긴장감을 유발한다고 할 수 있다.
② 구혼하기 전에 처자의 얼굴을 보고 싶어하는 양생에게 두련사는 '재상가 처자를 어찌 서로 볼 수 있으리오'

라고 말하고 있고, 양생은 '계교를 베풀어 무슨 수를 써서라도 잠깐 바라보게' 해달라고 부탁하는 내용이 제시되어 있다. 이를 통해 양생이 재상가의 처자인 정 소저를 만나는 것은 당대의 사회적 금기를 넘어서는 행동임을 확인할 수 있다.
③ 양생이 정 소저를 만나기 위해 두련사의 도움을 받고 전 노파를 이용해 부인에게 초대받는 부분은 욕망의 성취 과정이라고 할 수 있다.
❹ 부인이 양생의 거문고를 보며 좋은 재목이라고 칭찬하자 이에 양생이 거문고를 천금이라도 바꾸지 않겠다고 말하는데, 이는 부인의 말에 대해 동의하며 매우 귀한 거문고임을 강조하는 것이다. 이를 인간 본연의 욕망이 드러나는 것으로 이해하는 것은 적절하지 않다.
⑤ 마침내 양생은 정 소저와의 만남을 이루는데 이 과정은 욕망의 성취 과정이라고 볼 수 있다. 이때 양생이 정 소저와의 만남을 이루는 과정에서 '눈이 부시고 정신이 요란하여 가히 측량하지 못할 지경이었다.'라고 표현하며 다급해 하고 정신이 요란해지고 안타까워하는 감정의 변화를 드러내고 있음을 확인할 수 있다

Day 13
본문 068쪽

1. ②	**2.** ⑤	**3.** ②	**4.** ①	**5.** ⑤
6. ④	**7.** ④	**8.** ④	**9.** ③	**10.** ②
11. ①	**12.** ①			

【1~4】 작자 미상, '옥단춘전'

작품해설

권선징악적 결말 구조를 보이면서도, 고전 소설에서 자주 보이는 초월적 존재의 도움, 비현실적인 요소의 도입 등은 거의 보이지 않는 작품으로, 애정 소설의 성격도 보여준다. 주인공 김진희와 이혈룡은 평생 서로 도우며 살기로 약속한 죽마고우이나, 김진희는 평안감사가 된 후, 자신에게 도움을 청하러 온 이혈룡을 박대하며, 그를 물에 빠져 죽이려고 한다. 기생 옥단춘의 도움으로 겨우 살아난 이혈룡은 옥단춘의 극진한 지원과 보살핌 속에 과거 시험을 합격한다. 훗날 이혈룡은 암행어사 신분을 감추고 김진희를 다시 찾아가나, 김진희는 이혈룡과 옥단춘을 또 한번 위기에 빠트린다. 결국 이혈룡은 김진희에게 벌을 내리고 목숨은 살려주려 하였으나, 김진희는 하늘에서 내리친 벼락을 맞고 죽고 만다.

■ **주제** : 옥단춘과 이혈룡의 사랑, 사대부의 허위 의식에 대한 비판

1. ② 서술상의 특징 파악하기

① 김 감사(김진희)의 잔치 자리에 나타난 이혈룡과 김 감사, 옥단춘이 나누는 대화와 행동을 중심으로 사건이 전개되고 있다.
❷ 옥단춘의 겉모습을 '소복 단장한 채로 분결 같은 손목'이라고 묘사한 부분과 암행어사가 출도하자 혼비백산하며 도망치는 각 읍의 수령들의 우스꽝스러운 모습을 묘사한 부분이 있으나, 이를 통하여 인물의 성격 변화를 보여 주고 있다고 보기는 어렵다.
③ 암행어사가 나타나자 각 읍의 수령들이 겁을 내며 도망가는 모습을 '칼집 쥐고 오줌 싸고~ 갈팡질팡 도망친다'와 같이 과장을 통하여 표현하였다. 또한 김 감사의 모습을 '혼비백산 달달랄 제~신발들에 하느라고 야단이라'와 같이 과장하여 표현함으로써, 암행어사가 나타나기 전의 의기양양하던 모습과 대조를 이루어 해학성을 더하고 있다.
④ 이혈룡이 김 감사에게 자신이 연광정에서 놀다가 물 속에 빠짐을 당해 죽을 뻔한 사건을 독백을 통해 요약하여 전달하고 있다. 또한 다시 잡혀온 이혈룡을 보고 옥단춘은 자신이 집에 있으라고 당부하였는데, 다시 찾아와 봉변을 당하게 되었냐고 호소하는 것을 통해 지난 사건을 유추할 수 있다.
⑤ 옥단춘이 이혈룡의 처지를 슬퍼하며 호소하는 장면에서 '옥단춘의 정상을 누가 아니 슬퍼하랴'라는 부분, 암행어사의 출도 후에 수령들과 김진희가 우왕좌왕하는 모습을 두고 '그중에서~거동 가관이다', '평양 감사 김진희의 거동이 가장 불만하니라' 등에서 서술자 개입으로 인물에 대한 주관적 감정이 드러난다.

2. ⑤ 인물들의 관계 파악하기

① 옥단춘이 이혈룡을 앞에 두고 통곡하며 '요전번에 죽을 목숨 살려 백년해로 언약하고 즐겁게 살려 하였더니'라고 하고 있으므로, 이혈룡과 옥단춘의 언약은 서로의 합의 하에 이루어진 것임을 알 수 있다. 따라서 이혈룡이 옥단춘과의 언약을 후회한다는 설명은 적절하지 않다.
② 김 감사는 자신을 찾아온 이혈룡을 보고, '네가 저번에 죽지 않고 또 살아서 왔느냐?'라고 반문하는 것으로 보아, 이혈룡이 찾아올 것을 짐작하지 못했음을 알 수 있다.
③ 다시 찾아온 이혈룡을 보고 김 감사는 등골이 섬뜩함을 느끼고, 곁에 있는 비장에게 방도를 물어보자, 비장은 '죽은 원혼이 어찌 사람 모습이 되어 올 수 있으니까?'라고 반문하며 사공을 불러다가 문초할 것을 권하고 있다. 따라서 비장은 김 감사의 호통에 이혈룡을 모함한다고 설명은 적절하지 않다.
④ 김 감사는 이혈룡에 대한 처벌을 지시하며 자신의 수청을 거절한 옥단춘을 잡아내리고 호통을 치고 있으므로, 김 감사의 호의로 옥단춘이 위기 상황에서 벗어났다는 설명은 적절하지 않다.
❺ 옥단춘은 자신이 붙잡힌 상황에서도 이혈룡을 돌아보며 '그처럼 집을 보고 있으라고 신신당부하였는데 정말로 귀신이 되려고 여기 왔소?'라고 반문하며 이혈룡이 억울하게 죽게 될 것을 염려하며 비통해하고 있다. 따라서 옥단춘은 이혈룡이 자신의 당부를 듣지 않아 낙담한다는 설명은 적절하다.

3. ② 외적 준거에 따라 감상하기

① 김 감사는 형편이 어려워 자신을 찾아온 이혈룡을 매정하게 대하며 물에 빠져 죽게 하려 하였고 목숨을 건져 살아 돌아온 이혈룡을 잡아 고문하고 있다. 이를 통해 〈보기〉에서 언급한 '부도덕한 사대부'의 모습을 확인할 수 있다.
❷ 김 감사는 뱃사공에게 이혈룡을 물에 빠뜨려 죽일 것을 명령하였으나, 이를 이행하지 않은 사공은 결국 '능지가 되도록 때'리는 고문에 못이겨 자신이 저지른 일을 사실대로 밝히게 된다. 따라서 김 감사의 영을 거역한 뱃사공이 문초를 당하는 것은 김 감사가 이혈룡을 죽이기 위해 세운 계략이 실패하였기 때문이지, 〈보기〉에서 언급한 악인을 징계하는 것과 관련이 없다.
③ 옥단춘은 자신의 목숨이 위험한 상황에서도 '자기의 서방님 이생원이 능지처참될 것을 생각하고' 걱정하고 있으며, 자신은 지금 죽어도 원통한 것이 없으나, 이혈룡이 '대장부로 생겨나서 공명 한 번 못 해보고 억울하게 황천객'이 될 것을 염려하고 있으므로 〈보기〉의 '부도덕한 사대부와 대비되는 신의가 있는 존재'에 해당한다.
④ 옥단춘은 포로가 된 이혈룡에게 '내 집의 재물만으로도 호의호식 지낼 텐데'라며 안타까워 하고 있다. 이를 통해 옥단춘이 상당한 경제력을 지니고 있음을 알 수 있다.
⑤ 무죄한 백성들을 괴롭히던 김 감사와 수령들은 암행어사가 출도하자, 사지를 결박당한 채 끌려나와 매질을 당하고, 김 감사는 파직을 당하게 된다. 이를 통해 〈보기〉의 암행어사 모티프를 활용한 권선징악을 표현하고 있다.

왜 많이 틀렸을까?

소설을 감상할 때, 문제를 풀 때는 늘 '맥락'을 잊으면 안 돼. 이 점이 독서 분야의 글을 읽을 때와 가장 차이점이 뚜렷한 부분이 바로 이 부분일 거야. 단순히 부정적인 느낌을 주는 어휘가 등장하였다고 해서 그 인물이나 상황이 부정적인 것이 아니라는 뜻이지. 반대로 생각하면 긍정적인 어휘가 나왔다고 해서 무조건 바람직한 상황도 아니라는 것까지 생각해야겠지. 여기에서도 누군가의 죄를 묻는 장면이 나왔다고 해서 무조건 권선징악적인 장면이 될 수 있지는 않다는 거야.

4. ① 상황에 맞는 한자 성어 찾기

❶ [A]는 김 감사의 명을 받은 형방들이 뱃사공들에게 이혈룡을 분부대로 물에 던져 죽였는지를 밝히려 추궁하고 있는 상황이다. '이실직고(以實直告)'는 '사실 그대로 고함'이라는 뜻이므로, [A]의 상황에 어울리는 표현이다.
② '결초보은(結草報恩)'은 '죽은 뒤에라도 은혜를 잊지 않고 갚음을 이르는 말'로 [A]의 상황을 표현하는 말로 적절하지 않다.
③ '상부상조(相扶相助)'는 '서로서로 도움'이라는 뜻으로 [A]의 상황을 표현하는 말로 적절하지 않다.
④ '각골통한(刻骨痛恨)'은 '뼈에 사무칠 만큼 원통하고 한스러움'이라는 뜻으로, [A]의 상황을 표현하는 말로 적절하지 않다.
⑤ '전화위복(轉禍爲福)'은 '재앙과 근심, 걱정이 바뀌어 오히려 복이 됨'이라는 뜻으로, [A]의 상황을 표현하는 말로 적절하지 않다.

【5~8】 작자 미상, '월왕전'

작품해설

주인공이 어려서 아버지와 헤어진 뒤 조력자를 만나 영웅으로서의 수련을 마친 후에 나라를 위기에 구해 내고 영웅이 된다는 내용의 전형적인 영웅 군담 소설이다. 전반부는 영웅적 능력을 타고난 아버지 태사의 이야기, 후반부는 아버지의 복수를 하고 월왕이 되는 아들 실부의 이야기로, 조부와 부친(태사), 주인공(실부), 아들의 4대가 등장하여 비범한 능력을 드러낸다. 주인공의 영웅적 능력을 부각하기 위해 악인들의 능력을 과장적으로 그렸으며, 현재 사건과 관련되는 과거 사건을 제시하는 구성이 나타난다.

■ **갈래** : 영웅 소설, 군담 소설
■ **성격** : 영웅적, 비현실적
■ **배경** : 중국 송나라
■ **등장인물**
　– 유실부(유생, 장군) : 어린 나이에 천자의 출정에 참여하려다가 못하고 백학도사 밑에서 수련을 한 뒤 선관 등의 도움을 받아 위기에 빠진 천자를 구함.
　– 천자 : 호로왕을 치러 나섰다가 크게 패하여 자결하려 했으나 실부의 활약으로 위기에서 벗어나고 크게 기뻐함.
　– 백학도사(노인) : 유실부를 알아보고 데려가 술법을 가르친 뒤 천자를 위기에서 구하도록 조력함.
■ **구성**
　– 발단 : 송나라 때 재상 유방은 나이 오십이 되도록 혈육이 없다가 옥동자 태사를 얻는다.
　– 전개 1 : 뛰어난 능력을 지닌 태사는 장 승상

의 딸과 혼인한 후 과거에 급제하여 임지로 향
하다가 호로왕의 공격을 받는다.
- 전개 2 : 태사의 부인(장 부인)은 한 노파에게
의지하며 지내다 아들 실부를 낳고, 실부는
자란 뒤 아버지를 잃게 된 연유를 듣고 복수를
다짐한다.
- 위기 : 호로왕의 세력이 강성해지자 천자는
징벌에 나섰다가 크게 패해 자결하려 하는데,
그때 백학도사 밑에서 수련을 마친 실부가 나
타나 천자를 구하고 호로왕의 목을 벤다.
- 절정 : 천자는 실부에게 큰 직책을 내리는 한
편 실부의 아버지 태사를 찾도록 명을 내리고,
실부는 어머니, 아버지 유 태사와 재회한다.
- 결말 : 실부는 천자의 사위가 되어 월왕에 오
른 뒤 가족을 이끌고 임지로 가서 선정을 베풀
었으며, 다시 쳐들어온 적의 아들들을 무찌르
고 태평성대를 누린다.
■ 주제 : 유실부의 영웅적 활약상과 국난의 극복

어휘풀이
• 황황망조 (遑遑罔措) 마음이 급하여 어찌할 줄 모
르고 허둥지둥함.
• 무인지경(無人之境) 1.사람이 살고 있지 않는 외진
곳. 2. 아무것도 거칠 것이 없는 판.
• 불의지변(不意之變) 뜻밖에 당한 변고.
• 타루(墮淚) 눈물을 흘림. 또는 그 눈물.

5. ⑤ 　세부 내용 파악하기

① '천자 가만히 북문을 열고 도망하실새, 길은 없고 다
만 산이 가리우니 어찌 행하리오.'라고 한 것으로 보아
천자가 북문을 나와 유실부가 있는 곳으로 몸을 피한
것은 아니다. 천자가 적진에 싸여 거의 잡히기에 이르
렀을 때 유실부가 나타나 적장의 머리를 베고 천자에게
온 것이다.
② '강공은 최두를 베고, 강녕은 왕건을 베니, 송 진영
에 남은 군사 싸울 마음 없는지라.'에서 송나라 군사들
은 최두와 왕건의 죽음에 전의를 잃었음을 알 수 있다.
③ 유실부는 연무대에서 출정을 허락받지 못하고는 향
할 바를 알지 못하며 초조히 다니며 부친 소식을 탐지
하다가 한 주점을 찾아 밥을 사 먹으며 쉬었을 뿐, 주점
에서 부친을 간절히 기다린 것은 아니다.
④ 유실부가 주점에서 쉬고 있을 때 백발노인이 유실부
를 보고 들어와 같이 자신과 함께 가자고 한 것이지, 유
실부가 백발노인을 찾아 산천을 헤맨 것은 아니다.
❺ 천자가 위기에 처했을 때 유실부가 나타나 적장을 베
고 천자 앞에 나아가서 "다행히 적군을 물리치오나, 천
명(天命)을 어기었사오니 군법으로 시행하소서."라고 말
한다. 이는 앞서 천자가 출정할 때 유실부가 군중에 참
여하고자 했으나 천자가 허락하지 않았는데, 그러한 천자
의 명을 어기고 출정을 한 것이므로 죄를 청한 것이다.

6. ④ 　구성의 서사적 기능 파악하기

① ㉠ 앞에 천자를 구해 낸 소년 장수에 대해 언급한
뒤, ㉠ 뒤에서는 소년 장수, 즉 유실부가 어떤 과정을
거쳐 천자 앞에 나타나 활약했는지 제시하고 있다. 즉
㉠은 유실부의 정체와 활약을 언급하는 장치로 이를 통
해 천자의 위태로운 상황을 부각한 것은 아니다.

② 최두는 앞서 천자를 호위하다 적장에게 죽임을 당한
인물로, ㉠ 뒤에서 최두를 만난 내막을 부각한 것은 아
니다.
③ 천자는 출정에 나설 때 유실부가 군사로 참여하고자
하자 허락하지 않았는데, 이후 위기에 처했을 때 유실
부로부터 도움을 받게 된다. 따라서 천자가 조력자라고
볼 수는 없다.
❹ ㉠ '선설'은 '앞의 이야기를 하자면'이라는 의미로, ㉠
뒤에서는 앞에서 전개되던 이야기, 즉 천자가 적진에
싸여 위기에 처했을 때 '소년 장수'가 나타나 천자를
구한 상황에서 과거 시점으로 돌아가 유실부의 이야기
를 제시하고 있다. 즉 그 '소년 장수'가 유실부라는 것
과, 유실부가 노인(백학도사)을 만나 술법을 익힌 뒤 선
관의 말에 따라 위기에 처한 천자를 구하러 가는 과정
을 제시하고 있다. 따라서 ㉠은 유실부의 정체를 밝히
고 그가 천자를 구하는 영웅적 활약상을 펼친 배경을
제시하는 기능을 한다고 할 수 있다.
⑤ 천자를 구해 낸 후 부친이 누구냐는 천자의 물음에
유실부가 대답하는 장면이 있을 뿐, 유실부의 가계를 언
급해 고귀한 혈통을 지닌 내력을 제시한 것은 아니다.

7. ④ 　외적 준거에 따라 작품 감상하기

① 천자는 적에게 쫓기다 잡힐 위기에 처하자 어찌할
줄 모르며 '인검을 빼어서 자결코자 하'는 행동을 보인
다. 이는 〈보기〉에서 언급한 극단적 상황 설정에 해당
하며, 긴박감을 조성하는 부분으로 볼 수 있다.
② '아지 못하겠어라. 이 어떤 사람인고.'는 천자를 위기
상황에서 구한 '소년 장수'가 누군지에 대해 궁금증을
유발시키는 표현으로, 〈보기〉에서 언급한 이야기의 흐
름을 끊는 단절 기법을 보여 준다.
③ 유실부가 노인에게서 술법을 배운 과정을 '불과 수년
지내어 능히 재주를 통'했다고 서술한 것은 〈보기〉에서
언급한 압축적인 사건 서술을 보여 주는 부분으로, 이
를 통해 사건을 속도감 있게 전개하고 있다.
❹ '유생이 적장의 머리를 칼끝에 꿰어 들고 바로 천자
앞에 나아가'는 모습은 유실부의 영웅적인 면모를 보여
줄 뿐 비현실적인 내용으로 볼 수 없으며 이 글에서 전
기적 요소는 백학도사가 갑자기 사라지는 장면이나, 용
왕의 아들인 선관 등을 통해 드러난다고 보는 것이 적
절하다.
⑤ 유실부는 황실의 위태한 상황을 듣고 '당돌히 전장에
참여'하는데, 이는 나라에 충성하고자 하는 유교적 충의
사상을 보여 주는 부분으로 볼 수 있다.

8. ④ 　장면 비교하여 이해하기

① [A]는 현실 상황에서 노인이 유실부에게 한 말이고,
[B]는 꿈에서 선관이 유실부에게 한 말이다.
② [A]에서는 행동의 시의성을 강조하는 언급을 찾을
수 없으나, [B]에서는 '명일 신시'에 천자의 위태함을 구
할 자가 유실부이기에 왔다고 하면서 "부디 때를 잃지
말라."며 행동의 시의성을 강조하고 있다.
③ [A]에서는 "그대 이제 천지조화지리를 알았으니"라
며 상대의 능력을 근거로 말하고 있고, [B]에서는 부왕
인 용왕의 명을 받아 당부할 말이 있어 왔다고 하여 권
위자의 명령을 근거로 말하고 있다.
❹ [A]에서는 "세상에 나아가 천자의 위태함을 구하"는
것이 유실부가 수행할 임무로 제시되고 있다. 한편 [B]

에서는 "명일 신시(申時)에 천자의 위태함을 구할" 것을
언급하고 있을 뿐 그 임무의 구체적인 수행 방법은 나
타나 있지 않다.
⑤ [A]의 "꽃다운 이름을 후세에 전하라."와 [B]의 "아
름다운 이름을 후세에 전하소서."는 모두 상대의 명망
이 높아질 것에 대한 기대를 나타낸 발화이다.

【9~12】 임방, '옥소선'

작품해설
양반가 도령과 기생의 사랑을 다룬 애정 소설로, 야
담으로 전해지던 것이 소설로 정착된 작품이다. 신
분 질서의 장애를 뛰어넘어 인간의 본질적 욕망인
사랑을 성취하는 과정이 드러나 있으며, 당대 질서
에서 완전히 벗어나지는 못했지만 적극적이고 주체
적인 인물 유형이 드러난다. 특히 여자 주인공 자란
이 현실적 문제를 해결하는 과정에서 주된 역할을
하는 모습이 나타난다.
■ 갈래 : 애정 소설
■ 성격 : 현실적
■ 배경 : 조선 성종 때 평양과 서울, 산골 마을 등
■ 등장인물
- 도령 : 관찰사의 아들로, 기생 자란과의 이별을
대수롭지 않게 여겼다가 이별 후에 자란을 그
리워하는 마음에 자란을 찾아가 함께 도망침.
- 자란 : 기생으로 도령과 사랑하는 사이. 자신
을 다시 찾아온 도령과 산골로 도망친 후 도령
이 과거 시험에 급제하도록 도움.
■ 구성
- 발단 : 기생 자란과 관찰사의 아들인 도령이
사랑하는 사이가 되나 관찰사가 서울로 돌아
가게 되면서 이별함.
- 전개 : 자란을 그리워하던 도령은 절에서 공부
를 하다 자란을 찾아가지만 자란과 쉽게 만날
수 없었음.
- 위기 : 자란과 도령은 극적으로 재회한 뒤 자
란의 가족 등이 모르게 달아남.
- 절정 : 두 사람이 산촌에 자리 잡고 지내다 자
란이 도령에게 과거 시험을 볼 것을 권함.
- 결말 : 도령은 과거에 장원 급제한 뒤 임금의
명으로 자란과 부부가 되어 행복하게 살게 됨.
■ 주제 : 신분을 초월한 사랑의 성취

9. ③ 　서술상의 특징 파악하기

① '양덕과 맹산 사이의 깊은 골짜기 안으로 들어가서는
시골 촌가에 몸을 의탁했다. ~ 안타까이 여기며 도움
을 주었으므로 마침내 자리를 잡을 수 있었다.'에서 자란과
도령이 도망한 후 산골 촌가에 정착하는 과정을 요약적
으로 제시하고 있다.
② 도령이 절에서 시험 준비를 하다 절을 뛰쳐나와 자
란을 찾아가는 동안 처한 상황을 '털모자에 쪽빛 비단옷
을 입고 가죽신을 신은 채' 걷다가 '짚신을 얻어 신고,
'테두리가 뜯어진 벙거지를 얻어 머리에' 쓴 초라한 모
습이 된 것으로 묘사함으로써 제시하고 있다.
❸ 제시된 지문에는 도령이 자란과 이별한 후 자란을
그리워하다 찾아가서는 둘이 도망치고, 이후 두 사람이
고생 끝에 자리를 잡아 살다가 자란이 도령에게 과거를
볼 것을 권하는 내용이 드러나 있다. 갈등이 제시되는

과정을 전기적인 요소를 통해 제시한 부분은 찾을 수 없다.

④ 도령이 자란과 이별할 때 의연한 태도를 보인 것에 대해 '그러나 실은 도령이 ~ 그래서 호쾌한 말을 내뱉으며 이별을 가볍게 여겼던 것이다.'라고 서술한 부분에서 서술자의 개입이 드러나 있다.

⑤ 도령이 절을 뛰쳐나와 자란과 도망친 뒤의 사건을 전개하는 도중 '예전에 도령이 절을 뛰쳐나왔을 때의 일이다. ~ 종적을 알 수 없자 포기하고 말았다.'에서 이전에 일어났던 사건에 대한 추가 정보를 제시하고 있다.

10. ② 내용 파악하기

① 도령이 ㉠에서 ㉡으로 이동한 이유는, 관찰사인 부친이 관찰사의 임무를 마치고 대사헌에 임명되어 조정으로 돌아왔기 때문이다.

❷ 도령이 ㉡에서 ㉢으로 이동한 이유는 시험 준비를 하기 위해서이다. ㉣에서 신임 관찰사의 아들이 자란의 어미와 친척을 모두 가둔 것은 자란이 도령과 함께 ㉣에서 ㉤으로 도망쳤기 때문에, 자란의 행방을 쫓기 위해서였다.

③ ㉢에 있던 도령의 친구들은 도령이 자란을 만나기 위해 ㉢에서 ㉣로 향했을 때 그 사실을 알지 못한 채 보이지 않는 도령을 찾기 위해 승려들과 함께 온 산을 뒤졌다.

④ ㉠에서 자란과 헤어졌던 도령은 ㉢에 있다가 '한 번만이라도 자란의 얼굴을 보고 싶은 욕망을 억누를 수가 없어' 절을 뛰쳐나와 곧장 ㉣로 향했다.

⑤ 도령은 ㉣에서 자란과 극적으로 재회한 뒤, 둘이 함께 지내기 위해 달아나 ㉤으로 들어갔다.

11. ① 외적 준거에 따라 감상하기

❶ 도령은 관찰사의 아들로 양반이고 자란은 기녀로, 도령은 두 사람의 관계에 대한 아버지의 우려에 "아버지께선 제가 그깟 기녀 하나와 떨어진다고 해서 상사병이라도 들 거라 생각하십니까?"라며 자란과의 인연을 중시하지 않는 모습을 보였다. 그리고 도령과 자란이 이별할 때 자란은 눈물을 쏟고 목메어 울며 도령의 얼굴을 차마 보지 못했던 것에 반해, 도령은 의연한 모습을 보인다. 따라서 도령과 자란이 이별하는 장면에서 도령의 태도는 신분 질서에 따른 것으로 볼 수 있으므로 신분 질서의 구속에서 벗어나기 위해 개인의 의지대로 행동하는 모습과는 거리가 멀다.

12. ① 인물의 말하기 방식 파악하기

❶ [A]에서 도령은 "제가 그 아이에게 연연하여 잊지 못하는 마음을 가질 리 있겠습니까?"라고 확신하며 "아버지께서는 이 일로 더 이상 염려하지 마십시오."라고 청자를 안심시키고 있다. 또한 [B]에서는 자란이 "이제 우리가 여기서 늙어 죽을 수는 없는 일이요, 그렇다고 지금 얼굴을 들고 집으로 돌아갈 수도 없는 일이요."라며 자신들이 처한 상황을 환기한 뒤 "당신은 앞으로 어쩌실 작정인가요?"라며 청자의 생각을 묻고 있다.

Day 14

1. ②   2. ⑤   3. ③   4. ④   5. ①
6. ②   7. ②   8. ④   9. ④   10. ③
11. ②

【1~3】 작자 미상, '이학사전'

[작품해설]

남장을 한 여성인 주인공 이현경의 영웅적 활약상과 장연과의 결연을 제재로 한 작품이다. 여성 영웅 소설이자 이현경과 장연이 혼인하기까지의 애정, 양가의 갈등과 화합을 담은 가정계 애정 소설로 볼 수 있다. 주인공 현경이 탁월한 능력을 가지고 남자로 행세하다 여성임이 밝혀지는 과정이나 남녀 주인공의 결연 과정이 흥미롭게 전개되는 한편 주인공의 성격이 개성적으로 표현되고, 심리적 갈등이나 구체적 장면의 묘사가 특징적으로 나타난다.

■ **갈래** : 영웅 소설
■ **성격** : 영웅적, 개성적
■ **배경** : 명나라
■ **등장인물**

– 이현경 : 여성으로 태어났으나 출세할 뜻으로 남자로 성장하는 주인공. 뛰어난 재주로 명성을 떨치며 천자의 신임을 얻지만 혼인을 거부하다가 여성임이 밝혀진 후 장연과 혼인하고, 이후 장연과 갈등을 겪기도 함. 자아실현을 추구하는 주체적인 여성

– 장연 : 이현경에게 청혼한 후 거절당하자 상사병에 걸릴 정도로 이형경을 오래 연모해 온 인물. 천자의 도움으로 현경과 결혼하지만 원만하지 않은 부부 생활로 현경에게 잘못을 저지르고 사죄함.

■ **구성**

– 발단 : 명나라에서 이영도의 딸로 태어난 현경은 출세할 뜻을 품고 남복을 하고 아들로 자라다 부모를 여읨.

– 전개 : 현경은 뛰어난 재주로 이름을 날리고 장 시랑의 아들인 장연과 교유하며 장 시랑의 사랑을 받는 한편, 자신이 여자임을 알아차릴까 경계하며 권문세가의 혼담을 물리침.

– 위기 : 현경은 국구 왕세춘의 범죄, 여러 번의 난 등을 해결하여 출세의 길을 걷다가 여성임이 밝혀지고 천자에게 용서를 받음.

– 절정 : 장연은 현경에게 청혼한 후 거절당하지만 천자의 도움으로 결국 혼인하는데, 혼인 이후 현경과 장연의 원만하지 않은 부부 생활로 계속 문제가 발생하다가 천자의 중재로 재결합하여 부부의 정을 누림.

– 결말 : 현경과 장연은 6남 1녀를 낳고 부귀영화를 누리다가 부부가 함께 선계로 돌아감.

■ **주제** : 이현경의 영웅적 활약상과 가족 간의 갈등과 화해

[어휘풀이]

• **용렬하다(庸劣——)** 사람이 변변하지 못하고 졸렬함
• **망령되다(妄靈——)** 늙거나 정신이 흐려서 말이나 행동이 정상을 벗어남
• **상제(喪制)** 상주(喪主)

• **관포지기(管鮑知己)** 영원히 변치 않는 참된 우정을 나누는 사이
• **음풍영월(吟風詠月)** 맑은 바람과 밝은 달을 대상으로 시를 짓고 흥취를 자아내어 즐겁게 놂
• **황감하다(惶感——)** 황송하고 감격스러움

1. ② 작품의 내용 이해하기

① 현경이 '내 몸이 비록 여자나 황상이 총애하시고'라고 말한 것에서 알 수 있다.

❷ 현경은 편지를 읽고 나서 탄식하며 연경에게 말하고 있으므로 현경이 내용을 숨기려는 의도를 갖고 있는 것은 아니며, 따라서 연경 역시 편지 내용을 숨기려는 현경의 의도를 파악한 것은 아니다.

③ 연경은 현경이 여자임이 밝혀져 혼자 살 수 없다고 언급하며 '장후를 버리고 어떤 사람을 얻으려 하십니까?'라고 반문하고 있다. 따라서 연경이 장연을 현경의 적합한 혼인 상대로 여기고 있음을 알 수 있다.

④ 장연은 현경의 편지를 읽은 후에 '이 혼사가 쉬우리라 하였더니'라며 자신의 생각과 달리 혼인을 원하지 않는 현경의 답장에 크게 놀랐다.

⑤ 시랑의 친구들은 부모님의 초상을 치르는 현경의 어른스러움에 감동하며 현경이 '장성한 열 아들보다' 낫다고 칭찬하고 있다.

2. ⑤ 인물의 말하기 방식 파악하기

❺ [A]에서 장연은 현경과 자신이 '죽마고우로 지내며 관포지기'를 맺었던 인연을 부각하여 자신과 혼인을 하자는 제안을 성사시키고자 하는 의도가 담겨 있다. 반면에 [B]에서 현경은 '불과 조정의 일개 서생으로 만나 면목이 있을 뿐'이며, '어렸을 때부터 간혹 글월을 화답할 따름'으로 '어찌 관포의 지기가 있'겠냐고 자신은 장연과의 생각이 다르다고 밝히고 있다. 즉 [B]에는 장연과의 생각 차이를 드러내어 그의 청혼을 거절하려는 의도가 담겨 있다고 볼 수 있다.

3. ③ 외적 준거를 바탕으로 작품 감상하기

❸ 모든 사람이 주인공을 '이형도의 자식이라 하여 그 얼굴과 풍채를 사랑'한 것은 이현경의 재주와 학식이 뛰어났기 때문이며, 이때는 현경이 원래 여성임을 알지 못한 상태이다. 따라서 이를 여성에게 불평등했던 당대 현실을 보여 주는 것으로 이해하는 것은 적절하지 않다.

【4~7】 작자 미상, '이대봉전'

[작품해설]

조선 시대 작자·연대 미상의 고전 소설로 중국 명나라를 배경으로 하여 이대봉과 장애황의 영웅적 활약상을 보여 주는 허구적인 군담 소설이자 영웅 소설이다. 대봉과 애황은 결혼하고, 북방 흉노와 남방 선우의 군대를 격퇴한 공을 인정받아 초왕과 충렬왕후가 되지만 남북의 군대가 재침입을 하게 된다. 애황은 잉태한 몸임에도 불구하고 부부가 동시에 적진에 나아가게 되지만 이대봉과 장애황이 서

로 협력하면서 영웅적 활약을 펼치며 혁혁한 공을 세우고 돌아온다. 이러한 내용을 통해 개인적 가치보다 집단적 가치를 우선하며 군주에게 충성을 다하는 남녀 주인공을 통해 유교적 이념을 드러내고 있으며 남녀 주인공이 역할을 분담하여 협력하는 모습에서 여성도 남성과 대등한 능력이 있음을 보여 주려 한 작품이라 할 수 있다.

■ 갈래 : 군담 소설, 영웅 소설
■ 성격 : 전기적, 비현실적
■ 제재 : 이대봉과 장애황의 영웅적 행적
■ 시점 : 전지적 작가 시점
■ 주제 : 협력하여 나라를 위기에서 구한 남녀 주인공의 활약상
■ 특징
 – 대화와 인물의 행동을 중심으로 사건을 전개하고 있음.
 – 순행적 구성을 통해 사건이 전개됨.
 – 사건을 압축, 요약해서 전달하여 전개 속도를 빠르게 함.
 – 여성 영웅의 활약이 두드러지게 나타남.

어휘풀이
• 간언(諫言) 웃어른이나 임금에게 옳지 못하거나 잘못된 일을 고치도록 하는 말.
• 전교(傳敎) 임금이 명령을 내림. 또는 그 명령.

4. ④ 서술상의 특징 파악하기

① 배경 묘사를 통해 인물 간의 갈등을 부각하고 있는 부분은 확인할 수 없다.
② 초월적 공간은 제시되지 않았으며 사건의 환상성을 강화하고 있지도 않다.
③ 서술자의 개입을 통해 비극적 결말을 암시하고 있는 부분은 확인할 수 없다.
④ 제시된 내용에서는 적의 침입으로 인해 왕의 전교를 받은 주인공들이 전장에 출전하여 활약하는 과정이 제시되어 있다. 즉 황제가 남북의 적병이 재침입한 사실을 확인하는 사건, 대봉이 전교를 보고 황성으로 오는 사건, 대봉과 애황이 출전하는 사건, 애황이 전장에서 활약하는 사건, 애황이 승리하고 황성으로 돌아오는 사건 등 다양하게 장면을 전환하며 사건을 속도감 있게 전개하고 있음을 확인할 수 있다.
⑤ 과장된 상황의 설정을 통해 해학적 분위기를 형성하고 있는 부분은 확인할 수 없다.

5. ① 인물의 발화 이해하기

❶ [A]는 적이 침입했다는 전갈을 받은 충렬왕후인 애황이 전장에 참여하기 위해 달려와 방책을 묻는 황제에게 하는 말로, 죽기를 각오하고 싸우겠다는 결의를 드러내고 있다. [B]는 애황이 전투에서 승리하여 항복한 남만의 다섯 나라의 왕에게 경고하는 말로, 다시 반역의 마음을 품지 말며 조공을 보낼 것을 다짐받는다. 따라서 [A]에 드러난 애황의 결의가 실행된 것을 [B]에서 확인할 수 있다.

참고자료
작자 미상, '이대봉전'의 앞부분 줄거리
명나라 때 이 시랑은 백운암에 시주하고 아들 대봉을 낳는다. 이 시랑의 죽마고우인 장 한림도 같은 시

간에 딸 애황을 낳아 대봉과 정혼을 시킨다. 간신 왕희가 국권을 마음대로 휘둘러 나라가 위태로워지자 이 시랑은 직간하는 상소를 올리지만 왕희의 참소를 입어 백설도로 유배된다. 유배를 가던 중 왕희는 뱃사공을 매수하여 이 시랑과 대봉을 죽이려고 하지만 대봉 부자는 용왕의 도움으로 살아난다. 대봉 부자의 참변을 듣고 장 한림과 그의 부인은 탄식하다 병을 얻어 죽는다. 왕희는 애황의 미모가 출중하다는 말을 듣고 며느리로 맞이하려 하나, 애황은 남장을 하고 도주하여 이름을 계운으로 바꾸고 무예를 배운다. 과거에 장원 급제하여 한림학사를 제수 받은 계운은 남선우가 중원을 침략하자 대원수로 출마해서 적을 크게 무찌른다. 한편 서해 용왕의 도움으로 살아난 대봉은 백운암에서 수련하면서 때를 기다린다. 마침 북흉노가 중원을 침범하여 황성을 점령하고 천자를 핍박하여 위급한 지경에 이르자, 이대봉은 필마단기로 흉노군을 격파하고 적군의 항복을 받아 낸다. 결국 이대봉은 왕희를 처단하고 장애황과 혼인한다. 이후 이대봉은 초왕이 되어 부귀영화를 누리며 일생을 마친다.

6. ② 외적 준거를 바탕으로 감상하기

① 황제가 보낸 전교를 확인한 초왕 이대봉이 즉시 황성으로 향하는 장면을 통해 유교적 가치관에 따라 군주에게 충성하는 모습을 확인할 수 있다.
❷ 황제가 자신이 덕이 없어 도적이 자주 일어난다며 눈물을 흘리니 신하들이 초왕을 전장에 보내라고 간언한다. 따라서 황제가 이대봉을 불러들인 이유는 흉노와 선우의 군대를 격퇴한 전력이 있는 이대봉이 다시금 능력을 발휘하여 적을 물리쳐 주기를 요청하기 위한 것이다. 이를 두고 황제가 자신의 잘못을 인정하는 모습으로 이해하는 것은 적절하지 않다.
③ 장애황이 규중을 벗어나 다시 전장에 대원수로 참여해 활약하는 모습을 통해 당대의 사회적 제약을 뛰어넘는 여성 영웅의 면모를 확인할 수 있다.
④ 장애황은 잉태를 한 몸으로 자신의 몸을 돌보지 않고 대군을 거느리고 전장에 선뜻 나가는 모습을 통해 개인적 가치보다 집단적 가치를 우선시하는 모습을 확인할 수 있다.
⑤ 이대봉은 북방의 흉노를 치러 향하고, 장애황은 남방의 선우를 치러 떠나는 장면에서 이대봉과 장애황이 역할을 분담하여 협력하는 모습을 확인할 수 있다.

7. ② 상황에 맞는 한자 성어 파악하기

① '경거망동(輕擧妄動)'은 '경솔하여 생각 없이 망령되게 행동함. 또는 그런 행동.'을 의미한다.
❷ 이대봉은 장애황이 아기를 잉태한 지 일곱 달이나 되는 몸으로 전장에 나가는 상황에서 안전하게 무사히 돌아오기를 간절히 바라고 있다. 이런 상황에 어울리는 말은 '거듭하여 간곡히 하는 당부'라는 뜻의 '신신당부(申申當付)'가 적절하다.
③ '애걸복걸(哀乞伏乞)'은 '소원 따위를 들어 달라고 애처럼게 사정하며 간절히 빎.'을 의미한다.
④ '이실직고(以實直告)'는 '사실 그대로 고함.'을 의미한다.
⑤ '횡설수설(橫說竪說)'은 '조리가 없이 말을 이러쿵저러쿵 지껄임.'을 의미한다.

[8~11] 작자 미상, '소대성전'

작품해설
용왕의 아들인 소대성이 인간 세상으로 내려와 고난을 겪은 뒤 영웅의 지위를 회복하는 과정을 그린 영웅 소설이자 군담 소설이다. 전반부에는 소대성이 부모를 잃은 뒤 이 승상의 도움을 받으나 다시 죽을 위기에 처했다가 노승을 만나 영웅의 능력을 키우는 과정이, 후반부에는 호국이 침략했을 때 소대성이 나아가 명나라를 위기에서 구하는 영웅적 활약이 그려져 있다. 제시된 장면은 명나라와 호국의 전쟁 중에 호왕의 계책으로 천자가 위기에 처하자, 소대성이 청총마와 칠성검으로 호왕을 무찌르고 천자를 구해 내는 장면이다.

■ 갈래 : 영웅 소설, 군담 소설
■ 성격 : 영웅적, 비현실적
■ 배경 : 명나라
■ 등장인물
 – 소대성(원수) : 명나라의 장수로 영웅적 활약으로 천자를 위기에서 구함. 공중에서 나는 소리나 청총마와 같은 비현실적 요소의 도움을 받음.
 – 호왕 : 계책을 꾸며 소대성을 장안으로 가게 한 뒤 천자를 공격해 위기에 빠트리나, 결국 소대성의 공격에 목숨을 잃음.
 – 천자(상, 명제) : 호왕의 기습 공격으로 위기에 처해 통곡하다가 소대성의 도움으로 살아나 소대성에게 천하를 반분해 주고자 함.
■ 구성
 – 발단 : 병부 상서 소양이 노년에 얻은 아들인 소대성은 본래 동해 용왕의 아들이었으나 죄를 지어 적강한 인물로, 어려서부터 재주가 뛰어났다.
 – 전개 : 소대성은 열 살 무렵 부모를 잃고 떠돌아다니다 이 승상과 만나 그의 집에서 지내게 된다. 이 승상은 소양의 옛 친구로 동정호 용녀가 적강하는 태봉을 꾼 둘째 딸 채봉을 낳고, 기이한 꿈을 꾼 뒤 월영산에서 소대성을 만나 그를 데려와서 채봉과 맺어 주려 한다.
 – 위기 : 이 승상의 가족들은 이 승상이 죽은 뒤 소대성을 내쫓고 이에 집을 나서 방랑하게 된 소대성은 노승의 도움으로 영웅적 능력을 키운다.
 – 절정 : 호국이 침략하자 소대성은 노승과 장인이 꿈속에서 전해 준 보검과 갑주, 용마 등으로 무장하여 나아가 승리를 거둔다.
 – 결말 : 노왕이 된 소대성은 채봉과 재회하여 함께 부귀영화를 누린다.
■ 주제 : 고난을 극복하고 영웅적 지위를 성취한 소대성의 활약상

어휘풀이
• 엄살(掩殺) 별안간 습격하여 죽임.
• 구완병 '구원병'의 옛말.
• 비계(秘計) 남모르게 꾸며 낸 꾀.
• 분기충천(憤氣衝天) 분한 마음이 하늘을 찌를 듯 격렬하게 북받쳐 오름.
• 역명(逆名) 반역의 누명.

같은작가 다른기출
2015학년도 수능 A형 '소대성전'

8. ④ 작품의 서술상 특징 파악하기

① '날이 이미 밝으며 황강 강가에 다다르니', '좌우에 태산 막혀 있고 앞에 황강이 있어' 등에서 배경이 묘사되고 있지만 이를 통해 해학적 분위기가 드러난다고 볼 수 없다.

② '이때에 원수가 적진을 대하여', '이때에 호장 체탐이 호왕께 고하되', '이때 명진 천자가 중군에서 취침하여 계시다가' 등에서 장면 전환이 드러나는데, 이를 통해 인물의 성격 변화를 드러낸다고 볼 수 없다.

③ 이 글에서 비극적 결말을 암시하는 상징적 소재는 찾을 수 없다. 또한 제시된 장면에는 소대성이 호왕을 무찌르고 천자를 구하는 모습이 나타나 있으므로 비극적 결말이라고 볼 수 없다.

❹ '제장 군졸의 머리 추풍낙엽일네라 뉘 능히 당하리요?', '명제는 함정에 든 범이라 어찌 망극지 아니하리요?', '소리 나는 줄 모르고 통곡하시니 용의 울음소리가 구천에 사무치는지라 하늘이 어찌 무심하리오?' 등에서 서술자가 개입하여 인물이 처한 상황에 대한 감상이나 논평을 드러내고 있으므로 적절하다.

⑤ 과거 사건과 현재 사건을 대비하는 부분이나 갈등의 원인을 드러낸 내용은 찾을 수 없다.

어휘풀이
• 해학적(諧謔的) 익살스럽고도 품위가 있는 말이나 행동이 있는. 또는 그런 것.

9. ④ 인물의 행위에 담긴 의도 파악하기

① 호왕이 겸한에게 "철기 일만을 거느리고 중국 도성에 들어가 성중을 엄살하면 응당 구완병을 청할 것"이라는 계책을 말한 뒤 겸한이 군을 거느려 장안으로 간 것에서 알 수 있다.

② 천자가 '무수한 오랑캐 장안을 범하여 사직이 조모에 있다'는 소식을 듣고 놀라 소대성을 불러 "경이 가서 사직을 받들고 동군을 구완하여 잔명을 보존케 하라."라고 명하는 것을 통해 알 수 있다.

③ 호장 체탐이 호왕에게 소대성이 장안에 갔다고 고한 뒤 '호왕이 크게 기뻐하여 철기 삼천을 거느려 그날 밤 삼경에 명진에 다다랐다'고 한 것에서 알 수 있다.

❹ '원수 장안으로 가 호왕을 찾으니 호왕은 없고 겸한이 삼군을 거느려 왔거늘'로 보아 소대성은 장안에 도착한 뒤 호왕이 없는 것을 알게 되었다. 이때에서야 소대성은 "이제 호왕이 나를 치우고 우리 대군을 범하고자 함이니"라고 하고 있으므로 소대성은 장안에 도착한 뒤에야 호왕에게 속은 것을 알게 되었음을 알 수 있다.

⑤ 본진에 돌아온 천자가 통곡하며 "나로 말미암아 아까운 장졸이 원혼이 되었으니 어찌 슬프지 아니하리요?"라고 한 것에서 천자가 장졸의 죽음을 안타까워함을 알 수 있다.

10. ③ 외적 준거에 따라 작품 감상하기

① 호국이 침략하여 '명진이 불의의 난을 만나니 제장 군졸의 머리 추풍낙엽일네라.'라고 한 부분과, 천자가 달아날 때 '황강 강가에 다다르니 강촌 백성들이 난을 피할 일이 없는지라.'라고 한 부분에서 군사들이 희생되고 백성이 난을 겪는 상황이 드러남으로써 명나라가 위기에 빠졌다는 것을 알 수 있다.

② 천자가 호왕의 급습을 받고는 '다만 삼장을 겨우 찾

아 일지병을 거느려 북문으로 달아나더니' 결국 붙잡혀 '하늘을 우러러 통곡'하는 모습에서 천자의 나약함과 지배 계층의 무능함을 볼 수 있다.

❸ 소대성은 장안으로 갔다가 호왕이 없는 것을 알고 "이제 호왕이 나를 치우고 우리 대군을 범하고자 함이니"라며 대군을 구하기 위해 대진으로 향하는데, '공중에서 들리는 소리'가 "대진으로 가지 말고 황강으로 가라."라고 알려 준다. 이에 소대성은 황강으로 향하는데 앞에 큰 강이 가로막혀 있는 것을 보고 분기충천하여 "앞에 큰 강이 가렸으니 건널 길이 없는지라."라고 말한다. 즉 공중에서 들리는 소리는 천상계의 조력을 보여 주는 요소로 소대성이 이 때문에 분기충천한 것은 아니며, 소대성은 천상계의 조력을 받아 천자와 명나라를 위기에서 구해 내고 있을 뿐 천상계의 질서를 극복하고자 하는 의지를 드러낸 것도 아니다.

④ 천자는 호왕에게 사로잡힌 뒤 호왕이 손가락을 깨물어 항서를 쓰라고 하자 "차마 아파 못할네라."라고 통곡하고, 소대성이 강가에 와 호왕의 머리를 베었을 때 기절해 있었다. 이러한 천자의 무능한 모습과, 청총마로 강을 건너뛴 뒤 칠성검으로 호왕의 머리를 베어 천자를 구출하는 소대성의 모습이 대비되면서 소대성의 영웅적 면모가 부각되고 있다.

⑤ 호왕의 급습으로 장졸들이 죽고 백성이 난을 겪으며 천자마저 위기에 처한 상황에서, 장안에서 호군을 무찌른 뒤 황강으로 가 호왕을 제압하고 천자를 구해 낸 소대성의 모습에서 국가적 위기를 해결하는 소대성의 탁월한 능력을 확인할 수 있다.

11. ② 인물의 발화 의도 파악하기

① ㉠에서 천자는 소대성이 호왕을 공격하는 것의 실행으로 인한 결과를 우려하고 있는 것은 아니며, ㉡에서 소대성은 천자의 제안을 거부하고는 있지만 실행을 위한 방안을 요구한 것은 아니다.

❷ ㉠에서 천자는 소대성이 대군을 합세하여 호왕을 공격하겠다고 한 것에 대해 호왕에게 비계가 있을지도 모른다고 하며 기다리라고 하고 있으므로, 자신의 추측을 바탕으로 소대성의 제안을 수용하지 않은 것이라고 할 수 있다. 또한 ㉡에서 소대성은 천자가 천하를 반분해서 주겠다고 한 것에 대해 "일천지하에 두 천자 없사오니 소신으로 하여금 후세에 역명을 면케 하옵소서."라고 하고 있으므로 천자의 제안에 대해 군신과의 도리를 근거로 들어 수용하지 않은 것이라고 할 수 있다.

③ ㉠에서 천자는 자신의 공을 내세우고 있지 않고 소대성의 제안에 동의한 것도 아니며, ㉡에서 소대성은 "천하를 평정함이 폐하의 넓으신 덕이요 신의 공이 아니오매."라며 상대에게 공을 돌리고 있으나 천자의 제안에 동의하고 있는 것은 아니다.

④ ㉠에서 소대성의 제안의 단점을 제시한 것은 아니며, ㉡에서는 '폐하의 덕'을 언급하고는 있으나 장점을 중심으로 천자의 제안을 구체화한 것은 아니다.

⑤ ㉠에서 천자는 "잠깐 기다리라."라며 유보적 태도를 보이고 있으나 소대성의 제안을 수용한 것은 아니며, ㉡에서 소대성은 "소신으로 하여금 후세에 역명을 면케 하옵소서."라며 적극적인 태도로 천자의 제안을 거부하고 있다.

어휘풀이
• 유보적(留保的) 어떤 일을 당장 처리하지 아니하고 나중으로 미루어 두는. 또는 그런 것.

본문 078쪽

Day 15

1. ①　2. ⑤　3. ③　4. ⑤　5. ①
6. ②　7. ②　8. ③　9. ②　10. ④
11. ①

【1~4】 작자 미상, '권익중전'

작품해설
연대와 작자 미상인 조선 시대의 소설로 영웅적 전기(傳奇) 소설 유형에 속하는 작품이다. 작품의 전반부에서는 권익중과 이춘화(이낭자)와의 애정 관계를 엮어 놓았고 후반부에서는 그들의 아들인 권선동의 결연과정과 무용담을 표현해 놓은 특이한 구성의 소설이다. 이 작품은 죽은 인간이 선녀가 되어 지상에 내려와 사랑하는 자와 만나 아이를 갖고 그 아이를 5세까지 천상에서 키운 뒤 그 부친(권익중)에게 전해주며 그 아이가 비범한 초인적 능력을 발휘하는 구성을 보이는데 이러한 점 때문에 초기 전기 소설의 성격을 온전히 탈피하지는 못한 작품으로 평가받는다. 또한 '권익중전'에는 천상계의 개입으로 인해 진짜와 가짜가 다투는 모습이 나타난다. 이로 말미암아 주인공 권익중이 고난을 겪게 되지만 선녀가 된 이낭자와 재회할 수 있게 된다. 이러한 모든 요소들이 이 작품의 비현실적 요소(전기성)를 두드러지게 하고 있다. 이 작품에 등장한 것처럼 허수아비[草人]가 인간화하는 요소는 「홍길동전」・「전우치전」・「옹고집전」 등에서도 나타나는 초현실적인 요소이다. 또한 여성이 남복을 하고 전쟁터에 나가 용맹스럽게 싸우며 초인적 능력을 발휘하는 요소는 「유문성전」・「여장군전」・「황장군전」・「홍계월전」 등에서도 발견된다. 혼사장애 이야기가 간신모해 이야기나 진짜와 가짜가 다투는 이야기와 결합하여 조화를 이루면서 특이한 구조를 이루고 있는 이 작품은 도선적인 신비주의를 바탕으로 하고 있다. 또한 이 작품은 적강형(謫降型) 소설・재생 소설・영웅 소설・군담 소설・여걸 소설적인 다면성도 지니고 있어 흥미로운 요소가 많은 작품이다.

[놓치지 말자!]
■ 갈래 : 고전 소설, 영웅 소설, 적강형 소설
■ 성격 : 전기적(비현실적)
■ 주제 : 영웅의 결연담과 무용담
■ 구성
– 전반부: 권익중과 이춘화(이낭자)와의 애정 관계
– 후반부: 익중과 낭자의 아들인 권선동의 결연 과정과 무용담

어휘풀이
• 만단정회(萬端情懷) 온갖 정과 회포.

1. ① 서술상의 특징 파악하기

❶ 이 낭자의 떠난다는 말에 권익중이 놀라 '오늘 낭자를 만나 ~ 간다는 말이 웬 말이오?'라며 안타깝고 슬픈 마음을 드러내자 '낭군님은 지나치게 슬퍼하지 ~ 천명을 어이 거역하오리까?'하며 그를 위로하고 있다. 따라서 이 작품에서는 권익중과 이 낭자의 대화를 통해 인

물의 정서를 드러내고 있음을 알 수 있다.

② 다른 인물과의 대립을 통해 주인공의 업적을 드러내고 있는 부분은 찾을 수 없다.

③ 구체적 시대 상황은 드러나지 않는다.

④ 이 작품은 하나의 사건이 시간의 흐름에 따라 전개되고 있다.

⑤ 공간적 배경에 대한 묘사는 제시하지 않았다.

---

2. ⑤ 　　作品의 내용 파악하기

① 승상은 '어느 것이 참 익중이며 어느 것이 거짓 익중인지 알기 어려워' 하며 익중과 우인을 구별하는 데 어려움을 겪었다는 것을 알 수 있다.

② 승상 부인은 '먼저 온 것이 참 익중이 분명하고 나중 온 것이 귀신이 분명'하다고 확신했는데, '어젯밤에 여차여차한 꿈을 꾸었더니 과연 그대로'라고 하며 자신의 꿈을 근거로 우인을 익중으로 믿고 있음을 알 수 있다.

③ 익중이 며칠을 돌아다니다가 집으로 돌아왔을 때 익중은 자신을 보며 화를 내는 우인을 보았음을 알 수 있다.

④ 익중은 가짜로 들어온 귀신인 우인의 정체를 밝히는 대신 유람 후에 동정호에 빠져 죽기로 결심했음을 알 수 있다.

❺ '위 낭자가 익중인 줄 여겨 반겨하고 서촉 안부를 물으니, 우인이 대강 대답하고'라고 했으므로, 위 낭자는 안부를 묻는 말에 대한 우인의 대답 때문에 우인을 반겼다는 진술은 적절하지 않다.

---

3. ③ 　　인물의 말하기 방식 이해하기

❸ [A]에는 익중의 꿈에 나타났던 귀신이 했던 말처럼 현실에서 자신의 집에 나타났음을 알아차리고 있는 장면에서의 발화이다. 즉 귀신이 익중의 집에 찾아가 너를 쫓아내고 내가 있겠다며 겁박하고 있는 부정적 상황이 제시되고 있으며, '저 놈이 그놈이로다'라며 익중의 추측이 드러나 있다. 한편 [B]에는 익중과 이 낭자가 육례를 치르고 사랑을 나누는 장면에서의 발화이다. 여기서는 '우리 둘이 만났으니 만고여한 풀어진다.'라고 하며 긍정적 상황에 대한 인물의 만족감이 드러나 있다.

---

4. ⑤ 　　외적 준거를 바탕으로 감상하기

① 옥황상제께서 이 낭자에게 자태와 얼굴이 진짜 익중과 똑같은 허수아비를 만들어 주신 것을 보면, 〈보기〉에서 언급되었듯이 진가쟁주가 천상계의 개입으로 발생한다는 것을 알 수 있다.

② 하인이 진짜 익중을 당장의 곤욕과 매를 견디지 못할 정도로 때린 것을 보면, 〈보기〉에서 언급되었듯이 진가쟁주가 익중에게 고난을 겪게 한다는 것을 알 수 있다.

③ 가짜 익중에 의해 집에서 쫓겨난 진짜 익중이 이 낭자를 만나서 육례를 치르는 것을 보면, 〈보기〉에서 언급되었듯이 진가쟁주가 집에서 쫓겨난 익중과 이 낭자가 만날 수 있는 계기를 제공해 주어 그 둘은 재회하게 된다는 것을 알 수 있다.

④ 승상의 부인이 가짜 익중을 진짜 익중으로 믿어 하인에게 진짜 익중을 쫓아내라는 명령을 내리는 것을 보면, 〈보기〉에서 언급되었듯이 진가쟁주가 익중과 가족 간의 갈등을 유발한다는 것을 알 수 있다.

❺ 이 낭자가 가짜 익중을 사라지게 만드는 방법을 진짜 익중에게 알려주는 것은 맞지만, '또 오 년이 지나

이곳에 와서 오늘 밤 복중에 들어 때가 찬 아이를 데려가옵소서.'라는 말은 앞으로 태어날 아들과의 만남을 예고한 것으로, 이 낭자와 가짜 익중의 만남을 의미하는 것이 아니므로 적절하지 않다.

참고자료

'권익중전'의 전체 줄거리

명나라 때 권승상은 나이 40이 되도록 후손이 없어 화산 천불암에 치성을 드려 아들 익중(益重)을 얻는다. 재주와 풍모가 남달리 뛰어난 익중은 15세가 되자 명산대찰과 누대절승을 구경하다가 부친의 옛 친구인 이승상의 집에 들른다. 그곳에서 이승상의 딸 춘화(春華)의 미모에 반해서 연정을 느끼고 상사병이 든다. 권승상이 이승상을 찾아가 청혼하여 허락을 얻으니, 익중은 곧 완쾌된다. 어릴 때에 혼인하는 것이 좋지 못하다 하여, 익중은 1년을 기약하고 이승상 집에서 공부를 한다. 이때 승상 옥양목(玉良穆)이 이승상의 딸이 요조숙녀라는 소문을 듣고 아들을 위해 구혼을 하였다가 거절당한다. 그러자 황제를 움직여 권력으로 약혼을 성립시킨다. 익중은 탄식하며 집으로 돌아오고, 이소저는 옥생과 혼인하는 날 칼을 물고 엎드려 자결한다. 권승상이 아들의 슬픔을 덜어주기 위하여 익중을 위상서(魏尙書)의 딸과 혼인시키지만 익중은 이소저만을 생각하며 하루하루를 보낸다. 자결한 이소저는 죽어 천상에 가 선녀가 된다. 상제가 강남 악양루의 죽림 속에서 익중을 만날 수 있게 하기 위해 허수아비를 보내어 익중의 행세를 하게 하니, 부모는 진짜 익중을 가짜 익중인 줄로 알고 내쫓는다. 쫓겨난 익중은 천하의 강산을 두루 구경하고 방황하다가 악양루의 동정호에 빠져 자살하려던 순간, 그곳에서 죽은 이소저를 만난다. 그들은 예복을 차려입고 혼인식을 올린 다음, 부부의 정을 나눈다. 날이 새자 이소저는 가짜 익중을 없앨 약 세 봉지를 주며, 5년 후에 이곳에 와서 아이를 데려가라고 이른다. 익중이 집으로 돌아와 가짜 익중을 몰아내고, 5년 뒤 아들 선동(仙童)도 만난다. 이소저가 아들 선동에게 저절로 적을 무찌르는 자용검과 구름을 마음대로 흩고 모으는 풍운선(부채), 올라타면 나는 용이 되어 공중을 왕래하는 비룡장(지팡이)를 주며 급할 때 쓰게 한다. 익중이 이소저와 이별한 뒤 선동을 데리고 집으로 돌아온다. 이때 옥승상이 익중의 소식을 듣고, 이승상이 황명을 어기고 자신의 딸을 권승상 아들과 정혼시켜 자식까지 두었다고 거짓말을 하였는데, 황제는 이 말을 믿고 이승상과 권승상을 결박하여 경성으로 올려 보내라는 명을 내린다. 양가는 옥승상의 모해를 피하여 대인도(大人島)라는 섬으로 들어가 산다. 선동은 17세가 되자, 부모의 원수를 갚고자 집을 떠난다. 꿈에 모친이 나타나 일러준 대로 서주 월성촌을 찾아가 적강선녀의 화신인 강씨·진씨·정씨의 세 소저와 백년가약을 맺는다. 이때 옥승상이 북흉노와 교통하여 대국을 침범하자, 선동이 적진으로 달려가 적군을 쳐부수고 옥승상의 목을 베 부모의 원수를 갚는다. 이때 선동과 가연을 맺은 세 소저도 도술로써 선동을 돕는다. 이에 황제는 선동을 대인도의 왕으로 봉하고, 익중을 위국공 승상으로 봉한다. 선동이 어머니의 분묘를 찾아가 통곡하고 제를 올리니, 문득 천지가 진동하고 분묘가 갈라지면서, 이소저가 살아난다. 선동이 모친과 함께 대인도로 돌아온다. 선동의 모친은 정렬부인이 되고 삼 낭자는 정렬왕비의 직첩을 받고, 선동은 세 낭자와 혼례식을 올린다. 선동이 정치를 잘 하니 백성이 평안하며 송덕을 누린다. 권익중과 이소저는 90세에

이르러 함께 죽고, 선동과 세 낭자는 죽어 하늘의 선관선녀가 된다.

【5~7】 작자 미상, '두껍전'

작품해설

노루의 잔치에 모인 여러 짐승들이 자리를 결정하는 문제로 다투다 두꺼비가 가장 나이가 많은 것으로 인정받아 상좌에 앉게 된다는 내용의 우화 소설이다. 노루와 여우, 두꺼비 등이 서로 우위를 점하려는 과정에서 상대를 은근히 비하하거나 속임수를 쓰는 모습 등을 통해 인간의 부정적 면모를 풍자하고 있으며 견식을 통해 어른으로 인정받는 모습이 그려져 있다. 기존의 신분 질서가 약화되면서 새로운 질서가 대두되는 조선 후기의 사회상이 반영된 것으로 볼 수 있다.

놓치지 말자!

■ **갈래** : 우화 소설

■ **성격** : 우화적, 풍자적

■ **배경** : 조선 인조 때

■ **등장인물**

　- 장 선생: 주인 노루. 잔치에 여러 동물들을 초대하면서 산중의 왕인 백호산군은 사납고 과거 안 좋은 기억이 있다는 이유로 초대하지 않음.

　- 여우: 노루, 두꺼비와 누가 더 나이가 많은지 다툼.

　- 두꺼비: 지식과 견문을 내세워 자신의 나이가 많음을 주장함.

■ **구성**

　- 발단: 조선 인조 때 장 선생(주인 노루)이 백호산군을 제외한 모든 짐승을 초대해 잔치를 벌인다.

　- 전개: 잔치에서 짐승들이 서로 상좌를 차지하려고 다투자 토끼가 나이가 많은 이가 상좌에 앉자고 제안하고, 노루와 여우가 먼저 나서 자신의 나이가 더 많다며 다툰다.

　- 위기: 두꺼비가 구석에서 울고 있는 것을 본 여우가 이유를 묻자 두꺼비는 자신의 나이가 제일 많다고 밝히고 상좌에 앉는다.

　- 절정: 두꺼비에게 상좌를 빼앗긴 여우가 두꺼비를 은근히 비웃으며 놀리고, 여우와 두꺼비는 서로 천하를 편력한 이야기, 고금의 역사 이야기, 하늘나라를 구경한 이야기, 천문과 지리, 시서, 둔갑술, 병법, 관상법에 대한 지식을 주고받으며 겨룬다.

　- 결말: 두꺼비가 보다 넓은 지식으로 여우를 물리치고 상좌를 지키며 잔치를 즐기고 모두 크게 취하여 파연곡을 부르고 헤어진다.

■ **제재** : 노루의 잔치에 모인 동물들의 자리다툼

■ **주제** : 동물들의 자리다툼에 드러난 인간상 풍자와 새로운 질서

어휘풀이

• **산군(山君)** '호랑이'를 달리 이르는 말.

• **절승(絕勝)** 경치가 비할 데 없이 빼어나게 좋음. 또는 그 경치.

• **갈건야복(葛巾野服)** 갈건과 베옷이라는 뜻으로, 은사(隱士)나 처사(處士)의 거칠고 소박한 옷차림을 이르

는 말.
• 상좌(上座) 윗자리(윗사람이 앉는 자리).
• 훤화(喧譁) 시끄럽게 지껄이며 떠듦.
• 연치(年齒) '나이(사람이나 동·식물 따위가 세상에 나서 살아온 햇수)'의 높임말.
• 간계(奸計) 간사한 꾀.
• 호패(號牌) 조선 시대에, 신분을 증명하기 위하여 16세 이상의 남자가 가지고 다녔던 패.
• 궁통하다(窮通――) 성질이 침착하여 깊게 생각을 하다.
• 무불통지(無不通知) 무슨 일이든지 환히 통하여 모르는 것이 없음.
• 존장(尊長) 일가친척이 아닌 사람으로서 자기보다 나이가 많음. 또는 그런 사람.

---

5. ① 　세부 내용 이해하기

❶ '주인은 동쪽 계단에 읍하고 객은 서쪽 계단에 올라 상좌를 다투어 좌석의 차례를 결단치 못하여 분분 난잡'한 상황에서 토끼가 '연치'를 기준으로 자리를 정할 것을 제안한 것이지, 주인이 토끼의 제안에 따라 동쪽에 있는 계단에 오른 것은 아니다.
② 여우는 슬피 눈물 흘리고 있는 두꺼비를 보고 "저 흉간한 놈은 무슨 설움이 있기에 남의 잔치에 참례하여 상상치 못한 형상을 뵈느냐."라고 꾸짖고 있다. 두꺼비가 우는 것을 보고 '흉간한 놈'이라고 한 것에서 두꺼비의 속마음을 의심하고 있는 것을 알 수 있다.
③ 여우가 "내 나이 많아서 나룻이 세었노라."라고 나서자 노루는 "네 나이 많다 하니 어느 갑자에 났는가. 호패를 올리라."라고 하고 있다.
④ 장 선생이 자신의 맏손자에게 백호산군에게 대해 말하면서 "연전에 네 아비를 해하려고 급히 쫓아오니 네 아비가 뛰기를 잘 못하였던들 하마 죽을 뻔하였나니"라고 한 것을 통해 장 선생의 아들(맏손자의 아비)은 백호산군에게 죽음을 당할 위기를 겪었음을 알 수 있다.
⑤ 노루는 "내가 나이 많아 허리가 굽었노라."라고 하며 자신의 나이가 많음을 주장하고 있다.

---

6. ② 　등장인물의 말하기 방식 파악하기

① [A]에는 고사의 인용이 나타나지 않으며, [B]에서는 호패를 잃어버렸다며 변명하고 있을 뿐 경험을 언급하여 상대의 주장에 반박하고 있는 것은 아니다.
❷ [A]에서 토끼는 잔치에 참석한 이들이 요란하고 무례하다고 지적하며 상황을 정리하려 하고 있고, [B]에서 여우는 노루가 호패를 보여 달라고 한 것에 대해 소년 시절에 호패를 잃어버린 뒤 아직 찾지 못하였다고 변명하며 상황을 모면하려 하고 있다.
③ [A]에서 토끼는 나이를 따져 자리를 정하자는 의도를 드러내기에 앞서 동물들의 행동을 지적하고 있고, [B]에서 여우는 자신의 나이가 많다고 말하면서 노루의 나이를 묻고 있으므로 의도를 우회적으로 드러내고 있다고 볼 수 없다.
④ [A]에서 토끼는 원하는 바를 부탁한 것이 아니라 동물들의 행동을 지적하고 있으며, [B]에서 여우는 호패에 대한 변명과 자신의 나이가 많음에 대한 주장을 드러내고 있을 뿐 상대방 주장의 부당함을 언급한 것은 아니다.
⑤ [A]에서 토끼가 자신의 권위를 내세운 것은 아니며, [B]에서 여우가 상대인 노루의 권위를 깎아내린 것도 아니다.

---

7. ② 　외적 준거에 따라 작품 감상하기

① 장 선생은 잔치에 백호산군을 초청하는 문제에 대해, 백호산군은 사나워 친구를 모르고 연전에 자신의 아들을 위험하게 했으며, 그가 잔치에 오면 손님들이 겁을 낼 것이라는 이유를 들어 "청치 아니함이 마땅하도다."라고 말하고 있다. 이는 〈보기〉에서 언급한 기존의 신분 제도에 따른 지배 질서가 약화된 사회의 모습을 드러내 주는 부분으로 볼 수 있다.
❷ 토끼는 잔치의 자리를 정하는 문제에 대해 '나이'라는 새로운 기준을 제시하고, 노루는 이에 동조하는 모습을 보이며 자신의 나이가 많다고 밝히고 있다. 따라서 노루의 모습을 통해 기존의 신분 질서를 옹호하는 인물을 풍자한 것은 아니다.
③ 여우가 '간계'로 '나이 많은 체'를 하려고 생각하며 자신은 나이가 많아 나룻이 세었다고 주장하는 것을 통해, 〈보기〉에서 언급한 비윤리적 행위로 목적을 이루려는 부정적인 행태가 드러난다.
④ 두꺼비는 풍월을 요청하는 여우의 말에 부채로 서안을 치며 한시를 읊는데, 이를 통해 〈보기〉에서 언급한 한문구를 이용하여 유식한 체하는 모습이 드러난다.
⑤ 여우는 "껍질이 어찌 우둘투둘하시나이까.", "눈은 왜 그리 노르시나이까.", "목정이 왜 움츠러졌으니 그는 어찌한 연고입니까."라는 말로 두꺼비의 외양을 우스꽝스럽게 묘사하면서 그를 은근히 조롱하고 있는데, 이를 통해 〈보기〉에서 언급한 상대에게 우위를 점하기 위해 외양을 우스꽝스럽게 표현하는 모습이 드러난다.

【8~11】 작자 미상, '백학선전'

작품해냄

천상 세계에서 죄를 짓고 인간 세상으로 적강한 조은하와 유백로가 결혼을 약속한 뒤 이별하고 고난을 겪게 되나, 여성 주인공 조은하의 초월적 능력으로 고난을 극복하고 사랑을 이루는 과정을 담은 애정 소설, 영웅 소설, 적강 소설이다. 두 사람이 결혼을 약속하며 징표로 나눈 '백학선'이라는 부채가 사건 전개에 주요한 소재로 등장하면서 비현실적 성격이 드러나며, 조은하의 활약을 통해 여성의 지위 향상에 대한 소망이 반영되어 있다.

〔놓치지 말자!〕

■ 갈래 : 애정 소설, 영웅 소설
■ 성격 : 영웅적, 비현실적
■ 배경 : 명나라
■ 등장인물
 － 조은하(조 원수) : 천상 세계에서 죄를 짓고 인간 세계 온 선녀로, 유백로와 인연을 맺은 뒤 위기 상황에서 초월적 능력을 발휘하여 유백로를 구함.
 － 유백로(유 원수) : 조은하를 위해 가달과의 전쟁에 참전하나 위기에 처했다가 조은하의 도움으로 위기에서 벗어남. 조은하의 능력에 감탄하며 칭송함.
■ 구성
 － 발단 : 명나라 남경에 사는 유시랑은 늦도록 자식이 없다가 일월성신에게 치성을 올린 뒤 아들 유백로를 얻게 된다. 유백로는 천상 세계에서 죄를 지어 인간 세계로 쫓겨 왔다.
 － 전개 : 유백로는 장성한 뒤 조은하를 만나 결혼

을 약속하고 가보인 백학선에 시를 지어 준다. 조은하 역시 옥황상제에게 죄를 지어 인간 세계로 내려온 인물이었다.
 － 위기 : 유백로는 가달과의 전쟁에 원수로 출전했다가 간신 최국낭의 음모 때문에 적군에 사로잡힌다.
 － 절정 : 유백로가 위기에 처했다는 사실을 알게 된 조은하는 남장을 한 채 전쟁터에 나서고, 백학선을 사용하여 초월적 능력을 펼쳐 적군을 무찌르고 유백로를 구한다.
 － 결말 : 조은하는 황제에게 자신이 여자임을 밝히나 인정을 받고 유백로와 조은하는 백년해로하다 하늘로 돌아간다.
■ 주제 : 남녀 간의 사랑의 성취와 우국충정

어휘풀이
• 규중(閨中) 부녀자가 거처하는 곳.
• 호걸(豪傑) 지혜와 용기가 뛰어나고 기개와 풍모가 있는 사람.
• 외람하다(猥濫――) 하는 행동이나 생각이 분수에 지나치다.

---

8. ③ 　서술상의 특징 파악하기

❸ ㄱ. '원수가 말에서 내려 하늘에 절하고 주문을 외워 백학선을 사면에 부치니 천지가 아득하고 뇌성벽력이 진동하며 무수한 신장(神將)이 내려왔다는 것에서 비현실적 요소가 나타난다.
ㄹ. '위수에 이르러 용신(龍神)께 제사하고', '아미산에 이르러서 유 원수의 선산(先山)에 성묘하고', '서울로 향하니라' 등에서 공간의 이동에 따른 인물의 행적이 요약적으로 제시되고 있다.
ㄴ. 제시된 부분에서 꿈은 나타나지 않았다.
ㄷ. 인물의 외양 묘사를 통해 심리를 드러낸 부분은 찾을 수 없다.

---

9. ② 　발화의 성격 이해하기

① [A]에 상대, 즉 유 원수의 잘못은 드러나지 않으며, [B] 또한 상대, 조 원수를 칭송하고 있을 뿐 위로하는 내용은 나타나지 않았다.
❷ [A]에서는 조 원수(조은하)가 유 원수(유백로)에게 백년을 기약한 여자, 즉 자신이 "장군의 비문을 보고 기절하여 죽었다"고 거짓말을 하며 그의 속마음을 떠보고 있고, [B]에서는 유 원수가 조 소저에게 "출전입공(出戰立功)하고 죽은 사람을 살리니 가히 규중 호걸"이라고 칭송하고 있다.
③ [A]에서는 거짓말을 하며 상황에 대한 애석함을 드러내고 있을 뿐 상대에 대한 걱정은 드러나지 않는다. [B]에서는 상대를 높이 평가하며 칭찬하고 있다.
④ [A]에서는 상대의 마음을 떠보고 있을 뿐 능력을 시험하고 있는 것은 아니며, [B] 또한 상대를 칭찬하고 있을 뿐 회유와는 거리가 멀다.
⑤ [A]에서는 거짓말로 여인에 대한 애석함을 드러내고 있을 뿐 상대에 대해 서운해한다고 볼 수는 없으며, [B] 또한 상대를 설득하는 것과는 거리가 멀다.

어휘풀이
• 칭송(稱頌) 칭찬하여 일컬음. 또는 그런 말.
• 치하(致賀) 남이 한 일에 대하여 고마움이나 칭찬의 뜻을 표시함. 주로 윗사람이 아랫사람에게 한다.

10. ④ 　　외적 준거에 따라 감상하기

① 여자 주인공인 조은하가 정남대원수로 출전하여 가달과 마대영을 물리친 것에서 영웅적 면모를 확인할 수 있다.

② 황상이 조은하에게 "기특하도다. 조은하는 규중여자로 출전입공함은 고금에 희한한 일이로다."라고 한 것에서 조은하를 예외적인 존재로 여기고 있음이 드러난다.

③ 앞부분의 줄거리에서 유백로가 조은하에게 백학선을 주며 결혼을 약속한 뒤 조은하를 보호하기 위해 가달과의 전쟁에 원수로 출전하여 둘이 이별했음을 알 수 있고, 이후 둘이 전장에서 재회하는 사건이 제시되어 있는데 이를 통해 남녀 주인공이 고난을 이겨내고 재회하는 애정소설의 성격을 확인할 수 있다.

④ 조은하는 황제 앞에서 능력을 증명하고 정남대원수로 출전하여 가달과 마대영을 물리치는 등의 활약을 했지만, 황상에서 표를 올려 자신의 행동을 '외람하온 죄'라고 하며 '죄를 기다리겠나이다'라고 하였으므로 남성 중심의 사회적 규범을 극복하였다고 볼 수 없다.

⑤ 조은하는 백학선을 사면으로 부쳐 하늘의 도움을 받음으로써 위기를 극복하고 있고, 이후 유백로와 재회했을 때 백학선을 통해 유백로가 조은하를 알아보고 있다. 이를 통해 백학선의 두 가지 서사적 기능을 확인할 수 있다.

11. ① 　　상황에 맞는 한자 성어 찾기

❶ "뜻밖에 죽어 가는 사람을 살려 본국 귀신이 되게 하시니"로 보아 ㉮에는 위기에서 자신을 구해 준 사람에게 할 만한 말이 들어가야 한다. 따라서 '죽어서 백골이 되어도 잊을 수 없다는 뜻으로, 남에게 큰 은덕을 입었을 때 고마움의 뜻으로 이르는 말'인 '백골난망(白骨難忘)'이 적절하다.

② '사면초가(四面楚歌)'는 아무에게도 도움을 받지 못하는 외롭고 곤란한 지경에 빠진 형편을 이르는 말이다.

③ '어부지리(漁夫之利)'는 두 사람이 이해관계로 서로 싸우는 사이에 엉뚱한 사람이 애쓰지 않고 가로챈 이익을 이르는 말이다.

④ '이심전심(以心傳心)'은 마음과 마음으로 서로 뜻이 통하는 상태를 이르는 말이다.

⑤ '적반하장(賊反荷杖)'은 잘못한 사람이 아무 잘못도 없는 사람을 나무람을 이르는 말이다.

고전 시가

Day 16

본문 086쪽

1. ②	2. ⑤	3. ③	4. ⑤	5. ①
6. ①	7. ⑤	8. ⑤	9. ②	10. ④
11. ⑤				

【1~4】 (가) 정철, '속미인곡'

작품해설

임금을 그리워하는 정을 주 화자와 보조 화자의 대화 형식으로 노래한 연군 가사이다. 작가는 임금을 떠나온 자신의 처지를 천상에서 임을 모시다가 지상으로 내려온 주 화자의 신세에 빗대어 임에 대한 일편단심을 노래하였다. 두 여인이 대화하는 형식으로 내용이 전개되는데, 주 화자가 보조 화자의 물음에 답하는 형식으로 자신의 사연을 풀어내고, 보조 화자는 주 화자가 자신의 서러운 사연을 토로하는 것을 들으며 달래거나 충고하고 있다.

- **갈래** : 양반 가사, 정격 가사
- **성격** : 충신연주지사
- **구성**
  - 뎨가는 더각시 ~ 눌을보라 가시는고 : 백옥경을 떠난 이유에 대한 질문
  - 어와 네여이고 ~ 조물의 타시로다 : 임과 이별한 사연과 자책
  - 어와 허소로다 ~ 번드시 비최리라 : 죽어서라도 임을 따르고 싶은 소망
- **제재** : 임을 향한 그리움
- **주제** : 임금을 향한 그리움(연군지정)
- **중요 시어 및 시구 풀이**
  - 천상 백옥경(白玉京)을 엇디ᄒᆞ야 이별ᄒᆞ고 : '천상 백옥경'은 임금이 있는 조정으로, 화자가 임금을 떠난 처지임이 드러남.
  - 내얼굴 이거동이 님괴얌즉 ᄒᆞ가마는 : 임과 이별하기 전 임과의 관계에 대한 화자의 생각으로, 임에 대한 순수한 사랑과 믿음의 자세가 드러남.
  - 셜워 플텨헤니 조물의 타시로다 : 자신의 상황이 조물주의 탓이라며 운명으로 받아들이는 모습이 드러남.
  - 어엿븐 그림재 날조출 ᄲᅮᆫ이로다 : 꿈에서 잠깐 임을 본 뒤 깨어난 화자의 외롭고 쓸쓸한 심정을 가엾은 그림자만이 자신을 따른다고 표현함.
  - 출하리 싀여디여 ~ 번드시 비최리라 : 죽어서라도 임을 따르고 싶다는 화자의 간절한 소망이 드러남.
  - 각시님 돌이야ᄏᆞ니와 구준비나 되쇼셔 : 죽어서 '낙월'이 되겠다는 주 화자에게 보다 적극적인 사랑을 비유한 '궂은비'가 되라고 하며 위로함.

같은작가 다른기출

(나) 임유후, '목동문답가'

작품해설

두 화자의 대화 형식으로 삶에서 추구해야 할 것을 드러낸 가사로, 두 인물이 대등하게 대화하고 있다. 한 인물이 목동에게 인생은 유한하기에 부귀공명과 입신양명을 추구해야 한다며 소 치기만 하는 상대의 삶을 방식을 질책하자, 다른 인물인 목동은 상대방의 삶의 방식을 조롱하고 상대방의 의견에 반박하며 자연에 의탁하는 삶의 가치를 강조하고 있다.

- **갈래** : 가사
- **성격** : 현실적
- **구성**
  - 녹양방초(綠楊芳草) 안의 ~ 소치기만 하나산다 : 인간의 삶의 허무함에 대한 인식과 인간 영락의 추구
  - 어와 긔 뉘신고 ~ 행화촌을 차자리라 : 자연에 의탁하는 삶의 가치
- **제재** : 목동과의 문답
- **주제** : 삶에서 추구해야 할 가치
- **중요 시어 및 시구 풀이**
  - 소 먹이난 아해들아 : 부름의 표현을 활용하여 대화 상대인 목동을 밝힘.
  - 인생 백년이 플끗에 이슬이라 : 인생을 풀 끝의 이슬에 비유하여 유한한 인생에 대한 허무감을 드러냄.
  - 생애는 유한하되 사일은 무궁하다 : 인생의 유한함을 강조하여 인간영락을 추구해야 하는 이유를 제시함.
  - 공명도 못 일우고 ~ 긔 아니 늣거오냐 : 공명을 이루지 못하고 죽는 것은 마음에 복받치는 일이라고 하여, 공명을 추구해야 함을 강조함.
  - 내 근심 더려 두고 남의 분별 하시는고 : 입신양명을 하려 하지 않고 소 치기만 한다고 질책한 상대방의 간섭에 대해 반문함.
  - 즐겁고 즐거오믈 너혜낸 모라리라 : 자신의 삶에 대한 만족감을 과시하며 상대방을 조롱함.
  - 부귀는 부운이오 공명은 ~ 한 곡조의 행화촌을 차자리라 : 부귀공명에 대한 상대방의 의견에 반박하며, 자연에 의탁하여 사는 삶의 가치를 강조함.

1. ② 　　외적 준거에 따라 작품 감상하기

① ⓐ로 보아 '천상 백옥경'은 임금이 있는 조정을 의미하며, '엇디ᄒᆞ야 이별ᄒᆞ고'는 화자가 조정을 떠난 상황임을 나타낸 것으로 볼 수 있다.

❷ '내얼굴 이거동이 님괴얌즉 ᄒᆞ가마는'은 '내 얼굴 이 거동이 임에게 사랑받음 직한가마는'이라는 의미로, 임과 이별하기 전 임과의 관계에 대한 생각이 드러나 있다. 즉 작자가 조정을 떠나기 전의 임금과의 관계에 대한 생각을 드러내고 있을 뿐, 정치적 반대 세력에 의해 처하게 된 자신의 상황에 대한 자책이 드러나 있는 것은 아니다.

③ '셜워 플텨헤니 조물의 타시로다'는 자신의 상황이 조물주의 뜻이라고 하며 운명으로 받아들이는 모습이

드러난 것이라 할 수 있다.

④ 화자가 꿈에서 깨어나 '이님이 어딕간고'라고 한탄하며 창을 열고 '어엿븐 그림재 날조출 뿐이로다'라고 한 것에는, 임금과 이별한 상황에서 임금을 그리워하는 자신의 상황에 대한 탄식이 드러난다고 볼 수 있다.

⑤ '출하리 싀여디여 낙월이나 되야셔 / 님겨신 창안히 번드시 비최리라'는 죽어 없어져 지는 달이 되어 임이 계신 창 안에 비추겠다는 의미로, 임금의 곁에 머물 수 없는 상황에서 임금에 대한 변하지 않는 충정을 드러낸 것으로 볼 수 있다.

2. ⑤   외적 준거에 따라 작품 이해하기

❺ '연교 초야의 소치기만 하나산다'는 목동에게 '시골 들판에서 소치기만 하느냐'고 질책한 것으로, 설의적 표현이 드러날 뿐 반어적 표현은 활용하고 있지 않다.

⚠️ 왜 많이 틀렸을까?

(나)작품이 다소 낯설어 해석이 좀 어려웠던 문제야. 지문을 통해 (나)에 대한 설명을 제시하고 있는데, 이 문제에서는 ⓑ를 참고하여 이해하라고 했지만 전후 내용을 통해 (나)의 성격을 파악하고 접근하는 것이 필요했어. 즉 (나)는 대립적인 입장인 [A]와 [B]의 대화로 구성되었는데, [B]의 인물은 목동이라는 점을 우선 파악하고 선택지를 살펴봐야 해. 그리고 ⓑ의 각 구절이 [A]에서 문제화된 내용과 거의 1대1로 대응하고 있으므로 그 연결의 적절성을 따져보면서 선택지의 적절성을 판단해야 해. 이때는 당연히 선택지에 언급된 구절의 전후 맥락을 살피는 것도 필요해. ④번 선택지를 고른 비율이 좀 높았는데, 이는 앞 구절의 '공명도 못 일우고'와 해당 구절을 연결하지 못했기 때문이겠지!

3. ③   외적 준거에 따라 작품 이해하기

① '닫힌 대화체'는 한 인물의 사설이 작품의 대부분을 차지하며 대화를 주도하는 반면, 다른 한 인물은 질문을 통해 상대방의 사설을 이끌어 낸다. (가)에서 ㉠은 보조적 인물의 질문으로, '눌을보라 가시는고'가 주도적 인물의 '내 스셜 드러보오'와 같은 반응을 이끌어 내므로 주도적 인물의 사설을 이끌어 내는 '닫힌 대화체'의 특징을 보여 준다고 할 수 있다.

② ㉡은 '출하리 싀여디여 낙월이나 되야셔 / 님겨신 창안히 번드시 비최리라'라는 주도적 인물의 사설에 대해 보조적 인물이 의견을 덧붙인 것으로, 주도적 인물의 사설에 담긴 임금에 대한 충정을 강조한다고 볼 수 있다.

❸ ㉢은 '자신의 근심은 던져두고 남의 분별을 하느냐'는 물음으로, [A]의 인물의 간섭에 대한 반문이라고 볼 수 있다. 이는 독자적 인물들 사이의 긴장을 유지시켜 작가 의식이 어느 한쪽으로 치우쳐 드러나지 않는 '열린 대화체'의 특징을 보여 준다. 따라서 '열린 대화체'가 독자적 인물들의 대화를 단일한 주제로 통합시킨다는 것은 적절하지 않다.

④ ㉣에서 '너해낸 모라리라'라고 한 것은 상대방을 조롱하며 자신의 삶의 방식을 과시한 것으로, 독자적 인물들 사이의 긴장을 유지시킨 것으로 볼 수 있다.

⑤ ㉤는 부귀와 공명이 소용없는 것이라는 의미로, 이는 부귀공명이나 입신양명과 같은 인간영락을 추구하는 삶이 가치 있다고 한 상대방의 의견에 반박한 것이다. 따라서 이를 통해 독자적 인물들의 주장이 대등하게 대립되는 '열린 대화체'의 특징이 드러난다고 볼 수 있다.

4. ⑤   소재의 의미 비교하기

❺ (가)의 '내 스셜'에는 화자가 임과 이별한 사연이 담겨 있는데, '내몸의 지은죄 뫼ㄱ티 짜혀시니'에서 화자가 임과 이별한 현재 상황에 처한 이유라고 생각하는 것이 드러난다. 또한 (나)의 '내 노래'는 '장안을 도라보니 풍진이 아득하다 / 부귀는 부운이오 공명은 와각이라'와 같은 내용으로, 화자가 자연에 귀의하여 소 치기를 하는 이유가 드러난다. 따라서 (가)의 '내 스셜'은 자신이 현재 상황에 처한 이유를, (나)의 '내 노래'는 자신이 현재의 삶을 선택한 이유를 드러내고 있다고 할 수 있다.

고전 시가   ▶ 현대어 풀이

(가) 정철 '속미인곡'

저기 가는 저 각시 본 듯도 하구나.
천상의 백옥경을 어찌하여 이별하고,
해 다 저문 날에 누구를 보러 가시는가?
아, 너로구나. 내 사정 이야기 들어 보오.
내 얼굴 이 거동이 임에게 사랑받음직 한가마는
어쩐지 나를 보시고 너로구나 여기시므로
나도 임을 믿어 딴 생각이 전혀 없어
아양이며 교태를 부리며 지나치게 굴었던지
반기시는 얼굴빛이 옛날과 어찌 다르신고?
누워 생각하고 일어나 앉아 헤아려 보니
내 몸의 지은 죄 산같이 쌓였으니
하늘이라고 원망하겠으며 사람을 탓하겠는가.
서러워 풀어 헤아려 보니 조물주의 탓이로다.
(중략)
아, 헛된 일이로구나. 이 임이 어디 갔는가?
꿈결에 일어나 앉아 창을 열고 바라보니,
가엾은 그림자만이 나를 좇을 뿐이로다.
차라리 죽어 없어져서 지는 달이 되어
임 계신 창 안에 환하게 비치리라.

(나) 임유후, '목동문답가'

향기로운 풀 안의 소 먹이는 아이들아
인간사의 영화를 아는가 모르는가?
인생 백 년이 풀 끝의 이슬과 같다.
백 년을 다 살아도 다 갖추지 못하여 초라하거든
짧은 인생을 따르는 것이 운명이니 죽고 사는 것을 빠트리겠느냐?
생애는 유한하되 죽음의 날은 끝이 없다.
덧없고 허무한 세상에 하루살이같이 나왔다가
공명도 못 이루고 초목같이 썩어 사라지면
아무것도 이루지 못하고 죽음에 이르는 것 그것이 마음에 북받치지 않겠느냐? (중략)
입신양명을 생각 밖에 던져두고 시골 들판의 소 치기만 하는가.
목동이 대답하되
어와 그 누구신가 우스운 말 듣겠구려.
모습이 야위어서 파리하니 초나라 굴원이신가,
살아남은 목숨이 영락하니 유학사 유종원이신가.
해가 저물 무렵 긴 대나무에 의지하여 혼자 어둑 서 계셔서
자신의 근심은 던져두고 남의 분별을 하느냐. (중략)
기산의 귀 씻기와 상류의 소 먹이기
즐겁고 즐거움을 너희는 모르리라.
내 노래 한 곡조를 부르거든 들어보소.
장안을 돌아보니 풍진이 아득하다.
부귀는 뜬구름이요 공명은 알맹이가 빈 달팽이 껍질이라
이 통소 한 곡조에 행화촌(이상향)을 찾으리라.

【5~8】 (가) 이휘일, '저곡전가팔곡'

📖 작품해설

농촌의 풍경과 노동하는 농민들의 삶을 사실적으로 그린 전 8수의 연시조로, 농사일을 계절의 변화와 일과에 따라 제시하고 있다. 작가는 성리학 연구에 몰두하며 벼슬길에 오르지 않고 향촌에서 평생을 보낸 이로, 이 작품에서 자신이 경험한 농촌에서의 삶을 사실적으로 묘사하였다. 대구법과 비유법, 설의법 등을 활용하여 농민의 삶을 구체적으로 드러내는 한편 농촌과 관련 있는 소재를 제시해 농사일에 참여하는 화자의 모습을 나타내고 있다.

■ **갈래** : 평시조, 연시조(전 8수)
■ **성격** : 전원적, 향토적
■ **구성**
 – 제1곡(원풍) : 속세를 떠난 사대부의 풍년을 기원하는 마음
 – 제2곡(춘) : 봄을 맞이하여 상부상조하며 농사일을 함.
 – 제3곡(하) : 여름날 더위로 인한 농사일을 고단함.
 – 제4곡(추) : 스스로 농사지은 곡식을 먹는 만족감
 – 제5곡(동) : 다음 해 농사 준비를 위한 겨울 농촌의 일상
■ **제재** : 농촌에서의 삶
■ **주제** : 농사를 짓는 즐거움과 만족감
■ **중요 시어 및 시구 풀이**
 • 바깥 일 내 모르고 ~ 풍년을 원하노라 : 속세의 일은 모르지만 나라를 걱정하는 마음이 있어 풍년을 기원함.
 • 따비 : 농기구
 • 두어라 내 집붸 하랴 남하니 더욱 좋다 : 이웃을 배려하는 농민들의 모습, 상부상조
 • 단 땅이 불이로다 : (한여름의 더위로) 달궈진 땅이 불처럼 뜨겁다.
 • 어사와 입립신고 어느 분이 아실까 : 농사일의 어려움을 알아주지 않는 세태에 대한 안타까움이 드러남.
 • 천사만종 : 부귀영화, 세속적 가치를 상징함.

(나) 정훈, '용추유영가'

📖 작품해설

작가가 살던 방장산(지금의 지리산) 아래 용추동 일대의 뛰어난 경관을 읊은 가사이다. 섬세한 관찰력을 바탕으로 용추동의 아름다운 사계절의 경치를 그리고, 속세와 단절하고 안빈낙도하며 자연 속에서 살고자 하는 화자의 소망을 드러내고 있다. 설의적 표현과 고사를 활용하여 자연과 자연 속에서 은거하는 삶에 대한 화자의 태도를 효과적으로 형상화하였다.

■ **갈래** : 가사
■ **성격** : 전원적, 풍류적, 한정적
■ **구성**
 – 불어오는 봄바람이 ~ 추위를 어이 알까 : 용추동의 사계절 경치
 – 깨끗하고 맑은 바람 ~ 세상 알까 하노라 : 속세와의 단절과 아름다운 경치에의 몰입
■ **제재** : 용추동의 아름다운 사계절의 경치

■ **주제** : 지리산 용추동의 아름다운 경치와 풍류 예찬

■ **중요 시어 및 시구 풀이**

- 곱디고운 수풀 꽃이 웃음을 머금었다 : 꽃을 의인화하여 화자의 즐거움을 드러냄.
- 골 안의 맑은 향기 지팡이에 묻었구나 : 자연의 정취가 지팡이에까지 묻어 있을 정도로 자연과 하나가 됨.
- 국화를 잔에 띄어 무지개를 맞아 오니 : 술잔에 무지갯빛 국화를 띄어 마시는 화자의 모습을 통해 풍류가 드러남.
- 이 작은 즐거움은 세상모를 일이로다 : 풍류를 즐기는 만족감과 자부심이 나타남.
- 공명을 생각하며 빈천을 설워할까 : 가난함에 만족하며 안빈낙도, 안분지족하는 화자의 태도가 드러남.
- 단사표음(簞食瓢飮) : 대나무로 만든 밥그릇에 담은 밥과 표주박에 든 물이라는 뜻으로, 청빈하고 소박한 생활을 이르는 말

같은작가 다른기출

2016학년도 9월 A형 '탄궁가'

5. ① 표현상 공통점 파악하기

❶ (가)는 사계절에 따른 농사일과 그에 대한 화자의 정서를 나타내고 있으며, (나)는 계절에 따라 달라지는 용추동 주변의 아름다운 경치를 보여 주며 시적 분위기를 조성하고 있다.

② (가)에서는 농촌에서 농사를 짓는 모습이 나타나고 (나)의 화자는 속세에서 벗어난 자연 속에서 살고자 할 뿐, (가), (나) 모두 초월적 공간에 대한 동경은 나타나 있지 않다.

③ (가)는 계절의 흐름에 따라 농사 짓는 모습이, (나)에는 자연과 하나가 되고 자연 속에서 살아가고자 하는 태도가 나타날 뿐 (가), (나) 모두 인간과 자연을 대비한 내용은 나타나 있지 않다.

④ (가)는 시간의 흐름에 따라 시상을 전개하고 있으며 과거 회상은 나타나지 않는다. (나)에는 '옛일을 떠올리니 어제인 듯하다마는'과 같은 표현이 나타나는데 이것 역시 과거 회상을 통해 현실의 덧없음을 환기한 것은 아니다.

⑤ (가), (나) 모두 공간의 이동에 따라 내적 갈등이 고조되고 있는 부분은 찾을 수 없다.

6. ① 작품 이해의 적절성 파악하기

❶ 〈제1곡〉은 속세를 떠난 화자가 나라를 걱정하며 풍년을 기원하는 마음을 표현하고 있지만 정치 현실에 대한 화자의 미련이 드러난 것은 아니다.

② 〈제2곡〉에서는 농기구를 내며 '내 집부터 하랴 남하니 더욱 좋다'라고 말하고 있는데, 이는 농촌의 공동체적 삶의 태도를 드러내는 것이다.

③ 〈제3곡〉에서는 '여름날 더욱 적'에 일하며 '땀' 흘리는 모습을 통해 한여름 농사일의 고단함을 사실적으로 표현하고 있다.

④ 〈제4곡〉에서는 '내 힘으로 이룬' 곡식을 먹으며 '천사만종'도 부러워하지 않는 화자의 모습을 통해 농사일

에 대한 화자의 만족감을 드러내고 있다.

⑤ 〈제5곡〉에서는 '농기'를 수리하며 다음 해 봄 농사를 준비하는 모습을 통해 계절의 변화와 자연의 질서에 순응하는 농촌의 생활상을 드러내고 있다.

7. ⑤ 시구의 내용 파악하기

① ㉠은 '무엇인고'에서 의문형 어미를 사용하고 있지만 속세를 떠난 자신의 하는 일이 무엇인지 스스로 묻고 있을 뿐 과거의 삶을 자책하는 것은 아니다.

② ㉡은 '부러 무엇하리오'와 같은 설의적 표현을 사용하여 농촌에서의 삶에 대한 만족감을 드러내고 있을 뿐 부정적 현실에 대한 안타까움을 강조한 것은 아니다.

③ ㉢은 '맑은 향기 지팡이에 묻었구나'라는 후각을 시각화한 공감각적 표현으로 골짜기 안의 꽃향기를 감각적으로 그려 내 자연의 아름다움을 표현한 것으로, 성현의 삶을 지향하는 화자의 심리를 드러내는 것은 아니다.

④ ㉣의 '일대의 강 그림자 푸른 유리 되었구나'는 맑고 깨끗한 강물을 푸른 유리에 빗댄 표현으로 자연의 역동적인 모습을 강조한 것으로 보기는 어렵다.

❺ ㉤은 '사립문 닫아라'와 같은 명령형 표현을 사용하여 속세와 단절하고자 하는 화자의 의지를 드러내고 있다.

8. ⑤ 외적 준거에 따라 작품 감상하기

① '이 작은 즐거움'은 화자가 자연 속에서 느끼는 소박한 즐거움, 즉 자연이 주는 정신적 풍요로움으로 이를 통해 자연이 화자에게 현실 소외에 대한 보상 공간의 역할을 한다고 볼 수 있다.

② '끝없는 설경'은 자연이 만들어 내는 풍요로운 아름다움으로, 이에 감동한 화자는 그 흥취를 '시'를 통해 표출하고 있으므로 적절하다.

③ 화자는 자연을 '벗으로 삼'아 두고 '생긴 대로 노는 몸'이 '공명을 생각하며 빈천을 설워할까'라고 말하고 있다. 이는 정치·경제적으로 몰락한 화자가 속세에 연연하지 않고 자연을 안식처 삼아 즐겁게 살아가고 있음을 보여 준다.

④ 화자는 '공명을 생각'하지 않고 '빈천을 설워'하지 않는다고 말하고 있는데, 이는 정치 현실에서 벗어나 자연 속에서 안빈낙도하며 살겠다는 자신의 신념을 드러낸 것이다.

❺ 화자가 '단사표음'을 '내 분'으로 생각하니 '세월도 한가'하다고 느끼는 모습에는 자연 속에서 욕심 없이 안빈낙도하며 한가롭게 살아가려는 모습이 나타나는데, 화자가 삶의 단조로움을 느끼고 안빈낙도하려는 의지를 드러냈다고 볼 수는 없다. 화자가 삶의 단조로움을 느꼈다고 볼 만한 내용은 나타나 있지 않다.

왜 말이 틀렸을까?

〈보기〉를 바탕으로 각 시구의 의미를 파악할 것을 요구한 문제인데, 비교적 낯선 작품에 대한 해석을 요구한 데다 함정이 있어서 오답률이 높았어. 많은 학생들이 ③번과 ④번을 선택했는데, 제시된 시구의 앞뒤 맥락을 통해서 자연에서 안빈낙도하고자 하는 화자의 모습을 파악하고 〈보기〉의 내용과 연결해 보면 충분히 옳은 설명이라는 것을 알 수 있었을 거야. 한편 ⑤번은 '단조로움'이라는 말에 대해 잘못 판단했거나, '삶의 단조로움을 느끼고' 안빈낙도를 선택했다는 서술의 오류를 놓쳤다면 오해하기 쉬워. 선택지를 부분부분 뜯어보면서 과연 지문이나 〈보기〉에서 제시된 진술의 근거를 찾아볼 수 있는지 반드시 확인하도록 하자.

【9~11】 (가) 정약용, '고시(古時)'

작품해설

지배층의 횡포로 고통받는 백성들의 모습을 '제비', '황새', '뱀'을 통해 우의적으로 노래한 한시이다. 즉 '제비'는 수탈당하는 백성을, '황새'와 '뱀'은 백성들을 수탈하는 관리를 의미한다. 제비에게 질문하고 답변을 듣는 방식으로 시상을 전개하며 수탈당하는 백성들에 대한 안타까움을 드러내고 있다.

[놓치지 말자!]

■ **갈래** : 한시, 오언 고시
■ **성격** : 우의적, 풍자적, 비판적
■ **구성**
  - 1행~4행: 제비들이 집 없는 서러움을 호소함.
  - 5, 6행: 제비들을 측은히 여기는 화자의 질문
  - 7~10행: 황새와 뱀의 괴롭힘으로 삶의 터전을 빼앗긴 제비의 답변
■ **제재** : 제비의 울음소리
■ **주제** : 지배층의 횡포로 인한 백성들의 고통
■ **중요 시어 및 시구 풀이**
  - 제비 한 마리 ~ 소리 그치지 않네: 제비가 날아와 우는 소리가 그치지 않는 모습으로, 소재(제비의 울음소리)가 드러남.
  - 집 없는 서러움: 제비가 우는 이유로, 삶의 터전을 잃은 고통이 드러남.
  - 느릅나무 홰나무 묵어 ~ 그곳에 깃들지 않니: '느릅나무 홰나무'의 구멍은 백성들의 삶의 터전으로, 제비가 우는 것을 측은히 여기며 그 이유를 묻는 화자의 모습이 나타남.
  - 느릅나무 구멍은 황새가 쪼고 / 홰나무 구멍은 뱀이 와서 뒤진다오: '황새'와 '뱀'은 제비의 삶의 터전인 '느릅나무 구멍'과 '홰나무 구멍'을 쪼고, 뒤지는 존재로 곧 백성들을 수탈하는 존재를 의미함. 이를 통해 삶의 터전을 빼앗기게 된 제비, 즉 백성들의 현실이 드러남.

같은작가 다른기출

2003학년도 9월 모의 수능 '구우'
2009학년도 9월 모의 수능 '고시'

(나) 작자 미상, '시집살이 노래'

작품해설

시집살이를 하는 여인의 고통을 다양한 표현 방법을 활용해 해학적으로 노래한 민요이다. 형님을 마중하러 간 사촌 동생이 시집살이에 대해 질문하자, 형님이 고된 시집살이에 대해 토로하는 대화 형식으로 구성되어 있다. 언어유희와 비유로 해학성이 두드러지며 4음보 율격과 반복과 대구, 대조, 열거 등으로 운율감이 느껴진다.

[놓치지 말자!]

■ **갈래** : 민요, 부요(婦謠)
■ **성격** : 서민적, 해학적
■ **구성**
  - 기: 형님을 마중하며 시집살이에 대한 호기심을 드러냄.(화자: 사촌 동생)
  - 서: 고된 시집살이의 괴로움(화자: 사촌 형님)

– 결: 시집살이에 대한 체념
■ **제재** : 시집살이
■ **주제** : 시집살이의 한과 체념
■ **중요 시어 및 시구 풀이**
- 형님 동생 내가 가지: 사촌 형님을 마중 가는 화자(사촌 동생)가 드러남.
- 형님 형님 사촌 형님 시집살이 어떱데까: 사촌 형님에게 시집살이가 어떠한지 묻고 있음.
- 시집살이 개집살이: 시집살이의 괴로움을 언어유희를 통해 그러냄.
- 고추 당추 맵다 해도 시집살이 더 맵더라: 시집살이를 고추, 당추와 비교하여 시집살이가 고됨을 드러냄.
- 둥글둥글 수박 식기 ~ 열두 방에 자리 걷고: 화자가 시집살이를 하며 해야 하는 노동이 과중함이 드러남.
- 외나무다리 어렵대야 ~ 시어머니보다 더 푸르랴?: 시부모님이 어렵고 두려움을 비유와 비교를 통해 드러냄.
- 시아버니 호랑새요 ~ 나 하나만 썩는 샐세: 시집 사람들과 자식, 화자를 새에 비유하여 시집살이의 괴로움을 해학적으로 드러냄.
- 배꽃 같은 요내 얼굴 ~ 오리발이 다 되었네: 결혼 전과 후의 모습을 대비하여 시집살이의 고생을 드러냄.
- 베갯머리 소(沼) 이뤘네: 베개에 흘린 눈물이 연못을 이룸을 과장법으로 표현함.
- 그것도 소(沼)이라고 ~ 쌍쌍이 때 들어오네: 자식들을 '거위 한 쌍 오리 한 쌍'에 빗대어 시집살이에 대한 체념을 드러냄.

같은작가 다른기출
2014학년도 6월 모의 수능 A/B형 '시집살이 노래'

9. ②　　표현상 공통점 파악하기

① (가), (나) 모두 전달하고자 하는 바와 반대로 표현하여 의도를 강조하는 반어적 표현은 활용하지 않았다.
❷ (가)에서는 화자가 제비에게 왜 느릅나무 홰나무 구멍에 깃들지 않냐고 묻자, 제비가 느릅나무 홰나무 구멍에 황새, 뱀이 와 괴롭힌다고 대답하고 있다. 또한 (나)에서는 '형님 동생'이 사촌 형님에게 '시집살이 어떱데까'라고 묻자 사촌 형님이 시집살이의 괴로움에 대해 토로하고 있다. 따라서 둘 다 대화 형식을 활용하여 현실에 대한 부정적 인식을 드러낸다고 볼 수 있다.
③ (가)에는 시간의 흐름이 드러나지 않으며, (나)에서는 화자가 시집살이를 석 삼 년을 하며 겪은 괴로움을 드러내고 있을 뿐 시간의 흐름을 통해 깨달음에 이르는 과정을 제시한 것은 아니다.
④ (가), (나) 모두 감각적 이미지를 활용하여 자연의 아름다움을 드러낸 부분은 없다.
⑤ (가)는 '제비'와 같은 자연물을 이용하여 의도를 우회적으로 드러내고 있고, (나)는 시집 사람들을 새와 같은 자연물에 빗대 해학적으로 표현하거나 자신의 모습을 '배꽃', '호박꽃'에 빗대어 한탄하고 있을 뿐 둘 다 자연물에 감정을 이입하여 대상에 대한 안타까움을 강조하고 있는 것은 아니다.

외H 말이 틀렸을까?
이 문제는 오답인 ⑤번을 선택한 비율이 39%로 높게 나타

나 정답률이 낮았어. (가)와 (나)가 자연물에 감정을 이입하여 대상에 대한 안타까움을 강조하고 있다고 본 것인데, 이 감정 이입에 대해 잘못 이해한 거야. 자연물에 감정을 이입했다는 것은 그 자연물이 자신과 같은 정서를 가지고 있는 것처럼 느끼는 것을 말해. (가)에서 화자는 제비의 처지에 안타까움을 느끼고 있지만 제비에게 자신의 감정을 '이입'한 것은 아니야. (나) 역시 자연물이 비유의 대상으로 등장할 뿐 이입의 대상이라고 볼 수는 없어. 즉 시집살이가 고추보다 더 맵다고 하거나 시집 사람들을 '호랑이', '구중새' 따위에 빗대는 한편 자신의 배꽃 같던 얼굴이 호박꽃이 다 되었다고 하고 있지. 하지만 이것 또한 자연물에 감정을 이입한 것은 아니야.

10. ④　　시의 내용 파악하기

①, ② (가)를 조선 후기 지배층의 횡포와 피지배층의 고난을 드러낸 작품으로 읽는다면, '황새'와 '뱀'은 제비의 삶의 터전인 '느릅나무 구멍', '홰나무 구멍'을 침범하는 존재로 백성들을 괴롭히는 지배 세력을 상징하며, '제비'는 그러한 지배 세력에게 착취당하는 백성들을 상징한다고 해석할 수 있다.
③ 제비가 황새와 뱀 때문에 '느릅나무 홰나무'에서 쫓겨나 '집 없는 서러움'을 호소하는 것에서, 피지배층의 고난은 삶의 터전마저 빼앗기는 절박한 상황임이 드러나고 있다.
❹ (가)에는 제비가 황새, 뱀에게 삶의 터전을 빼앗기고 서러움을 호소하는 듯한 울음을 그치지 않는 모습이 드러나 있을 뿐, 백성들이 현실에 굴하지 않는 꿋꿋한 모습을 보이고 있는 것은 아니다.
⑤ (가)에서는 당대의 부정적 현실을 '제비', '황새', '뱀'이라는 소재를 통해 우회적으로 고발하고 있다.

11. ⑤　　외적 준거에 따라 감상하기

① '고추', '당추'가 맵다고 해도 시집살이가 더 맵다고 하여, 시집살이의 고통을 표현하고 있다.
② '오 리 물'을 긷고, '십 리 방아'를 찧어야 한다고 하여 화자가 감당해야 할 노동이 과중함을 드러내고 있다.
③ 시아버지를 '호랑새', 시어머니를 '구중새'에 비유하여 시아버지와 시어머니를 대하기 힘듦을 드러내고 있다.
④ 고된 시집살이를 석 삼 년 살고 나니 '배꽃' 같던 자신의 얼굴이 '호박꽃'이 다 되었다고 하고 있다. 즉 과거 '배꽃' 같던 모습과 고생을 하여 '호박꽃'이 다 된 현재의 모습을 대비하여 초라해진 자신의 모습에 대한 한탄을 드러낸 것이다.
❺ ㉣에서 화자는 베개에 연못을 이룰 정도로 눈물을 흘리게 되는 시집살이에 대한 체념을 드러내고 있는데, '거위 한 쌍 오리 한 쌍'이 화자 자신을 비유한 것이라고 볼 수는 없다. '거위'와 '오리'는 고된 시집살이를 참고 견디게 하는 자식들을 의미하는 것으로 해석할 수 있다.

Day 17

1. ③	**2.** ④	**3.** ①	**4.** ⑤	**5.** ④
6. ④	**7.** ①	**8.** ⑤	**9.** ①	**10.** ④
11. ⑤	**12.** ③			

【1~4】 (가) 정철, '속미인곡'

작품해설

정철이 전남 창평에 은거할 때 임금을 그리워하는 정을 두 여인의 대화 형식으로 읊은 연군 가사로, '사미인곡'의 속편에 해당한다. 이 노래는 '사미인곡'과 함께 가사 문학의 백미로 꼽히는데, '사미인곡'에 비해 순우리말의 묘미를 잘 살렸으며, 화자의 간절함이 뛰어나다는 평가를 받고 있다. '서사–본사–결사'의 3단 구성으로, 특히 두 선녀의 대화 형식, 즉 상대 여인(보조 인물)이 백옥경을 떠난 이유를 묻고, 작가의 분신에 해당하는 여인이 답하며 자신의 서러운 사연과 간절한 사모의 정을 토로하는 형식으로 노래를 전개했다는 점이 돋보인다. 여기서 작가는 임금을 떠나온 자신의 처지를 천상에서 임을 모시다가 지상으로 내려온 선녀의 신세에 빗대어 임에 대한 절절한 사랑을 표현하였다.

[놓치지 말자!]
■ **갈래** : 서정 가사, 양반 가사, 정격 가사
■ **성격** : 서정적, 여성적, 연모적, 충신연주지사
■ **운율** : 3(4)·4조, 4음보 연속체
■ **제재** : 임에 대한 그리움
■ **주제** : 임금을 향한 그리움, 연군지정(戀君之情)
■ **특징**
- 대화 형식으로 내용을 전개함.
- 순우리말을 절묘하게 구사함.
■ **연대** : 조선 선조(16세기 말)
■ **중요 시구 및 시어 풀이**
- 반벽청등(半壁靑燈) 벽 가운데 걸려 있는 등불.
- 역진(力盡) 힘이 다 함.

같은작가 다른기출
2016학년도 수능 '어와 통량재롤'
2015학년도 수능 '관동별곡'
2015학년도 9월 모의 수능 〈보기〉 '속미인곡'
2014학년도 6월 모의 수능 〈보기〉 '속미인곡'
2013학년도 수능 '성산별곡'
2013학년도 6월 모의 수능 '사미인곡'
2008학년도 6월 모의 수능 '관동별곡'
2006학년도 수능 '속미인곡'
2006학년도 9월 모의 수능 '사미인곡'
2005학년도 9월 모의 수능 〈보기〉 '성산별곡'
2004학년도 6월 모의 수능 '속미인곡'
2002학년도 수능 '장진주사'
1999학년도 수능 '관동별곡'

(나) 이담명, '사노친곡'

작품해설
작가가 유배지에서 고향에 계신 노모에 대한 간절한 그리움을 노래한 연시조이다. 봄이 또 오고 풀이

•정답 및 해설• 유형+ SIMUL

또 푸르듯 다시 제 본모습으로 돌아오는 자연 현상과는 다르게, 화자는 유배지에서 다시 고향으로 돌아가지 못하고 있는 처지이다. 화자는 고향 집에 계시는 노모에 대한 소식이라도 듣고 싶어하지만 이도 여의치 않은 형편이다. 이처럼 이 작품은 자신의 처지에 대한 한탄과 함께, 노모를 걱정하고 그리는 마음을 애절하게 표현하고 있는 것이 특징이다.

[놓치지 말자!]
■ 갈래 : 연시조, 서정시
■ 성격 : 대비적, 애상적
■ 어조 : 안타까움과 그리움의 어조
■ 특징
  • 유사한 통사 구조를 반복하여 시상을 전개함.
  • 설의적 표현을 활용하여 화자의 심정을 표현함.
  • 소망을 나타내는 종결형을 통해 화자의 생각을 드러냄.
  • 자연의 순환적 질서를 언급하며 고향에 돌아가지 못하는 화자의 처지를 드러냄.
■ 주제 : 고향에 계신 노모에 대한 걱정과 그리움

---

1. ③ 표현상의 특징 파악하기

① [B]의 〈1수〉의 '나도 이 봄 오고 이 플 프르기 ᄀ티'에서 직유법이 사용되었는데, [A]의 '내 몸의 지은 죄 뫼ᄀ티 싸혀시니'에서도 직유법이 사용되었으므로 적절하지 않다.
② [A]의 '하늘히라 원망ᄒ며 사ᄅᆞᆷ이라 허믈ᄒᆞ랴'와 [B]의 〈2수〉의 '친년(親年)은 칠십오(七十五)ㅣ오 영로(嶺路)ᄂᆞᆫ 수천리(數千里)오'에서 대구법이 사용되었으므로 적절하지 않다.
❸ [A]의 '하늘히라 원망ᄒ며 사ᄅᆞᆷ이라 허믈ᄒᆞ랴'와 [B]의 〈6수〉의 초장, 중장에서 설의적 표현을 사용하여 화자의 정서를 드러내고 있으므로 적절하다.
④ [A]와 [B] 모두 의성어가 나타나지 않으므로 적절하지 않다.
⑤ [A]에서는 의인법이 나타나지 않으므로 적절하지 않다.

---

2. ④ 외적 준거를 통해 작품 감상하기

① (가)는 임금을 떠난 작가의 처지를 임을 잃은 여인의 모습으로 설정하고 있는데, 〈보기〉를 참고해 보면 이러한 설정은 군신 관계를 우의적으로 형상화하여 드러낸 것으로 이해할 수 있다.
② (나)의 '영로ᄂᆞᆫ 수천리'라는 것은 노모와 화자의 거리감을 나타낸 것이다. 이를 통해 화자는 유배지에서 느끼는 가족과의 이별로 인한 슬픔을 드러내고 있다.
③ (가)의 '내 몸의 지은 죄 뫼ᄀ티 싸혀시니'에는 산같이 쌓여 있는 자신의 죄를 탓하는 모습이 나타나 있고, (나)의 '내 죄를 아옵거니 유찬이 박벌이라'에는 유배가 오히려 가벼운 처벌이라며 자신이 지은 죄를 인정하는 모습이 나타나 있다.
❹ (가)의 '셜워 플뎌 헤니 조믈의 타시로다.'에서는 임과 이별한 상황을 자신의 운명으로 돌리는 모습이 나타나 있다. 이를 임금에 대한 서운함으로 감상한 것은 적절하지 않다.

---

⑤ (가)에는 죽어서라도 임 곁에 있고 싶어하는 화자의 소망이 드러나 있는데, 이는 임금을 연모하는 작가의 모습으로 이해할 수 있다. (나)에는 '성은'을 갚을 길이 없다며 탄식하는 화자의 모습이 나타나 있는데, 이는 임금의 은혜에 감사하는 작가의 모습으로 이해할 수 있으므로 적절하다.

어휘풀이
• 기인하다(起因) 어떠한 것에 원인을 두다.

고전 시가 ▶ 현대어 풀이
정철 '속미인곡'

저기 가는 저 각시 본 듯도 하구나.
임금이 계시는 대궐을 어찌하여 이별하고,
해가 다 져서 저문 날에 누구를 만나러 가시는고?
아, 너로구나. 내 사정 이야기를 들어 보오.
내 몸과 이 나의 태도는 임께서 사랑함직한가마는
어찌나 나를 보시고 너로구나 하고 여기시기에
나도 임을 믿어 딴 생각이 전혀 없어
응석과 아양을 부리며 지나치게 굴었던지
반기시는 얼굴빛이 옛날과 어찌 다르신고?
누워 생각하고 일어나 앉아 생각하니
내 몸이 지은 죄가 산 같이 쌓였으니,
하늘을 원망하며 사람을 탓하랴.
서러워서 여러 가지 일을 풀어 내어 헤아려 보니 조물주의 탓이로다.
[중략]
초가집 찬 잠자리에 한밤중이 돌아오니,
벽 가운데 걸려있는 등불은 누구를 위하여 밝게 커져 있는가?
산을 오르내리며 시름없이 오락가락하니
잠깐 사이에 힘이 다하여 풋잠을 잠깐 드니,
정성이 지극하여 꿈에 임을 보니
옥과 같이 곱던 모습이 반 넘어 늙었구나.
마음속에 품은 생각을 실컷 아뢰려 하였더니
눈물이 쏟아지니 말인들 어찌하며
정회도 다 못 풀어 목마저 메니
방정맞은 닭소리에 잠은 어찌 깨버렸는가?
아 허황한 일이로다. 이 임이 어디 갔는가?
즉시 일어나 앉아 창문을 열고 밖을 바라보니,
가엾은 그림자만이 나를 따르고 있을 뿐이로다.
차라리 사라져서 지는 달이나 되어
임이 계신 창문 안에 환하게 비치리라.
각시님, 달은커녕 궂은 비나 되십시오.

---

3. ① 작품 감상의 적절성 파악하기

❶ 〈1수〉의 '봄은 오고 또 오'는 것은 계절의 순환을 나타내는 것으로, '도라갈 기약'이 실현될 것이라는 화자의 확신과는 관련이 없으므로 적절하지 않다.
② 〈2수〉의 '줌 업슨 중야'에 흘리는 '눈물'은 노모에 대한 화자의 그리움과 시름을 나타낸 것이므로 적절하다.
③ 〈2수〉의 '친년은 칠십오'는 나이 든 노모를 떠올리는 것이고, 〈7수〉의 '갈수록 애일촌심'은 부모님을 모실 시간이 흐르는 것을 안타까워하는 마음이므로, 여기에는 화자의 근심이 드러난다고 볼 수 있으므로 적절하다.
④ 〈6수〉의 '매일의 노친 얼굴이 눈의 삼삼'한 것과 〈7수〉의 '동산을 올라' 화자가 '고국'을 바라보는 것에서 노모를 그리워하는 화자의 간절함을 느낄 수 있으므로 적절하다.
⑤ 〈11수〉의 '우리 모자지정을 슬피실 제 업수오랴'는

것은 임금의 은혜가 낮은 곳까지 드리워지기에 우리 모자지정을 살펴실 때가 있을 것이라는 화자의 기대감을 표현한 것이므로 적절하다.

> **오H 많이 틀렸을까?**
> 낯선 작품이지만 작자가 유배지에서 고향에 계신 노모에 대한 간절한 그리움을 노래한 내용임을 파악할 수 있을거야. 고전 시가 해석의 어려움으로 인해 정답률 51%를 보이고 있는데, 〈11수〉의 내용에서 많은 학생들이 잘 이해하지 가지 않은듯해. 화자는 봄이 오고 풀이 또 푸르듯 다시 제 본모습으로 돌아오는 자연현상과는 달리 유배지에서 다시 고향으로 돌아가지 못하는 처지를 말하고 있어. 고향 집에 계시는 노모에 대한 소식이라도 알고 싶지만 여의치 않음을 한탄하고 있지만, 하늘의 도움으로 어머니를 만나 뵐 것을 기대하고 있는 내용을 잘 헤아리면서 작품을 적절하게 감상해 보아야겠지.

고전 시가 ▶ 현대어 풀이
이담명 '사노친곡'

〈1수〉
봄은 오고 또 오고 풀은 푸르고 또 푸르고
나도 이 봄 오고 이 풀 푸른 것 같이
어느 날 고향에 돌아가 노모를 뵐 것인가
〈2수〉
어머니 연세는 칠십오 세요 고갯길은 수천리네.
돌아갈 기약은 갈수록 아득하구나
아마도 잠 없는 한밤에 눈물겨워 하노라.
〈6수〉
기러기 날지 않으니 편지를 누가 전할까
시름이 가득하니 꿈에서라도 시름을 잊기가 힘들다
날마다 노친의 얼굴이 잊히지 않고 눈앞에 보이는 듯
또렷하다.
〈7수〉
동산에 올라 보니 고국이 멀리 있다
태행이 어디인가 구름이 머흐레라
갈수록 부모님을 모실 수 있는 시간이 흐르는 것이
안타까워 조심스러운 마음이어라.
〈10수〉
내 죄를 아노니 유배 보낸 것이 가벼운 벌이로라
도처에 있는 임금의 은혜를 어찌 갚지 않을 것인가
늙은 어머니도 널리 이해하시고 너무 그렇게 슬퍼 마시옵소서.
〈11수〉
하늘이 높으나 낮은 곳을 둘러보시니
일월이 가까이 땅에 비치니
아무래도 우리 모자를 살피실 때가 있으리라.

---

4. ⑤ 소재의 기능 파악하기

❺ ⓐ '계성'은 화자의 잠을 깨워 임이 부재하는 화자의 현실 상황을 깨닫게 하고, ⓑ '기럭이'는 멀리 떨어져 있는 노모에게 소식을 전할 수 없는 화자의 현실을 깨닫게 하는 소재로 볼 수 있다.

> **오H 많이 틀렸을까?**
> ⓐ와 ⓑ의 공통점을 찾는 문제였는데 많은 학생들이 까다로워 했어. 현대어로 풀이하는 과정이 어려웠던 것으로 짐작이 돼. 먼저 (가)의 '계성'은. 풋잠을 잠간 든 화자가 꿈에서 임을 만나 마음속에 품은 생각을 실컷 아뢰려고 하였더니 눈물이 쏟아져 정회도 다 못 풀어 목마저 메는 상황이야. 근데 방정맞은 닭소리에 잠이 깨버렸어. 안타깝게도 임이 없는 현실로 돌아오게 하는 소재로 작용하지. 그리고 (나)의 '기럭이'는 날지 않아 멀리 떨어져 있는 노모에게 유배지에 있는 화자의 소식을 전할 수가 없는 상황

[고2 국어 문학]

045

Day 17 • 고전 시가

을 깨닫게 해주는 소재이지. 이러한 공통된 특성을 발견할 수 있겠구나.

참고자료

시적 화자의 태도

1. 시적 화자의 태도: 시적 화자가 시적 제재·독자·사회를 향해 내는 개성적 목소리 및 대응방식을 말한다. 주로 시적 화자의 태도는 '어조'를 통해 드러나는 것이 일반적이다.

2. 주된 유형

㉠ 예찬적 태도 → 사람이나 대상이 가진 좋은 점을 찾아서 그것을 칭찬하고 세워주는 태도

　예 홀로 내려가는 언덕길 / 그 아랫마을에 등불이 켜이듯 / 그런 자세로 / 평생을 산다. // 철 따라 바람이 불고 가는 / 소란한 마음길 위에 / 스스로 펴는 / 그 폭넓은 그늘…….
　　　　　　　　　　　　　　　　－ 이형기, '나무'

㉡ 비판적 태도 → 사회나 대상의 잘못된 점을 따지는 태도

　예 송진마저 말라 버린 몸통을 보면, / 뿌리가 아플 때도 되었는데 / 너의 고달픔 짐작도 못하고 회원들은 // 시멘트로 밑둥을 싸바르고 / 주사까지 놓으면서 / 그냥 서 있으라고 한다.　　　　－ 김광규, '늙은 소나무'

㉢ 구도적 태도 → 진리나 궁극적인 깨달음의 경지를 구하는 태도

　예 암벽을 더듬는다. / 빛을 찾아서 조금씩 움직인다. / 결코 쉬지 않는
　　　　　　　　　　　　　　　　－ 오세영, '등산'

㉣ 긍정적, 낙관적 태도 → 상황이나 대상이 옳다고 인정하거나 바람직하다고 받아들이는 태도 또는 지금은 어렵고 힘들지만 앞으로 일이 잘 풀릴 것이라고 생각하는 태도

　예 자네는 언제나 우울한 방문객 / 어두운 음계를 밟으며 불길한 그림자를 이끌고 오지만 / 자네는 나의 오랜 친구이기에 나는 자네를 잊어 버리고 있었던 그 동안을 뉘우치게 되네.　　　　　　　　　　－ 조지훈, '병에게'

㉤ 달관적 태도 → 세상의 근심 걱정, 사소한 사물이나 일 등에 얽매이지 않고 세속에서 벗어나 초월한 자세를 보이는 태도

　예 모래밭에 본 일이 없는 낙타를 타고 / 세상사 물으면 짐짓, 아무것도 못 본 체 손 저어 대답하면서, / 슬픔도 아픔도 까맣게 잊었는 듯.　　　　　　　　　　　－ 신경림, '낙타'

㉥ 반성과 성찰의 태도 → 자기의 잘못을 되짚어 뉘우치거나, 자신이나 대상을 찬찬히 살펴보는 태도

　예 두툼한 개정판 국어사전을 자랑처럼 옆에 두고 / 서정시를 쓰는 내가 부끄러워진다.
　　　　　　　　　　　　　　　　－ 정일근, '어머니의 그릇'

㉦ 의지적 태도 → 절망적이거나 어려운 상황을 이겨내려는 굳센 마음을 먹는 태도

　예 한 뼘이라도 꼭 여럿이 함께 손을 잡고 올라간다. / 푸르게 절망을 다 덮을 때까지 / 바로 그 절망을 잡고 놓지 않는다.
　　　　　　　　　　　　　　　　－ 도종환, '담쟁이'

㉧ 수용적 태도 → 어떤 상황을 자신의 운명으로 생각하고 받아들이는 태도

　예 이때 나는 내 뜻이며 힘으로, 나를 이끌어가는 것이 힘든 일인 것을 생각하고, 이것들보

다 더 크고, 높은 것이 있어서, 나를 마음대로 굴려가는 것을 생각하는 것인데,
　　　　　　　　　－ 백석, '남신의주 유동 박시봉방'

㉭ 관조적 태도 → 좀 떨어진 위치에서 거리를 두고 대상을 바라보면서 차분한 마음으로 그 의미나 본질을 추구하고 자신에게 비추어보는 태도

　예 크낙산 골짜기가 / 온통 연록색으로 부풀어 올랐을 때 / 그러니까 신록이 우거졌을 때 / 그 곳을 지나가면서 나는 / 미처 몰랐다.
　　　　　　　　　　　　　　　　－ 김광규, '나뭇잎 하나'

【5~8】(가) 가사의 특징

지문해설

조선 전후기를 경계로 나타나는 가사의 특징을 설명한 글이다. 시조에 비해 길어진 가사(歌辭)는 '장가(長歌)'라고도 불렸다. 조선 시대의 가사는 보통 15세기부터 16세기까지의 전기 가사와 17세기부터 19세기 전반까지의 후기 가사로 구분된다. 전기 가사는 대체로 사대부들에 의해 지어졌다. 안빈낙도(安貧樂道)를 표방하기도 했으며, 이러한 경향이 '강호시가(江湖詩歌)'라는 한 유형을 형성하기도 하였다. 그런데 임진왜란을 경계로 후기 가사에는 작자층의 확대, 제재의 변화, 대상을 보는 시각의 다변화, 표현 방식의 다양화 등의 변화가 생긴다. 다양한 관심사가 가사 작품으로 형상화되었고, 각각의 삶이 다른 만큼 대상을 바라보는 시각도 변화하게 되었다. 풍자적이고 희화적인 방식으로 사물을 바라보고 표현하는 작품을 등장하게 하였다. 또한 후기 가사는 체험한 일을 구체적으로 형상화하는 것을 중시하였다.

■ **주제** : 조선 전후기를 경계로 나타나는 가사의 특징

(나) 정극인, '상춘곡'

작품해설

전장(全章) 79구로 이루어진 가사로, 속세를 떠나 자연에 몰입하여 봄을 완상하고 인생을 즐기는 지극히 낙천적인 성격의 가사이다. 상춘곡의 창작 연대는 확실히 알 수는 없고 단지 정극인이 만년에 고향인 태안으로 물러가 후배를 교육하던 성종 때에 지었으리라 추정할 뿐이다. 이 노래는 자연에 묻혀 사는 즐거움을 표방하는 은일가사의 첫 작품으로, 또한 송순과 정철로 이어지는 호남 가단 형성의 계기가 되는 작품으로도 평가된다. 초기 가사의 대표다. 이러한 인식은 이 작품의 화자가 보여 주는 삶의 태도에서도 여실히 드러난다. 화자는 속세를 떠나 자연 속에 사는 즐거움을 자랑스럽게 노래하며, 안분지족의 생활 철학을 실천하는 모습을 보여 준다.

[놓치지 말자!]

■ **갈래** : 서정 가사, 정격 가사, 양반 가사
■ **성격** : 서정적, 예찬적, 묘사적
■ **문체** : 운문체, 가사체
■ **형식** : 3·4(4·4)조. 전 79구의 연속체로 된 가사 문학
■ **구성**
　－ 서사[1]: 은일지사의 풍류 생활과 그 기상

　－ 본사 [2-4]: 춘경(春景)과 춘흥(春興)
　－ 결사 [5]: 안빈낙도
■ **주제** : 봄 경치의 완상(玩賞)과 안빈낙도(安貧樂道)
■ **표현상의 특징**
　－ 39행 79구 4음보(단, 제12행은 6음보)의 정형 가사로 4음보 연속체 율문의 형태로 이루어졌다.
　－ 설의법, 의인법, 대구법, 직유법 등의 여러 표현 기교를 사용하고, 고사를 많이 인용하면서 작품 전체를 유려하게 이끌고 있다.
　－ 화자의 시선이 이동함에 따라 시상이 전개되고 있으며, 시선은 공간의 이동을 따라 변화되고 있다. 공간이 이동할수록 좁은 공간에서 점점 넓은 공간으로(수간모옥 → 정자 → 시냇가 → 봉두) 확대되는 양상을 보인다.
　－ 표기법은 창작 당대(15세기)의 것이 아니고 18세기의 음운과 어법에 따르고 있다. 조선 정조(1786) 때 후손 정효목이 '불우헌집'을 통해 기록을 남겼다.
　－ 공명이나 부귀와 같은 세속적인 욕망을 멀리하고자 하는 화자의 태도를 드러냄.

같은작가 다른기출

2014학년도 수능 '상춘곡'
2011학년도 수능 '상춘곡'
2008학년도 9월 모의 수능 '상춘곡'
2002학년도 수능 '상춘곡'

(다) 작자 미상, '갑민가'

작품해설

함경도 갑산 사람이 지은 가사로, 가혹한 군포(軍布) 징세에 견디다 못해 군사도망을 결행하게 된 사정을 생원과의 대화체 형식을 통하여 토로함으로써 당시 사회의 모순을 비판한 서민 가사이다. 구체적인 체험적 사실을 사실적으로 묘사함으로써 현실적 모순을 첨예하게 부각시키고 있는 전형적인 현실비판 가사이다. 대화체로 구성되었으며 도망하는 갑산 군사들에게 어디로 가나 어려움은 마찬가지이니 그대로 참고 살라고 권면하는 사람의 말에 이어, 갑산 사람이 집안의 내력을 이야기한다. 갑산 사람은 부역을 감당할 수 없는 처지로 세간살이를 모두 팔아 관아에 바치고 학정에 아내마저 잃고 집은 폐가가 되었으나, 왕의 은택이 미치지 못함을 한탄하여 북청부사의 선정을 기대하여 그곳으로 도망친다며 이야기를 끝맺고 있다. 조선 후기의 백성들은 마을 단위로 돈과 특산품을 세금으로 바쳐야 했는데, 누군가 세금을 내지 않기 위해 도망치면 가족이나 친지, 또는 이웃 주민들이 그 사람의 세금까지 대신 내야만 했다. '갑민가'의 화자는 세금을 내야 하는 처지로 전락한 후 집안사람들의 세금을 대신 마련하는 과정에서 큰 고통을 겪게 된다. 작가는 이러한 화자의 모습을 통해 지배층의 수탈과 횡포를 비판하고 있다.

[놓치지 말자!]

■ **갈래** : 평민가사
■ **성격** : 현실 비판적, 고발적
■ **주제** : 가혹한 학정으로 인한 변경 지방 백성들의 고달픈 삶

■ **특징** : 대화체 구성, 사실적인 상황 제시

---

5. ④   내용 사실적으로 이해하기

①, ② 첫 번째 문단에서 '가사는 복잡한 체험을 두루 표현할 수 있을 만큼 길어질 수 있었다.'를 통해 확인할 수 있다.

③ 세 번째 문단을 통해, 임진왜란을 경계로 후기 가사가 시작됨을 알 수 있다.

❹ 첫 번째 문단을 통해, 길이가 짧은 시조와 구별하여 길이가 길어질 수 있다는 점에서 가사를 장가라고도 불렀음을 알 수 있으므로 적절하지 않다.

⑤ 세 번째 문단을 통해 가사의 '작자층의 확대'와 '표현 방식의 다양화'는 서로 관련이 있음을 알 수 있다.

---

6. ④   외적 준거를 통해 작품 감상하기

① (나)는 자연 속에 지내는 화자가 봄의 기운을 가득 담은 '도화행화'를 편안한 마음으로 감상하고 있음을 짐작할 수 있지만, (다)의 화자는 세금을 물어야 하는 경제적 어려움 속에서 생존을 위해 '인슘쌀'을 찾고 있다.

② (나)의 '세우'가 내려 '녹양방초'가 그 빛이 보다 아름답게 보이므로 화자의 흥취를 돋우어 주는 역할을 하지만, (다)는 먹을 것도 없고 입은 옷도 변변찮은 가운데 내린 '눈'은 서민인 화자의 고통을 더욱 심화하는 역할을 하므로 적절하다.

③ (나)의 화자는 '봉두'에 올라 '연하일휘는 금수를 재폇 듯'이라 하며 자연의 아름다움을 형상화하고 있지만, (다)는 화자가 '입손'하여 사냥에 앞서 산신께 발원하고, 사냥에 실패한 일 등을 구체적으로 형상화하고 있으므로 적절하다.

❹ (나)에서는 자연과 대비되는 '부귀공명'과 거리를 두고자 하는 화자의 태도를 드러낸다. (다)의 화자는 조상 덕에 '좌수별감'과 같은 일을 하는 것을 긍정적으로 여기고 있음을 알 수 있다. 따라서 (다)에는 화자가 사대부들의 경건한 삶을 풍자하는 태도가 드러나지 않으므로 적절하지 않다.

⑤ (나)는 화자가 '단표누항에 훗튼 혜음 아니 ᄒᆞᄂᆡ'며 만족하는 모습을 통해 안빈낙도를 중시하는 가치관을 보여 주지만, (다)는 화자가 '뷘손'으로 표현된, 경제적으로 어려운 상황에서 겪는 고난을 통해 화자에게 닥친 현실의 문제를 보여주므로 적절하다.

참고자료

'상춘곡'에 드러난 자연관
이 작품의 화자는 속세를 떠나 자연 속에 동화된 삶을 자랑스럽게 여긴다. 자연은 속세와 대립되는 공간이면서, 완상과 친화의 대상이 되는 공간이다. 화자는 봄의 경치가 아름다움을 예찬하면서 물아일체의 경지에 이르러 취흥에 젖고, 자연을 무릉도원으로 여기면서 안빈낙도하는 삶을 추구하고 있다.

---

7. ①   표현상의 공통점 확인하기

❶ (나)의 '물아일체어니 흥이이 다룰소냐'와 (다)의 '해마다 맞쳐 무니 석숭인들 당홀 소냐'에서 설의적 표현을 통해 화자의 정서를 강조하고 있으므로 적절하다.

---

② (나)는 봄, (다)는 겨울이라는 계절적 배경이 드러나지만, (나)는 애상적 분위기를 환기하지 않는다.

③ (나)와 (다) 모두 대화의 형식이 사용되지 않았다.

④ (나)는 춘기를 이기지 못하는 화자의 흥겨운 마음이 '새'에 이입되어 '새'를 의인화하여 표현하고 있고 (다)의 '날 속인다'를 통해, '오갈피잎'을 의인화하고 있음을 알 수 있지만, '오갈피잎'으로 인해 화자가 느낀 감정은 '실망감'일 것이다. 따라서 (다)는 대상의 긍정적 속성을 부각하지 않으므로 적절하지 않다.

⑤ (나)와 (다) 모두 의성어가 사용되지 않았다.

---

8. ⑤   외적 준거를 통해 작품 감상하기

① [A]에는 '원수인의 모해' 때문에 갑민의 처지가 바뀌게 되었음이 제시되어 있으므로 적절하다.

② [B]에는 친척들이 충군이 된 후 모두 도망가 버리고, 여러 사람의 신역을 갑민 혼자서 물게 되는 과정이 드러나 있으므로 적절하다.

③ [C]에는 '허항영' 등의 실제 지명 언급을 통해 작품의 사실성이 강화되고 있으므로 적절하다.

④ [D]에서 갑민이 싸리를 꺾어 누대를 치고 잎갈나무로 모닥불을 놓고 산신에게 발원하는 것을 통해 갑산 지역에서 돈피 사냥에 앞서 행하던 민속을 짐작할 수 있으므로 적절하다.

❺ [E]는 갑민이 생계유지 혹은 족징을 해결해보고자 돈피 사냥하러 입산 했다가 실패한 후 겪은 시련을 보여 주는 것이다. 이를 두고 갑민이 유배를 가는 길에서 겪은 시련을 보여 주는 것이 이해하는 것은 적절하지 않다.

어휘풀이

• 족징(族徵) 조선 시대에, 군포세(軍布稅)를 내지 못하는 사람이 있는 경우에 그 일가붙이에게 대신 물리던 일. 지방의 벼슬아치들이 공금이나 관곡(官穀)을 사사로이 썼거나, 군정(軍丁)이 도망하거나 사망하였을 때 물렸으므로 폐단이 많았다.

참고자료

'갑민가'의 이해
초라한 행색으로 도망가는 군사를 보고 생원이 그 사연을 묻자 갑민은 서민으로 전락한 내력을 밝힌 후, 군역에 시달려 도망하지 않을 수 없는 사정을 자세히 토로하고 있다. 과중한 군역으로 족들이 모두 도망을 갔기 때문에 족징으로 인하여 13인분을 물기 위하여 농사를 전폐하고 백두산으로 돈피 사냥을 갔다가 폭설을 만나 동상이 걸려 열 손가락을 모두 잃고 겨우 목숨을 건져 소등에 실려 돌아왔다. 하는 수 없이 전토가장을 모두 팔아서 46량의 돈을 가지고 군포를 바치러 갔더니 사또의 분부로 1인분에 돈피 2장을 바치라고 성화를 하므로 노모의 원행치장을 위해 마련해 두었던 팔승 네필까지 팔아서 삼수 각진을 두루 다니면서 돈피 26장을 사서 돌아가니 아내는 옥에 갇혔다가 결항치사(結項致死)를 하였고 노모는 기절하여 인사불성이 되었다. 모든 신역을 바친 뒤에 시체를 찾아 장사 지내고 사묘(祠廟)를 땅에 묻은 후, 북청에서는 여러 신역을 분정하여 많으면 5돈 정도, 적으면 3돈이라는 소문을 듣고 의송(議송)을 올렸다가 형문(刑問)만 당하게 되어 북청으로 달아나는 중이라 하였다.

【9~12】 (가) '시조(時調)의 내용상 특징'

지문해설

조선 시대 시조 문학의 주된 향유 층이었던 사대부들의 두 가지 의식이 시조 문학에 드러난 양상을 설명하고 있다. 사대부들은 정치현실에 대한 이념과 자연 동경이라는 의식의 양면성을 가지고 있었는데, 이는 시조 문학에 적용되어 강호가류와 오륜가류의 두 가지 경향으로 발전하게 되었다. 사대부들의 시조는 심성 수양과 백성의 교화라는 두 가지 주제로 나타난다. 이는 문학을 도(道)를 싣는 수단으로 보는 효용론적 문학관에 바탕을 두었기 때문이다. 이때 도(道)란 수기의 도와 치인의 도라는 두 가지 의미를 지니는데, 강호가류의 시조는 수기의 도를, 오륜가류의 시조는 치인의 도를 표현한 것이라고 설명하고 있다.

■ **주제** : 사대부들의 두 가지 의식이 시조 문학에 드러난 양상

(나) 윤선도, '만흥(漫興)'

작품해설

자연 속에서 유유자적하며 한가롭게 살아가는 삶을 노래한 전 6수의 연시조이다. 세속과 떨어져 자연과 더불어 살아가는 은자(隱者)의 삶이 부귀공명을 추구하며 살아가는 삶보다 월등히 낫다는 작가의 자부심이 드러나 있다. '제1수'에서는 속세와 자연을 대비하여 안분지족, '제2수'에서는 안빈낙도, '제4수'에서는 임천한흥 즉, 자연에서 느끼는 한가한 흥취, '제6수'에서는 군은예찬의 주제 의식을 드러내고 있으며 조선 시대 선비의 가치관이 잘 반영되어 있다.

[놓치지 말자!]
■ **갈래** : 연시조(전 6수)
■ **성격** : 자연 친화적, 한정가(閑情歌)
■ **제재** : 자연을 벗하는 생활
■ **주제** : 자연에 묻혀 사는 즐거움과 임금님의 은혜
■ **표현상 특징**
  – 화자의 안분지족하는 삶의 자세와 물아일체의 자연 친화적 태도가 잘 드러남.
  – 세속적인 것과 자연을 대비시켜 주제를 드러냄.

같은작가 다른기출

2014학년도 수능 예비 시행 '어부사시사'
2012학년도 6월 모의 수능 '견회요'
2007학년도 9월 모의 수능 '만흥'
2005학년도 6월 모의 수능 '(보기) '어부사시사'
2003학년도 9월 모의 수능 '(보기) '만흥'
2000학년도 수능 '어부사시사'
1995학년도 수능 '오우가'

(다) 정철, '훈민가(訓民歌)'

작품해설

정철이 강원도 관찰사로 부임하여, 백성들에게 유교적 덕목을 일깨우기 위해 지은 전 16수의 연시조이다. 백성들을 교화하려는 의도를 가진 작품으로 전달 효과를 고려해 평이한 시어와 명령형·청유형 어미 등을 활용하였다. 제시된 '제2수'에서는 군신유의, '제4수'에서는 효행실천, '제10수'에서는 붕우

유신, '제14수'에서는 도적질과 동냥질 금지라는 삼강오륜(三綱五倫)의 유교적 윤리를 담아 주제 의식을 표현하고 있다.

[놓치지 말자!]

■ 갈래 : 연시조(전 16수)
■ 성격 : 계몽적, 교훈적, 설득적
■ 제재 : 유교 윤리
■ 주제 : 유교 윤리의 실천 권장
■ 표현상 특징
 – 순우리말을 사용하여 이해하기 쉬움.
 – 청유 어법을 활용하여 설득력을 높임.
 – 연시조의 형태를 취하고 있으나 각 수가 독립되어 있음.
 – 평이하고 정감 있는 어휘를 사용하여 내용을 효과적으로 전달함.
 – '경민가(警民歌)', '권민가(勸民歌)'로 불리기도 하는 일종의 목적 문학임.

같은작가 다른기출

2016학년도 수능 '어와 동량재롤∼'
2015학년도 수능 '관동별곡'
2015학년도 9월 모의 수능 〈보기〉 '속미인곡'
2014학년도 6월 모의 수능 〈보기〉 '속미인곡'
2013학년도 수능 '성산별곡'
2013학년도 6월 모의 수능 '사미인곡'
2010학년도 6월 모의 수능 '관동별곡'
2006학년도 수능 '속미인곡'
2006학년도 9월 모의 수능 '사미인곡'
2005학년도 9월 모의 수능 〈보기〉 '성산별곡'
2004학년도 6월 모의 수능 '속미인곡'
2002학년도 수능 '장진주사'
1999학년도 수능 '관동별곡'
1998학년도 수능 '사미인곡'

9. ① 세부 정보 파악하기

❶ 두 번째 문단에서 사대부들은 강호가류를 통해 자연과 인간의 이상적 조화를 추구했다고 하였으므로 적절하다.
② 두 번째 문단에서 강호가류가 시조 가운데 작품 수가 가장 많다고 했으므로, 사대부들이 오륜가류 창작에 더욱 힘썼다고 보는 것은 적절하지 않다.
③ 강호가류의 시조는 수기의 도를, 오륜가류의 시조는 치인의 도를 표현했다고 했을 뿐이지, 사대부들이 수기와 치인 중 어느 것을 더 중시하며 시조를 창작했는가는 알 수 없으므로 적절하지 않다.
④ 사대부들의 강호가류와 오륜가류는 모두 문학을 도를 싣는 수단으로 보는 효용론적 문학관에 바탕을 두고 있으므로 적절하지 않다.
⑤ 사대부들이 어지러운 정치 현실을 벗어나 자연 속에서 한가롭게 사는 삶을 노래한 것은 강호가류이므로 적절하지 않다. 오륜가류는 백성들에게 유교적 덕목인 오륜을 실생활 속에서 실천할 것을 권장하려는 목적으로 창작한 시조이다.

어휘풀이

• 사화(士禍) 조선 시대에, 조신(朝臣) 및 선비들이 정치적 반대파에게 몰려 참혹한 화를 입던 일. 무오사화, 갑자사화, 기묘사화, 을사사화가 있었다.

• 당쟁(黨爭) 당파를 이루어 서로 싸우던 일.

10. ④ 외적 준거에 따라 감상하기

① 〈보기〉를 통해 윤선도가 오랜 유배 생활을 끝내고 금쇄동에서 은거했음을 알 수 있기 때문에 '띠집'을 작가의 삶의 공간으로 보는 것은 적절하다.
② '보리밥 풋나물'은 검소하고 소박한 음식이기에 자연 속에서 검소하고 청빈한 삶을 보여 주는 소재라는 것은 적절하다.
③ 〈보기〉에서 혼탁한 정치 현실을 떠나 십여 년간 자연을 즐기며 생활하였다는 내용과 연결해 본다면, 자연 속에서의 삶 외에 '여남은 일'을 부러워하지 않는 태도를 볼 때 자연 속에서 살아가는 삶에 대한 화자의 만족감을 확인할 수 있으므로 적절하다.
❹ 제4수에는 자연을 즐기는 삶에 대한 자부심이 드러나 있다. '비길 곳이 없어라'는 자연에서 즐기는 한가로운 흥취를 비교할 데가 없는 최고의 삶으로 생각하는 화자의 인식이 담겨 있다. 이러한 표현에서 당시의 정치 현실이 혼탁하다는 인식은 확인할 수 없으므로 적절하지 않다.
⑤ '임금 은혜를 이제 더욱 아노이다'에서는 자연 속에 있으면서도 군신의 도리를 잊지 않았다는 〈보기〉의 내용을 확인할 수 있으므로 적절하다.

어휘풀이

• 은거(隱居) 세상을 피하여 숨어서 삶. 또는 예전에, 벼슬자리에서 물러나 한가로이 지내던 일.
• 청빈(淸貧) 성품이 깨끗하고 재물에 대한 욕심이 없어 가난함.

참고자료

'만흥'의 주요 내용

구성	주요 내용	관련 한자어
제1수	분수를 지키며 자연 속에서 살아감	안분지족 (安分知足)
제2수	소박한 삶 속에서도 즐거움을 찾음	안빈낙도 (安貧樂道)
제3수	자연과 함께 살아가는 삶을 기뻐함	물아일체 (物我一體)
제4수	자연을 즐기는 삶에 자부심을 느낌	임천 한흥 (林泉 閑興)
제5수	자연에서의 삶은 하늘이 맡긴 것임	자연 귀의 (自然 歸依)
제6수	자연에서 살게 해 준 임금의 은혜에 감사함	군은 예찬 (君恩 禮讚)

11. ⑤ 구절의 의미 이해하기

① 임금과 백성의 신분 차이를 하늘과 땅에 비유함으로써, 임금을 향한 백성의 절대적인 복종의 태도를 자연스럽게 이끌어내고 있으므로 적절하다.
② '효'와 관련하여 평생에 고쳐 못할 일이 이것뿐이라는 표현을 통해, 효의 실천을 권장하고 있다고 볼 수 있으므로 적절하다.
③ 나의 잘못된 점을 모두 지적해주고 있는 벗의 모습을 통해 붕우유신의 덕목을 실천하는 모습을 보여 준다고 할 수 있으므로 적절하다.
④ 비록 못 입어도 남의 옷을 빼앗는 도적질을 하지 말

라는 뜻으로, 일상생활에서 행하지 말아야 할 것을 강조하므로 적절하다.
❺ 잘못된 행동은 쉽게 개선되지 않음을 비유적으로 표현하며 부정적 상황을 가정하여 행하지 말아야 할 것을 경계하고 있다. 이는 치인의 도가 담겨 있다고 볼 수 있지만 이상적 상황과는 관련이 없으므로 적절하지 않다.

12. ③ 작품의 표현상 특징 이해하기

① 띠집을 짓고 자연 속에서 한가로이 살아가려는 화자를 의미하는 '햐암'과 이를 이해하지 못하고 비웃는 속세 사람들을 의미하는 '남들'이 대조를 이루고 있으므로 적절하다.
② 세속의 가치를 멀리하여 속세를 등지고 산속에 들어가 자연 속에서 숨어 살았던 '소부'와 '허유'의 고사를 활용하여 화자가 추구하는 삶을 제시하고 있으므로 적절하다.
❸ '살진 미나리'는 중국 고전 '여씨 춘추'에 살찐 미나리를 백성들이 임금에게 바치려 한다는 구절에서 따온 것이다. '엇디 머그리'는 설의적 표현으로, 풍작을 임금의 은덕으로 보고 이에 보답하려는 백성의 뜻을 강조하여 드러내고 있으므로 교화의 의도가 담겨 있다. 그러나 이 대목을 명령의 어조라고 이해하는 것은 적절하지 않다.
④ 어버이가 돌아가신 후의 상황을 가정하여 '부모님을 섬기는 일의 중요성'을 강조하고 있는 대목이므로 적절하다.
⑤ 초장과 중장에 '비록 ～ 마라'를 반복하여 유교 윤리를 효과적으로 강조하고 있으므로 적절하다.

참고자료

'훈민가'의 주요 내용

구성	주요 내용	관련 한자어
제1수	부생모육(父生母育)의 은혜	부의모자 (父義母慈)
제2수	임금과 백성의 관계	군신유의 (君臣有義)
제3수	형제간의 반목을 금하고, 우애 있게 지내기를 권함	형우제공 (兄友弟恭)
제4수	부모님에 대한 효도 권유	자효(子孝)
제5수	부부는 일심동체, 상호간의 존경 권유	부부유은 (夫婦有恩)
제6수	남녀 간의 올바른 처신 권유	남녀유별 (男女有別)
제7수	자녀들에게 학문 권장	자제유학 (子弟有學)
제8수	올바른 행동 권유	향려유례 (鄕閭有禮)
제9수	어른 공경하는 태도 권유	장유유서 (長幼有序)
제10수	벗을 소중히 여기는 태도 권유	붕우유신 (朋友有信)
제11수	어려운 사람이나 친척을 돕기를 권유	빈궁우환 (貧窮憂患), 친척상구 (親戚相救)
제12수	애경사 시에 서로 돕기를 권유	혼인사상 인리상조 (婚姻死喪 隣里相助)

제13수	농사일에의 성실과 상부상조의 정신	무타농상 (無惰農桑)
제14수	남의 물건을 탐내지 말고 동냥질을 하지 말 것을 당부	무작도적 (無作盜賊)
제15수	도박과 송사(訟事)를 금함	무학도박 (無學賭博) 무호쟁송 (無好爭訟)
제16수	노인에 대한 공경의 마음(경로사상)	반백자불부 대어도로 (班白者不負 戴於道路)

갈래 복합

Day 18

본문 098쪽

1. ⑤ 2. ② 3. ① 4. ② 5. ④
6. ③ 7. ④ 8. ① 9. ⑤ 10. ④
11. ④ 12. ④ 13. ②

【1~4】 (가) 이긍익, '죽창곡'

작품해설

이 작품은 이긍익이 아버지의 유배를 배행했던 1763년 무렵의 신지도 유배를 그 배경으로 하고 있다. 작자는 연좌된 친부의 처지를 옹호하거나 그것을 통해서 세상을 향한 비판의 목소리를 드러내지 않았다. 그보다는 오히려 아비가 영위하는 유배생활의 소박한 삶이 성군(聖君)의 은혜임을 강조하면서 왕의 덕이 자신과 친부에게 차별 없이 베풀어지기를 소망하였다. 작품 속에서 화자는 여성의 목소리로 발화하며, '님'과의 인연을 운명으로 서술하고 있다.

- **갈래** : 유배 가사
- **성격** : 연모적
- **배경** : 1763년 즈음 신지도 유배의 상황
- **제재** : 임에 대한 그리움
- **주제** : 임과 함께하지 못하는 안타까운 마음

(나) 홍우원, '노마설'

작품해설

홍우원의 문집인 남파집 10권에 수록된 글로, 현재 늙어서 더 이상 쓸모없게 된 말을 내치려는 주인과 과거에 자신이 행했던 공을 중심으로 억울하고 분한 마음을 호소하는 늙은 말의 대화 형식으로 이루어진 작품이다. 현재의 가치를 중시하는 주인의 태도와 과거의 가치를 중시하는 늙은 말의 태도가 상반되게 배치되어 있다. 글쓴이는 주인과 늙은 말의 상상의 대화를 통해 자신에게 돌아올 이득만을 따져 늙은 말을 버리려 하는 주인의 이기적인 태도를 직설적 어조로 비판하고 있다.

- **갈래** : 고전 수필
- **성격** : 우화적, 상징적
- **주제** : 현재의 가치만을 따지는 이기적인 태도에 대한 비판

---

1. ⑤ 표현상의 공통점 파악하기

❺ (가)의 '화공의 붓긋흐로 그려 내여 울닐 손가' 등에서 의문형 어미를 통해 소망을 이루지 못한 화자의 안타까움을 강조하고 있고, (나)의 '말에게 무슨 죄가 있는가?', '늙은 말을 어찌 소홀히 할 수 있겠는가?' 등에서 의문형 어미를 통해 '말'에게는 잘못이 없다는 점과 늙은 말이라도 소홀히 해서는 안 된다는 내용을 강조하고 있으므로 적절하다.

---

2. ② 외적 준거를 바탕으로 작품 감상하기

① '병이 깁고'와 '돌미나리 흐줌으로 석찬을 흐쟈터니'는 화자가 어려움에 처한 상황을 드러내는 것으로, 이를 통해 부정적 상황에 놓인 화자의 처지를 알 수 있다.
❷ '님의 거동 친 흔적 업건마눈'은 임과 함께한 적이 없는 상황을 드러내는 것이고, '이 내 몸이 님을 조차 삼기오니'는 화자와 임이 운명적으로 연결된 사이라는 것을 의미한다. 〈보기〉에 따르면 화자가 타인의 잘못으로 현재 상황에 처하게 된 것은 맞지만, 이 두 구절을 통해 그것을 알 수 있는 것은 아니다.
③ '조믈이 새오던가'는 조물주의 시샘을 의미하며, '세수의 마히 고하'는 세상일을 방해하는 장애물이 생겼다는 것을 의미한다. 이를 통해 화자가 처한 상황의 원인을 외부의 탓으로 돌리고 있음을 알 수 있다.
④ '규화'는 화자를 의미하므로, '규화 못피여 시들거다'는 임과의 만남을 이루지 못하는 화자의 안타까움을 드러낸다. 이를 통해 임과 함께하지 못하는 화자의 안타까운 마음을 형상화했음을 알 수 있다.
⑤ '대가티 고든 졀'은 임에 대한 화자의 절개를 의미하며, 이를 통해 임에 대한 화자의 변치 않는 마음을 드러내고 있다.

고전 시가 ▶ **현대어 풀이**

이긍익, '죽창곡'

대창문에 병이 깊고 베 자리가 차가운데
돌미나리 한 줌으로 저녁 반찬 하자 하더니
상 위에 그저 놓고 임 생각하는 뜻은
아리따운 임의 거동 친한 적 없건마는
관계없는 이내 몸이 임을 조차 생기오니
월하노인 실 매었나 연분도 크게 중하고
조물주가 시기했나 박명함도 그지없다.
(중략)
꽃다운 이팔 나이 손꼽아 다다르니
십 리 밖의 벽도화에 구름이 험한 곳에
내 소식 임 모르고 임의 집 내 모를 제
세상일에 마가 꾀어 고운 얼굴 복이 없어
하룻밤 놀란 우레 비바람조차 섞어 치니
뜰앞의 해바라기 못 피고 시들었다.
고기 하나 흐린 물이 온 연못을 더럽힌다.
가시덤불 불 떨어져 꽃 위에 붙어오니
내 얼굴 고운 줄을 임이 어찌 알으시니
화공의 붓끝으로 임의 모습 그려내어 올릴 손가.
임의 장수 비는 노래 지었으니
띄워다가 높으록 돋우올까.
대처럼 곧은 절개 임이 더욱 모르거든

---

3. ① 소재의 의미 파악하기

❶ (가)에서 ㉠ '님의 집'은 화자가 모르고 있다고 언급하고 있는데, 이를 통해 화자와 임의 관계가 소원함을 드러내고 있다. (나)에서 ㉡ '주인집'은 '여러 식구의 목숨이 나로 인해 완전할 수 있었'다는 내용을 통해 늙은 말과 주인의 관계가 밀접했음을 드러내는 소재임을 알 수 있다.

---

4. ② 전개 구조를 통해 작품 이해하기

① A에서 '주인'은 '말'이 '나이도 이제 많아졌고 힘도 쇠하여졌'으므로 '더 이상 취하여 쓸 것이 없'다고 판단하

고 있다.

❷ B에서 '말'은 과거 자신의 공로를 나열하며 A에서 '주인'이 말에게 나가라고 한 것이 부당함을 주장하고 있는 것은 맞지만, 자신의 능력이 변하지 않았다는 근거를 내세우고 있지는 않다. '말'은 과거 '나이가 아직 어려 힘이 왕성할 때'와 노쇠해진 지금의 능력에 차이가 있음을 인정하고 있다.

③ B에서 '말'은 자신을 기르는 데 있어 '동쪽 교외의 무성한 풀'과 '남쪽 산골짜기의 맑은 물' 정도면 충분하고, 자신을 사용하는 데 있어 '힘'과 '재주'를 헤아려 일을 시키면 된다는 구체적인 방안을 제시하며 '주인'을 설득하고 있다.

④ C에서 '주인'은 '옛날에 제나라 환공이 ~ 천하를 제패한 것이다.'에서 늙은 말도 쓰임이 있다는 내용의 고사를 인용하여 '말'에 대한 자신의 생각이 잘못되었음을 밝히고 있다.

⑤ D에서 '주인'은 A에서 '말'에게 나가라고 했던 자신의 처분을 번복하고, 노비에게 '말'을 '잘 먹이고 다만 너의 손에 욕 당함이 없도록 하라'고 당부하고 있다.

【5~8】 (가) 백광홍, '관서별곡'

작품해설

조선 명종 때 문인 기봉 백광홍이 지은 가사 작품으로, 우리나라 기행가사의 효시이다. 작자가 평안도 안주에 위치한 평안보 병영에 병마평사로 임명되어 부임지로 향하는 여정을 기록하고 있다. 평안도 평사를 사직하고 돌아와 국문으로 쓴 것으로 관서지방의 뛰어난 경관을 담아내고 있다. 〈기성별곡(箕城別曲)〉과 〈향산별곡(香山別曲)〉을 아울러서 〈관서별곡〉이라 하며, 작자의 문집인 〈기봉집(岐峰集)〉에 실려 전해 오고 있다. 〈기성별곡〉은 평양의 역사·인물·승경 등을 노래한 것으로 모두 205구에 달하고 3·4조의 형식으로 되어 있으며, 〈향산별곡〉은 묘향산의 경치를 노래한 것으로 모두 330구로 되어 있다. 이 작품의 영향을 받아 25년 뒤에 정철은 체재와 수사를 모방하여 〈관동별곡(關東別曲)〉을 지었다고 한다.

- **갈래** : 고전 시가, 기행 가사
- **성격** : 풍류적, 묘사적
- **연대** : 명종 10년(1555년)
- **주제** : 관서의 아름다운 자연 풍물을 노래

(나) 임춘, '동행기'

작품해설

제목 '동행기'는 '동쪽 지방 기행문'이라는 뜻이다. 여기서 동쪽은 명주(溟州)·원주(原州) 지방과 동해안 쪽을 의미한다. 임춘이 고려 말에 강동(원주~강릉 지역)을 여행하면서 느낀 자연에 대한 아름다움과 자신의 처지에 대한 슬픔을 드러낸 수필이다. 여행에서의 체험이나 감상을 기술한 기행문학은 내용면에서 유람기행 또는 관유기행, 사행기행, 유배기행, 피란기행 등으로 분류할 수 있는데, '동행기'는 유람기행 또는 관유기행 중 가장 오래된 작품으로 알려져 있다.

- **갈래** : 고전 수필, 기행 수필
- **성격** : 사실적, 묘사적, 감상적
- **배경** : 고려 말 강동 지역
- **주제** : 여행하면서 느낀 자연의 아름다움과 자신

의 처지에 대한 슬픔

- **특징**
  - 다양한 비유적 표현을 활용함.
  - 공간의 이동에 따른 내용 전개 방식이 나타남.
  - 글쓴이의 생각과 정서가 직접적으로 표출됨.

5. ④ 　구절의 의미 파악하기

① ㉠은 자신이 왕명에 의해 평사직을 받고 공적인 임무를 수행하기 위해 여정을 떠나는 상황을 나타내고 있다.

② ㉡은 '석양이 지'는 시간적 배경과 '채찍으로 재촉해 구현원을 넘어드'는 화자의 행동을 제시하여 여정을 서두르는 화자의 행동을 드러내고 있다.

③ ㉢은 '어찌하리'라는 물음의 형식을 활용하여 왕명을 따르는 것과 자연 풍경을 즐기고 싶은 마음 사이의 갈등을 드러내고 있다.

④ ㉣은 화자가 평양의 명승지를 유람하고, 평양이 옛날처럼 화려한 태평문물을 지닌 고장임을 느끼며 단출한 차림에도 나그네의 흥취가 일어난다고 말하고 있다. 그러나 풍경을 과장되게 묘사하거나 자신의 지난 삶에 대한 회한을 드러내고 있지는 않다.

⑤ ㉤은 계절적 배경을 나타내는 자연물인 '배꽃'과 '진달래꽃'을 언급한 후, '진영에 일이 없어' 약산동대에 올라 경치를 즐길 수 있음을 드러내고 있다.

6. ③ 　작품의 세부 내용 이해하기

① 글쓴이가 '강동 지방'을 여행하게 된 이유는 제시되어 있지 않다.

② '남쪽 지방'의 경치가 빼어난 곳을 여행했다는 언급만 있을 뿐, '강동 지방'에 비해 구체적으로 소개되어 있지 않다.

❸ 글쓴이는 '남쪽 지방'을 여행하면서 이 이상 더 나은 경치는 없을 것이라고 여겼다. 하지만 '과거에 다니며 보던 곳은 마땅히 여기에 비하여 모두 모자라고 끌려 감히 겨룰 수가 없었다'고 말하며 '일천 봉우리와 일만 골짜기'의 빼어난 풍경에 대한 감흥을 드러내고 있다.

④ 글쓴이는 '석벽이 있던 자리'에서 배를 타고 떠나 풍경을 즐겼다고 하였다. '석벽이 있던 자리'로 배를 타고 떠나야 하는 아쉬움을 드러내고 있지 않다.

⑤ '놀기 좋아하는 귀족들'과의 갈등이 드러나 있지 않다.

7. ④ 　작품 간 비교하여 감상하기

① [A]와 [B]는 모두 자연의 광활함과 대비되는 인간의 유한성이 나타나 있지 않다.

② [A]와 [B]는 모두 자연 속에서 흥겨움을 느끼고 있다고 볼 수 있지만, 감정이 이입된 자연물은 나타나 있지 않다.

③ [A]는 자연의 모습을 조용히 바라보기보다는 예찬하고 있으며, [B]는 자연을 통해 자신을 반성하고 있지 않다.

❹ [A]는 동적인 자연물인 '백두산 내린 물'을 꼬리 치며 바다로 흐르는 '늙은 용'에 빗대어 표현하고 있다. [B]는 정적인 자연물인 '벼랑과 골짜기'를 '요철', '두둑', '굴'에 빗대어 표현하고 있다.

⑤ [A]는 약산동대 위에서 눈 아래 펼쳐진 풍경을 바라보며, [B]는 근경에서 원경으로 시선을 이동하며 다채로운 자연의 모습을 보여 주고 있다.

왜 틀렸을까?

이 문제는 ②번과 ⑤번을 고른 학생들이 많아서 오답률이 높았어. 선지 ②에서 '감정 이입'에 대한 이해가 부족했다면, 다시 정리가 필요해. 작품에서 감정 이입이란 시적 화자의 감정을 객관적 상관물인 대상 속에 이입해서, 대상이 자신의 감정과 동일한 감정을 느끼고 인식하는 것처럼 인격화해서 표현하는 방법이지. [A]와 [B]에서 이러한 감정 이입은 나타나지 않았어. 그리고 ⑤ 역시 헷갈릴 만한 선지였어. [A]에서 '술을 싣고 올라가니'라는 구절 때문에 지상에서 하늘로 시선 이동이 일어났다고 생각한 거 아닐까? 하지만 [A]에서 화자는 높은 곳에서 경치를 보기 위해 공간을 이동한 것일 뿐, '지상'에서 '하늘'로 '시선'을 이동한 것은 아니야. 또, '다채로운 자연의 모습'을 보여 준 건 '약산동대'로 올라간 후에 아래를 내려다 보면서야. 이제 ⑤번이 왜 오답인지 잘 알겠지?

8. ③ 　외적 준거에 따른 작품 감상하기

① (가)에서 부임을 위해 안주로 떠나가는 여정을 언급할 때 '정'과 '의'를 생략하고 '경'만 제시한 것은 화자의 여행 경험을 속도감 있게 드러내기 위한 것으로 볼 수 있다.

② (가)의 '청천강'을 바라보며 '장하기도 끝이 없다'라는 서술에서 여행 과정에서 화자가 마주한 '경'과 이에 대한 '정'이 연결되고 있음을 확인할 수 있다.

❸ (나)의 '시 한 편'은 배 위에서 바라본 '당진'의 화려한 경관을 '정'으로 표현한 것으로, 당진의 아름다운 경치를 사람들에게 소개할 수 없는 현실에 대한 안타까움을 드러내고 있는 것은 아니다.

④ (나)의 글쓴이가 강동 지방에 대해 자신과 같은 사람들을 위해 '하늘이 장차 여기를 숨겨' 둔 곳이라 말하는 것은 뛰어난 경치를 예찬하는 '의'에 해당한다고 볼 수 있다.

⑤ (나)의 '조그한 성'에서 바라본 풍경은 글쓴이로 하여금 고향에 대한 그리움과 쓸쓸한 감상을 야기한다는 점에서 '정'을 유발하는 '경'에 해당한다고 볼 수 있다.

【9~13】 (가) 이색, '부벽루'

작품해설

고려 말의 문신이었던 작자가 고구려의 유적지인 평양성을 지나다가 느낀 왕조의 무상함을 노래하고 있는 오언 율시(五言律詩)의 한시(漢詩)이다. 그 옛날 찬연했던 고구려의 모습은 이제 찾을 수 없고, 다만 지난날을 되돌아보게 하는 퇴색한 자취만이 남아 있는 데서 그의 시상은 출발한다. 이러한 인간 역사의 유한함이 자연의 영원함과 대비되면서 쓸쓸한 느낌을 자아내고 있다. 작품의 시대적 배경이 원나라의 오랜 침략을 겪고 난 고려 말이라는 점에서 그 의미를 되새길 수 있다.

- **갈래** : 한시
- **성격** : 회고적
- **형식** : 오언율시
- **주제** : 지난 역사의 회고와 고려 국운 회복의 소망
- **특징**
  - 시적 배경이 화자의 심정을 부각시키고 있음.
  - 유한한 인간사와 영원한 자연을 대비하고 있

다.

음.
– 시적 화자의 심회가 감각적으로 잘 나타나 있음.
– 선경 후정(先景後情)의 전개 방식을 취하고 있음.

나) 김득연, '산중잡곡'

작품해설

산중잡곡은 총 49수로, 김득연이 지수정가를 짓고 난 다음 남은 여러 가지 생각과 느낌을 시조 형식에 담아 읊은 작품이다. 속세를 떠나 아름다운 자연에서 누리는 유유자적함과 풍류, 무릉도원에 비견되는 곳에서 살아가는 자긍심, 소박한 삶을 통한 안분지족, 늙음 속에서도 즐거움을 찾는 여유 등을 드러낸 연시조이다. 모두 '갈봉유공'에 실려 있다.

■ 갈래 : 연시조
■ 제재 : 자연
■ 주제 : 자연 속에서 유유자적하는 삶
■ 특징
– 자연 속에서의 생활 모습을 구체적으로 묘사함.
– 설의적 표현을 통해 화자의 삶의 태도를 드러냄.
– 대구와 대조를 통해 빈천과 부귀에 대한 인식을 드러냄.
– 말을 건네는 방식을 통해 무상감을 드러냄.
– 자연 속에서 즐기는 흥취와 삶에 대한 자족감이 담겨 있음.
– 영탄법, 문답법 등 다양한 표현법을 활용함.

(다) 박지원, '능양시집서'

작품해설

고정 관념에 사로잡혀 사물의 본질을 제대로 파악하지 못하는 문제점을 비판하고, 열린 사고를 지향하는 글쓴이의 통찰이 드러난 고전 수필이다. 조선 후기 최고의 문인 중 하나로 꼽히는 연암 박지원은 조카 박종선(1759~1819)이 쓴 '능양시집'을 두고 "한 가지 법에 얽매이지 않고 온갖 시체(詩體)를 두루 갖추어 눈부시게 동방의 대가가 되었다."라고 평가했다고 전해진다.

■ 갈래 : 고전 수필
■ 성격 : 비판적, 교훈적, 사색적
■ 제재 : 열린 사고
■ 주제 : 관습적인 태도를 벗어난 열린 사고의 지향

9.⑤   표현상 특징 파악하기

① 묻고 답하는 형식은 나타나지 않는다.
② 명령형 어조는 나타나지 않는다.
③ 반어적 표현은 나타나지 않는다.
④ '산은 오늘도 푸르고'에서 색채어가 사용되었지만, 색채어의 대비가 나타나고 있지는 않다.
❺ '천년의 구름', '바위는 늙었네'를 통해 세월의 흐름을 시각적 이미지를 활용하여 형상화하고 있다. 이를 통해 세월의 무상감이 느껴지는 쓸쓸한 시적 분위기를 조성하고 있음을 알 수 있다.

10.④   작품 내용 이해하기

① 화자는 티 없는 거울처럼 맑고 깨끗한 '연못(반무당)'의 속성을 활용하여, 자연 속에서 살고자 하는 자신의 의중을 드러내고 있다.
② 화자는 붉은 노을(홍하)이 가득한 아름다운 경치에 감탄하며, 자신이 거처하는 공간이 '도원'에 견줄 수 있는 이상 세계임을 드러내고 있다.
③ 화자는 남의 '부귀'와 자신의 '빈천'을 바꿀 수 없는 것으로 여기고, 세속적 가치에 대한 집착과 욕심을 버리고 자신의 분수를 지키며 살고자 하는 의지를 드러내고 있다.
❹ 화자는 자연 속의 '한 간 초옥'에서 자신이 소유한 '세간'인 '책, 벼루, 붓'이 많다면서 이를 가지고 즐기겠다고 표현하고 있다. 이를 통해 화자는 자신의 삶에 대한 긍정적인 인식을 드러내고 있음을 알 수 있다.
⑤ 화자는 자신이 거처하는 '산정'에 '벗님네'를 청하며 그들과 함께하면 더 즐거울 것이라고 기대하면서, 자신이 있는 곳으로 사람들이 자주 오기를 희망하고 있다.

고전 시가 ▶ 현대어 풀이

김득연, '산중잡곡'

와룡산 내린 아래 반무당을 새로 여니
티 없는 거울에 산그림자 잠겼구나
이 몸이 연못 만듦은 그걸 보려 함이러라
〈제1수〉

무릉도원 있다 해도 옛날 듣고 못 봤더니
붉은 노을 가득하니 여기 짐짓 거기로다
이 몸이 또 어떠한가, 무릉인가 하노라
〈제14수〉

내 빈천을 보내려니 이 빈천 뉘게 가며
남의 부귀 오라 한들 저 부귀 내게 오랴
보내지도 청하지도 마라. 내 분수대로 살리라
〈제20수〉

다만 한 간 초가인데 세간이 많고 많다
나하고 책하고 벼루 붓은 무슨 일인가
이 초옥 이 세간으로 아니 즐겨 어찌 하리
〈제34수〉

어화, 벗님네야 모두모두 다 오시니
이 산에 머무르는 자도 늙었으니 오늘날 더 즐겁다
비록 숲 깊고 길 어두워도 자주자주 오시오
〈제48수〉

11.②   외적 준거에 따라 감상하기

① (가)의 한때 번성했지만 지금은 황폐해진 고구려의 '텅 빈 성'에서 인간사의 유한함을 느낀 화자는 '구름'과 '바위'를 바라보며 감회에 젖어 있다.
❷ (나)의 역사적 전환기의 지식인인 화자는 '돌다리'에 기대어 '휘파람'을 부는데, 이 같은 행위를 통해 인간 역사의 유한함에서 느껴지는 쓸쓸함을 표현하고 있다. 또한 고려의 국운 회복을 바라며 화자는 고구려의 동명왕을 가리키는 '천손'과 같은 영웅이 나타나지 않는 상황에 대한 안타까움을 드러내고 있다.
③ 퇴락한 역사적 공간인 '부벽루'와 변함없는 '산'과 '강'이 대비되어 화자가 느끼는 무상감을 더욱 부각하고 있

④ 화자는 '한 간 초옥'에서 자신이 소유한 '책, 벼루, 붓'을 가지고 즐기겠다고 말하며 자연 속에서 안분지족하는 자신의 삶에 대한 만족감을 드러내고 있다.
⑤ 화자는 자신을 '늙은이'로 칭하며 자연 속 공간인 '산정'에서의 삶을 즐기고 있다.

12.③   외적 준거를 통해 감상하기

① 자기 생각과 '한 가지 일'이라도 다르면 '만물'을 모함하려는 것은 다양성을 인정하지 못하고 자신의 기준으로 모든 것을 판단하려는 태도를 나타낸다고 볼 수 있다.
② 까마귀를 '푸른 까마귀'나 '붉은 까마귀'로 부르는 것이 모두 옳다는 인식은, 까마귀는 검다고 일률적으로 정한 규정에 얽매이지 않고 대상의 참모습을 파악하려는 태도로 볼 수 있다.
❸ 까마귀의 '일정한 색이 없다'는 인식은 '눈'과 '마음속'으로 먼저 그 색깔을 정하지 않고, 그 새가 본래 일정한 색이 없음을 인정하고 대상의 본질적 속성을 파악하려는 태도를 드러낸다.
④ '검은색을 일러 어둡다고 하는 것'은 '물'이 검기 때문에 사물을 비출 수가 있고, '옻칠'도 검기 때문에 거울이 될 수 있다는 것을 발견하지 못하고 기존의 관습적 태도에 머물러 있는 것으로 볼 수 있다.
⑤ '달관한 사람'이 적은 현실에서 내가 '입을 다물'지 않고 '쉬지 않고 말을 하'는 것은 사물의 본질을 제대로 파악하지 못하는 어리석은 속인들을 깨우치려는 글쓴이의 의도로 볼 수 있다.

왜 많이 틀렸을까?

(다)에서는 사물의 본질을 하나에 가두려는 고정 관념과 폐쇄적 사고를 비판하고 있는데, 구체적인 대상을 통해 다양한 현상을 자세히 살피지 않고 '눈'과 '마음속'으로 섣불리 이를 정해 버리면 안 된다고 말하고 있어. 지문을 잘 읽어보면 '마음속'으로 정하는 것 역시 대상의 본질적 속성에 주목하는 것이 아님을 알 수 있지. 아마 이 부분을 놓친 것 같아. 각각의 대상의 참모습을 인식하고 폐쇄적인 사고에서 벗어나 열린 사고를 지향해야 한다는 글쓴이의 의도를 잘 파악해서 적용해 보도록 해.

13.②   대상의 의미 비교하기

❷ (가)의 화자는 자신이 살고 있는 자연 속을 '도원'이라는 이상향과 다름없다고 자부하며, 그 속에서 살아가는 자신을 '무릉인'이라고 칭하고 있다. 따라서 ⓐ '무릉인'은 화자가 누리는 삶에 대한 자부심을 드러내고 있다. (나)의 글쓴이는 '달관한 사람'과 '속인'을 대비하여 '본 것이 적으면 괴이하게 여기는 것이 많다.'라며 고정 관념에 빠져 올바른 인식을 하지 못하는 삶의 태도를 ⓑ '속인'을 통해 경계하고 있다.

Day 19
본문 104쪽

1. ⑤	2. ⑤	3. ④	4. ⑤	5. ⑤
6. ③	7. ②	8. ①	9. ④	10. ⑤
11. ①	12. ②			

【1~4】 (가) 우탁, '한 손에 막대 잡고'

작품해설

늙는 것을 막고 싶었지만 '백발'이 먼저 알고 지름길로 와 버렸다는 내용의 시조로, 늙음을 피하고 싶은 마음을 해학적으로 노래하고 있다. 늙음이라는 추상적인 관념을 '백발'이 오는 것으로 구체화하여 표현하고 있다.

- **갈래** : 평시조
- **성격** : 해학적
- **구성**
  - 초, 중장 : 백발(늙음)을 가시와 막대로 막으려 함.
  - 종장 : 백발(늙음)이 지름길로 옴.
- **주제** : 늙음을 한탄함.
- **중요 시어 및 시구 풀이**
  - 길, 백발 : 세월과 늙음을 구체적, 감각적으로 형상화함.
  - 백발이 제 먼저 알고 지름길로 오더라 : 늙음이 오히려 빨리 다가옴을 '백발'이 '지름길'로 온 것으로 의인화하여 표현함.

(나) 작자 미상, '임이 오마 하거늘'

작품해설

임이 부재한 상황에서, 그리운 임을 만나고 싶어 하는 화자의 심정을 해학적으로 그린 사설시조이다. 임이 온다는 소식에 미리 문 밖에 나가 기다리다가, 주추리 삼대를 임으로 착각하고 다급하게 달려가는 모습을 과장되게 그려 해학적 분위기를 자아내고 있다.

- **갈래** : 사설시조
- **성격** : 해학적
- **구성**
  - 초장 : 임이 온다는 약속을 떠올리며 임을 기다림.
  - 중장 : 주추리 삼대가 임인 줄 착각하고 정신 없이 달려감.
  - 종장 : 화자가 자신의 착각을 멋쩍어하면서 밤인 것에 안도함.
- **제재** : 임이 온다는 소식
- **주제** : 임을 애타게 기다리는 마음
- **중요 시어 및 시구 풀이**
  - 중문 나서 대문 나가 지방 위에 올라가 : 임이 오기를 기다리는 화자의 행동으로 공간의 이동이 나타남.
  - 버선을 벗어 ~ 워렁퉁탕 건너가서 : 임이 온 줄 알고 달려가는 화자의 모습을 음성 상징어를 사용하여 생동감 있게 나타낸 한편 과장을 통해 희화화함. 임을 보고 싶은 화자의 간절한 마음이 드러남.
  - 주추리 삼대가 살뜰히도 날 속였구나 : 화자가

임이라고 생각한 '거머희뜩 서 있는'것의 정체로, 화자가 자신의 착각을 깨달음.
  - 밤이기에 망정이지 행여나 낮이런들 남 웃길 뻔하였어라 : 자신이 임이 온 것으로 착각하고 허둥대며 달려온 행동을 멋쩍어함. 밤이어서 그러한 모습을 남에게 보이지 않았다며 안도하는 데서 낙천적 태도가 드러남.

같은작가 다른기출
2015학년도 9월 모의 평가 A형 '임이 오마 하거늘'

(다) 김상용, '백리금파에서'

작품해설

황금벌판을 지나다 아이들이 참새들이 쌀알을 먹지 못하도록 쫓는 모습을 본 글쓴이가, 아이들의 관심을 돌려 참새들이 쌀을 먹을 수 있도록 한 경험을 그린 글이다. 글쓴이는 오뚝이를 상으로 걸고 아이들에게 씨름 시합을 시키고, 아이들은 새를 쫓는 일을 잊고 씨름 시합에 열중한다. 글쓴이는 씨름 시합이 진행되는 동안 쌀알을 먹은 참새들이 오래간만에 배부른 꿈을 꿀 것이라고 생각하며 만족감을 드러낸다.

- **갈래** : 수필
- **성격** : 해학적
- **제재** : 참새와 참새를 쫓는 아이들
- **주제** : 참새들에게 쌀알을 배불리 먹게 해 준 경험과 그에 대한 만족감

어휘풀이

- 애놈 : 아이놈(사내아이를 낮잡아 이르는 말)의 준말.
- 질타하다(叱咤—) : 큰 소리로 꾸짖다.
- 나래 : 흔히 문학 작품 따위에서, '날개'를 이르는 말. '날개'보다 부드러운 어감을 준다.
- 흑사병(黑死病) : 페스트균이 일으키는 급성 전염병. 오한, 고열, 두통에 이어 권태, 현기증이 일어나며 의식이 흐려지게 되어 죽는다.
- 날래 : '빨리'의 방언(강원, 경남, 함경).
- 천석꾼(千石—) : 천 석을 거두어들일 만큼 땅과 재산을 많이 가진 부자를 비유적으로 이르는 말.

1. ⑤   표현상 특징 파악하기

① (가)에서는 늙음이라는 추상적 관념을 구체적 대상인 '백발'로 표현하고 있으나, 늙음을 막고 싶은 마음을 드러내고 있을 뿐 부조리한 사회를 고발하고 있지는 않다.
② (나)에서는 '버선을 벗어 ~ 손에 쥐고'에서 대구의 방식을 활용하고 있으나, 이를 통해 화자의 행동을 묘사하고 있을 뿐 시적 대상의 긍정적인 속성을 예찬하고 있지는 않다.
③ (다)에서는 글쓴이가 아이들에게 말을 건네는 모습과 그를 통한 사건 전개가 나타날 뿐 대상과 대화를 주고받으며 지나온 삶을 성찰하고 있지는 않다.
④ (가)에는 화자의 공간 이동이 나타나지 않는다. (나)에서는 화자가 '중문 나서 대문 나가' 건넌 산을 바라보다가 주추리 삼대를 임으로 착각하고 달려가는 모습에서 공간의 이동이 나타나며, 이에 따라 임에 대한 기다림과 임이 왔다는 기대감, 자신의 착각을 깨달은 멋쩍음의 정서가 드러나고 있다.

❺ (나)에서는 '곰븨임븨 임븨곰븨 천방지방 지방천방', '워렁퉁탕'과 같은 음성 상징어를 활용하여 임이 온 줄 알고 달려가는 화자의 모습을 생동감 있게 나타내고 있다. (다)에서는 '꽝꽝', '와르르' 등의 음성 상징어를 사용하여 아이들이 석유통을 두들기며 참새를 쫓는 모습과 그에 날아가는 참새 떼의 모습을 생동감 있게 드러내고 있다.

어휘풀이

- 부조리(不條理) : 이치에 맞지 아니하거나 도리에 어긋남. 또는 그런 일.

2. ⑤   시어에 담긴 의미 이해하기

① (나)에서 화자는 임을 만나지 못했으므로 ㉠을 임을 만나게 된 설렘을 느끼는 시간으로 볼 수는 없다. (다)에서 글쓴이는 수확을 한 것이 아니므로 ㉡을 수확을 끝낸 희열을 느끼는 시간으로 볼 수는 없다.
② (나)의 ㉠에 화자가 부재하는 임에 대한 원망을 드러내고 있지는 않으며, (다)의 ㉡에 글쓴이가 공동체에 대한 소속감을 드러내고 있지도 않다.
③ (나)의 ㉠은 화자가 자신이 착각을 하여 벌인 행동에 대해 멋쩍음을 느끼는 시간이므로, 자신의 행동에 자부심을 느끼는 시간으로 볼 수 없다. (다)의 ㉡은 글쓴이가 자신의 행동이 참새들에게 도움이 되었으리라고 여기는 시간이므로 자신의 행동에 대한 자괴감을 느끼는 시간이라고 볼 수 없다.
④ (나)의 ㉠은 화자가 임이 왔다고 착각하고 자신이 한 행동에 멋쩍음을 느끼는 시간으로 아직 임이 오지 않은 상황이다. 따라서 내적 갈등에서 벗어난 평온함을 느끼는 시간이라고 볼 수 없다. (다)의 ㉡ 또한 글쓴이가 내적 갈등으로 괴로움을 느끼는 모습은 나타나 있지 않다.
❺ (나)의 화자는 임이 온 줄 알고 다급히 달려갔다가, 자신이 주추리 삼대를 보고 착각한 것을 알게 된다. 그리고 이에 ㉠'밤'이기에 자신의 행동이 가려졌다며, '낮'이었다면 남을 웃길 뻔했다며 안도감을 드러내고 있다. 따라서 ㉠은 자신의 행동이 감추어진 것에 대한 안도감을 느끼는 시간이라고 볼 수 있다. (다)의 ㉡'오늘 밤'은 '천 마리의 참새들'이 '오래간만에 배부른 꿈을 꿀' 수 있는 시간이다. 이는 글쓴이가 참새를 쫓는 아이들의 주의를 딴 데로 끌어 그 시간 동안 참새들이 곡식을 쪼아 먹을 수 있었기 때문이다. 따라서 ㉡은 글쓴이가 자신이 행동한 결과에 대한 만족감을 느끼는 시간이라고 볼 수 있다.

어휘풀이

- 희열(喜悅) : 기쁨과 즐거움. 또는 기뻐하고 즐거워함.
- 자괴감(自愧感) : 스스로 부끄러워하는 마음.

3. ④   구절의 의미 이해하기

① '참새들은 앉기가 무섭게 다시 피곤한 나래를 쳐야 한다.'는 새를 쫓는 아이들의 소리에 자리에 앉자마자 다시 날아올라야 하는 참새들의 모습을 표현한 부분으로, '피곤한 나래'는 그러한 상황에 처한 참새들의 힘겨운 모습을 나타낸 것으로 볼 수 있다.
② '우여, 우여', '꽝꽝'과 같은 아이들이 참새를 내쫓는 소리를 '흑사병 같다'고 비유함으로써 참새를 내쫓는 소리가 참새들에게 위협이 되고 있음을 표현하고 있다.
③ 참새들이 쌀알 하나 먹지 못하도록 '우여, 우여', '꽝

소리를 내며 참새를 쫓는 더벅머리 떼에 대해, '애놈
들도 고달플 것'이라고 한 것에서 그들을 측은하게 바라
보는 시선이 나타나고 있다.

② 글쓴이가 아이들에게 씨름을 하라고 하며 상으로 오
뚝이를 내건 것은, 참새를 쫓는 아이들의 관심을 돌리
기 위해서이다. 오뚝이에 고난을 딛고 일어서는 의지의
중요성이라는 의미를 부여하는 내용은 나타나 있지 않
다.

③ '승부를 좋아하는 저급한 정열은 인류의 맹장 같은
운명'이라는 표현에서 인간의 본능적인 승부욕을 부정
적으로 보는 시각이 나타나고 있다.

4.⑤ 　외적 준거를 바탕으로 작품 감상하기

① (가)에서는 '늙는 길'을 '가시'로 막고 '오는 백발'을
막대로 치려 하고 있다. 이는 거스를 수 없는 '백발',
즉 늙음을 막으려는 상황으로, 상황의 부조화를 통해
웃음을 유발한다고 할 수 있다.

② (나)의 화자는 '지방 위에 올라가 앉아' 임이 오는지
보다가 '거머희뜩 서 있는 것'을 보고 임으로 확신하고
달려가는데, 가까이 가서는 그것이 '주추리 삼대'였음이
밝혀진다. (나)는 이러한 상황의 반전을 통해 웃음을 유
발한다고 할 수 있다.

③ (다)에서 글쓴이는 아이들의 관심을 참새에서 돌리
기 위해 오뚝이를 상으로 걸고 씨름을 하라고 하는데,
처음에 수줍음을 버리지 못하던 아이들은 점점 열이 오
르며 씨름에 몰두하게 된다. 이는 아이들이 참새를 쫓
는 것에 관심을 두던 상황이 '오뚝이'를 쟁취하기 위한
씨름에 몰두하는 상황으로 전이된 것으로 이를 통해 해
학이 드러난다고 할 수 있다.

④ (가)에서 화자가 막으려 한 '백발'이 '지름길'로 왔다
고 한 것은, 막고 싶은 늙음이 오히려 빠르게 다가오는 것
을 재치 있게 나타낸 해학적 표현이다. 또한 (다)에서는
글쓴이가 새를 쫓는 아이들의 관심을 돌려 '참새'에게
쌀알을 배불리 먹게 해 준 것을 '천석꾼이의 벼 두 되를
징발'했다고 재치 있게 표현하여 웃음을 유발하고 있다.

⑤ (나)의 화자는 '거머희뜩'한 것을 보고 임이 온 줄 착
각하고 버선도 신도 신지 않고 달려간다. 이는 허둥대
며 다급하게 달려가는 화자의 모습을 과장하여 희화화
한 것으로 웃음을 유발하고 있다. 그러나 (다)에서는 씨
름 대회에서 '마지막 한 놈'이 이기자 글쓴이가 '씨름의
폐회를 선언하고 우승자에게 오뚝이를 주었다.'라고 했
을 뿐, 우승자가 오뚝이를 받고 기뻐하는 모습을 과장,
희화화한 표현은 나타나 있지 않다.

어휘풀이

· 반전(反轉) : 일의 형세가 뒤바뀜.
· 희화화(戲畫化) : 어떤 인물의 외모나 성격, 또는 사건이 의
도적으로 우스꽝스럽게 묘사되거나 풍자됨. 또는 그렇게 만
듦.

【5~8】 (가) 조우인, '매호별곡'

작품해설

작가가 경상북도 상주의 매호마을에 은거할 때 그
곳의 자연과 벗하며 살아가는 모습을 노래한 가사
이다. 서사에서는 벼슬을 버리고 자연 속에 묻혀 살
려는 뜻을, 본사에서는 매호마을에 들어가 임호정
과 어풍대를 지은 뒤 그곳에서 바라본 산천의 아름
다움을, 결사에서는 안빈낙도의 자세와 거문고와

술을 벗삼아 아름다운 자연을 즐기는 삶을 노래했
다. 제시된 부분은 결사로, 화자는 자신이 세상사에
밝지 않다고 여겨 분수를 지키는 삶을 살고자 자연
에 은거하려 하고, 자연을 누리며 풍류를 즐기는 태
도를 드러내고 있다.

■ **갈래** : 양반 가사, 강호 한정가
■ **성격** : 서정적, 예찬적, 풍류적
■ **어조** : 독백적 어조
■ **구성**
　- 늙고 병들고 게으른 ~ 출척을 어이 알까 : 자
　　연 속에서 안빈낙도하는 생활
　- 이끼 낀 바위에 ~ 종로한들 어이하리 : 아름
　　다운 자연 속에서 풍류를 즐기는 삶
■ **주제** : 자연 속에서 안빈낙도하며 풍류를 즐기는
　삶에 대한 예찬

■ **중요 시어 및 시구 풀이**
　· 공명부귀도 구하기에 ~ 일생에 겪어 있어 : 공
　　명과 부귀를 구하는 재주가 없는 화자의 모습
　　과 빈천과 기한(굶주리고 헐벗어 배고프고 추
　　움.)을 일생 동안 겪은 가난한 삶의 현실이 드
　　러남.
　· 득상도 모르거든 ~ 출척을 어이 알까 : 얻고 잃
　　음도 모르는데 영예와 치욕은 어찌 알며, 옳고
　　그름을 못 듣거니 나고 듦을 어찌 알겠느냐는
　　의미로, 세상 물정에 어두운 모습을 드러냄.
　· 이끼 낀 바위에 ~ 베고도 누워 보며 : 속세를
　　떠나 자연 속에서 한가롭게 살아가는 모습
　· 망망속물은 안중에 티끌이로다 : 아득한 속세
　　가 눈 속의 티끌 같은 존재라는 의미로, 속세가
　　아득하다는 인식을 드러냄.
　· 낚시터에 내려 앉아 백구를 벗을 삼고 : 자연과
　　조화를 이루려는 태도가 드러남.
　· 술동이를 기울여 취토록 혼자 먹고 : 자연에서
　　술을 마시며 흥취를 즐기는 모습이 나타남.
　· 두어라 이렁성그러 종로한들 어이하리 : 이런
　　모습으로 늙어 죽은들 어찌하겠느냐며 현재의
　　삶을 지속하기를 바라는 심정을 드러냄.

(나) 어유봉, '양저설'

작품해설

글쓴이와 '객'의 대화 형식으로 가죽나무(양저)를 통
해 얻은 깨달음을 드러내고 있는 설이다. '기국원'
이라 이름 붙인 정원에서 아름다운 나무를 가꾸던
'나'는 가죽나무가 자라는 모습을 보고 기뻐하며 가
죽나무를 아껴 기른다. 이에 한 객이 악목인 가죽나
무를 기르는 것을 보고 더러움을 고상함에 섞어 기
른다고 비판하자, '나'는 쓰임이 없어 하늘이 준 수
명을 다하는 가죽나무를 통해 얻은 깨달음, 즉 '쓰
여짐 없는 것의 귀한 바'가 있음을 전한다. 일상적
인 사물과 경험을 통해 교훈적 의미를 전하면서 대
조적인 소재와 구체적인 사례로 글쓴이의 생각을
효과적으로 전달하고 있다.

■ **갈래** : 고전 수필(설)
■ **성격** : 교훈적, 경험적, 비유적
■ **제재** : 가죽나무
■ **주제** : 선입견에서 벗어난 사물의 가치 발견

어휘풀이

· 범상하다(凡常──) 중요하게 여길 만하지 아니하고
예사롭다.

· **외람되다(猥濫──)** 하는 짓이 분수에 지나치다.
· **군자(君子)** 행실이 점잖고 어질며 덕과 학식이 높은
사람
· **망령되다(妄靈──)** 늙거나 정신이 흐려서 말이나 행
동이 정상을 벗어난 데가 있다.
· **자재하다(自在──)** 1. 저절로 있다. 2. 속박이나 장애
가 없이 마음대로이다.
· **천성(天性)** 본래 타고난 성격이나 성품

5.⑤ 　작품 비교 감상하기

① ㉠에는 '공명부귀'를 '구하기'에 재주'가 없는 자신의
능력에 대한 인식이 나타나 있고, ㉣에는 '더러움과 고
상함을 섞음'에서 취하고자 하는 '나'에 대한 '객'의 인식
이 나타나 있다.
② ㉡에서 '빈천기한', 즉 가난하고 천하며 굶주리고 헐
벗어 배고프고 추운 것을 '일생' 동안 겪었다는 것은 가
난한 삶의 모습을 보여 준다. 그리고 ㉢에서 '얕은 재주
와 기능으로 벼슬아치의 뜨락에서 구하고자 시도'했다
는 것은 벼슬을 구하고자 했던 삶의 모습을 보여 준다.
③ ㉢에서 '백구'와 '벗을 삼고'자 한 것은 자연과 조화를
이루려는 태도이며, ㉥에서 '기국원'을 가꾸어 '이름난
풀과 아름다운 나무들'을 갖춘 것은 자연물을 가꾸며 살
아가는 태도이다.
④ ㉣에서 '술동이를 기울여'서 취하도록 마시는 것은 자
연에서 흥취를 즐기는 모습이고, ㉦에서 가죽나무를 '자
르지 말라고 하고, 흙을 북돋워 주어 '곁으로 널려 펴지
게' 한 것은 자연물을 아끼는 마음이 나타난 모습이다.
⑤ ㉤에서는 이런 상태로 늙어 죽은들 어찌하겠느냐고
하여, 현재의 삶이 지속되기를 바라는 심정을 나타내고
있다. 그러나 ㉧에서 '한가롭고 여유 있게 놀다가 늙어
서' '숲과 풀에서 죽'는 것은 세상에 쓰임이 없어 분수에
편안히 지내다 수명을 다하는 모습으로, 현재의 삶에서
벗어나고 싶은 심정과는 거리가 멀다.

6.③ 　외적 준거를 따라 작품 감상하기

① '영욕을 어이 알며'와 '출척을 어이 알까'는 영예와 치
욕은 어찌 알며, 나아가고 물러나는 것은 어찌 알겠느
냐는 의미로, 〈보기〉에서 언급한 이익이나 공명과 같은
세상사에 어두운 자신에 대한 인식을 반복과 변주를 통
해 드러낸 부분이다.
② 이끼 낀 바위에 '기대어 앉아 보'고, 송근을 '베고도
누워 보'는 모습은 〈보기〉에서 언급한 자연을 벗하며
한가로이 살아가는 모습을 행동 묘사를 통해 드러낸 것
이다.
③ '망망속물은 안중에 티끌이로다'는 아득한 속세가 티
끌처럼 여겨진다는 의미로, 자연 속에서 속세를 아득하
게 느끼는 태도를 보여 주고 있다. 따라서 속세가 자연
에서 멀지 않은 곳에 있다는 인식과는 거리가 멀다.
④ '만강풍류를 한 배 위에 실어 오니'는 자연 속에서 풍
류를 즐기는 모습을 배에 실어 온다는 구체화를 통해
드러낸 표현이다.
⑤ '표연천지에 걸린 것이 무엇이랴'는 아득한 천지에
걸린 것이 무엇이겠느냐는 설의적 표현으로, 마음껏 자
연을 누리는 모습을 드러내고 있다.

어휘풀이

· **운치(韻致)** 고상하고 우아한 멋

---

7. ②   인물의 말하기 방식 파악하기

① '객'은 '나'의 말을 듣고 '고개를 끄덕끄덕하'였으므로, '나'의 의견에 끝내 동의하지 않았다고 볼 수 없다.
❷ '객'은 '한 그릇 속에 향내와 악취가 섞이면 향기의 깨끗함을 구하기는 어렵다.'는 주부자(주희)의 말을 인용하여 '더러움'과 '고상함'을 섞으면 '고상함'을 취하기 어렵다는 자신의 의견을 강조하고 있다.
③ '나'는 '객'에게 자신이 가죽나무를 통해 얻은 깨달음을 전하고 있을 뿐, 자신의 기구한 사연을 말하며 도움을 요청하고 있지는 않다.
④ '나'는 '객'의 비판을 들은 뒤 '그렇다! 그대의 말이 참으로 옳다.'고 반응했으므로, 객의 주장에 불쾌함을 드러낸 것과는 거리가 멀다.
⑤ '나'는 '객'에게 가죽나무를 보는 자신의 관점을 설명하고 있으나, 상황의 급박함을 드러내고 있지는 않다.

어휘풀이
• 기구하다(崎嶇—) 세상살이가 순탄하지 못하고 가탈이 많다.
• 명분(名分) 일을 꾀할 때 내세우는 구실이나 이유 따위
• 급박하다(急迫—) 사태가 조금도 여유가 없이 매우 급하다.

8. ①   소재의 의미 파악하기

❶ (가)의 '산수'는 '벽', 즉 자연을 즐기는 버릇이 있는 화자가 자연 속에서 즐기며 지내는 공간이므로 지향하는 삶의 모습이 실현된 공간이라고 볼 수 있다. (나)의 '정원'은 '나'가 '가죽나무'를 통해 '쓰여짐 없는 것의 귀한 바'를 깨닫고 '한가롭고 여유 있게 놀다가 늙어서 숲과 풀 사이에 죽'는 삶의 모습을 지향하게 된 공간이므로 지향해야 할 삶의 모습을 깨닫게 된 공간이라고 볼 수 있다.
② (가)의 화자는 '산수'에서 '낙천지명', 즉 자기 처지에 만족하는 태도를 보이고 있으므로 궁핍한 생활을 해결하고자 한다고 볼 수 없고, (나)의 '나'는 궁핍한 생활을 하거나 그에 한탄하고 있지 않다.
③ (가)의 화자는 '산수'에서 속세를 아득하게 느끼며 자연을 즐기는 삶에 만족감을 드러내고 있으므로 '산수'는 현실에서의 고뇌가 이어지는 괴로운 공간이라 볼 수 없다.
④ (가)의 화자는 자연을 즐기는 삶에 만족하며 그 속에서 늙어 죽어도 좋겠다는 태도를 드러내고 있으므로, 자연 속에서 현실로의 복귀를 염원한다고 볼 수 없다. (나)의 '나'는 '세상에 쓰임이 없으므로 내 분수에 편안히 내 천성을 다한다'고 했으므로 현실에 대한 미련을 표출하고 있다고 볼 수 없다.
⑤ (가)의 화자는 자신의 분수를 알고 세속과 거리를 둔 채 자연 속 삶을 즐기며 만족감을 드러내고 있으므로, '산수'가 세속적 삶에서의 불만을 해소하려는 의지가 드러난 공간이라고 볼 수 없다. (나)의 '나'는 '정원'에서 가죽나무를 가꾸며 '세상에 쓰임이 없으므로 내 분수에 편안히 내 천성을 다'하는 삶을 추구하고 있으므로 세속적 가치를 추구하려는 의지를 보인다고 볼 수 없다.

【9~12】 (가) 이황, '도산십이곡'

지문해설
퇴계 이황이 지은 12수의 연시조로 작자가 말년에 안동(安東)에 도산서원을 세우고 생활할 때 느낀 감흥과 학문의 경지를 읊은 것이다. 작자는 이 작품을 전육곡(前六曲) · 후육곡(後六曲)으로 나누고, 전육곡을 '언지(言志)', 후육곡을 '언학(言學)'이라 이름 붙였다. 『언지』는 천석고황(泉石膏肓: 산수를 사랑하는 것이 마치 불치병처럼 지나침)의 강호은거(江湖隱居)를 읊었고, 『언학』은 학문과 수양을 통한 성정(性情)의 순정(醇正)을 읊었다. 작자가 이 작품을 짓게 된 동기는 첫째와 둘째는 기존의 시가에 대한 불만이고, 셋째는 국문시가에 대한 새로운 인식에서 비롯되었다. '도산십이곡'은 후세 사림파(士林派) 시가의 중심적 지표가 되었다. 청구영언(靑丘永言)에 실려 있으며, 도산서원(陶山書院)에 목판본이 있다.

- **갈래:** 연시조
- **성격:** 교훈적, 회고적
- **주제:** 자연 속에서 사는 즐거움과 학문 수양의 의지
- **특징**
  - 총 12연의 연시조를 전 6곡과 후 6곡으로 나누어 구성하고 있음.
  - 설의법, 대구법을 사용하여 주제를 효과적으로 전달하고 있음.
  - 누구나 부를 수 있게 순우리말로 창작하였음.
- **구성**
  - 언지(言志) 1연~6연
    → 사물에 접하는 감흥을 읊음. 주로 도산 서당의 주변 경관을 보고 자연을 관조함.
  - 언학(言學) 7연~ 12연
    → 학문과 수양에 임하는 자세를 노래함.

(나) 이희승, '뒤지가 진적'

작품해설
우리말과 우리글 사용을 억압하고 말살하는 정책이 강력하게 시행되고 있던 시기에 조선어 정서법을 제정하고 조선말 표준어를 사정하며, '조선말 큰사전'까지 편찬하는 조선어학회의 활동은 통치자인 일제 당국으로서는 용서할 수 없는 사태였다. 1940년에 조선어학회에서 '조선어사전' 편찬에 종사한 일이 있었던 것을 빌미로 하여 일제는 조선어학회를 '조선 민족주의자들의 단체'라고 지목하여 1942년 10월 1일에 제1차로 이희승 선생을 비롯한 11명의 회원들이 서울에서 체포되어 함경남도 홍원 경찰서 유치장으로 끌려갔다. 1942년 10월 21일부터는 학회에 관여했던 나머지 인사들이 구속되어 경찰서 유치장의 감방에 갇히고 고초를 받았다. 홍원경찰서에서 온갖 고문으로 육체적으로나 정신적으로 이루 말로 표현할 수 없는 고통을 받았다. 1944년 일제는 조선어학회 회원들의 반일 독립운동을 하는 단체로 규정하고 핍박했는데 이러한 당시 사회상이 담겨 있다.

- **갈래:** 현대 수필
- **제재:** 일제 강점기의 감옥 생활
- **성격:** 사실적, 해학적, 회고적
- **주제:** 일제 강점기 감옥 현실의 폭로, 글을 읽고 싶은 욕구
- **특징**
  - 겪은 일을 사실적으로 그림.
  - 일제 강점기 감옥의 현실을 구체적으로 보여 줌.
  - 글쓴이의 해학적인 삶의 태도를 엿볼 수 있음.

- **구성**
  [처음] 글쓴이가 처한 상황
  • 좁은 감방에서 많은 사람과 생활함.
  • 전쟁 중의 일본이 경제적 파탄에 직면하였음.
  [중간] 뒤지를 얻기 위한 노력 : 글쓴이와 동료들은 감방 안에서 유일한 읽을거리인 뒤지를 얻기 위해 노력함.
  [끝] 인간의 본능과 관련한 깨달음 : 어려운 상황에서도 글을 읽고자 하는 것과 같은 인간의 의욕은 인력으로 좌우할 수 없는 것임을 깨달음.

9. ④   작품 감상의 적절성 파악하기

① (가)와 (나) 모두 곁에 없는 사람을 그리워하는 심정을 드러내고 있지 않다.
② (가)와 (나) 모두 다른 사람이 처한 문제 상황을 해결해 주려는 모습은 드러나지 않으며 자신의 내면을 들여다보는 측면이 더 강하다.
③ (가)와 (나) 모두 주변 사물에 가졌던 부정적 인식이 긍정적으로 바뀌게 된 계기가 드러나지 않는다.
❹ (가)에는 학문에 힘쓰지 않았던 자신의 삶을 성찰하는 모습이 드러나 있고, (나)에는 극한 상황에서도 글을 읽고 싶은 자신의 욕구를 충족하기 위한 모습이 나타나 있다.
⑤ (가)에는 역사적 인물에 대한 비판적 태도가, (나)에는 현실 상황에 대한 수용적 태도가 드러나지 않는다.

10. ⑤   외적 준거를 통해 작품 감상하기

① 〈언지 제2수〉와 〈보기〉를 참고할 때, '연하'로 집을 짓고 '풍월'로 벗을 삼는다는 것은 자연 속에 살고자 하는 마음을 드러내며, '허물'이 없기를 바라는 것은 선한 본성을 회복하기를 바라는 것을 나타낸다고 볼 수 있다.
② 〈언학 제4수〉와 〈보기〉를 참고할 때, 다른 것에 '마음'을 두지 않으려는 것은 학문에 정진하지 않았던 지난 일을 돌아보며 앞으로 학문에 열중하겠다는 다짐을 나타낸 것으로 볼 수 있다.
③ 〈언지 제1수〉에서 '천석고황'을 고치지 않으려는 것은 자연 속에 살며 자연을 즐기고 사랑하겠다는 의지를 드러낸 것으로, 이황이 제자들에게 지향할 만한 삶의 방식이라고 말하고자 한 것으로 볼 수 있다.
④ 〈언학 제3수〉에서 '고인'이 '가던 길'을 가려는 것은 학문에 정진하겠다는 뜻으로, 제자들이 마음에 새길 만큼 바람직한 가치라고 이황이 생각한 것으로 볼 수 있다.
❺ 〈언학 제6수〉에서 '우부'와 '성인'을 구분하는 것은 학문하는 것이 우부도 알면 할 정도로 쉽고 성인도 다 하지 못할 정도로 어렵다는 것을 나타내기 위한 것으로 학문과 수양에 임하는 자세를 제시한 것이다. 성인을 본받아야 함을 나타내는 것으로 이해하는 것은 적절하지 않다.

고전 시가 ▶ 현대어 풀이

이황 '도산십이곡'

이런들 어떻고 저런들 어떤가
초야에 묻혀사는 어리석은 선비가 이런들 어떤가
하물며 자연을 사랑하는 병을 고쳐 무엇하리
〈언지 제1수〉

안개와 노을로 집을 삼고 바람과 달로 벗을 삼아

태평성대에 (자연을 사랑하는) 병으로 늙어 가니
이 중에 바라는 일이 허물이나 없었으면
〈언지 제2수〉

순한 풍속이 죽었다 하는데 진실로 거짓말이고
인성이 어질다 하는데 진실로 옳은 말이라
세상의 수많은 영재를 속여 말하겠는가
〈언지 제3수〉

옛 성현도 나를 못 고고 나도 옛 성현을 보지 못하지만
성현을 보지 못해도 가신 길이 앞에 있네
가신 길이 앞에 있거늘 아니 가고 어찌할 것인가
〈언학 제3수〉

당시에 가던 길(자연에서의 학문 정진의 길)을 몇 해나 버려두고
어디가 다니다가 이제야 돌아왔는가
이제 돌아 왔으니 딴 데 마음을 두지 않으리
〈언학 제4수〉

어리석은 사람도 알며 하거니 그 아니 쉬운가
성인도 다하지 못하시니 그 아니 어려운가
쉽거나 어렵거나 (학문을) 하는 중에 늙는 줄을 모르겠구나
〈언학 제6수〉

11. ① 표현상의 특징 파악하기

❶ ㉠은 '순풍'이 죽었다는 것은 '거짓말'이고 '인성'이 어질다는 것은 '올흔말'이라고 하며 대조적인 어휘를 사용하여 자신의 판단을 드러내고 있다.
② ㉠에서 '순풍이 죽다 ㅎ니', '인성이 어지다 ㅎ니'라는 다른 사람의 말을 인용하고 있으나, 이를 통해 자신이 주변 사람에게 준 영향을 강조하지는 않는다.
③ ㉡에서 사람의 욕구에 대한 자신의 깨달음을 직접 표현하고 있으나, 우회적인 표현은 나타나지 않는다.
④ ㉡에서 상황이 나아지리라는 기대를 드러내고 있다고 볼 수 없다.
⑤ ㉠과 ㉡은 말을 건네는 방식을 사용하지 않았다.

12. ② 외적 준거를 통해 작품 감상하기

① 일제의 통제 속에서도 그나마 글발이 있는 종이조각인 '뒤지'를 몰래 읽으며 '귀중한 읽을거리'로 대하는 모습에서 일제 강점기 투옥 생활에서 읽을거리를 접하기가 쉽지 않았던 글쓴이의 처지를 보여 준다.
❷ '이것으로 우리들에게 뒤지를 공급하'는 것은 경찰서에서 감방에 있는 사람들에게 재고품이 풍부한 경무휘보라는 잡지를 뒤지로 공급하는 것을 나타낸 것이다. 이는 글쓴이와 조선어학회 동지들이 읽을거리를 얻기위해 노력한 결과로 볼 수 없다.
③ 감방에서 글을 읽을 때 '한결 지루한 시간이 쉽사리 지나는 것만 같다'고 위안을 삼는 모습에서 글을 읽는 것이 일상적이었던 글쓴이와 조선어학회 동지들이 글을 읽을 때 느끼는 만족감을 확인할 수 있다.
④ 글쓴이와 조선어학회 동지들이 노력하여 '다 각각 얻은 뒤지를 서로 돌려 가며 보는 것'에서 글을 읽으려는 의지를 보이는 글쓴이와 조선어학회 동지들의 모습을 엿볼 수 있다.
⑤ '이런 것도 인력으로 좌우할 수 없는 본능의 소치'라

고 생각하며 글을 읽고자 하는 의욕이 사람의 힘으로 바꿀 수 없는 본능이라고 새삼 깨닫고 있다. 이를 통해 현실적 어려움이 있더라도 글을 읽는 것을 포기하지 않으려는 글쓴이의 면모를 엿볼 수 있다.

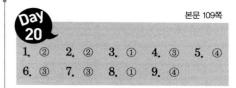

본문 109쪽

1. ② 2. ② 3. ① 4. ③ 5. ④
6. ③ 7. ③ 8. ① 9. ④

【1~4】 (가) 김광욱, '율리유곡'

▶작품해설

17수의 연시조인 이 작품은 작가가 중국의 도연명을 연모하며 유사한 주제 의식을 보인다. 특히 농촌의 생활에서 실질적인 소재를 취하고, 구체적인 시어를 활용하여 표현하며, 설의법과 다양한 표현을 통해 전원에서 살아가는 소박한 생활상을 구체적으로 형상화하고 있다.
■ 주제 : 소박한 농촌 생활의 정취

(나) 윤휴, '육우당기'

▶작품해설

사촌 형이 거처하는 초가집에 '육우'라는 당명을 짓게 된 연유에 대한 고전 수필로 '대, 국화, 진송, 노송, 동백, 창송'을 성정을 찬양하며, 본연의 모습을 잃지 않고 살아가는 삶을 권유하고 있다. 기회주의적인 인간 관계와, 흥망에 따라 태도가 달라지는 사람들의 세속적인 면모를 비판적인 시각으로 보고 있으며, 자연을 벗삼아 지조와 신의를 지키며 살아가는 삶의 자세를 강조하고 있다.
■ 주제 : 자연에 사는 선비에게 필요한 덕목

1. ② 작품 간의 공통점 파악하기

① (가)와 (나) 모두 연쇄법을 사용하여 대상을 긴밀하게 연결하고 있는 부분은 없다.
❷ (가)의 '내 몸을 내마저 잊으니 남이 아니 잊으랴', '나 같이 군마음 없이 잠만 들면 어떠리' 등의 설의적 표현을 활용하여 자연에서 느끼는 소박한 만족감과 유유자적한 태도를 강조하고 있다. 또한 (나)에서는 '그 취미나 기상이 또한 서로 가깝지 않겠습니까', '어찌 육우라 이름하는 것이 좋지 않겠습니까' 등의 설의적 표현을 통해 '육우'라는 당명을 짓게 된 연유를 뒷받침하고 있다.
③ (가)와 (나) 모두 역설적 표현을 사용하여 사물의 의미를 부각하는 부분은 없다.
④ (가)에는 원경에서 근경으로 시선을 이동하는 부분이 없다. 한편 (나)에는 '뒤로는 감악산을 등지고 앞으로는 큰 들을 임하여 초막집을 한 채 얽어'와 같이 원경에서 근경으로 화자의 시선을 이동하는 부분이 있으나, 이를 통해 계절감은 드러내지 않는다.
⑤ (가)에는 '대 막대'를 '너'로 칭하며, 다시 만나 반가운 화자의 정서를 드러내나, (나)에는 의인화된 대상에게 말을 건네는 방식으로 정서를 드러내는 부분은 없다.

2. ② 작품 내용 이해하기

① 화자는 '공명'과 '부귀'에 대하여 '잊었노라'라고 표현하며, '내 몸을 내마저 잊'고 있다고 표현하며, 욕심 없이 현재의 모습에 만족하는 삶을 지향하고 있다.
❷ 화자는 '세상의 번우한 일'에서 벗어나 '내 몸을 내마저 잊'고 지내니, '남이 아니 잊으랴'라며 속세와의 인연

을 멀리하고 지내는 것에 대하여 자연스럽게 받아들이고 있다. 따라서 화자는 '남'으로부터 소외된 자신의 존재에 대한 안타까움을 드러낸다는 설명은 적절하지 않다.
③ 화자는 '팥죽'과 '저리지'의 맛에 만족하며, '세상에 이 두 맛이야 남이 알까 하노라'라며 소박한 삶에 대한 만족감을 드러내고 있다.
④ 화자는 '대 막대'를 보니 반갑다고 표현하며, 어릴 때에 타고 다니던 기억을 떠올리고 있다. 지금은 '창(窓)' 뒤에 섰다가 날 뒤 세우고 다'니는 '대 막대'에 대하여 친밀감을 표현하고 있다.
⑤ '대 막대'는 화자가 어릴 적에는 놀잇감처럼 타고 다니는 도구였으나, 세월의 흐름에 따라 '날 뒤 세우고 다'니는 용도로 쓰이고 있다.

3. ① 　　　소재의 의미 이해하기

❶ ⓐ는 갈대숲을 돌아다니며 고기를 얻으려 하는 존재로, 이를 두고 화자는 '나같이 군마음 없이 잠만 들면 어떠리'라고 서술하고 있다. 즉, 화자는 세속의 부귀영화에 욕심을 버리고 살아가는 인물로, ⓐ를 비판적으로 바라보고 있다. 이에 비해 ⓑ는 '대, 국화, 진송, 노송, 동백, 창송'을 가리키는 것으로 '더위와 추위에도 지조를 변치 않는 것'으로 글쓴이가 예찬하는 대상이므로 적절한 설명이다.
② ⓐ는 고기를 잡으려고 기회를 엿보는 존재로, 화자의 그리움을 표현하는 것과 관계가 없다. 또한 ⓑ는 글쓴이가 칭송하는 자연물로, 글쓴이의 외로움을 불러일으키지 않는다.
③ ⓐ는 화자가 심리적으로 거리를 느끼는 대상이고 ⓑ는 글쓴이가 긍정적으로 여기는 대상이므로 적절하지 않다.
④ ⓐ는 고기를 잡으려고 욕심을 갖는 주체이지만, 화자는 〈5수〉에서 볼 수 있듯이 소박한 쇠사에도 만족할 줄 아는 인물이므로, ⓐ와 화자는 처지가 비교된다고 볼 수 있다.
⑤ ⓐ를 보며 화자는 자신처럼 욕심을 버릴 것을 조언하고 있으므로 화자의 상실감을 부각한다고 볼 수 없다. ⓑ는 더위와 추위에도 지조를 변치 않는 것으로 묘사되고 있으므로 글쓴이의 기대감을 사고 있다고 볼 수 있다.

4. ③ 　　　외적 준거에 따라 감상하기

① 글쓴이는 한(閑)은 본디 이 당(堂)이 소유한 것이므로, 당 한편에 심어놓은 여섯가지를 통해 그들이 지니고 있는 절개와 지조를 더불어 느낄 것을 권유하고 있다. 따라서 글쓴이는 사촌 형이 자연과 벗하며 '충분히 그 운치'를 누리기를 바라고 있다고 볼 수 있다.
② 글쓴이는 사촌 형이 나이가 들수록 이곳에 은거하여, '여기에서 노래하고 여기에서 춤추고 여기에서 마시고 취하고 자고 먹고 하'는 것을 권하며 이 여섯 가지를 벗삼아 지낼 것을 권유하고 있다. 따라서 글쓴이는 사촌 형이 '취미나 기상'에 어울리는 존재와 함께할 것을 바라며 새로운 당명을 권하고 있다고 볼 수 있다.
❸ 글쓴이는 형에게 세상의 인간 관계가 처음에는 견고하나, 남에게 내세울 것이 있는 '떵떵거리는 자리'에는 서로 나가고, '적막한 자리'에는 서로 기피는 것이 세태의 모습이라고 하였다. 한편 〈보기〉에서는 진정한 한(閑)의 의미를 실현하는 자세란 자연과 벗하며 지조와 신의를 지키는 것이라고 밝히고 있으므로, 세상 사람들

이 기피하는 '적막한 자리'에 만족하는 것이 진정한 한(閑)에 가까워지는 길이라고 여기는 것은 적절하지 않은 설명이다.
④ 글쓴이는 세상의 교우(交友) 관계가 힘을 얻은 자에게는 열렬히 따르고, 힘을 잃은 자에게는 냉담하게 변하는 세태의 풍조를 지적하며, '이 여섯 가지'는 고난을 겪는 상황에서도 항상 주인의 곁을 지키고 있는 존재라는 것을 강조하고 있다.
⑤ 글쓴이는 시류에 따라 변하는 세태의 풍조를 따르기보다, '대, 국화, 진송, 노송, 동백, 창송' 등의 여섯가지와 같이 '천진을 온전히 지키는 것'을 바람직한 삶의 태도라고 여기고 있으며, 이를 권유하고 있다.

【5~9】 (가) 백석, '흰 바람벽이 있어'

작품해설

고향을 떠나 타지에서 지내는 화자가 가난하고 외로운 삶과 운명에 대한 긍정적 인식을 드러낸 시이다. 화자는 '흰 바람벽'에 떠오르는 자신이 사랑하는 사람들의 모습에 그리움을 느낀다. 그리고 이어 지나가는 글자들을 바라보며 '가난하고 외롭고 쓸쓸하니 살아가도록 태어'난 운명에 대해 인식하지만, 그것은 하늘이 귀하게 여기는 존재를 그렇게 만든 것이라며 스스로를 위로한다. 내면 고백을 산문체로 풀어낸 가운데 '~는다', '~듯이' 등의 어구와 유사한 문장 구조를 반복하여 시적 상황을 부각하고 있으며, 감각적 이미지를 사용하여 화자의 정서를 효과적으로 구체화하였다.
■ 갈래 : 자유시, 서정시
■ 성격 : 회상적, 애상적, 의지적
■ 어조 : 독백적 어조
■ 구성
　- 1~6행 : 흰 바람벽을 바라보며 쓸쓸함과 외로움을 느낌.
　- 7~16행 : 어머니와 사랑하는 여인을 떠올리며 그리움을 느낌.
　- 17~23행 : 외로움과 슬픔 속에서 살 수 밖에 없는 자신의 운명을 인식함.
　- 24행~25행 : 운명을 긍정적으로 수용하고 스스로 위로함.
■ 주제 : 가난하고 외로운 현실에 대한 운명론적 인식과 자기 위안
■ 중요 시어 및 시구 풀이
• 오늘 저녁 이 좁다란 방의 흰 바람벽에 : 화자의 성찰이 이루어지는 시간적, 공간적 배경. '바람벽'은 방이나 칸살의 옆을 둘러막은 둘레의 벽
• 희미한 십오촉 전등이 ~ 생각이 헤매인다 : 전등과 낡은 무명샤쯔를 응시하던 화자의 시선이 내면으로 이어짐.
• 늙은 어머니, 내 사랑하는 사람 : 흰 바람벽에 떠오른 모습. 화자가 그리워하는 대상
• 이러한 글자들이 지나간다 ~ 쓸쓸하니 살아가도록 태어났다 : 화자가 '가난하고 외롭고 높고 쓸쓸하니' 살아가도록 태어났다는 인식이 드러남.
• 하늘이 이 세상을 내일 적에 ~ 만드신 것이다 : 하늘이 '가장 귀해하고 사랑하는 것들'을 화자와 같은 삶의 모습으로 만들었다고 하여, 운명에 대한 긍정적인 인식과 이를 통한 자기 위안을 드러냄.
• '프랑시쓰 쨈'과 '도연명(陶淵明)'과 '라이넬 마리아 릴케'가 그러하듯이 : 화자가 동질감을 느끼는

대상들로 화자의 운명적인 삶에 대한 위안을 줌.

같은작가 다른기출

2003학년도 6월 모의 평가 '남신의주 유동 박시봉방'
2004학년도 9월 모의 평가 '흰 바람벽이 있어'
2004학년도 수능 '고향'
2009학년도 9월 모의 평가 '여승'
2011학년도 9월 모의 평가 '적막강산'
2014학년도 6월 모의 평가 B형 '팔원—서행시초 3'

(나) 정훈, '탄궁가'

작품해설

제목은 '가난을 탄식하는 노래'라는 의미로 가난한 생활상을 소재로 생활 주변의 일상적인 일들을 구체적으로 묘사하면서 그 속에서 느끼는 정서를 드러낸 가사이다. 궁핍한 형편 탓에 부역과 세금, 세시 절기 명절 제사를 치루는 것에 걱정이 많은 화자는 가난을 펼쳐버려야 할 대상으로 인식하며 한탄한다. 그러나 '궁귀'와의 대화를 한 후에는 가난이 '내 분(分)'이라며 체념적으로 수용하려는 태도를 보인다. 대구와 설의의 표현 방법이 주로 드러나고 있으며, 의인법과 가상 대화 형식을 통해 성찰 과정을 보여 주고 있다.
■ 갈래 : 가사
■ 성격 : 사실적, 체념적
■ 구성
　- 1~6행 : 자신의 궁핍한 삶에 대한 한탄
　- 7~17행 : 봄철의 농사 준비와 화자의 초라한 처지
　- 18~24행 : 벗어나기 어려운 궁핍한 상황과 그로 인한 근심
　- 25~38행 : 궁귀와의 대화와 빈곤한 삶에 대한 체념
■ 제재 : 가난한 삶
■ 주제 : 궁핍한 생활로 인한 고통과 체념적 수용
■ 중요 시어 및 시구 풀이
• 하늘이 만드시길 일정 고루 하련마는 : 사람들의 운명을 결정짓는 초월적 존재인 '하늘'에 대한 인식이 드러남.
• 삼순구식(三旬九食)을 얻거나 못 얻거나 : '삼순구식'은 삼십 일 동안 아홉 끼니밖에 먹지 못한다는 뜻으로, 몹시 가난함을 이르는 말. 삼순구식도 어려울 정도로 궁핍한 화자의 처지가 드러남.
• 안표누공인들 나같이 비었으며 / 원헌간난인들 나같이 심했을까 : 자신의 가난이 안회, 원헌보다의 가난보다 극심하다는 인식이 드러남.
• 죽 쑨 물 상전 먹고 ~ 코로 휘파람 분다 : 종에 대한 권위를 내세우지 못하고 종의 눈치를 보는 주인의 모습과, 주인을 무시하는 종의 모습이 나타남.
• 세시 절기 명절 제사는 ~ 어이하야 접대할꼬: 때맞춰 지내야 하는 제사와 손님 대접을 하기 어려운 상황에 대한 근심과 한탄이 드러남.
• 이 원수 궁귀를 ~ 사방으로 가라 하니 : 화자가 자신에게 붙은 '궁귀', 즉 가난 귀신을 멀리 떠나보내고 싶어, 술에 음식을 갖추고 궁귀를 불러 떠나라고 말함.
• 어려서 지금까지 ~ 가라 하여 이르느뇨 : 화자와 평생 함께해 온 궁귀가 화자를 떠날 수 없다며 타

이르고 꾸짖음.
• 하늘이 만든 이 내 ~ 설워 무엇하리 : 화자가 자신의 궁핍이 하늘이 내린 것이며, 빈천이 자신의 분수라며 체념적으로 수용함.

같은작가 다른기출
2016학년도 6월 모의 평가 A형 '탄궁가'

5. ④ 　작품 간의 공통점 파악하기

① (가)와 (나) 모두 시의 첫 연이나 행을 마지막에 반복하는 수미상관은 나타나 있지 않다.
② (가)는 '좁다란 방의 흰 바람벽'이라는 공간이 드러나 있으나 공간의 대비는 나타나 있지 않다. (나) 또한 공간의 대비를 통해 역동적 분위기를 형성한 부분은 찾을 수 없다.
③ (나)의 '힘써 일하라', '사방(四方)으로 가라' 등에서 명령형 어미를 찾아볼 수 있으나, (가)에서는 명령적 어조가 쓰인 부분을 찾을 수 없다.
❹ (가)는 '흰 바람벽에'라는 구절이 반복되며 시상이 전개되는 한편, '내 가난한 늙은 어머니가 있다 / 내 가난한 늙은 어머니가', '또 내 사랑하는 사람이 있다 / 내 사랑하는 어여쁜 사람이'와 같은 유사한 문장 구조, '이런 글자들이 지나간다'라는 구절이 반복되며 시적 상황을 부각하고 있다. 또한 (나)에서는 '안표누공인들 나같이 비었으며 / 원헌간난인들 나같이 심했을까'와 '동편 이웃에 따비 얻고 / 서편 이웃에 호미 얻고' 등에서 유사한 문장 구조를 반복하여 시적 상황을 드러내고 있다.
⑤ (가)에서는 '차디찬 물에 손을 담그고 무이며 배추를 씻고 있다' 등에서 촉각적 심상을 사용하고 있으나, 이를 통해 사물의 정적인 모습을 강조한 것은 아니다. 또한 (나)에서는 촉각적 심상을 사용한 부분을 찾을 수 없다.

6. ③ 　시상 전개 과정 이해하기

① [A]에서 '십오촉 전등'의 불빛과 '낡은 무명샤쯔'와 같은 외부의 사물을 응시하던 화자는 '내 가지가지 외로운 생각이 헤매인다'라고 하며 내면으로 시선을 옮기고 있다.
② [B]와 [C]에서는 [A]의 '흰 바람벽'을 보는 상황이 이어지면서 떠오른 장면, '늙은 어머니'와 '내 사랑하는 사람'의 모습이 나타나 있다.
❸ 화자는 [B]에서 '가난한 늙은 어머니'가 차디찬 물에 손을 담그고 배추나 무를 씻는 모습을 떠올리며 어머니에 대한 안타까움과 그리움을 드러내고 있고, [C]에서는 '내 사랑하는 사람'을 떠올리며 그리움을 느끼고 있다. 즉 [B], [C]에는 화자의 그리움의 대상이 나타날 뿐 소외된 사람들에 대한 연민은 나타나 있지 않다.
④ [D]에서 화자는 '나는 이 세상에서 가난하고 외롭고 높고 쓸쓸하니 살아가도록 태어났다'는 글자가 지나가는 것을 본다. 즉 화자는 자신이 가난하고 외롭고 쓸쓸하게 살아갈 운명이라고 생각하는 동시에 높게 살아갈 존재라는 자기 긍정을 드러내고 있다. [E]에서는 '하늘이 이 세상을 내일 적에 그가 가장 귀해하고 사랑하는 것들은 모두 가난하고 외롭고 높고 쓸쓸하니 ~ 살도록 만드신 것이다'라고 하고 있다. 하늘이 가장 귀해하고 사랑하는 것들을 '가난하고 외롭고 높고 쓸쓸하니' 살도록 만들었다는 것은 [D]에 드러난 자기 긍정의 정서가 강화된 것으로 볼 수 있다.

⑤ [D]에서 화자는 '세상을 살아가는데' 가슴이 '사랑으로 슬픔으로' 가득 차다고 하며 애상적 정서를 드러내고 있다. 그러다 [E]에서는 '하늘이 가장 귀해하고 사랑하는 것들'을 '사랑과 슬픔 속에 살도록' 만들었다는 글자가 '나를 위로하는 듯이' 지나갔다고 함으로써 애상적 정서에 침잠하지 않으려는 태도를 드러내고 있다.

왜 많이 틀렸을까?
오답인 ④번 선택지를 고른 비율이 46%에 달해 정답률이 매우 낮은 문제였어. 이 문제는 정답인 ③번과 ④, ⑤번의 선택지를 꼼꼼하게 검토하지 않으면 함정에 빠지기 쉬웠거든. 일단 정답인 ③번을 보면 [B], [C]에 '소외된 사람들에 대한 연민'이라는 진술이 헷갈렸을 거야. 어머니에 대한 연민이 나타난다고 볼 수 있지만 어머니나 '사랑하는 사람'이 '소외된 사람들'이 아니라는 점을 파악했어야 해. ④번 선택지를 골랐다면 [D]에 자기 긍정의 정서가 나타난다는 점을 파악하지 못했기 때문일 거야. 화자가 자신을 가난하고 외롭고 쓸쓸하게 살아가도록 태어났다고 부정적으로 인식하고 있다고만 본 것이지. 하지만 그러면서도 화자는 스스로를 높게 살아가는 존재라고 말했음을 놓치지 말아야 해.

7. ③ 　외적 준거에 따라 작품 감상하기

① '죽 쑨 물 상전 먹고 건더기 건져 종을 주니'에서는 '상전', 즉 주인인 사대부가 죽 쑨 물을 먹고 건더기는 종을 주는 모습이 나타나 있다. 〈보기〉에서 극심한 궁핍으로 인해 사대부임에도 불구하고 종에 대한 권위를 내세울 수 없는 상황이 드러나 있다고 한 것을 참고할 때, 이는 농사일을 시키기 위해 종의 눈치를 보는 몰락한 사대부의 처지를 보여 주는 구절로 볼 수 있다.
② '세시 절기 명절 제사는 무엇으로 해 올리며'는 세시 절기와 명절에 지내는 제사를 해 올리기 어려운 상황에 대한 근심이 나타나 있다. 이는 〈보기〉에서 언급한 가난으로 인해 사대부로서의 도리를 지키지 못하는 형편을 보여 주는 구절로, 그러한 현실에 대한 화자의 한탄을 엿볼 수 있다.
❸ '이 원수 궁귀를 어이하여 여의려노'는 '원수와 같은 가난 귀신을 어떻게 해야 멀리 떠나보낼까'라는 의미이다. 이어진 구절에서 '술에 음식 갖추고 이름 불러 전송하여 ~ 사방으로 가라 하니'라고 한 것으로 보아, 화자는 자신에게 붙어 있는 가난 귀신을 떠나보내고 싶어 할 뿐 가난한 상황을 미리 대비하지 못한 무능함에 자괴감을 느끼고 있는 것은 아니다.
④ 〈보기〉에서 화자는 경제적인 무능력으로 인해 가난에서 벗어나지 못하는 상황이라고 한 것을 참고할 때, '무정한 세상은 다 나를 버리거늘'은 힘겨운 경제적 상황을 벗어나지 못하는 현실 속에서 세상이 자신을 버렸다고 여기는 비관적 인식을 보여 주는 구절로 볼 수 있다.
⑤ 〈보기〉에서 가난에서 벗어나지 못하고 이를 수용할 수밖에 없는 처지가 나타난다고 하고 있다. '빈천도 내 분이어니 설워 무엇하리'는 '가난이 자신의 분수이니 서러워해서 무엇하겠는가'라는 의미로 〈보기〉에서 언급한 벗어날 수 없는 체념적으로 수용하는 태도를 드러낸 구절로 볼 수 있다.

8. ① 　시어의 의미 이해하기

❶ (가)의 화자는 '오늘 저녁' '좁다란 방의 흰 바람벽'을 바라보고 자신의 삶을 돌아보고 자신이 '가난하고 외롭고 높고 쓸쓸하니' 살아갈 운명이라는 것을 깨달으며 그

운명을 긍정적으로 인식하는 모습을 보여 주고 있다. 또한 (나)의 화자는 '봄날'에 계절에 맞춰 농사일을 준비하려 하지만 궁핍한 현실로 어려움을 느끼고 있다. 따라서 ⊙ '오늘 저녁'은 화자가 자신의 삶을 돌아보며 성찰하는 시간이고, ⓒ '봄날'은 화자의 절망감이 심화되는 시간이라고 할 수 있다.
② ⊙에 (가)의 화자는 어머니와 사랑하는 사람의 모습을 떠올리며 그리워하는 한편 외로움과 쓸쓸함을 느끼고 있을 뿐 과거의 고통을 상기하고 있다고 볼 수는 없고, (나)의 화자가 ⓒ에 행복했던 시간을 떠올리는 모습은 나타나 있지 않다.
③ ⊙에 (가)의 화자는 '오늘 저녁'에 자신의 삶을 돌아보고 있으므로 시간의 단절감을 경험하고 있다고 볼 수 없다. 또한 (나)의 화자는 ⓒ을 맞아 봄에 해야 할 농사를 하려 할 뿐 계절의 순환 질서를 인식하거나 받아들이고 있다고 보기 어렵다.
④ ⊙에 (가)의 화자는 '어머니'와 '사랑하는 사람'의 모습을 떠올리고 있으므로, 고향에 대한 추억을 떠올리고 있다고 볼 수 있다. 그러나 ⓒ에 (나) 화자가 고향 사람들에 대한 인정을 느끼고 있는 것은 아니다.
⑤ ⊙에 (가)의 화자는 '가난한 늙은 어머니'를 떠올리며 애틋함을 드러내고 있다. 그러나 ⓒ에 (나)의 화자가 가족에 대한 상실감을 느끼는 모습은 나타나 있지 않다는 것은 '범죄'로 취급될 수 있었으므로 적절하다.

9. ④ 　작품 비교 감상하기

① (가)의 화자는 '하늘이 이 세상을 내일 적에 ~ 만드신 것이다'라고 하고 있고, (나)의 화자는 '하늘이 만드시길 일정 고루 하련마는', '하늘이 만든 이 내 궁을 설마한들 어이하리'라고 하고 있다. 이로 보아 (가)와 (나)의 화자는 둘 다 '하늘'이라는 초월적 존재가 운명을 결정짓는다고 인식함을 알 수 있다.
② (나)는 '빈천도 내 분'이라고 하며 가난을 자신이 받아들이는 운명의 대상으로 여기는 모습을 보이고 있다. 이와 달리 (가)의 화자는 자신이 '가난하고 외롭고 높고 쓸쓸하니 살아가도록 태어났다'고 하며 가난과 함께 외로움까지 운명의 대상으로 여기고 있다.
③ (나)의 화자는 '하늘이 만드시길 일정 고루 하련마는'에서 하늘이 만들 때 운명을 고르게 할 것이라고 하여 운명은 고르게 타고나야 한다는 인식을 드러내고 있다. 이와 달리 (가)의 화자는 이러한 인식을 드러내고 있지 않다.
❹ (가)의 화자는 자신이 '가난하고 외롭고 높고 쓸쓸하니 살아가도록 태어났다'는 운명론적 세계관을 보이면서도 하늘이 '가장 귀해하고 사랑하는 것들'에게 그런 운명을 주었다고 하여 자신의 삶을 긍정적으로 받아들이고 있다. 따라서 (가)의 화자가 이상과 현실의 괴리를 통해 운명을 인식한다고 볼 수는 없다. 한편 (나)의 화자는 '어려서 지금까지 희로우락을 너와 함께 하여'라는 궁귀의 말을 듣고 빈천한 삶이 자신의 분수임을 체념적으로 받아들이고 있다. 즉 (나)의 화자는 어려서부터 지금까지 가난하게 살아왔으므로 과거와 현재의 괴리감이 운명을 인식하는 계기가 되었다고 볼 수 없다.
⑤ (가)의 화자는 하늘이 가장 귀하게 여기고 사랑하는 것들을 모두 가난하고 외롭고 높고 쓸쓸하게 살도록 만들었는데 "프랑시스 쨈"과 "도연명"과 "라이넬 마리아 릴케" 또한 그러하다고 하여 그들과의 동질감에서 자신에게 주어진 운명적인 삶에 대한 위안을 드러내고 있다. 이와 달리 (나)의 화자는 '안표누공인들 나같이 비었으

며 / 원헌간난인들 나같이 심했을까'에서 자신의 가난이 안희, 원헌보다 극심하다고 하여 절망을 드러내고 있다.

왜 많이 틀렸을까?

오답인 ③번을 고른 비율이 정답 선택 비율보다 높게 나타났어. ③번을 선택했다면, ⑤번에서 화자가 사람들의 운명은 고르게 타고나야 한다고 인식하고 있다고 한 것의 근거를 찾지 못했기 때문일 거야. (가), (나) 모두 '하늘'이라는 초월적 존재가 운명을 결정한다고 전제한 것을 바탕으로, (나)에서 '하늘'이 어떤 존재로 그려졌는지 파악해 봐야 해. 이 때 (나)에 나타난 '하늘'의 성격과 비교해 보면서 선택지를 판별했다면 오답을 피해 갈 수 있었을 거야.

---

1. ② 2. ③ 3. ③ 4. ① 5. ④
6. ① 7. ⑤ 8. ③ 9. ②

【1~5】 (가) 이정, '풍계육가(楓溪六歌)'

작품해설

자연 속에서 만족하며 살아가는 소박한 삶을 지향하고, 세속적 삶에 대한 경계의 뜻을 담아내고 있는 연시조이다. 자연에 심취한 화자의 심경을 청풍, 명월, 시내 등을 통해 드러내고 있다. 처사(處士)로서 아름다운 자연을 벗하여 청빈하게 살아가는 삶에 대한 화자의 자부심과 속세에 대한 강한 거부감이 시적 긴장을 형성하고 있는 점이 특징적이다.

- **갈래** : 연시조
- **성격** : 자연친화적, 풍류적, 비판적
- **특징**
  - 대화 형식(말을 건네는 방식)을 통해 대상에 대한 친근감을 드러냄.
  - 설의와 대조적 행위(창을 아니 닫았다-손수 문을 닫음)를 통해 화자가 지향하는 삶의 태도를 드러냄.
  - 대비적 시어와 공간의 대립을 통해 자연에서의 삶을 강조함.
- **주제** : 청빈한 삶을 추구하며 어지러운 속세를 경계함.

(나) 이학규, '포화옥기(匏花屋記)'

작품해설

작가인 이학규가 신유박해에 연루되어 유배되었을 때 쓴 수필로, 나그네가 들려주는 이야기를 통해 작가가 깨달은 바를 적은 글이다. 서울에서 온 나그네는 자신의 직접 경험, 여관집 노비를 관찰한 모습 등을 바탕으로 작가에게 교훈을 전해 준다. 협소하고 열악한 환경에서 생활하느라 병까지 얻었다고 하소연하는 '나'에게 나그네가 위로를 하며 어떤 노비에 관한 이야기를 들려준다. 남루한 행색의 여관집 노비를 지켜보게 되었는데 의식주가 열악한 환경 속에서도 잘 먹고 잘 자면서 부지런하게 할 일을 하면서 그날그날을 평탄하게 보내는 인물이었다. 주인에게 구속된 존재이지만 자기가 사는 곳을 여관으로 생각하고 지금의 삶을 정해진 운명이라고 여기며 주어진 삶에 만족하며 살아가는 모습을 보인다. '나'는 이러한 이야기를 통해 자신과 대조적인 태도를 지닌 여관집 노비를 보며 현실의 견디기 힘든 상황을 견딜 수 있는 방법에 대한 깨달음을 얻게 되었다. 즉 현실의 고통을 너그럽게 바라보려는 인식의 변화를 얻게 된 것이다.

- **갈래** : 한문 수필, 기(記), 소품문(小品文)
- **성격** : 교훈적, 경세적, 성찰적, 설득적, 예시적
- **특징** : 체험과 깨달음의 구조로 이루어짐.
- **주제** : 주어진 삶에 만족하며 살아가는 삶

같은작가 다른기출

2009학년도 6월 모의 수능 '어떤 사람에게'

---

1. ② 작품 간의 공통점 파악하기

① (가)와 (나)에서는 모두 반어적 표현은 활용하지 않았으므로 적절하지 않다.
❷ (가)는 자연과 속세를 대비하여 자연 속에서 청빈하게 살아가는 삶의 모습을 추구하며 어지러운 속세를 경계하고 있다. (나)는 열악한 현실을 고통으로 여기며 병까지 얻은 '나'의 삶의 모습과 주어진 현실에 만족하며 살아가는 '여관집의 노비'의 모습을 대비하여, 주어진 삶에 만족하며 살아가는 삶의 태도가 필요함을 제시하고 있다.
③ (가)와 (나)에서는 모두 고사를 활용하지 않았으므로 적절하지 않다.
④ (나)에는 '한여름', '모기' 등 계절감을 나타낸 어휘를 사용하였지만, (가)에서는 찾아볼 수 없으므로 적절하지 않다.
⑤ (가)와 (나)에서는 모두 역설적 표현을 사용하지 않았으므로 적절하지 않다.

2. ③ 외적 준거를 바탕으로 감상하기

① 〈제1수〉에서 '명월'이 좋아 '잠'을 자지 않는 행위는 〈보기〉에서 언급된 것처럼 자연을 계속 즐기며 자연과의 합일을 도모하는 화자의 자연친화적인 삶의 모습을 보여 준다고 할 수 있다.
② 〈제2수〉에서 화자가 벼슬과 녹봉을 의미하는 '작녹'을 마음에 두지 않는다고 하며 띠집의 '문'을 늦도록 닫아두는 것은, 〈보기〉에서 언급된 것처럼 세상에 미련을 두지 않고 세속적 삶을 멀리하려는 화자의 의지와 태도를 드러내고 있는 것으로 볼 수 있다.
❸ 〈제4수〉에서 '두고 또 두고 저 욕심 그지없다'고 한 것은 끝없는 욕심을 부리는 속세 사람들에 대한 화자의 비판적 인식이 드러난 대목이다. 이와 대비되는 자신의 단출하고 소박한 처지를 보여 주며 안분지족을 지향하는 태도를 드러내고 있다. 따라서 이를 두고 자연과의 합일을 지속하려는 마음으로 이해한 것은 적절하지 않다.
④ 〈제5수〉에서 화자는 자연물인 '산'과 '물'을 청자로 설정함으로써 친화적인 태도를 보이며 자연의 변함없는 모습을 예찬하고 있다고 볼 수 있다.
⑤ 〈제6수〉에서 속세를 의미하는 '홍진'에 '나지 마라'하며 속세에 대한 부정적인 인식을 드러내고 있으며, 시련이 끊지 않고 서로를 해치는 위태로운 세상에서의 벼슬길의 위험함을 '칼 톱'이 무서운 곳이라고 표현한 것으로 볼 수 있다.

고전 시가 ▶ 현대어 풀이

이정 '풍계육가(楓溪六歌)'

청풍을 좋이 여겨 창을 아니 닫았노라.
명월을 좋이 여겨 잠이 아니 들었노라.
옛사람 이 두 가지 두고 어디 혼자 갔는가. 〈제1수〉
내 뉘라서 벼슬 녹봉 마음에 두겠는가.
조그만 띳집을 시내 위에 지어 놓고
어젯밤 손수 닫은 문 늦도록 닫아 두었소. 〈제2수〉
상 위에 책을 놓고 아래에 신을 내어라.
이봐, 아이야, 날 찾는 이 그 누구인고.
알게라, 어제 묻은 술 마침 맛보러 왔나 보다.
〈제3수〉

쌓아두고 또 쌓아두고 저 욕심 끝이 없다.
나는 내 집의 내 세간을 살펴보니
우습다, 낚싯대 하나밖에 거칠 게 전혀 없어라. 〈제4수〉

산아 너는 어이 한결같이 높았으며
물아 너는 어찌 날마다 흐르느냐.
시골의 슬기로운 군자는 못내 즐겨 하노라. 〈제5수〉
적은 녹봉 위하여 세상에 나오지 마라.
바람 비 어지러워 칼 톱이 무서워라.
나중에 실컷 뉘우친들 삶이 기구하리니
지금 보니 살아갈 방도가 많으니라. 〈제6수〉

---

3. ③ 작품 속 공간의 특성 이해하기

①, ②, ③는 자연에서의 삶을 추구하는 화자의 태도를 볼 때 소망이 성취된 공간이자 이상적인 공간으로 볼 수 있지만, ⑤는 소망이나 이상과 관련된 공간으로 볼 수 없다.

❸ ③는 화자가 소박한 생활을 하고 있는 공간으로, 화자는 이곳에서 자연을 즐기며 만족감을 느끼고 있다고 볼 수 있다. 이에 반해 ⑥는 '나'가 기거하는 협소한 공간으로, 햇볕을 피하기 위해 박을 심었지만 그늘이 생겨 해충에 시달리다 못해 병까지 얻게 되어 열악함을 느끼는 공간이다.

④ ③는 화자가 만족감을 느끼고 있는 공간으로 갈등이 심화되는 곳으로 볼 수 없다. ⑥는 '나'가 괴로워하며 살다가 병까지 얻게 되는 갈등이 심화되는 공간이다. 그러나 나그네의 이야기를 듣고 현실에 순응하고 만족하며 사는 방법에 대한 깨달음을 얻게 되므로 이후에 갈등이 해소된다고 추측할 수도 있다.

⑤ ③와 ⑥는 글쓴이가 현재 살고 있는 공간으로, 모두 회상의 공간으로 볼 수 없다.

---

4. ① 인물의 말하기 방식 파악하기

❶ 나그네는 '그대가 배우기를 바라는 것은 옛날 성현의 말씀인데도, 오히려 여관집의 노비가 하는 것처럼도 하지 못하는구려.'라며 '나'가 지향하는 바와 다르게 행동하고 있음을 지적하며 비판하고 있다.
② 나그네는 상대가 어려움을 호소하는 것을 듣고 위로하였을 뿐이지, 자신이 처한 어려움을 드러내지 않았다.
③ 나그네는 자신이 체험하고 보고 느낀 것을 상대방에게 전하고 있을 뿐이지 상대방의 말의 허점을 논리적으로 반박하지 않았으며 자신의 지식을 과시하려는 의도도 없다.
④ 나그네는 '그대는 도를 지키고 운명에 순종하며, 소박하고 솔직한 태도로 행하는 분입니다.'라며 상대방의 평소 태도를 긍정적으로 인정하고 있다. 그러나 상대방이 가진 능력을 인정한 것이라 보기 힘들며, 상대방이 이루어낸 성과를 치하하려는 의도도 없다.
⑤ 나그네가 '나'의 말을 듣고 위로를 하였지만 상대방의 말에 거짓으로 동조하는 척하지 않았으며, 상대방을 안심시키려는 의도도 없다.

---

5. ④ 외적 준거를 바탕으로 감상하기

① ㉠에서 작가는 '소갈증이 심해지고 가슴도 막힌 듯 답답'했다고 구체적인 병의 증상을 언급하여 유배 생활의 어려움을 드러내고 있다.
② ㉡에서 나그네 자신이 어릴 때 몸소 겪었던 일을 말해 주고 있음이 드러나고 있다.
③ ㉢에서 여관집의 노비는 '지금의 삶을 본래 정해진 운명이라고 여기'고 있음을 알 수 있으므로 노비는 현실

을 받아들이고 운명에 순응하는 삶의 태도를 지녔다고 볼 수 있다.
④ '나'가 유배지에서의 열악한 생활을 고통으로 여기고 병까지 얻게 된 상황을 두고 나그네는 궁벽한 골짜기에 몸을 숨기고 있는 것으로 비유하고 있다. 이러한 '나'에게 나그네는 여관집 노비가 평온한 마음으로 살 수 있는 것은 지금의 삶을 여관으로 여기면서 현재의 운명에 순종하며 살기 때문이라고 말하고 있다. 따라서 ㉣에서 나그네는 '나'가 사는 곳이 잠시 머무는 곳이라고 여기며 이러한 현실에 만족하고 현재의 삶을 수용하라는 의미를 전하고 있다. 이를 두고 작가의 처지가 조금씩 개선되리라는 것을 일깨운다고 이해하는 것은 적절하지 않다.
⑤ ㉤에서 나그네의 말을 서술하여 벽에 적는 이유는, 나그네의 이야기를 통해 얻게 된 교훈을 작가가 오래 간직하기 위한 것이라고 할 수 있다.

【6~9】 (가) 박인로, '독락당'

작품해설
박인로가 조선 중기의 유학자 이언적이 지내던 경주 옥산 서원의 독락당을 찾아가 그 주변 경치를 돌아보고, 이언적을 추모하는 정을 노래한 가사이다. 제시된 부분은 작품의 초반부로 화자가 독락당과 양진암, 관어대를 둘러보며 이언적의 자취를 찾고 그를 흠모하는 마음을 드러낸 부분이다. 화자는 '독락당'에 담긴 '홀로 즐김'의 의미를 되새기며 독락당을 칭송하고 있다.

- **갈래** : 가사
- **성격** : 예찬적, 비유적, 영탄적
- **구성**
  - 1행~10행 : 독락당의 경치와 독락당이라는 이름의 의미
  - 11~28행 : 양진암과 관어대의 경치와 그 감회
- **제재** : 독락당
- **주제** : 독락당 경치의 아름다움과 이언적에 대한 흠모의 정

- **중요 시어 및 시구 풀이**
  - 수많은 긴 대나무 ~ 네 벽에 쌓였으니 : 독락당 바깥의 풍경과 내부의 모습을 나란히 드러냄. 독락당의 벽마다 책이 쌓여 있는 것에서 이언적이 학문에 정진했음이 드러남.
  - 서책을 벗 삼으며 ~ 혼자서 즐기도다 : 독락당의 모습을 통해 화자가 떠올린 이언적의 모습
  - 사마온공 독락원이 ~ 이 독락에 견줄쏘냐 : '사마온공 독락원'은 북송 때의 재상이었던 사마광이 홀로 책 읽으며 은거하던 곳으로, 독락당과 독락원을 비교하여 독락당의 즐거움이 더 크다고 말함.
  - 퇴계 이황 자필이 참인 줄 알겠노라 : 퇴계 이황이 직접 쓴 글이 참인 것을 알겠다는 의미임.
  - 용면의 솜씨로 그린 듯이 벌여 있고 : 북송 때 화가 이공린의 솜씨로 그린 듯 경치가 뛰어남.
  - 언비어약을 말없는 벗으로 ~ 성현의 일 도모 하니 : 자연에 동화된 삶 속에서 학문에 정진했던 이언적의 모습을 떠올림.
  - 묻노라, 갈매기들아, 옛 일을 아느냐 : '갈매기'에 인격을 부여하여 질문을 던짐.
  - 엄자릉이 어느 해에 한나라로 갔단 말인가 : 자연 속에서 학문에 정진하던 이언적을 벼슬을

거부하고 자연에 은거한 엄자릉과 비교함.

같은작가 다른기출
- 2004학년도 6월 모의 평가 '조홍시가'
- 2009학년도 6월 모의 평가 '누항사'
- 2013학년도 9월 모의 평가 '누항사'
- 2015학년도 수능 A형 '상사곡'

(나) 조지훈, '방우산장기'

작품해설
작가가 자신이 거처하고 있는 집에 스스로 '방우산 장'이라는 이름을 붙인 뜻을 밝힌 수필이다. 작가는 집은 일정한 자리에 있는 것이고 집 이름도 특칭의 고유명사이지만 '방우산장'은 자신이 잠자고 일하고 먹고 생각하는 터전에 붙일 수 있는 이름이기에 그 이름에 값할 집이 열 손을 넘어 꼽을 수 있다고 하고 있다. 즉 '따뜻한 친구의 집', '차운 여관의 일실', '야숙의 담요 한 장', 취와의 경우에는 '무변한 창공', 궁극적으로는 '나의 육신'이 모두 '방우산장'이라고 하며 어디에도 구속당하지 않는 자유정신을 드러내고 있다.

- **갈래** : 수필
- **성격** : 사색적
- **제재** : 방우산장
- **주제** : 집(방우산장)에 대한 성찰과 자유 정신

어휘풀이
- 시항(市巷) 저잣거리(가게가 죽 늘어서 있는 거리).
- 일여하다(一如─) 진여(眞如)의 이치가 평등하고 차별이 없어 둘이 아니고 하나이다.
- 야숙(野宿) 집 밖에서 자거나 밤을 지냄.
- 억조(億兆) 셀 수 없을 만큼 많은 수를 비유적으로 이르는 말.
- 저어하다 염려하거나 두려워하다.

같은작가 다른기출
- 2005학년도 6월 모의 평가 '마음의 태양'
- 2005학년도 수능 '멋설'
- 2010학년도 수능 '승무'
- 2014학년도 수능 B형 '파초우'
- 2018학년도 6월 모의 평가 '고풍 의상'

---

6. ① 표현상 특징 파악하기

❶ '그윽한 경치는 견줄 데 전혀 없네', '변함없는 경치가 그 더욱 반갑구나' 등에서 영탄적 어조를 사용하여 독락당과 그 주변 경치에 대한 예찬적 태도를 드러내고 있으므로 적절하다.
② '변함없는 경치가 그 더욱 반갑구나'에서 독락당 주변의 경치가 변함없이 아름다움을 드러내고 있을 뿐 자연의 불변성을 통해 인간사의 한계를 부각하고 있는 것은 아니다.
③ 화자는 독락당 주변을 돌아보며 과거 이언적의 자취를 좇고 있으므로 과거 회귀적 지향을 보인다고 할 수 있으나, 현실의 모순을 언급한 부분은 찾을 수 없다.
④ 화자는 독락당, 양진암, 관어대를 돌아보며 그 경치를 언급하고 소회를 드러내고 있을 뿐 치밀한 관찰을 드러내지는 않았으며 다양한 삶의 모습을 제시하고 있는 것도 아니다.

⑤ '안회, 증삼, 자유, 자하, 사마온공, 엄자릉' 등의 역사적 인물을 언급하고 있으나 역사적 사례를 통해 상황 극복의 의지를 드러내고 있는 것은 아니다.

7. ⑤ 표현의 의도 파악하기

① ㉠에서 '수많은 긴 대나무 시내 따라 둘러 있고'는 독락당 외부의 자연 경관을 나타낸 것이고, '만 권의 서책은 네 벽에 쌓였으니'는 독락당 내부의 모습을 묘사한 것으로 이러한 독락당 외부와 내부의 모습을 나란히 제시함으로써 자연 속에서 학문을 수양하는 공간인 독락당에 대한 인상을 드러내고 있다.
② ㉡에서 '난초 향기에 든 듯하네'와 같이 후각적 심상과 비유를 결합한 표현으로, 관어대의 상쾌하고 맑은 기운을 효과적으로 표현하고 있다.
③ ㉢에서는 '갈매기들'에 인격을 부여하여 호명하며 '옛일을 아느냐'라고 묻고 있다. 이때 '옛일'은 이어진 구절의 '엄자릉'과 관련된 고사이므로 이러한 질문을 통해 이어질 내용을 이끌어 내고 있다고 할 수 있다.
④ ㉣에서는 '높고 크게 지은 집'을 의미하는 '고루거각'과 '겨우 무릎이나 움직일 수 있는 몹시 좁고 작은 집'을 의미하는 '용슬소옥'을 대조하며 집이란 '본디 일정한 자리에 있는 것이요, 떠메고 돌아다닐 수 없는 것'이라는 통념을 드러내고 있다.
❺ ㉤에서는 자신이 죽은 뒤 어느 사람이 '나'의 마음을 잘못 이해하고 '방우산장'이라는 묘석을 무덤에 세워 줄까 봐 두렵다고 말하고 있다. 즉 서술자는 자신의 소망이 생전에 실현되지 못할 가능성에 대해 우려하는 것이 아니라 '방우산장'에 대한 자신의 뜻이 오해를 받게 되는 것을 우려하고 있는 것이므로 적절한 설명이라 할 수 없다.

어휘풀이
• 개괄적(概括的) 중요한 내용이나 줄거리를 대강 추려 내는. 또는 그런 것.

8. ③ 외적 준거에 따라 작품 감상하기

① (가)의 '깨우친 것을 혼자서 즐기도다 / 독락, 이 이름 뜻에 맞는 줄 그 누가 알리'에서 '깨우친 것을 혼자서 즐기'는 행위는 '독락당'이라는 이름의 뜻과 연결되며, '독락당'이 학문을 통해 깨우치는 공간임을 부각하고 있다.
② 〈보기〉에서 '양진암'은 이언적이 후학 양성의 뜻을 드러낸 공간이라고 하고 있는데, (가)의 화자가 양진암을 바라보며 '내 뜻도 뚜렷하다'고 한 것은 그러한 이언적에 대한 공감이라고 볼 수 있다.
❸ (가)의 화자는 관어대에서 '몇몇 옛 자취'를 보며 이언적의 모습을 떠올리고 있다. 즉 '연비어약'을 말없는 벗으로 삼아 / 독서에 골몰하여 성현의 일 도모하시도다'는 화자가 이언적이 자연에 파묻혀 학문을 수양하며 '성현의 일'을 도모하던 것을 떠올린 부분으로 화자 자신에 대한 반성적 태도는 드러나 있지 않다.
④ (나)의 서술자는 자신이 잠자고 일하며 먹고 생각하는 터전은 모두 '방우산장'이라고 하고 있다. 그리고 '산장'은 산 속에 있어야 붙일 수 있는 이름이지만, 자신은 '본디 산에서 나고 또 장차 산으로 돌아갈 자이기 때문'에 자신의 집을 '산장'이라고 부르는 것이라고 밝히면서 자신이 앞으로 귀의할 공간이 '산'임을 드러내고 있다.
⑤ (나)에서는 '방우산장의 이름에 값할 집'은 열 손을 넘어 꼽게 되지만, 궁극적으로는 '나를 바로 나이게 하

는 내 영혼이 깃들인 곳집'이 '나의 산장'이라고 하면서 '방우산장'이 정신적 공간이며 그 명칭은 정신적 지향의 표상임을 암시하고 있다.

9. ② 서술 대상 사이의 관계 파악하기

① (가)에서는 화자가 둘러보는 공간의 변화가 드러날 뿐 시간의 흐름에 따라 공간의 명칭이 변화하는 과정이 제시된 것은 아니다.
❷ (나)에서는 '나의 방우산장은 원래 특정한 장소, 일정한 건물 하나에만 명명한 것이 아니고', '내가 그 안에 잠자고 일하며 먹고 생각하는 터전은 다 방우산장'이라고 하고 있다. 그리고 '따뜻한 친구의 집'이나 '야숙의 담요 한 장' 뿐만 아니라 '무변한 창공'도 자신의 산장이라고 함으로써 '방우산장'이라는 명칭이 지시하는 공간이 하나의 물리적 실체에만 국한되지 않는다는 인식을 드러내고 있으므로 적절하다.
③ (가)의 '독락당'은 이언적이 명명한 것이고, (나)의 '방우산장'은 서술자가 명명한 것으로 둘 다 공간의 명명 과정이 다수의 인정을 받는 단계를 거쳐 온 것은 아니므로 적절하지 않다.
④ (가)에서 '독락당'은 이언적이 '깨우친 것을 혼자서 즐기'던 공간으로, 자연 속에 있는 서책이 네 벽에 쌓인 공간의 외양은 이러한 명명의 근거와 연결되고 있다. 그러나 (나)의 '방우산장'은 하나의 물리적 공간이 아니라 다양한 공간이므로 공간의 외양과 명명의 근거가 긴밀하게 연결되어 있다고 볼 수 없다.
⑤ 〈보기〉에 따르면 (가)의 '독락당'이나 '양진암'은 이언적이 명명한 것이므로 공간에 대한 작가의 경험이 명칭 지정의 기준으로 작용한다고 볼 수 없다.

Day 22

1. ① 2. ① 3. ⑤ 4. ② 5. ①
6. ② 7. ④ 8. ③ 9. ④ 10. ④

[1~5] (가) 최현, '용사음(龍蛇吟)'

작품해설
조선 중기, 임진왜란을 소재로 한 가사 작품이다. 모두 112구로, 작자의 문집인 「인재속집訒齋續集」 권8에 가사 「명월음(明月吟)」과 함께 수록되어 있다. 제목 '용사(龍蛇)'는 각각 임진년과 계사년을 가리킨다. 갑작스럽게 전란을 당한 황황한 마음을 표현하였으며 이어서 임진왜란 초기 각처에서 창의한 의병들의 이름을 열거하면서 그 충렬을 흠모하고, 이들이 왜적에게 짓밟혀 빼앗겼던 땅을 회복함을 기뻐하는 내용으로 되어 있다. 또한 무책임한 관리들의 행태와 나라를 위해 희생하는 백성들의 모습을 대조하여 그리고 있다. 꾸밈없는 질박한 어휘로 우국애민의 충정을 곡진하게 잘 표현한 작품이다. 이 작품은 전란의 와중에서 어지러운 현실을 바라보는 비분강개가 잘 나타나 있다. 박인로(朴仁老)의 가사와 더불어 임진왜란을 소재로 한 가사라는 데에 그 의의가 있다.

[놓치지 말자!]
■ 갈래 : 고전 시가, 가사
■ 성격 : 사실적, 비판적
■ 제재 : 임진왜란
■ 주제 : 왜적에 대항하는 의병들의 충정을 높이 평가하고 조국의 회복을 기뻐함.
■ 특징
 – 대조의 방식을 이용하여 현실인식을 드러냄.
 – 비유를 통해 대상을 표현함.
 – 각처에서 창의한 의병들의 이름을 열거하면서 그 충렬을 흠모함.
■ 중요 시구 및 시어 풀이
 • 천척(千尺): 매우 높은 높이
 • 양령: 두 고개. 조령과 죽령
 • 김수: 왜란 때의 경상 감사
 • 신립: 왜란 때 삼도도순변사로 탄금대에서 배수진을 치고 전사함.
 • 김해: 상주목사로 상주에서 전사함.
 • 정의번: 영천에서 의병을 일으켰고, 경주에서 포로가 되었다가 죽임을 당함.
 • 유종개: 태백산에서 의병을 일으켰고, 봉화에서 전사함.
 • 장사진: 군위에서 의병을 일으켰고 인동에서 전사함.
 • 충혼의백(忠魂義魄): 충성스럽고 의로운 넋이라는 뜻으로, 충의의 정신을 비유적으로 이르는 말.

(나) 정약용, '원목(原牧)'

작품해설
이 글의 제목인 '원목'은 '통치자에 대해 논하는 글'이라는 뜻으로, 당시 질곡에 빠져 있던 조선 왕조의 사회 체제를 개혁하고자 했던 다산 정약용의 현실

개혁적 사고를 잘 드러내고 있는 글이다. 풍부한 예증과 조리 있는 논거 구성으로 설득력이 있으며 시대를 앞서 가는 작가의 예지가 돋보인다. 작가는 줄곧 목민관은 백성을 위해서 존재해야 하며 백성이 목민관을 위해 살아서는 안 된다는 주장을 하고 있다. 근본적으로 목민관은 백성들이 추대한 것에서 유래하였으며 그 소임은 백성을 보살피는 데 있다. 그럼에도 불구하고 현실적으로는 목민관들이 본연의 소임을 망각하고 있음을 지적하며 비판하고 있다.

[놓치지 말자!]

■ 갈래 : 논설적 수필, 한문 수필
■ 성격 : 설득적, 비판적
■ 제재 : 목민관의 의무와 위치
■ 주제 : 목민관의 유래와 소임, 백성 위에 군림하며 전횡하는 폐해 비판
■ 특징
 – 의문형으로 시작하여 호기심을 유발함.
 – 당대 현실에 대한 작가의 비판적 인식이 직접적으로 드러남.
 – 구체적인 예시를 통해 주장을 구체화함.
 – 대조의 방식을 이용하여 현실을 드러내고 있음.

어휘풀이

• 감복하다(感服) 감동하여 충심으로 탄복하다.

같은작가 다른기출

– 2009학년도 6월 모의 수능 '고시'
– 2003학년도 9월 모의 수능 '구우'

1. ① | 표현상의 공통점 파악하기

❶ (가)의 '하나 한 백관도 수 치올 쁜이랏다'에서 수많은 백관도 수를 채울 뿐이었다며 무책임한 관리들의 행태를 드러내고 있으며 '충혼 의백을 어듸 가 부르려는가'를 통해, 충성스럽고 의로우며 희생적인 백성들과 대조하여 표현하고 있다. 또 (나)는 세 번째 문단의 '목민관은 백성을 위해 있는 것이다'와 다섯 번째 문단의 '그리하여 한결같이 백성들은 목민관을 위해 사는 것처럼 된 것이다.'를 통해 백성을 위해 있는 목민관과 그렇지 않은 목민관을 대조하여 주제의 의미를 부각하고 있으므로 적절하다.

왜 많이 틀렸을까?

정답률이 38%로 저조한 편인데, 30%의 학생들이 선택지 ④번을 고르는 실수를 범했다. (나)에서 관리라는 직분이 생기는 과정을 설명하는데 이때 연쇄의 방식이 사용되었지만, (가)는 해당사항이 없어서 공통점이 될 수 없었다. 두 작품의 공통점이라면 (가)는 무책임한 관리들의 행태와 나라를 위해 희생하는 백성들의 모습을 대조하여 그리고 있고, (나) 또한 백성을 위해 있는 목민관과 그렇지 않은 목민관을 대조하여 제시한 점, 또 두 작품 모두 현실비판적인 인식을 드러내고 있는 점 등을 꼽을 수 있어.

2. ① | 외적 준거를 바탕으로 작품 감상하기

❶ '하나 한 백관(百官)도 수 치올 쁜이랏다'는 수많은 관리들이 숫자만 채울 뿐이라는 의미로 전란이라는 상황에 제대로 대처하지 못하는 관리들의 무능한 모습을 나타낸 표현이다. 이를 일본에 대한 의병들의 분노로

이해하는 것은 적절하지 않다.

② 〈보기〉에서 이 작품은 백성들의 강인함이 형상화되었다고 하였다. 이를 바탕으로 본다면 임진왜란을 '질풍'에, 백성들을 '경초'에 비유하여, '질풍이 아니 블면 경초를 뉘 아드뇨'는 임진왜란과 같은 전란이 아니라면 백성들의 강인함을 누가 알겠냐고 표현한 것으로 전란을 통해 드러난 백성들의 강인한 모습을 드러내고 있다.

③ 〈보기〉에서 이 작품은 의병들의 충성스러운 희생이 드러난다고 하였다. 이를 통해 본다면 '충혼 의백을 어듸 가 부르려는가'는 의병들의 의로운 넋을 추모하고 있다는 의미이므로, 의병들의 충성스러운 희생을 짐작할 수 있다.

④ 〈보기〉에서 이 작품은 일본이 조선을 침략했을 때를 배경으로 한다고 했다. 이를 통해 본다면 '조종 구강애 도적이 님재 도여'는 조상의 영토에 도적이 임자가 되었다는 의미로, '도적'은 왜적을 뜻한다고 할 수 있다.

⑤ 〈보기〉에서 이 작품은 임진왜란을 배경으로 전쟁의 참상이 그려진다고 했다. 이를 통해 본다면 '원혈이 흘러나려 평육이 성강ᄒ니'는 원통한 피가 흘러내려 평지가 강이 되었다는 의미이므로 전란의 참상을 짐작할 수 있다.

고전 시가 ▶ 현대어 풀이

최현 '용사음(龍蛇吟)'

이 좋은 수령들 짓씹느니 백성이요
톱 좋은 변장(변방의 장수)들 속씹느니 군사로다
재화로 성을 쌓으니 만 장을 누가 넘으며
고혈로 해자 파니 천척을 누가 건너뇨
수많은 잔치판에 추월춘풍 빨리 간다.
해도 길건만 놀이를 즐기는 것은 그 어떨까
주인이 잠든 집에 문은 어찌 열었는가
도적이 엿보는데 개는 어이 짖지 않았는가
큰 바다를 바라보니 바다가 얕아졌다
술이 깨더냐 병기를 누가 다룰까
감사가, 병사가, 목부사 만호 첨사
산림이 비었던가 쉽게도 들어간다
어리석다 김수야 빈 성을 누가 지키랴
우습다 신립아 배수진은 무슨 일이냐
두 고개를 높다 하랴 한강을 깊다 하랴
인간(지배층)이 도리를 다 안하니 하늘이라고 어찌하랴
많고 많은 백관도 수를 채울 뿐이었구나
하루저녁에 달아나 숨으니 이 근심 누가 맡을까
　　　　　　(중략)
질풍이 아니 불면 억센 풀(백성)을 누가 알겠느냐
꽃이 피는 태평한 날에 버들조차 푸르더니
한바탕 서풍에 낙엽소리뿐이로다
김해 정의번 유종개 장사진아(임진왜란 의병장)
죽는 이가 많거니와 이 죽음을 한하지 말라
김해성이 무너지니 진주성을 누가 지키겠느냐
최남단 장사들이 하루 만에 어디 갔는가
푸른 마름을 안주 삼고 맑은 물을 잔에 부어
충혼의백을 어디 가서 부르려는가
우리 조상의 영토가 도적이 임자 되어
산마다 죽었거니 골마다 더듬었거니
원통한 피 흘러내려 평지가 강을 이루니
천지가 꽉 찼구나 피할 데가 전혀 없다.

3. ⑤ | 외적 준거를 바탕으로 작품 이해하기

① 〈보기〉에서 백성을 가혹하게 대하는 관리들에 대해 언급하고 있는데, (가)의 '니 됴흔 수령들 너흐ᄂ니 백

성이요'에서 수령들이 이로 백성을 물어뜯고 있다는 표현에서 확인할 수 있다. 또 (나)의 마지막 문단에서 목민관이 백성을 '매질하고 곤장을 쳐서 피가 흐르는 것을 보고 나서야 그친다.'는 내용에서 확인할 수 있다.

② 〈보기〉에서 관리들이 백성을 수탈하여 탐욕스러움을 드러내기도 한다고 언급하고 있는데, (가)의 '재화로 성을 쓰니 만장을 뉘 너므며'에서 재물로 쌓은 성이 매우 높다는 표현에서 확인할 수 있다. 또 (나)의 마지막 문단에서 백성으로부터 '돈과 베를 거둬들여 전택을 마련'한다는 내용에서 확인할 수 있다.

③ 〈보기〉에서 관리들이 백성에 대한 관리로서의 본분을 다하지 않는 무책임함을 보인다고 했는데, (가)의 '인모 불장ᄒ니 하늘이라 엇디ᄒ료'에서 지배층으로서 할 수 있는 도리를 다하지 않았다는 표현에서 확인할 수 있다. 또 (나)의 마지막 문단에서 목민관이 '굶어 죽은 '한 사람'에 대해 '제 스스로 죽은 것'이라고 말하는 관리의 모습에서 공적 책무를 다하지 않는 태도를 확인할 수 있다.

④ 〈보기〉에서 관리들이 방탕함에 빠졌다고 언급하고 있는데, (가)의 '히도 길컷마ᄂ 병촉유 긔 엇덜고'에서 낮도 좋지만 밤에 노는 것도 좋다고 말하는 관리들의 모습에서 그들의 방탕함을 엿볼 수 있다. 또 (나)의 여섯 번째 문단에서 '자신이 목민관이라는 사실을 잊'었다는 것에서 백성을 위해 일해야 하는 관리로서의 본분을 망각했음을 엿볼 수 있다.

❺ 〈보기〉에서 관리들의 무능력함으로 인해 백성들의 빈곤과 국가의 혼란을 초래했다고 했는데, (가)의 '죽ᄂ니 만커니와 이 죽엄 한티 마라'는 전쟁 중에 죽는 사람들이 많은데 이 죽음을 한탄하지 말라는 의미로 백성의 빈곤함과 관련짓기 어렵다. 또 (나)의 여섯 번째 문단에서 목민관이 '형벌과 위엄'으로 백성을 '두렵게' 하는 것은 관리들이 백성을 가혹하게 대한다는 의미이므로 이를 관리들의 무능력함과 관련짓기 어렵다.

4. ② | 문맥적 의미 이해하기

① (나)의 ㉢은 지위나 계급이 없이 백성들만 있던 시기로 현실의 혼란스러운 상황을 피하고자 하는 행위가 드러난다는 내용을 찾아볼 수 없다.

❷ (나)의 네 번째 문단의 '백성들의 바람에 따라 법을 제정'하였고 '그 법은 모두 백성들을 편하게 하는 것'이라는 내용을 통해 ㉤은 사회적으로 바람직한 가치를 추구하는 행위가 드러나 있음을 알 수 있다. 그러나 (가)의 ㉠에는 '일석에 분찬ᄒ니 이 시름 뉘 맛들고'를 통해 전란 중에 관리가 책임을 다하지 않고 달아나 숨는 행위가 드러나 있을 뿐 사회적으로 바람직한 가치를 추구하는 행위가 드러나지 않으므로 적절하다.

③ (가)의 ㉠에는 개인의 안위만을 고려하는 이기적인 행위가 드러난다.

④ (나)의 ㉢에는 평등한 사회로 피지배자가 지배자의 자리에 오르기 위해 투쟁하는 행위가 드러나지 않는다.

⑤ (나)의 ㉤에는 피지배자가 아니라 지배자가 원하는 바를 충족시켜 문제를 해결하는 행위가 드러난다.

5. ① | 문맥상 의미 파악하기

❶ 네 번째 문단의 '백성들의 바람에 따라 법을 제정'하여 '그 법은 백성들을 편하게 하는 것'을 통해 ⓐ는 백성의 바람이 반영된 편안한 삶이라는 결과를 낳았음을 알

수 있다. 한편 ⓑ는 다섯 번째 문단의 '임금을 높이고 백성을 낮추며, ~ 목민관을 위해 사는 것처럼 된 것이다.'를 통해 목민관을 위한 백성의 삶이라는 결과를 낳았음을 알 수 있다.

【6~10】 (가) 오규원, '살아 있는 것은 흔들리면서 – 순례 11'

작품해설

바람에 잎이 흔들리는 자연 현상을 통해 삶에 대한 성찰을 드러내고 있는 시이다. 화자는 살아 있는 것들, 즉 모든 존재는 흔들리면서 줄기를 얻고 살아 있음을 증명하고, 잎들은 흔들림이라는 시련과 고통 속에서 자기를 헤집으며 자신을 찾는다고 하면서 고통과 아픔 속에서 성숙해질 수 있다는 깨달음을 드러내고 있다.

[놓치지 말자!]

- **갈래** : 자유시, 서정시
- **성격** : 성찰적, 의지적
- **어조** : 성찰적 어조
- **구성**
  - 1연: 흔들리면서 자기 존재를 증명하는 살아 있는 것들
  - 2연: 시련과 고통을 통해 자기 성찰을 하는 잎들
  - 3연: 흔들림을 통해 성숙할 수 있다는 깨달음
- **제재** : 흔들리는 잎들
- **주제** : 고통과 아픔을 통한 성숙
- **중요 시어 및 시구 풀이**
  - 흔들리면서: 시련과 고통을 겪으면서
  - 살아 있는 몸인 것을 증명한다: 자기 존재를 확인함.
  - 바람은 오늘도 분다: '바람'은 '흔들림'을 가져오는 존재이므로 시련과 고통 또는 성숙의 계기를 의미함.
  - 들판의 슬픔 ~ 고통 하나도: '들판의 ~ 하나'라는 시구를 반복하여 슬픔, 고독, 고통의 정서를 드러냄.
  - 자기를 헤집고 있다: 자기 성찰의 태도
  - 피하지 마라: 흔들림, 즉 시련과 고통을 피하지 말라는 명령형 표현으로 의지적 태도를 드러냄.
  - 빈 들에 가서 ~ 흔들리고 있음을: 흔들림, 즉 시련과 고통을 겪음으로서 성숙해진다는 깨달음을 드러냄.

같은작가 다른기출

2013학년도 수능 '살아 있는 것은 흔들리면서 – 순례11'
2020학년도 6월 모의 평가 '하늘과 돌멩이'

(나) 나희덕, '푸른 밤'

작품해설

'너'를 향한 벗어날 수 없는 사랑을 고백적으로 노래한 시이다. 화자는 '너'에게 가지 않으려고 걸었던 길도 모두 '너'에게 향한 것이었다는 역설적인 표현으로 '너'에 대한 사랑에서 벗어날 수 없다고 말한다. 그리고 '나'의 마음과 행위는 치욕과 사랑을 오가면서 모두 '너'를 향하고 있었으며, 온 생애가 '너'

를 향해 가는 '에움길'이었다고 열정적으로 고백하고 있다.

[놓치지 말자!]

- **갈래** : 자유시, 서정시
- **성격** : 고백적
- **어조** : 고백적 어조
- **구성**
  - 1연: '너'에 대한 사랑에서 벗어날 수 없음.
  - 2연: '나'의 마음은 항상 '너'를 향함.
  - 3연: '너'를 사랑하면서 겪은 감정
  - 4연: '너'와의 사랑에 이르기 위해 걷는 수만의 길
  - 5연: '너'를 향한 나의 생애
- **제재** : '너'를 향한 길
- **주제** : '너'를 향한 '나'의 간절한 사랑
- **중요 시어 및 시구 풀이**
  - 너에게로 가지 않으려고 ~ 그 무수한 길: '너'와의 만남을 애써 거부하며 방황했던 화자의 모습이 드러남.
  - 내 한숨과 입김에 ~ 흔들렸을 것이다: 화자가 '너'만을 지향하는 모습을 '꽃'들이 네게로 몸을 기울여 흔들렸다는 비유적 표현으로 드러냄.
  - 사랑에서 치욕으로, / 다시 치욕에서 사랑으로: '너'를 향하는 마음이 사랑과 치욕을 오가는 화자의 내적 갈등이 드러남.
  - 네게로 난 단 하나의 에움길이었다: '너'를 지향하는 것이 자신의 운명임을 깨닫고 인정하는 화자의 태도가 드러남.

같은작가 다른기출

2009학년도 6월 모의 평가 '못 위의 잠'
2015학년도 6월 모의 평가 A형 '그 복숭아나무 곁으로'

(다) 정철, '속미인곡(續美人曲)'

작품해설

임금을 그리워하는 정을 주 화자와 보조 화자의 대화 형식으로 노래한 연군 가사이다. '사미인곡'의 속편으로 작가는 임금을 떠나온 자신의 처지를 천상에서 임을 모시다가 지상으로 내려온 주 화자의 신세에 빗대어 임금에 대한 일편단심을 간곡하게 노래하였다. 즉 두 여인이 대화하는 형식으로 내용이 전개되는데, 주 화자가 보조 화자의 물음에 답하며 자신의 사연을 풀어내고, 보조 화자는 주 화자가 자신의 서러운 사연을 토로하는 것을 들으며 달래거나 충고하고 있다.

[놓치지 말자!]

- **갈래** : 양반 가사, 정격 가사
- **성격** : 충신연주지사
- **어조** : 대화체
- **구성**
  - 잡거니 밀거니 ~ 더욱 아득ᄒ며이고: 임의 소식을 듣고 싶은 마음
  - 모쳠 춘 ~ 엇디 싀돗던고: 독수공방의 슬픔과 꿈속에서의 임과의 재회
  - 어와 허ᄉ로다 ~ 번드시 비최리라: 죽어서라도 임을 따르고 싶은 소망
- **제재** : 임을 향한 그리움

- **주제** : 임금을 향한 그리움(연군지정)
- **중요 시어 및 시구 풀이**
  - 구름은ᄏ니와 안개는 므스 일고: 구름과 안개 때문에 임이 계신 곳을 볼 수 없다는 의미로, '구름', '안개'는 화자와 임 사이를 가로막는 장애물을 의미함.
  - ᄇ람이야 믈결이야 어둥졍 된이고: 바람과 물결이 어수선하게 되었다는 의미로, '바람', '물결'은 임과의 만남을 방해하는 장애물을 의미함.
  - 샤공은 어ᄃᆡ 가고 븬 비만 걸렷ᄂᆞᆫ고: 임에 대한 그리움으로 방황하는 화자의 쓸쓸한 심정을 '빈 배'라는 객관적 상관물로 드러냄.
  - 반벽청등(半壁靑燈)은 눌 위ᄒᆞ야 불갓ᄂᆞᆫ고: 벽 가운데 걸려 있는 등불이 누구를 위하여 밝았느냐는 의미로, 독수공방하는 화자의 외로움을 드러냄.
  - 졍셩(精誠)이 지극ᄒᆞ야 ᄭᅮᆷ의 님을 보니: 임에 대한 간절한 그리움으로 꿈속에서 임을 보게 됨.
  - 오뎐된 계셩(鷄聲)의 ᄌᆞᆷ은 엇디 ᄭᅢᆺ돗던고: 방정맞은 닭의 울음소리에 잠에서 깨어남. 닭의 울음소리는 임을 보고 싶은 화자의 소망을 방해하는 장애물임.
  - 어엿븐 그림재 날 조ᄎᆞᆯ ᄲᅮᆫ이로다: 꿈에서 잠깐 임을 본 뒤 깨어난 화자의 외롭고 쓸쓸한 심정을 가엾은 그림자만이 자신을 따른다고 표현함.
  - 출하리 싀여디여 ~ 번드시 비최리라: 죽어서라도 임을 따르고 싶다는 화자의 간절한 소망이 드러남.

같은작가 다른기출

2006학년도 9월 모의 평가 '사미인곡'
2006학년도 수능 '속미인곡'
2010학년도 6월 모의 평가 '관동별곡'
2013학년도 6월 모의 평가 '사미인곡'
2013학년도 수능 '성산별곡'
2015학년도 수능 B형 '관동별곡'
2016학년도 수능 B형 '어와 동량재를'

---

6. ② 　　작품 간의 공통점 파악하기

① (가), (나)는 모두 현실에 대한 자각이 나타난다고 볼 수 있으나 미래에 대한 기대가 나타난 부분은 찾을 수 없다.

❷ (가)는 '잎'이 '바람'에 흔들리는 현상을 통해 시련과 고통을 통한 성숙이라는 주제를 강화하고 있고, (다)는 '낙월'이라는 자연물을 통해 임을 따르고자 하는 주제를 강화하고 있다.

③ (나)에는 '너에게로 가지 않으려고' 걸었던 길들이 '실은 네게로 향하는 것'이었다는 깨달음이 드러나 있을 뿐이며 (다) 또한 임과의 이별이라는 부정적 상황과 그로 인한 간절한 그리움이 드러날 뿐 둘 다 부정적 상황을 긍정적 시선으로 바라보고 있다고 볼 수는 없다.

④ (가), (나)에는 부재하는 대상이 드러나지 않으며, (다)는 부재하는 대상인 임에 대한 그리움이 드러날 뿐 그에 대한 연민이 드러난 것은 아니다.

⑤ (가)~(다) 모두 대립적인 상황을 제시하여 포용과 조화를 강조하고 있는 것은 아니다.

7. ④ 시의 내용 파악하기

① 1연에서 '살아 있는 것'은 흔들림을 통해 '살아 있는 몸'인 것을 증명한다고 하고 있는데, 흔들림을 시련과 고통이라고 볼 때 결국 모든 생명체는 시련과 고통을 마주하게 됨을 드러낸 것이라 볼 수 있다.

② 2연에서 '수만의 잎'이 제각기 바람에 쏠리며 자기를 헤집는다고 한 것을 통해 누구도 흔들림이라는 시련과 고통을 피해 갈 수 없음을 드러내고 있다.

③ 1연의 '잎은 흔들려서 / 스스로 살아 있는 몸인 것을 증명한다'에서 흔들림은 살아 있음을 증명하는 자극임을 알 수 있다.

❹ (가)에서는 '흔들림'이라는 시련과 고통이 성숙을 가져옴을 인식하고 시련과 고통을 피하지 말아야 한다고 노래하고 있을 뿐, 나와 주변을 한 번 더 돌아보고 함께 세상으로 나아가야 한다는 인식은 드러나지 않았다.

⑤ 3연에서 '빈 들에 가서' '늘 흔들리고 있음'을 깨닫는다고 함으로써 빈 들에서 내가 살아 있음을 확인해야 한다고 말하고 있다.

8. ③ 소재의 의미 파악하기

❸ ⓐ의 '바람'은 '수만의 잎'을 흔들리게 하는 존재이자 잎들이 자기를 헤집게 하는 존재이다. 즉 시련과 고통을 주면서 자기 성찰을 하게 하여 성숙을 가져오는 존재이므로 받아들여야 하는 상황이라고 할 수 있다. 또한 ⓑ의 '바람'은 물가에 가 배 길이나 보려 하는 화자를 방해하는 장애물이므로 화자가 벗어나고 싶은 상황이라고 할 수 있다.

어휘풀이
• 경외심(敬畏心) 공경하면서 두려워하는 마음.

9. ④ 외적 준거에 따라 작품 감상하기

①, ② 〈보기〉에서 (나)의 화자는 다가온 인연 때문에 한때는 갈등하며 방황하기도 했다고 한 것을 바탕으로 할 때, ㉠에서 화자가 '너에게로 가지 않으려고 미친 듯 걸었던' 것은 '너'와의 인연을 애써 거부하며 방황했던 모습을, ㉡에서 '사랑'과 '치욕'으로 마음이 오가는 것은 화자의 내적 갈등을 보여 준다고 할 수 있다.

③ 〈보기〉에서 (나)의 화자는 갈등과 방황 끝에 결국 거부할 수 없는 운명을 받아들이고 있다고 한 것을 바탕으로 할 때, ㉢에서 화자가 자신의 생애가 '너에게로 난 단 하나의 에움길'이었다고 한 것은 '너'와의 인연이 거부할 수 없는 운명임을 깨닫고 인정하는 모습이라고 할 수 있다.

❹ ㉣은 '가엾은 그림자만이 나를 좇을 뿐이로다'라는 의미로, 잠에서 깨어 꿈속에서 만난 임을 더 이상 보지 못하게 된 화자의 한탄이 드러날 뿐 소중한 인연을 지켜내기 위해 어려움을 참고 견디겠다는 의지는 나타나지 않는다.

⑤ 〈보기〉에서 (다)의 화자는 소중한 인연을 영원히 지켜내기 위해 죽음도 마다하지 않으며 운명적인 만남을 이어 가려 한다고 한 것을 바탕으로 할 때, ㉤에서 화자가 차라리 죽어서 낙월이 되어 임 계신 창 안에 비치고 싶다고 한 것은 죽어서라도 임을 따르고 싶은 화자의 소망을 드러낸 것으로 볼 수 있다.

10. ④ 표현상 특징 파악하기

① [A]에서는 '들판의 ~ 하나'라는 유사한 구조의 시구를 반복하여 슬픔과 고독, 고통이라는 정서를 드러내고 있다.

② [B]에서는 '꽃들'이 '네게로 몸을 기울여 흔들렸을 것'이라는 비유적 표현을 통해 화자가 '너'만을 지향했음을 드러내고 있다.

③ [C]에서는 임에 대한 그리움으로 방황하던 화자의 쓸쓸하고 외로운 처지를 '빈 배'를 통해 강조하고 있다. 이때 '빈 배'는 어떤 사물의 특징이나 상황, 행동 등에 의미를 부여하여 화자의 감정을 간접적으로 드러내는 객관적 상관물이라 할 수 있다.

❹ [D]에서는 초가집 찬 잠자리에 밤이 돌아오는데 벽에 걸린 등불은 누구를 위하여 밝았느냐고 함으로써 독수공방하는 화자의 외로운 처지를 드러내고 있을 뿐 화자의 인식 변화를 부각하고 있는 것은 아니다.

⑤ [E]에서는 '오면된 계성', 즉 방정맞은 닭의 울음소리라는 청각적 심상 때문에 꿈에서 깨게 되었음을 드러내고 있다.

고전 시가 ▶ 현대어 풀이

정철 '속미인곡(續美人曲)'

잡거니 밀거니 높은 산에 올라가니
구름은 물론이거니와 안개는 무슨 일인가?
산천이 어두우니 해와 달을 어찌 보며,
가까운 거리도 모르는데 천 리를 바라보랴?
차라리 물가에 가서 뱃길이나 보자 하니
바람과 물결로 어수선하게 되었구나.
사공은 어디 가고 빈 배만 걸렸는가?
강가에 혼자 서서 지는 해를 굽어보니
임 계신 곳 소식이 더욱 아득하구나.
초가집 찬 잠자리에 밤중만 돌아오니,
벽에 걸린 등불은 누구를 위하여 밝았는가?
오르며 내리며 헤매며 방황하니
잠깐 동안에 힘이 다하여 풋잠을 잠깐 드니
정성이 지극하여 꿈에 임을 보니,
옥 같던 모습 반이나마 늙었구나.
마음에 먹은 말씀 실컷 아뢰고자 하니,
눈물이 계속 나니 말인들 어찌 하며,
정을 못 다하여 목마저 메어 하니,
방정맞은 닭소리에 잠은 어찌 깨었던가?
아, 헛된 일이로구나. 이 임이 어디 갔는가?
꿈결에 일어나 앉아 창을 열고 바라보니,
가엾은 그림자만이 나를 좇을 뿐이로다.
차라리 죽어 없어져서 지는 달이 되어
임 계신 창 안에 환하게 비치리라.

Day 23

1. ①	2. ⑤	3. ②	4. ②	5. ①
6. ③	7. ④	8. ②	9. ⑤	

【1~5】 (가) 윤흥길, '날개 또는 수갑'

작품해설

1970년대 한 중소기업을 배경으로 제복 제정을 둘러싸고 빚어지는 인물들 간의 갈등을 그린 소설이다. 회사의 일방적인 방침에 불만을 가지면서도 따르는 무기력한 인물의 모습을 통해 당시의 획일적인 사회 분위기를 풍자하고 있다. 제목의 '날개'는 자유로움을, '수갑'은 구속, 속박을 의미한다. '날개 또는 수갑'이라는 제목은 '옷이 날개'라는 관용적 표현에 대응하여 '옷'이 수갑, 즉 획일화를 통한 구속이 되는 상황을 나타내고 있다.

[놓치지 말자!]

■ 갈래 : 단편 소설
■ 성격 : 현실 비판적
■ 등장인물
  – 민도식 : 회사의 제복 제정 반대를 끝까지 고수하다 혼자만 제복을 입지 않게 됨.
  – 우기환 : 제복 제정에 강한 불만을 표시하다 회사를 떠남.
  – 장상태 : 제복 제정에 불만이 있었지만 결국 회사의 방침을 따름.
  – 권 씨 : 생산부 인부들의 처우 개선과 관련하여 앞장서 싸움.
  – 과장 : 회사의 권력층으로 제복 제정 방침을 관찰시키기 위해 나섬.
■ 작품의 구성
  – 발단 : 중소기업 동립산업에서 사장이 전 사원에게 제복을 입을 것을 일방적인 방침으로 제시한다.
  – 전개 : 우기환과 민도식 등을 중심으로 제복 제정에 대해 강한 불만을 표시한다.
  – 위기 : 사복 준비 위원회가 발족하자 장상태를 비롯한 사원 대표들은 사측의 입장을 수용하는 쪽으로 입장을 바꾼다.
  – 절정 : 결국 제복 제정은 계획대로 진행이 되고, 우기환은 이를 끝까지 받아들이지 않고 회사를 떠난다.
  – 결말 : 체육대회 날, 갈등하던 민도식은 홀로 제복을 입지 않은 채 제복을 입은 사람들 틈에 어정쩡하게 서 있게 된다.
■ 제재 : 제복 제정을 둘러싼 인물들 간의 갈등
■ 주제 : 획일적인 사회 분위기에 대한 비판과 풍자

어휘풀이

• 제정(制定) 제도나 법률 따위를 만들어서 정함.
• 일가견(一家見) 어떤 문제에 대하여 독자적인 경지나 체계를 이룬 견해.
• 피고용자(被雇傭者) 회사나 기업 따위에서, 고용을 당한 사람.
• 곤색(kon[紺]色) 어두운 남색.

같은작가 다른기출

2001학년도 수능 '장마'

(나) 선우휘 원작, 이은성 · 윤삼육 각색, '불꽃'

작품해설

일제 강점기부터 한국 전쟁까지를 배경으로 한 소설 '불꽃'을 각색한 시나리오이다. 아버지가 3 · 1 운동을 주도하다가 죽은 뒤 유복자로 태어난 현이 현실 참여에 대한 회의적이고 순응적인 태도를 보이다 변화하여, 부정적 현실에 적극적으로 저항하는 과정을 그리고 있다. 역순행적 구성을 통해 사건이 전개되며 제목의 '불꽃'이나 현의 아버지와 현이 죽음을 맞게 되는 동굴이라는 공간의 상징성이 두드러진다. 즉 '불꽃'은 삶의 생명력과 현실 참여의 의지를, '동굴'은 아버지의 죽음을 가져온 소멸의 공간이자 현과 고 노인의 각성을 가져오는 공간으로 나타난다.

[놓치지 말자!]

- **갈래** : 시나리오
- **성격** : 비판적, 상징적
- **등장인물**
  - 현 : 일제에 저항하다 죽은 아버지와 현실 순응적인 할아버지의 가치관 사이에서 갈등하며 현실 순응적으로 살아가는 인물. 이후 부당한 인민재판을 보고 분노하여 현실 참여적 태도를 지니게 됨.
  - 고 영감 : 일제에 저항하다 죽은 아들을 부정적으로 평가하며 현실 순응적 태도를 보이는 인물.
  - 현 모 : 남편의 죽음이 의미 있으며 남편이 훌륭하다고 여기는 인물. 남편이 죽은 뒤 홀로 현을 낳음.
- **작품의 구성**
  - 발단 : 현의 아버지는 3 · 1 운동을 주도하다가 총상을 입고 부엉산 산마루 동굴 속에서 죽고, 현의 어머니는 홀로 현을 낳는다. 현의 할아버지인 고 노인은 아들의 죽음에 대해 비판적이지만 현의 어머니는 현의 아버지를 훌륭하다고 여긴다.
  - 전개 : 할아버지의 기대 속에서 현실 순응적으로 살아가던 현은 일본 유학을 떠났다가 학병으로 전쟁에 동원되고, 탈출하여 고향으로 돌아온다.
  - 절정 : 고향에서 여학교 교사로 일하게 된 현은 과거에 순응적으로 살아가던 자신을 이해해 주었던 연호를 다시 만나는데 공산주의자가 되어 변해 버린 그와 대립한다.
  - 하강 : 현은 무자비한 인민재판에 분노하여 연호를 공격한 뒤 부엉산 산마루 동굴로 피신하고, 연호는 고 노인을 인질로 삼아 현을 협박한다.
  - 결말 : 고 노인은 현에게 도망치라고 하다가 죽게 되고, 현은 연호를 총으로 쏜 뒤 탈출하다가 총에 맞아 쓰러진다.
- **제재** : 역사적 현실 앞에 놓인 인물의 갈등
- **주제** : 비극적 역사로 인한 갈등을 극복하려는 인물의 의지

---

1. ① — 작품 간의 공통점 파악하기

❶ (가)에서는 제복 제정을 강제하고자 하는 사측의 과장, 사장과 이에 반대하는 민도식, 우기환의 대화를 통해 갈등이 드러나며 긴장감이 조성되고 있다. 또한 (나)에서는 현의 아버지의 죽음에 대한 평가를 두고 현 모와 고 영감이 갈등하는 모습과, 비밀 운동에 동참하기를 권하는 민영과 이를 거절하는 현이 갈등하는 모습이 대화를 통해 제시되면서 긴장감이 조성되고 있다.

② (가)에서는 제복 제정과 관련하여 사장과 사원들이 대립하고 있는 상황에서 이와 무관한 권 씨가 새롭게 등장하고 있으나 이를 통해 갈등 해소의 계기가 마련되고 있다고 볼 수 없다. 또한 (나)는 〈중략〉 이전에는 고 영감과 현 모, 현의 대화, 이후에는 현과 M 선생, 학생들의 모습이 나타나며 갈등이 전개되고 있을 뿐 새로운 인물이 등장하여 갈등 해소의 계기를 마련하고 있는 것은 아니다.

③ (나)의 S#29은 현의 어린 시절로 현의 삶의 태도에 영향을 준 사건을 제시하고 있으나, (가)에는 과거 장면이 나타나지 않았다.

④ (가), (나) 모두 공간적 배경을 사실적으로 묘사하여 시대 상황을 구체화한 부분은 찾을 수 없다.

⑤ (가), (나) 모두 동시에 일어난 사건을 나란히 배치하여 서사 진행을 지연시킨 부분은 찾을 수 없다.

---

2. ⑤ — 외적 준거에 따라 감상하기

① (가)의 '아내'가 장 선생이 새로 맞춘 유니폼을 입고 일찍 출근했다고 민도식을 재촉하는 것은, 제복을 입게 하는 회사의 횡포에 순응하려는 태도(ⓐ)에 해당한다. 한편 (나)에서 현 모는 "현이 아버지 죽음을 못난 죽음이라고는 말해 주세요."라며 남편의 죽음에 대한 고 영감의 부정적 평가에 저항하고 있으므로 세계에 굴복당하지 않으려는 태도(ⓑ)를 드러낸 것으로 볼 수 있다.

② (가)의 상상태는 과장이 화가 나서 사장실로 들어간 것을 신경 쓰며 "즉각 들어와 줘야겠어."라고 말하고 있고, (나)에서 고 영감은 "남이야 뭐라던 그저 죽어지내는 게 절 보존하는 거"라고 말하고 있으므로 둘 다 세계의 횡포에 순응하는 자아(ⓐ)라고 할 수 있다.

③ (가)에서 우기환은 "피고용자한테도 권리는 있습니다.", "나갈 때는 제 맘대로 나갈 수 있으니까요."라고 하면서 사측의 횡포에 굴하지 않으려는 태도를 보이고 있고, (나)에서 민영은 비밀 운동을 조직하면서 "우리는 언제까지나 수동적이어야만 하니."라고 하고 있으므로 둘 다 세계에 굴복당하지 않으려는 자아(ⓑ)라고 할 수 있다.

④ (가)에서 민도식은 자신을 재촉하는 아내에게 "아직도 유니폼 안 입는 회사가 수두룩하단 말야!"라고 대거리함으로써 세계에 굴복당하지 않으려는 자아(ⓐ)의 모습을 보이는 한편, 결국 체육대회 장소로 출근한 것을 통해 순응적인 자아(ⓑ)의 모습을 보이고 있다.

❺ (나)에서 현은 비밀 운동에 동참할 것을 권유하는 친구들에게 "우리가 비밀 운동이나 조직한다구 무어가 달라질까?"라고 회의하는 태도를 보이다가 결국 권유를 거절하며 "미안해"라고 말하면서 돌아서고 있다. 이는 세계의 횡포에 좌절하여 순응하는 모습이므로 ⓐ의 양상을 보여 줄 뿐, ⓑ의 모습으로 전환되고 있는 것은 아니다.

---

3. ② — 다른 갈래로 표현하기

① 〈보기〉에는 M 선생이 불온한 독서회를 열고 과격한 행동을 꾀해서 끌려갔다는 내용이 서술되어 있을 뿐이지만 (나)에는 M 선생과 현이 마주치는 장면이 제시되어 있으므로 적절하다.

❷ (나)에서는 M 선생이 잡혀가는 이유가 학생들이 수군거리는 소리의 효과음을 통해 제시되어 있을 뿐 M 선생이 우상이 되어가는 과정을 엿볼 수 있는 대사는 제시되지 않았다.

③ (나)에서는 M 선생이 잡혀가는 이유가 '모종의 독서회를 열었고, 학생들에게 독립 사상을 주입시킨 혐의' 때문임이 학생들이 수군거리는 소리의 효과음(E.)으로 전달되고 있다.

④ 〈보기〉에는 M 선생이 옥중에서 쪽지를 보낸 학생들을 격려했다는 소문이 제시되어 있는데, (나)에는 이와 관련된 내용이 나타나지 않았으므로 이와 관련된 내용은 생략되었음을 알 수 있다.

⑤ 〈보기〉에서는 현이 R한테서 행동에 관한 권유를 받은 적이 있으나 자기에겐 과중하다고 거절했다는 내용이 제시되어 있을 뿐 당황하는 모습은 나타나지 않으나, (나)에는 비밀 집회와 관련한 대화를 나누며 '흠칫'하거나 '당황'하는 모습이 나타나 있다.

어휘풀이

· **불온하다(不穩——)** 사상이나 태도 따위가 통치 권력이나 체제에 순응하지 않고 맞서는 성질이 있다.

왜 많이 틀렸을까?

이 문제는 소설을 시나리오로 각색하는 과정에서 달라진 점을 파악하도록 했어. 소설은 서술자의 서술을 통해 사건이 전달되는 데 비해 시나리오는 인물의 대사와 지시문을 통해 사건이 전달돼. 지시문은 인물의 행동이나 태도 또는 장면의 설정 따위를 나타내지. 이 과정에서 내용이 생략되거나 추가되기도 하는데, 이 문제는 이처럼 갈래상 표현이 달라지는 부분과 내용이 달라진 부분을 파악할 것을 요구했어. 오답률이 높았던 것은 ③번과 ④번 선택지의 선택률이 높았기 때문인데, 일단 ③번은 M 선생이 잡혀가는 이유를 드러낸 대사가 'E', 즉 효과음으로 제시된 것을 파악하지 못했기 때문이겠지? 그런데 처음 제시된 'E'에 친절하게 '효과음'이라는 설명이 각주로 달려 있었어. 이런 부분을 놓치지 말고 파악해야 해. 그리고 ④번의 경우 내용을 잘못 파악하지 않도록 유의해야 해. (나)에서 M 선생이 잡혀간 이후 상황이 제시되면서 그가 언급되고는 있지만, 쪽지에 대한 언급은 전혀 나타나지 않았거든.

---

4. ② — 제목의 상징적 의미 파악하기

① '민도식'은 사측은 제복으로 사원들의 일체감을 조성하려 하지만 그렇게 해서 얻어지는 것은 단결력보다는 개성이 위축되고 자유로운 창의력이 퇴보되는 것이라고 지적하고 있다. 즉 '민도식'은 옷이 단결을 가져온다는 것에 대해 회의적이므로 이러한 관점을 따를 때 옷이 조직원을 단결시킬 때 '날개'라고 볼 수는 없다.

❷ 민도식은 제복을 통해 일체감, 단결력을 가져오려 하는 것은 개성의 위축과 창의력의 퇴보와 연결된다고 지적하고 있다. 이러한 관점에서 본다면 제목 '날개 또는 수갑'과 관련하여 옷이 개성을 표출하게 할 때는 '날개'이지만 창의력을 퇴보시킬 때는 '수갑'이라고 해석할 수 있다.

③ 민도식은 옷에 바랄 수 있는 것은 보호 기능과 표현 기능 두 가지면 충분하다고 말하고 있으므로 옷이 새로

은 기능을 하느냐 기존의 기능을 하느냐에 따라 '날개'
또는 '수갑'이라고 판단한다고 볼 수는 없다.

④ 제복을 통해 일체감을 조성해 회사를 발전시켜보겠
다고 하는 것은 사측의 입장으로 민도식의 관점에서 볼
때 이것을 '날개'라고 볼 수는 없다.

⑤ 민도식은 옷에 바랄 수 있는 것은 보호 기능과 표현
기능 두 가지면 충분하다고 말하고 있으므로 보호 수단
으로서의 옷을 '수갑'이라고 보는 것은 적절하지 않다.

어휘풀이

• **퇴보(退步)** 1. 뒤로 물러감. 2. 정도나 수준이 이제까지의
상태보다 뒤떨어지거나 못하게 됨.

• **일체화(一體化)** 떨어지지 아니하는 한 몸이나 한 덩어리
로 됨. 또는 그렇게 만듦.

왜 많이 틀렸을까?

이 문제는 오답인 ①번을 선택한 비율이 정답을 선택한 비
율보다 높게 나타나서 오답률이 매우 높았다. 이 문제에서
는 〈학습 활동〉에 제시된 '민도식'이 한 말을 바탕으로 제목
의 '날개' 또는 '수갑'의 의미를 파악해야 했어. 일단 '날개'
는 긍정적인 것, '수갑'은 부정적인 것으로 해석할 수 있다
는 점을 염두에 두고, 선택지에 제시된 '조직원 단결', 조직
원 자유 억압', '개성 표출', '창의력 퇴보', '조직 발전', '조직
일체화', '표현 수단', '보호 수단'에 대한 민도식의 관점을
파악해야겠지? 민도식의 관점에서는 '제복=일체감 조성=
단결력 확보'에 대해 부정적이야. 그것이 개성을 위축시키
고 창의력을 퇴보시킨다고 생각하고 있거든. 이렇게 정리
해 보면 ①번이 왜 잘못된 선택지인지 드러나지?

5.① 구절의 의미 이해하기

❶ ㉠에서는 제복을 입고 안 입는 건 치수를 재고 난 이
후의 일이라고 하며 일단 들어오라고 회유하고 있을 뿐
착용 여부를 선택할 수 있도록 도와줄 것을 약속하지는
않았다.

② ㉡에서는 제복 제정에 협조하지 않는다면 누군가 희
생을 해야 할 수 있다고 압박하고 있다.

③ ㉢에서는 권 씨가 사장실에 뛰어들어 온 상황에 대
해 '한사코 안 된다는데두 부득부득 우기면서'라고 그를
제지하기 어려웠음을 해명하고 있다.

④ ㉣에서는 현에게 함께 행동하자고 말하면서 현의 아
버지가 우상이라고 밝히고 있다.

⑤ 민영이 함께하지 않겠다고 하는 현을 비난하자, ㉤
에서 연호는 현이 홀어머니 때문에 쉽게 움직일 수 없
다며 그의 입장을 대변해 주고 있다.

어휘풀이

• **회유(懷柔)** 어루만지고 잘 달래어 시키는 말을 듣도록
함.

• **대변(代辯)** 어떤 사람이나 단체를 대신하여 그의 의견이
나 태도를 표함. 또는 그런 일.

【6~9】 (가) 이세보, '상사별곡'

작품해설

조선 후기 이세보가 여주목사 재임 기간에 지은 것
으로 알려진 가사이다. 32행 길이의 짧은 형태로
이루어진 단형 가사이자 애정 가사의 일부로 이별
한 임을 그리워하는 모습이 잘 드러난다. 내용상 두
명의 화자가 각자 자신의 사연을 차례로 말하는 것
으로 구분되는데 화자가 이별 상황에서 행복했던
시절을 회상하며 현재 임을 기다리는 어려움을 토
로하고 상사에 괴로워하는 자신의 처지를 드러내는

내용이 전개된다.

놓치지 말자!

■ **갈래** : 단형 가사, 애정 가사
■ **성격** : 연정적, 애상적, 회고적, 비유적
■ **시적화자** : 명시적(여성적 화자)
■ **시적 대상** : 임
■ **시적 상황** : 이별의 상황
■ **시적 화자의 태도** : 상사, 그리움
■ **주제** : 이별의 고통
■ **특징**
　– 대구법, 과장법
　– 내용 전개 과정에서 시간의 흐름이 포착됨.
■ **중요 시구 및 시어 풀이**
　• 황매 시절(黃梅時節) 황매화의 노란 꽃이 피는 봄
　　철.
　• 만학단풍(萬壑丹楓) 많은 골짜기에 단풍이 듦.
　• 낙목한천(落木寒天) 나뭇잎이 다 떨어진 겨울의
　　춥고 쓸쓸한 풍경. 또는 그런 계절.
　• 구회간장(九回肝腸) 지난날을 그리는 애간장.
　• 세우사창(細雨紗窓) 가는 비 뿌리는 비단 창가. 부
　　녀자의 방을 가리킴.
　• 맥맥히 오랫동안.
　• 방춘화류(芳春花柳) 흐드러진 봄의 꽃과 버들.
　• 청산녹수(靑山綠水) 푸른 산과 푸른 물이라는 뜻
　　으로, 산골짜기에 흐르는 맑은 물을 이르는 말.
　• 성화(成火) 몹시 애가 탐.

(나) 정지용, '다도해기5-일편낙토'

작품해설

정지용이 1938년 친한 벗인 김영랑, 김현구 시인과
함께 다도해와 제주도를 여행하고 쓴 신문 연재 기
행문 '다도해기' 중 5번째 글의 일부이다. 지문에서
는 주로 제주도와 한라산의 아름다운 자연 풍광에
대한 감상을 표현하고 있는데, 감각적 묘사와 다양
한 비유적 표현을 활용한 서술 방식이 내용과 잘 어
우러지고 있다.

놓치지 말자!

■ **갈래** : 수필, 기행 수필
■ **성격** : 감상적, 서사적, 비유적, 묘사적, 예찬적,
　감각적
■ **제재** : 다도해 기행
■ **어조** : 감탄하며 말을 건네는 어조
■ **주제** : 한라산과 제주도의 아름다움
■ **특징**
　– 시간의 흐름에 따라 글을 전개함.
　– 색채어를 활용하여 대상이 주는 인상을 시각
　　적으로 제시함.

어휘풀이

• **야색(夜色)** 밤의 경치.

같은작가 다른기출

2018학년도 9월 모의 수능 '달'
2015학년도 수능 '조찬'
2010학년도 6월 모의 수능 '발열'
2005학년도 수능 '인동차'
2000학년도 수능 '향수'

6.③ 작품 간의 공통점 파악하기

① (가)는 '조물의 시기'에서 운명적 세계관이 일부 드러
나나 (나)에는 운명을 수용하는 순응적 자세가 드러나
지 않는다.

② (가), (나) 모두 현재의 삶에 대해 반성하는 모습이
드러나지 않는다.

❸ (가)는 '황매 시절 떠난 이별 만학단풍 늦었으니'에서
봄에 이별한 임이 가을에 이르기까지 소식이 없는 상황
이 제시되었고, '삼하삼추 지나가고 낙목한천 또 되었네'
에서 여름가을에서 겨울에 이르기까지 이별이 이어진
상황이라는 시간의 흐름이 계절의 변화로 잘 드러난다.
또 (나)는 '새벽'에 추자도를 지나 '아침'에 제주도에 도
달하기까지의 여정에서 시간의 흐름이 드러난다. 따라
서 두 작품 모두 시간의 흐름에 따라 내용이 전개되고
있다.

④ (가)에 제시된 자연은 작품 속에서 분위기를 형성하
는 배경으로 기능하고 있고, (나)에서의 아름다운 자연
풍광은 예찬의 대상으로 나타나고 있다. 따라서 두 작
품 모두 인간과 자연의 대비가 보이지 않는다.

⑤ (가)에 임과의 이별로 인한 상실의 경험이 나타나나
이를 극복하려는 의지적 모습은 보이지 않고 (나)에는
상실의 경험이 드러나지 않는다.

왜 많이 틀렸을까?

문학 복합 유형에서 두 작품의 공통된 특징을 비교하는
문제는 항상 출제되고 있는데, 이번 문항은 33% 정답률의
저조한 경향을 보였어. 이러한 문제에서는 표현 방법상의
특징이나 작품 속에 드러난 태도 등을 잘 파악해 보는 것
이 중요한데 (가)와 (나)의 작품을 통해서는 내용 전개 과
정에 드러난 특성을 파악할 수 있어야 해결할 수 있었지.
(가)는 계절을 드러내는 자연물을 이용해서, (나)는 '새벽',
'아침'이라는 시간을 직접 나타내는 표현을 통해 시간의
흐름을 드러내며 내용을 전개하고 있지. 그런데 이러한 자
연물의 등장과 관련해서 많은 학생들이 인간과 자연의 대
비를 통해 주제를 드러내고 있다는 ④번을 선택하는 모습
을 확인할 수 있었어. 시대와 장르를 떠나서 작품의 고유
한 표현 방법이나 특징을 파악할 수 있도록 다양한 작품
을 접해보는 노력이 필요해.

7.④ 작품의 표현상 특징 파악하기

① 화자의 괴로운 심정을, 가슴이 불에 타지만 이를 물
로 못 끄다면서 구체적 현상에 빗대어 표현하며 답답하
고 애절한 심경을 형상화하고 있다.

② 날이 저문 저녁 무렵 들리는 기러기 울음소리는 화
자의 슬픔과 어우러져 애상적 분위기를 자아내고 있다.

③ 한라산의 웅장한 모습을 보고 느낀 감동을 영탄적
표현인 '아닙니까!'를 통해 드러내고 있다.

❹ 한라산이 주는 인상을 다양하게 나열하며 그 아름다
움을 표현하고 있으나, 동적인 속성을 부여하여 표현한
것은 아니다.

⑤ '한라산'의 모습을 '자줏빛', '엷은 보랏빛'과 같은 색
채어를 사용하여 시각적으로 형상화하였다.

고전 시가 ▶ 현대어 풀이

이세보 '상사별곡'

황매화 피던 봄날 떠난 이별 골짜기에 단풍 들어 이
미 시절 늦었으니
그리워하는 이 한마음 끝없는 이 이별에 저도 나를
그리려니
굳은 언약 깊은 정을 낸들 어이 잊었을까.

세상에 일이 많고 조물주가 시기하는지
여름 세 번 가을 세 번 지나가고 나뭇잎이 다 떨어져
찬 하늘이 또 되었네.
구름산이 멀었으니 소식 오기 쉬울 손가.
사람을 기다려도 오지 않는 괴로움에 긴 한숨에 지는
눈물 몇 때런가.
가슴 속에 불이 나니 아홉 구비 간장이 다 타 간다.
세상에 물로 못 끄는 불은 없건마는
내 가슴 태우는 불은 물로도 어이 못 끄는가.
자네 사정 내가 알고 내 사정 자네 아니
가는 비 흩뿌리는 창가에 날 저물고 쓸쓸한 서릿바람
기러기 울음소리에
그리운 꿈 놀라 깨어 오랫동안 생각하니
꽃 버들 흐드러진 봄날의 좋은 시절 강가 누각의 사
찰에서 경치 좋아
나날이 다달이 사랑하는 즐거움으로 화목하게 사귀
었을 제
푸른 산과 푸른 물을 증인 삼아 다음 생애 한평생을
서로 함께 하자던 맹세
못 보아도 병이 되고 더디 와도 애가 타네.
오늘 글발 가는 사연 글자마다 다정하더니
어찌한 우리 이별로 간절하게 그리는 정 참아내기 어
려워라.

---

8. ② 내적 준거를 통해 작품 감상하기

① [A]는 '이별'에서, [B]는 서로 갈리어 떨어짐을 의미
하는 '별리'를 통해 두 화자가 모두 이별한 처지라는 것
을 알 수 있다.
❷ [A]의 '저도 나를 그리려니'는 화자가 임도 나를 그리
워할 것이라는 생각을 드러낸 것이고 [B]의 '자네 사정
내가 알고 내 사정 자네 아니'는 '자네'와 '내'가 서로의
사정을 알고 있다는 것이지 [A]와 [B]의 두 화자가 서로
를 그리워하는 것이 아니다.
③ [A]의 '굳은 언약'과 [B]의 '차생백년 서로 맹세'는 모
두 화자와 임과의 약속으로 영원히 함께 하며 사랑을
이어가고자 하는 기대감을 드러낸 것이다.
④ [A]에 '운산이 멀었으니 소식인들 쉬울손가'에서 '운
산'이라는 장애가 있어 임과의 소식이 닿기 어려운 상황
에 대해, [B]에 '오는 글발 가는 사연 자자획획 다정터
니'처럼 과거에 오가던 다정했던 편지가 끊긴 상황에 대
한 안타까움이 드러난다.
⑤ 사모하는 임을 못 뵈고 그리워하는 상황에서 느끼는
괴로움을 [A]에서는 마음속에 타는 불로, [B]에서는 병
으로 구체화하여 화자가 현재 마음이 아프고 괴롭다는
것을 보여준다.

왜 많이 틀렸을까?

고전 문학을 현대어로 해설하는 어려움이 있어서인지 정
답률 32%의 저조한 결과를 보이고 있는 문항이야. 고전
시가의 내용을 제대로 이해하기 위해서는 작품을 통해 드
러난 화자의 처지, 대상을 바라보는 태도, 토로하는 감정,
배경, 분위기 등을 면밀하게 살펴보는 것이 중요하겠지.
제시된 자료에는 화자의 역할이 간략하게 제시되어 있는
데 이를 통해 지문과 연결할 수 있는 고리를 찾아낼 수 있
어야 해. 제시된 지문은 내용상 두 부분으로 나눌 수 있는
데 각각의 화자는 모두 임과 이별한 상황에서, 임을 그리
워하고 있지. 그런데 두 화자 모두 임과 소식이 원활히 되
지 전달되지 어렵거나 끊긴 상황에 안타까움을 표출하고
있지. 이러한 내용을 헤아리기 위해 상황이나 분위기를 파
악할 수 있는 소재를 찾아서 앞뒤의 문맥을 고려해서 해
석해 보는 노력을 해 보렴.

참고자료

시적 화자의 태도

1. 시적 화자의 태도란?
시적 화자가 시적 제재·독자·사회를 향해 내는
개성적 목소리 및 대응방식을 말한다. 주로 시적
화자의 태도는 '어조'를 통해 드러나는 것이 일반
적이다.

2. 주된 유형
㉠ 예찬적 태도 → 사람이나 대상이 가진 좋은 점
을 찾아서 그것을 칭찬하고 세워주는 태도
예 홀로 내려가는 언덕길 / 그 아랫마을에 등불
이 켜이듯 / 그런 자세로 / 평생을 산다. //
철 따라 바람이 불고 가는 / 소란한 마음길
위에 / 스스로 펴는 / 그 폭넓은 그늘……
— 이형기, '나무'
㉡ 비판적 태도 → 사회나 대상의 잘못된 점을 따
지는 태도
예 송진마저 말라 버린 몸통을 보면, / 뿌리가
아플 때도 되었는데 / 너의 고달픔 짐작도
못하고 회원들은 // 시멘트로 밑동을 싸바
르고 / 주사까지 놓으면서 / 그냥 서 있으라
고 한다. — 김광규, '늙은 소나무'
㉢ 구도적 태도 → 진리나 궁극적인 깨달음의 경
지를 구하는 태도
예 암벽을 더듬는다. / 빛을 찾아서 조금씩 움
직인다. / 결코 쉬지 않는 — 오세영, '등산'
㉣ 긍정적, 낙관적 태도 → 상황이나 대상이 옳다
고 인정하거나 바람직하다고 받아들이는 태도
또는 지금은 어렵고 힘들지만 앞으로 일이 잘
풀릴 것이라고 생각하는 태도
예 자네는 언제나 우울한 방문객 / 어두운 음계
를 밟으며 불길한 그림자를 이끌고 오지만
자네는 나의 오랜 친구이기에 나는 자네를 /
잊어 버리고 있었던 그 동안을 뉘우치게 되
네. — 조지훈, '병에게'
㉤ 달관적 태도 → 세상의 근심 걱정, 사소한 사물
이나 일 등에 얽매이지 않고 세속에서 벗어나
초월한 자세를 보이는 태도
예 모래밭에 본 일이 없는 낙타를 타고 / 세상
사 물으면 짐짓, 아무것도 못 본 체 손 저어
대답하면서, / 슬픔도 아픔도 까맣게 잊었
다는 듯. — 신경림, '낙타'
㉥ 반성과 성찰의 태도 → 자기의 잘못을 되짚어
뉘우치거나, 자신이나 대상을 찬찬히 살펴보는
태도
예 두툼한 개정판 국어사전을 자랑처럼 옆에
두고 / 서정시를 쓰는 내가 부끄러워진다.
— 정일근, '어머니의 그릇'
볕이거나 그늘이거나 혓바닥 늘어뜨린 / 병
든 수캐마냥 헐떡거리며 나는 왔다.
— 서정주, '자화상'
㉦ 의지적 태도 → 절망적이거나 어려운 상황을
이겨내려는 굳센 마음을 먹는 태도
예 한 뼘이라도 꼭 여럿이 함께 손을 잡고 올라
간다. / 푸르게 절망을 다 덮을 때까지 / 바
로 그 절망을 잡고 놓지 않는다.
— 도종환, '담쟁이'
㉧ 수용적 태도 → 어떤 상황을 자신의 운명으로
생각하고 받아들이는 태도
예 이때 나는 내 뜻이며 힘으로, 나를 이끌어가
는 것이 힘든 일인 것을 생각하고, 이것들보

다 더 크고, 높은 것이 있어서, 나를 마음대
로 굴려가는 것을 생각하는 것인데,
— 백석, '남신의주 유동 박시봉방'
㉨ 관조적 태도 → 좀 떨어진 위치에서 거리를 두
고 대상을 바라보면서 차분한 마음으로 그 의
미나 본질을 추구하고 자신에게 비추어보는 태
도
예 크낙산 골짜기가 / 온통 연록색으로 부풀어
올랐을 때 / 그러니까 신록이 우거졌을 때 /
그 곳을 지나가면서 나는 / 미처 몰랐었다.
— 김광규, '나뭇잎 하나'

---

9. ⑤ 작품 종합적으로 감상하기

① '나의 심정의 표피가 호두 껍질같이 ~ 다시 살아나
는 것이 아니오리까'에서 호두 껍질같이 굳었던 청춘의
감성이 한라산을 보며 다시 살아나고 있다고 표현하고
있다.
② '동행인 영랑과 현구'가 '소년'처럼 갑판 위로 뛰어 돌
아다녔다고 묘사하고 있다.
③ 아침에 본 한라산의 모습을 '허리에 밤 잔 구름'을 두
르고 '헌출히 솟아올'랐다고 표현하고 있다.
④ 제주도의 토질을 '흙은 검고 돌은 얽었는데 돌이 흙
보다 더 많은 곳'이라고, 또 사람들에 대해서는 '사람의
자색은 희고도 아름답'다고 묘사하고 있다.
❺ 작가는 소나기를 맞으며 제주 성내로 상륙했는데,
소나기는 금방 개고 햇살이 바다 위에 비쳤다고 서술한
다. 하지만 이러한 날씨 변화로 인하여 제주도의 풍경
을 제대로 감상하지 못해서 아쉬움을 표현하는 부분은
나타나지 않는다.

미니 Test

1. ③   2. ②   3. ③   4. ③   5. ⑤
6. ②   7. ①   8. ①   9. ④   10. ①
11. ④   12. ②

1. ③ 진행자의 역할 이해하기

① '학생 1'은 첫 번째 발화에서 '지난 시간에 어르신들을 위해 ~ 다들 준비해 왔지?'라고 지난 활동을 언급하면서 토의 참여자들의 준비 상황을 확인하고 있다.
② '학생 1'은 첫 번째 발화에서 '지금부터 준비해 온 ~ 계획을 세워 보자.'라고 토의 참여자들에게 논의할 내용을 안내하며 토의를 시작하고 있다.
❸ '학생 1'의 발화에서 토의에 참여한 학생들의 의견을 들은 후 보충 설명을 요청하는 부분은 확인할 수 없으므로 적절하지 않다.
④ '학생 1'은 세 번째 발화에서 '그러면 홍보 포스터를 보고 ~ 출판 기념회를 하자는 거지?'라고 토의 내용을 확인한 후, '그런데 이 활동은 ~ 이야기해 보자.'라고 추가로 논의해야 할 사항을 제시하고 있다.
⑤ '학생 1'은 네 번째 발화에서 '그럼, 제안서 작성을 위해 역할을 나눠 보자. ~ 찾아 주면 좋겠어.'라고 토의 참여자들의 역할을 제안하였고, '다음 시간에는 ~ 오늘은 이만 마칠게.'라며 토의를 마무리하고 있다.

2. ② 말하기 방식 파악하기

① [A]의 '학생 3'은 상대의 말을 재진술하면서 상대의 의견에 동의하고 있고, [B]의 '학생 2'는 상대의 의견과 다른 의견을 제시하고 있으므로 적절하지 않다.
❷ [A]의 '학생 3'은 상대가 제안한 내용을 긍정적으로 수용할 뿐, 근거를 들어 수정 의견을 제시하고 있지 않다. 이와 달리 [B]의 '학생 2'는 어르신을 세 번 정도 뵙자는 상대의 제안에 대해, '자서전 분량이나 녹음 과정을 생각하면 다섯 번 정도는 뵙는 게 좋겠'다고 하며 근거를 들어 수정 의견을 제시하고 있다.
③ [A]의 '학생 3'은 상대가 제시한 내용을 반박하고 있지 않으므로 적절하지 않다.
④ [B]의 '학생 2'는 앞으로의 일의 진행 과정을 설명하고 있지만, 구체적인 사례를 들어 자신의 제안이 실현 가능함을 드러내고 있지는 않다.
⑤ [A]와 [B]의 '학생 3'은 모두 권위자의 말을 인용하여 자신의 의견을 뒷받침하고 있지 않다.

3. ③ 작문 계획의 반영 여부 파악하기

① (나)의 두 번째 문단에서 (가)의 토의에서는 언급되지 않았던 '세대 간 문화 단절 현상'이라는 사회적 문제를 해결하기 위한 작은 실천으로서 봉사 활동을 계획했음을 제시하고 있다.
② (나)의 세 번째 문단에서 '먼저, 홍보 포스터를 만들어 ~ 참가 신청을 받으려고 합니다.', '이후에 어르신들 ~ 완성할 계획입니다.', '그리고 자서전이 ~ 진행하려

고 합니다.'라며 (가)의 토의에서 언급한 봉사 활동 계획을 진행 순서에 따라 제시하고 있다.
❸ (나)의 세 번째 문단에서 토의에서 언급했던 요청 사항을 수용할 경우 복지관 운영에 도움이 되는 부분은 확인할 수 없다.
④ (나)의 네 번째 문단에서 '위와 같이 복지관에서 ~ 얻을 수 있으실 것입니다.'는 (가)의 '학생 2'의 다섯 번째 발화에 나타난 '우리 세대와 어르신 세대가 소통하고 공감할 수 있는 기회'라는 봉사 활동의 의미를 활용하여 요청 사항이 수용되었을 때 기대되는 효과를 제시한 것이다.
⑤ (나)의 네 번째 문단에서 '또한 저희가 찾은 연구 자료에 따르면 ~ 도움이 된다고 합니다.'는 (가)의 토의에서는 언급되지 않았던 연구 자료를 바탕으로 자서전 쓰기의 긍정적 의미를 제시한 것이다.

4. ③ 고쳐 쓰기의 적절성 파악하기

① (나)는 동아리에서 봉사 활동으로 지역 어르신들의 자서전을 써 드리는 활동 계획을 밝히며 복지관에 도움을 요청하는 내용의 제안서이다. 따라서 '선후배 간의 갈등'을 언급한 ㉠은 글의 흐름에 어긋나는 문장이므로 삭제하는 것이 적절하다.
② ㉡의 '완성되어지면'의 '되어지다'는 '-되다'와 '-어지다'의 피동 표현이 불필요하게 중복되고 있으므로 '완성되면'으로 고치는 것이 적절하다.
❸ ㉢의 앞뒤 문장의 관계를 살펴보면 '이런 활동들을 ~ 장소의 지원이 필요합니다.'와 '자서전 출판 기념회 개최를 위한 지원도 요청드립니다.'는 내용상 대등하게 연결되는 문장인데, 앞의 내용과 뒤의 내용이 상반될 때 쓰는 접속 부사인 '그러나'를 사용하는 것은 적절하지 않다. 하지만 이를 수정하기 위해 앞의 내용이 뒤의 내용의 이유나 원인, 근거가 될 때 쓰는 접속 부사인 '그러므로'로 고치는 것도 적절하지 않다. 문장을 병렬로 연결하는 접속 부사인 '그리고', '또' 정도로 고치는 것이 적절하다.
④ ㉣의 '돌이켜' 뒤에 오는 '회고'는 '지나간 일을 돌이켜 생각하다'라는 뜻이므로, 문장 안에 나란히 배치하면 의미상 중복이 일어난다. 따라서 '돌이켜'를 삭제하는 것이 적절하다.
⑤ ㉤의 '지역 주민에게 긍정적인 영향과 복지관의 발전을 추구할'에서 '긍정적인 영향'에 호응하는 서술어가 없으므로, '미치다'라는 서술어를 추가하여 '지역 주민에게 긍정적인 영향을 미치고 복지관의 발전을 추구할'로 고치는 것이 적절하다.

왜H 왜 틀렸을까?

고쳐 쓰기 문제에서 출제되는 기본적인 내용이 제시된 문제인데도 오답률 61%를 기록했어. 사실 고난도 문제는 아니었는데, 화법과 작문 영역에서 시간을 줄이려고 급하게 풀다가 실수를 한 학생들이 많았던 것 같아. ㉢의 앞 내용은 홍보 활동과 녹음을 위한 '장소의 지원'이 필요하다는 것이고, 뒤 내용은 '자서전 출판 기념회 개최를 위한 지원'에 관한 것이야. 이 둘은 인과관계가 없는 서로 다른 내용인데, 지문을 빠르게 읽으려 하다 보니 이를 놓친 것 같아. 시간 단축도 좋지만 그렇다고 해서 꼼꼼함을 잃지는 말자!

5. ⑤ 음운 변동의 개념 이해하기

① '팥빵'은 [판빵]으로 발음되는데, '팥'의 받침 'ㅌ'은 교체 중에서도 '평파열음화'에 의해 [ㄷ]으로 소리나는 것

이다. 한편 '많던'은 [만턴]으로 발음되는데, '많'의 겹받침 'ㄶ' 중 'ㅎ'이 '던'의 'ㄷ'과 만나 축약 중에서도 '거센소리되기 규칙'에 의해 'ㅌ'으로 소리난다. 즉, 〈보기〉의 ⓐ는 교체 중에서도 '음절의 끝소리 규칙', ⓑ는 축약 중에서도 '거센소리되기 규칙'에 해당한다. 한편, '낯설고'는 [낟썰고]로 발음된다. '낯'의 받침 'ㅊ'은 교체 중에서도 '평파열음화'에 의해 [ㄷ]으로 소리나고, '낟'의 'ㄷ'과 '설'의 'ㅅ'이 만나 교체 중에서도 의해 '된소리되기 규칙'에 의해 'ㅆ'으로 소리난다. 따라서 '낯설고'는 ⓐ와 ⓑ 중 ⓐ만 적용된 경우이다.
② 〈보기〉의 ⓐ는 교체 중에서도 '평파열음화', ⓑ는 축약 중에서도 '거센소리되기 규칙'에 해당한다. 한편 '놓더라'는 [노터라]로 발음되는데, '놓'의 받침 'ㅎ'이 이어지는 '더'의 'ㄷ'과 만나 축약 중에서도 '거센소리되기 규칙'에 의해 'ㅌ'으로 소리난다. 따라서 '놓더라'는 ⓐ와 ⓑ 중 ⓑ만 적용된 경우이다.
③ 〈보기〉의 ⓐ는 교체 중에서도 '평파열음화', ⓑ는 축약 중에서도 '거센소리되기 규칙'에 해당한다. 한편 '맞는지'는 [만는지]로 발음되는데, '맞'의 받침 'ㅈ'이 교체 중에서도 '평파열음화'에 의해 [ㄷ]으로 소리나고, 이때의 [ㄷ]이 이어지는 '는'의 초성 'ㄴ'과 만나 동화 중에서도 '비음화'에 의해 [ㄴ]으로 소리난다. 따라서 '맞는지'는 ⓐ만 적용된 경우이다.
④ 〈보기〉의 ⓐ는 교체 중에서도 '평파열음화', ⓑ는 축약 중에서도 '거센소리되기 규칙'에 해당한다. 한편 '먹히는'은 [머키는]으로 소리나는데, '먹'의 받침 'ㄱ'이 이어지는 '히'의 'ㅎ'을 만나 축약 중에서도 '거센소리되기 규칙'에 의해 'ㅋ'으로 소리난다. 따라서 '먹히는'은 ⓐ와 ⓑ 중 ⓑ만 적용된 경우이다.
❺ 〈보기〉의 ⓐ는 교체 중에서도 '평파열음화', ⓑ는 축약 중에서도 '거센소리되기 규칙'에 해당한다. 한편 '애틋한'은 [애트탄]으로 소리나는데, '틋'의 받침 'ㅅ'이 교체 중에서도 '평파열음화'에 의해 [ㄷ]으로 소리나고, 이 [ㄷ]이 이어지는 '한'의 'ㅎ'을 만나 축약 중에서도 '거센소리되기 규칙'에 의해 'ㅌ'으로 소리난다. 따라서 '애틋한'은 ⓐ와 ⓑ 모두가 적용된 경우이다.

6. ② 문장 부호의 용법 파악하기

① '근면, 검소, 협동은 우리 겨레의 미덕이다'는 각각 '근면은 우리 겨레의 미덕이다', '검소는 우리 겨레의 미덕이다', '협동은 우리 겨레의 미덕이다'라는 세 개의 문장이 같은 자격으로 열거된 것으로 이때, ㉠과 같이 쉼표로 연결된 것이다.
❷ '절'이란 두 개 이상의 어절이 모여 하나의 문법 단위를 이루되, 절을 이루는 요소들이 주어와 서술어 관계를 갖고 있는 것을 가리킨다. 따라서 '저 친구, 저러다가 큰일 한번 내겠어'라는 문장의 '저 친구'는 문장의 주어에 해당하며, 주격 조사가 생략된 '구'에 해당한다. 또한 이때 쓰인 쉼표는 문장 앞부분에서 조사 없이 쓰인 제시어나 주제어의 뒤에 쓰는 경우에 해당한다. '따라서 ㉡에 사용된 쉼표는 문장의 연결 관계를 분명히 하고자 할 때 절과 절 사이에 쓴다는 설명은 적절하지 않다.
③ '여름에는 바다에서, 겨울에는 산에서 휴가를 즐겼다'는 '여름에는 바다에서 휴가를 즐겼다'라는 문장과 '겨울에는 산에서 휴가를 즐겼다'라는 문장이 연결된 형태이다. 이때 '휴가를 즐겼다'라는 같은 말이 되풀이되는 것을 피하기 위해 쉼표를 사용하여 일정한 부분을 줄여서 열거하고 있다.
④ '네, 지금 가겠습니다'는 '네'라는 대답하는 말 뒤에

쉼표를 사용하고 있다.

⑤ '나는, 솔직히 말하면, 그 말이 별로 탐탁지 않아'는 '나는 그 말이 별로 탐탁지 않아'라는 문장에 '솔직히 말하면'이라는 어구가 끼어든 형태이다. 이처럼 문장 중간에 끼어든 어구의 앞뒤에 쉼표를 사용할 수 있다.

7. ① 이중 피동 표현 구분하기

❶ '가려진'은 '가리-'('가리다'의 어근)＋-어지-＋-ㄴ'의 형태로, '-어지다'라는 피동 표현이 한 번만 쓰인 경우이다.

② '쓰여진'은 '쓰-'('쓰다'의 어근)＋-이-＋-어지-＋-ㄴ'의 형태로, 피동 접미사 '-이-'와 '-어지다'라는 피동 표현이 모두 쓰인 경우로 이중 피동 표현에 해당한다.

③ '담겨진'은 '담-('담다'의 어근)＋-기-＋-어지-＋-ㄴ'의 형태로, 피동 접미사 '-기-'와 '-어지다'라는 피동 표현이 모두 쓰인 경우로 이중 피동 표현에 해당한다.

④ '열려진'은 '열-('열다'의 어근)＋-리-＋-어지-＋-ㄴ'의 형태로, 피동 접미사 '-리-'와 '-어지다'라는 피동 표현이 모두 쓰인 경우로 이중 피동 표현에 해당한다.

⑤ '보여진'은 '보-('보다'의 어근)＋-이-＋-어지-＋-ㄴ'의 형태로 피동 접미사 '-이-'와 '-어지다'라는 피동 표현이 모두 쓰인 경우로 이중 피동 표현에 해당한다.

오H 말이 틀렸을까?

이중 피동 표현은 자주 출제되는 유형 중의 하나야. 이중 피동의 종류에 대하여 억지로 암기하기 보다는 '피동 표현'의 개념을 먼저 익히고, 내가 이해하기 쉬운 예문을 하나 만들어 봐. 그 예문 위주로 피동의 개념을 이해하고, 이러한 피동 표현을 만들 때 필요한 요소들, 즉 피동 접미사나 '-어지다'과 같은 피동 표현이 불필요하게 반복되는 것을 이중 피동 표현이라고 부르지.

【8~12】김현남, 월간회계'

지문해설

경기 안정 정책 중 확장적 재정정책의 효과를 통화주의와 케인스주의의 입장에 따라 설명한 글이다. 경기가 불안정할 때의 경기 안정 정책으로 정부는 정부 지출과 조세 등을 조절하는 재정 정책을, 중앙은행은 통화량과 이자율을 조정하는 통화 정책을 활용한다. 이러한 정책들의 효과 여부에 대해 통화주의와 케인스주의의 입장 차이를 확인할 수 있는데, 정부의 시장 개입을 최소화해야 한다고 보는 통화주의는 화폐 수요의 변화에 따라 이자율 변화가 크게 나타나고 이자율이 투자 수요에 미치는 영향도 크다고 보기 때문에 확장적 재정정책의 효과는 기대보다 낮다고 보았다. 반면 경기 안정을 위해 정부의 적극적 개입이 필요하다고 보는 케인스주의는 이자율과 역의 관계를 가지는 투기적 화폐 수요가 존재하고, 확장적 재정정책을 시행하여 정부 지출이 증가하면 국민 소득은 증가하지만 그 변화가 화폐 수요에 미치는 영향은 작고 따라서 투자 수요도 예상보다 적게 감소할 것이라 보았다. 또한 케인스주의는 승수 효과를 통해 경기 부양이 가능하다고 본 데 비해 통화주의는 구축 효과에 의해 승수 효과가 감쇄되어 확장적 재정정책의 효과가 기대보다 줄어들 것이라고 보았다.

분석Plus

■ 비문학 지문 어떻게 이해할까?

1문단
재정정책과 통화정책의 종류와 그 효과에 대한 통화주의와 케인스주의의 입장 차이

2문단	3문단
확장적 정책에 대한 통화주의의 입장	확장적 정책에 대한 케인스주의의 입장

4문단
승수 효과와 구축 효과가 나타나는 정도에 따라 달리 볼 수 있는 확장적 정책의 효과

5문단
경기 안정을 위해서는 재정정책과 통화정책을 적절하게 활용해야 함.

■ 주제 : 확장적 재정정책의 효과에 대한 분석

8. ① 세부 내용 파악하기

❶ 네 번째 문단에서 정부가 재정정책을 펼치기 위해 재정 적자를 감수하고 국채를 발행하는 경우가 많다고 언급하고 있을 뿐, 정부의 재정 적자를 해소하는 방법은 제시하지 않았다.

② 첫 번째 문단에서 경기가 좋지 않을 때는 확장적 재정정책이나 확장적 통화정책이, 경기 과열이 우려될 때는 긴축적 재정정책이나 긴축적 통화정책이 활용됨을 알 수 있다.

③ 세 번째 문단에서 '통화정책을 통해 통화량을 늘리고 이자율을 낮추면 투기적 화폐 수요가 늘어나 화폐가 시중에 돌지 않기 때문에 투자 수요가 거의 증가하지 않는다.'라고 한 것을 통해 알 수 있다.

④ 두 번째 문단에서 '불경기에 정부 지출을 증가시키는 재정정책을 펼치면 국민 소득이 증가'한다고 한 것을 통해 알 수 있다.

⑤ 첫 번째 문단에서 경기 안정 정책으로 정부는 정부 지출과 조세 등을 조절하는 재정정책을, 중앙은행은 통화량과 이자율을 조정하는 통화정책을 활용함을 알 수 있다.

9. ④ 세부 내용 파악하기

① 네 번째 문단에서 승수 효과는 '정부의 재정 지출이 그것의 몇 배나 되는 국민 소득의 증가로 이어지면서 소비와 투자가 촉진되는 것'임을 알 수 있다.

② 네 번째 문단에서 구축 효과는 '세금으로 충당하기 어려운 재정정책을 펼치기 위해 국채를 활용하는 과정에서 이자율이 올라가고 이로 인해 민간의 소비나 투자를 줄어들게 하는' 것임을 알 수 있다.

③ 네 번째 문단에서 '통화주의에서는 구축 효과에 의해 승수 효과가 감쇄되어 확장적 재정정책의 효과가 기대보다 줄어들 것'이라고 보았다고 하였는데, 확장적 재정정책은 정부 지출을 늘리는 것이므로 결국 구축 효과는 정부 지출이 기대만큼 효과를 거두지 못할 것이라는 주장의 근거가 된다고 볼 수 있다.

❹ 네 번째 문단에서 승수 효과는 '정부의 재정 지출이 그것의 몇 배나 되는 국민 소득의 증가로 이어지면서 소비와 투자가 촉진되는 것'으로, 케인스주의는 이러한

승수 효과를 통해 경기 부양이 가능하다고 보았음을 알 수 있다. 따라서 승수 효과가 정부가 재정 지출을 늘릴 경우 투자 수요가 줄어들 것이라는 주장의 근거가 된다고 볼 수는 없다.

⑤ 승수 효과와 구축 효과는 모두 경기가 좋지 않을 때 총수요를 증가시키기 위해 정부 지출을 늘리는 확장적 재정정책의 효과들에 대해 분석한 것이다.

10. ① 구체적 사례에 적용하기

❶ 첫 번째 문단에서 정부가 긴축적 재정정책을 활용하는 것은 경기 과열(A)이 우려될 때임을 알 수 있는데, 긴축적 재정정책은 정부 지출을 줄이거나 세금을 올리는 것이므로 이때는 시중의 통화량이 감소(B)할 것이다. 이후 중앙은행이 통화량을 줄이는 정책을 사용하였다면 이는 경기 과열(C)이 우려되어 긴축적 통화정책을 활용한 것으로, 긴축적 통화정책에서는 통화량은 줄이고 이자율은 올린다(D).

오H 말이 틀렸을까?

이 문제는 ③번의 선택 비율이 37%로 높게 나타나 정답률이 낮았어. ①번과 ③번을 비교해보면 C에 들어갈 말이 다르게 연결된 것을 확인할 수 있는데. 그러니까 일단 A, B, D에 들어갈 말은 확실히 바르게 판단한 거야. D에 '올려'가 들어가야 한다는 점을 파악했다면 중앙은행이 긴축적 통화정책을 활용했다는 것을 파악했다는 것인데 긴축적 통화정책은 경기 과열이 우려될 때 활용함을 놓치지 말아야 해. 이 문제를 틀렸다면 지문의 내용을 토대로 빈칸에 들어갈 내용을 추론한 것이 아니라 〈보기〉의 내용 흐름을 보고 왠지 그럴싸해 보이는 답을 찾은 것은 아닌지 검토해 보기를 바라.

11. ④ 내용 적용하여 그래프 이해하기

①, ③ 〈보기〉는 정부 지출을 통해 총생산이 증가된 것을 나타내는데, (가)가 (나)보다 총생산 증가에 따른 화폐 수요가 더 크게 변화하고 이자율의 변화도 크다. 그리고 (가)가 (나)보다 이자율의 변화에 따른 투자 수요의 기울기가 크므로 투자 수요의 변화가 큼도 알 수 있다. 두 번째 문단에서 통화주의는 확장적 재정정책을 펼치면 국민 소득이 증가함에 따라 화폐 수요가 크게 증가하고 이에 영향을 받아 이자율이 매우 높게 상승한다고 보았고, 더불어 이자율에 크게 영향을 받는 투자 수요는 예상된 투자 수요보다 급격히 감소한다고 보았음을 알 수 있다. 또한 세 번째 문단에서 케인스주의는 정부 지출이 증가하면 국민 소득은 증가하지만, 소득의 변화가 화폐 수요에 미치는 영향이 작기 때문에 화폐 수요도 작게 증가할 것이고, 이에 따라 이자율도 낮게 상승하기 때문에 투자 수요가 예상된 것보다 작게 감소할 것이라 보았음을 알 수 있다. 이를 바탕으로 할 때 (가)는 통화주의 그래프, (나)는 케인스주의 그래프이다.

② (가)가 (나)에 비해 총생산 증가에 따른 화폐 수요가 더 크게 변화하고 이자율의 변화도 크다.

❹ 〈보기〉에서는 총생산의 증가가 소득이 증가한 것이라고 가정하고 있으므로, 국민 소득의 변화는 총생산 값의 변화이며 이에 따른 화폐 수요의 기울기는 (나)가 (가)보다 완만하다. 세 번째 문단에서 케인스주의는 확장적 재정정책을 시행하여 정부 지출이 증가하면 국민 소득은 증가하지만, 소득의 변화가 화폐 수요에 미치는 영향이 작기 때문에 화폐 수요도 작게 증가할 것이라 보았다고 한 것을 바탕으로 할 때 (나)는 '케인스주의'의

그래프임을 알 수 있다.

⑤ 〈보기〉에서 G는 이자율의 변화를 고려하지 않고 정부 지출을 통해 총생산이 증가될 것으로 예상된 지점이라고 하였는데, (가), (나)의 G에서 정책 활용 결과 총생산 값을 비교할 때 (나)의 정책 활용 이후의 결과인 ⓒ의 값이 (가)의 재정정책 활용 이후의 결과인 ⓑ의 총생산 값보다 적게 감소했음을 알 수 있다.

12. ② 어휘의 문맥적 의미 파악하기

① '지방에서 중앙으로 가다.'의 의미로 쓰인 것이다.

❷ '이자율이 올라가고'의 '올라가다'는 '값이나 통계 수치, 온도, 물가가 높아지거나 커지다.'라는 의미로, '압력이 ~ 올라가면'의 '올라가다'도 이러한 의미로 쓰인 것이다.

③ '낮은 곳에서 높은 곳으로 또는 아래에서 위로 가다.'의 의미로 쓰인 것이다.

④ '물의 흐름을 거슬러 위쪽으로 향하여 가다.'의 의미로 쓰인 것이다.

⑤ '기세나 기운, 열정 따위가 점차 고조되다.'의 의미로 쓰인 것이다.

[고2 국어 문학]

069

Day 24 • 미니 Test

시험 직전까지
꼭 챙겨 봐야 할
국어 오답 Note

끝난 시험도 다시 봐야 진짜 실력! 자신의 부족한 부분을 채워보세요.
채점 기록표와 자유 연습장으로 학습 효과를 2배로 높여주는 오답노트입니다.

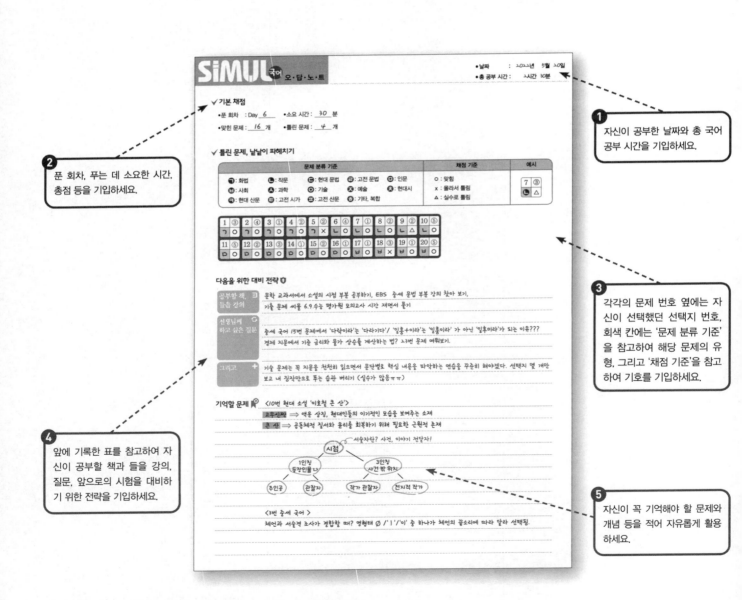

1 자신이 공부한 날짜와 총 국어 공부 시간을 기입하세요.

2 푼 회차, 푸는 데 소요한 시간, 총점 등을 기입하세요.

3 각각의 문제 번호 옆에는 자신이 선택했던 선택지 번호, 회색 칸에는 '문제 분류 기준'을 참고하여 해당 문제의 유형, 그리고 '채점 기준'을 참고하여 기호를 기입하세요.

4 앞에 기록한 표를 참고하여 자신이 공부할 책과 들을 강의, 질문, 앞으로의 시험을 대비하기 위한 전략을 기입하세요.

5 자신이 꼭 기억해야 할 문제와 개념 등을 적어 자유롭게 활용하세요.

뒷면에 있는 오답노트 양식을 가위로 잘라내 복사하거나, PDF 파일을 프린트하여 사용하세요.
골드교육 홈페이지(www.goldedu.co.kr)에서 오답노트의 PDF 파일을 무료로 다운받을 수 있습니다.

✔ 기본 채점

- 푼 회차 : Day _____
- 소요 시간 : _____ 분
- 맞힌 문제 : _____ 개
- 틀린 문제 : _____ 개

✔ 틀린 문제, 낱낱이 파헤치기

문제 분류 기준					채점 기준	예시
ㄱ : 화법	ㄴ : 작문	ㄷ : 현대 문법	ㄹ : 고전 문법	ㅁ : 인문	○ : 맞힘	7 ③
ㅂ : 사회	ㅅ : 과학	ㅇ : 기술	ㅈ : 예술	ㅊ : 현대시	x : 몰라서 틀림	ㄴ △
ㅋ : 현대 소설	ㅌ : 고전 시가	ㅍ : 고전 산문	ㅎ : 기타, 복합		△ : 실수로 틀림	

1	2	3	4	5	6	7	8	9	10

11	12	13	14	15	16	17	18	19	20

다음을 위한 대비 전략 🛡

공부할 책, 들을 강의 ㅋ	
선생님께 하고 싶은 질문 ↻	
그리고 ＋	

기억할 문제 🔖

✔ 기본 채점

- 푼 회차 : Day _____
- 소요 시간 : _____ 분
- 맞힌 문제 : _____ 개
- 틀린 문제 : _____ 개

✔ 틀린 문제, 낱낱이 파헤치기

문제 분류 기준					채점 기준	예시
ㄱ : 화법	ㄴ : 작문	ㄷ : 현대 문법	ㄹ : 고전 문법	ㅁ : 인문	○ : 맞힘	7 ③
ㅂ : 사회	ㅅ : 과학	ㅇ : 기술	ㅈ : 예술	ㅊ : 현대시	x : 몰라서 틀림	ㄴ △
ㅋ : 현대 소설	ㅌ : 고전 시가	ㅍ : 고전 산문	ㅎ : 기타, 복합		△ : 실수로 틀림	

1		2		3		4		5		6		7		8		9		10	
11		12		13		14		15		16		17		18		19		20	

다음을 위한 대비 전략 🛡

공부할 책, 들을 강의 ㅋ	....
선생님께 하고 싶은 질문 ↻	....
그리고 +	....

기억할 문제 🔖

....
....
....
....
....
....
....
....
....